Jeannette Desmarais
Noël 2002
de Stéphane.

CONTES D'ASPHALTE
est le deux cent trente-septième livre
publié par Les éditions JCL inc.

D1113775

Données de catalogage avant publication (Canada)

Bergeron, Mario, 1955-

Contes d'asphalte

Suite de : L'héritage de Jeanne.

ISBN 2-89431-237-7

I. Titre.

PS8553.E678C66 2001   C843'.54   C2001-940148-5
PS9553.E678C66 2001
PQ3919.2.B47C66 2001

© **Les éditions JCL inc.**, 2001
Édition originale: mars 2001

Contes
d'asphalte

DU MÊME AUTEUR:

Le Petit Train du bonheur, Chicoutimi, Éditions JCL, 1998, 369 p.

Perles et Chapelets, Chicoutimi, Éditions JCL, 1999, 543 p.

L'Héritage de Jeanne, Chicoutimi, Éditions JCL, 2000, 437 p.

© **Les éditions JCL inc., 2001**
930, rue Jacques-Cartier Est, CHICOUTIMI (Québec) G7H 7K9
Tél.: (418) 696-0536 – Téléc.: (418) 696-3132 – www.jcl.qc.ca
ISBN 2-89431-237-7

MARIO BERGERON

Contes d'asphalte

LES ÉDITIONS JCL

Nous reconnaissons l'aide financière du gouvernement du Canada par l'entremise du Programme d'aide au développement de l'industrie de l'édition (PADIÉ) pour nos activités d'édition. Nous bénéficions également du soutien de la SODEC et, enfin, nous tenons à remercier le Conseil des Arts du Canada pour l'aide accordée à notre programme de publication.

Gouvernement du Québec – Programme de crédit d'impôt pour l'édition de livres – Gestion SODEC

À Marcel « Junior » Garignan,
Christian « le grand » Therrien,
Daniel Lamy et Richard Saint-Pierre.

Aux héroïnes et héros du quartier
Sainte-Marguerite de Trois-Rivières.

PREMIÈRE PARTIE

LA NAISSANCE
DE CENDRILLON

Juin à août 1947
La pauvre petite infirme

« Mademoiselle Tremblay, allez-vous être *capabe* de faire la classe comme y faut, avec votre infirmité? » de demander l'homme au gros ventre, tout en plantant son énorme cigare nauséabond entre ses lèvres. Il est entouré de quatre hommes à l'air sévère, à demi chauves, tout aussi ventrus, portant des habits trop petits et des cravates trop larges. Carole Tremblay baisse les paupières, puis ouvre les yeux en faisant : « Oui! Oui, bien sûr!» Il ne faut jamais montrer sa faiblesse à cinq patrons qui s'apprêtent à vous confier votre premier emploi comme enseignante. L'homme au cigare est garagiste. Les autres sont épicier, entrepreneur en construction, propriétaire d'un magasin de chaussures et chef d'une entreprise de camionnage. Ils sont tous de vrais patrons canadiens-français. Pas beaucoup d'instruction, mais très débrouillards. À force de serrer les mains de leurs clients et à sourire à tous les voisins, ils ont pu obtenir un poste bien en vue : commissaire d'école. Ils sont populaires dans leurs quartiers, car ils accordent des escomptes à tout le monde et travaillent comme organisateurs de l'Union nationale du premier ministre Maurice Duplessis. «Oui, bien sûr », de répéter Carole, alors qu'elle pense que ces cinq hommes sont des minables de la pire espèce, des illettrés, des parvenus, des roturiers, des m'as-tu-vu.

« Bon, on peut ben vous donner une chance, ma p'tite fille. Vous avez tout un *record* à l'École normale des Filles de Jésus.

— Si vous êtes sûre que votre infirmité nuira pas.

— *Pis* en plus, *nus* autres, on fait confiance aux jeunes. C'est comme ça qu'ça marche, à Commission scolaire de Trois-Rivières.

— Bienvenue dans not' grande famille, mam'zelle Tremblay. »

Carole pousse son siège, s'appuie sur sa canne et avance sa main menue vers leurs pattes velues. En leur tournant le dos pour sortir, elle sent leurs dix yeux visant sa jambe gauche, hésitante et faible, ne trouvant secours que sur cette canne. Il y a un mois, elle avait subi le même sort dans le bureau de la sœur directrice de l'école Sainte-Marguerite. « Êtes-vous certaine que vous serez en mesure de bien enseigner aux enfants avec votre jambe boiteuse, mademoiselle Tremblay? »

La première fois que Carole est entrée dans une salle de classe, lors de son stage, elle était certaine de sa technique, de ses connaissances, de son langage, de son approche, mais elle s'était cogné le nez à trente couventines qui avaient murmuré en même temps : « La maîtresse d'école est une infirme. » Après un mois, ces mêmes enfants avaient rédigé une requête demandant à la sœur directrice de garder Carole comme institutrice. Depuis, Carole est persuadée qu'elle peut enseigner aux petits. Tant pis pour sa jambe gauche qui la fait passer pour une incapable. Mais elle ne sait toujours pas si l'enseignement représente sa bonne voie, si ce métier est vraiment celui par lequel elle pourra s'épanouir intellectuellement.

Enfant, Carole a excellé dans tous les niveaux de son cours élémentaire, terminant deux années avant les autres. À huit ans, elle a fait une crise de larmes à son père Roméo parce qu'elle n'avait eu que 96 % en arithmétique. À neuf ans, elle tenait avec lui des conversations anglaises. C'est à cet âge qu'elle a songé à devenir une enseignante. Elle a aussi pensé à la vie de religieuse. À douze ans, elle parlait latin à la table de cuisine, ce qui enrageait ses frères et sœurs. Carole vivait l'âge ingrat, ce temps de l'attention qu'on cherche toujours à attirer vers soi. Le goût de devenir maîtresse d'école s'était renforcé quand sa tante Louise avait pris la décision héroïque, à plus de quarante ans, de s'inscrire à l'École normale dans le but de devenir enseignante. Depuis des années, tante Louise avait fait de Carole sa nièce favorite, la gavant de chapelets, d'images saintes, de livres édifiants et de médailles bénites. Carole, à l'image de cette tante, était la plus dévote de la famille Tremblay.

Mais à treize ans, soudainement, ses rêves de petite fille se sont rapidement évaporés. Carole a alors décidé de fréquenter l'université. Elle savait que ses résultats exceptionnels au couvent lui ouvraient toutes les portes des hautes études, même celles souvent fermées aux femmes. Son père Roméo l'encourageait vers ce nouveau but. À quatorze ans, Carole tenait des conversations littéraires avec Roméo. Voltaire et Rousseau étaient ses favoris, mais elle comprenait mal l'enthousiasme de son père pour Dickens (dont elle avait lu les œuvres complètes, en anglais, évidemment). Et lui se demandait comment elle pouvait arriver à admirer Proust. Tout s'ouvrait à Carole! Avocat, chimiste, linguiste, archéologue, historien, psychologue, médecin! Tout! Mais quand on peut avoir tout, on a souvent rien, à l'image de ces enfants riches possédant tous les jouets du monde et qui s'ennuient quand même. L'embarras du choix était vraiment un embarras. À quinze ans, Carole a eu le malheur de découvrir les garçons. Des séminaristes, la future élite, avec qui elle parlait de philosophie gréco-latine. Comme elle en savait toujours plus qu'eux, ils finissaient par se lasser de la présence de cette fille jolie, mais beaucoup trop savante, les faisant paraître ignorants et crétins. Vers la fin de la guerre, Carole passait son temps à parcourir la rue des Forges de long en large et, imitant sa sœur Renée, recommandait aux jeunes hommes de ne pas se joindre à l'armée canadienne, d'éviter une guerre qui ne concernait pas les Canadiens français. Mieux que Renée, Carole connaissait toutes les guerres, qu'elle avait lues. C'était peut-être la période la plus heureuse de sa vie. Elle riait tout le temps, s'amusait à flirter avec les garçons – tous les garçons –, s'enivrait des disques de jazz américain sortant du juke-box d'un petit restaurant du centre-ville, sautillait de joie à l'annonce d'un nouveau film de Mickey Rooney. Puis, tout ce beau monde de bonheur et cet avenir resplendissant se sont écroulés quand un chauffard a happé Carole de plein fouet. L'adolescente a roulé vingt pieds plus loin. Deux jours plus tard, Carole a su qu'elle ne pourrait plus jamais marcher comme tout le monde. Sa jambe gauche demeurerait plus molle que la droite et aurait besoin, pour le reste de sa vie, de l'appui d'une canne.

Les mois de décembre 1944 à juin 1945 ont été les plus sombres de la vie de Carole et de celle de son père Roméo. Il souffrait beaucoup des décès presque successifs de son père Joseph, de son fils Gaston et de sa sœur Jeanne, qu'il aimait plus que son existence. Carole, pour sa part, demeurait à la maison, assise dans le fauteuil de sa chambre, faisant semblant de lire quand quelqu'un approchait. Elle broyait du noir, fomentait de sombres pensées contre Dieu et ce cruel destin dont elle avait été la victime injuste. Elle ne sortait plus. Elle ne voulait pas que les gens la voient ainsi diminuée. Lorsqu'elle marcherait dans la rue, la population dirait d'elle : « Oh! comme elle fait donc pitié, cette pauvre petite infirme. Si jeune!» Au milieu du désarroi de Roméo et de l'inactivité affligeante de Carole, se tenait maman Céline qui, à bout de patience, les avait tous deux secoués : « Faites quelque chose de votre vie! Vous m'énervez à vous apitoyer sur votre sort!» Roméo avait l'excuse de s'occuper de sa petite librairie de la rue Saint-Maurice. Mais Céline savait qu'il s'y rendait tous les jours pour attendre qu'elle fasse faillite. Pourquoi travailler quand les trois êtres qu'il aimait le plus étaient tous cruellement décédés et que sa fille la plus intelligente avait été rendue infirme par un écervelé du volant? Carole n'avait pas d'excuse valable pour envisager de passer le reste de sa vie à bouder. Elle était jeune et avait le dossier académique le plus impressionnant qu'on pouvait imaginer. « Tu boites, d'accord! Mais tu es toujours capable de penser et même de marcher! Il y en a des pires que toi!» disait sa mère. C'est sur ce thème que naquit une prise de bec violente entre Carole et son père. Pour le faire taire, Carole lui avait crié : « Pour avoir le bonheur de ne plus t'entendre, je vais m'inscrire à l'École normale et suivre le cours de formation pédagogique pour devenir enseignante!» C'est le cœur lourd que Carole avait fait son entrée à l'institution des Filles de Jésus. Lourd et vide. Elle ne désirait pas réellement devenir maîtresse d'école; elle voulait juste que ses parents cessent de lui faire continuellement des reproches. Une année au pensionnat, loin d'eux, lui ferait le plus grand bien. Les Filles de Jésus, devant les notes scolaires incroyables de Carole, avaient vu tout de suite l'exception extraordinaire qu'elle représentait et avaient accepté que Carole fasse en une seule année ce cours de deux ans. Carole l'avait exigé, se disant en elle-même qu'elle n'avait pas de temps à perdre avec ces enfantillages.

Elle qui aurait pu briller à l'université! Elle à qui tous les grands métiers s'offraient! Elle a décidé de devenir institutrice, pour un salaire de crève-la-faim. En une seule année, Carole a suivi ce cours, avec mention de très grande excellence et une moyenne de 99 %. Elle s'était même contentée du brevet C, le niveau le plus bas de la formation de l'École normale. C'était une bagatelle, ce cours. Aujourd'hui, diplôme en main, Carole ne sait toujours pas si elle tient à enseigner le calcul, la grammaire et la géographie à des enfants d'ouvriers du quartier Sainte-Marguerite. Elle ne ressent même pas l'ombre d'un peu de fierté d'avoir un métier pour la première fois de sa vie.

En sortant de l'édifice de la Commission scolaire, le soleil lui tape dans les yeux. Elle met ses verres fumés et regarde de gauche à droite pour s'assurer que personne ne vient sur le trottoir. Elle déteste être suivie, car les gens chuchotent toujours des âneries sur cette pauvre petite infirme. En longeant les murs, Carole atteint le centre-ville pour attendre son autobus. Malgré une chaleur insoutenable, elle reste immobile pour guetter le véhicule. À deux pas, il y a un coin d'ombre, mais Carole refuse de marcher et d'être ainsi exposée à la foule. Quand l'autobus arrive, elle se presse d'entrer en premier, afin d'éviter les regards des badauds. Elle s'installe tout près de la porte de sortie.

Elle descend rue Champflour. Elle voulait d'abord annoncer la bonne nouvelle à son père, mais elle va plutôt vers *Le Petit Train*, le restaurant tenu par son frère Maurice. Elle n'est pourtant pas la plus intime avec ce frère de douze ans son aîné. Mais elle aime son humour un peu lourdaud qui, au lieu de la blesser, lui donne une curieuse satisfaction. Combien de fois Maurice lui a-t-il dit des phrases en principe blessantes du genre : « Puis? Comment ça marche? » ou « Il faut courir après sa chance » sans pour autant que Carole s'en

15

offusque. Avec sa sœur Renée, il est le seul de la famille à ne pas la prendre en pitié.

« Puis?
— Je viens d'obtenir l'emploi disponible comme enseignante de première année à l'école des filles de Sainte-Marguerite.
— Ah! mais c'est merveilleux, petite sœur! Bravo! »

Carole ne voulait rien de plus que cette phrase banale. C'est mieux que les discours moraux que son père lui a sans doute préparés depuis longtemps. Inévitablement, il lui dira que ce n'est qu'une étape, qu'elle peut en faire davantage. Carole le sait. Mais elle s'en fiche. La joie sans surprise de Maurice la satisfait.

« Tu vas aimer ça. J'en suis sûr.
— Oui. Enseigner aux petites des ouvriers est une noble tâche.
— Absolument! Et ces enfants vont t'aimer. »

Quel mensonge! Les ouvriers indiffèrent Carole! Ils l'énervent! Ils parlent mal et n'ont pas un soupçon de sagesse. Ils boivent de l'alcool et rient fort. Ils sont vulgaires, sans culture et sans éducation, et ils fabriquent des tas d'enfants qui seront aussi des ouvriers à leur image. Mais Carole se dit qu'une instruction primaire de haute qualité pourrait inciter certains d'entre eux à ne pas devenir comme leurs parents.

La paroisse où Carole s'en va enseigner est un quartier ouvrier réputé pour sa pauvreté et la dureté de sa population. Depuis deux ans, le quartier Sainte-Marguerite est cependant le centre d'intérêt de Trois-Rivières, parce que ses ouvriers se sont regroupés en une coopérative d'habitation. Sous la supervision et les encouragements de leur curé, ils bâtissent de modestes maisons dont ils deviennent les propriétaires. Carole a lu les articles dans le journal à ce propos. Mais tout ceci ne la fascine pas. Qu'ils habitent ou non des maisons neuves, ces hommes demeurent des ouvriers sans grande envergure. Et puis, elle a en tête ses souvenirs de jeunesse concernant ce quartier. Tous les voyous de la ville y habitaient et deux d'entre eux l'avaient poursuivie comme du gibier, quand elle avait onze ans. Carole décide de ne pas rencontrer son père à la librairie. Elle rentre chez elle, où sa sœur Renée est en visite en compagnie de sa petite fille Lucie. La présence de cette grande sœur lui évitera le discours de sa mère.

« C'est très bien, Carole. Je te félicite en patate. Ça te ressemble, ce que tu viens d'accomplir. Tu t'étais fixé un but et tu l'as atteint, comme une gagnante, une championne.

— Merci, Renée.

— Comme je te connais, tu dois avoir maintenant un autre objectif à atteindre. Lequel?

— Je veux instruire les enfants afin d'élever leur niveau culturel et intellectuel.

— Tu veux dire que tu veux en faire des patates de snobs comme toi? »

Renée éclate de rire. Carole l'imite. Le sans-gêne de sa sœur a un certain temps agacé Carole, mais, depuis, elle a appris à l'écouter avec un grain de sel. Quand elle avait quatorze ans, Carole prenait Renée comme modèle, confidente et grande amie.

« Je ne veux pas dire que je souhaite que ces gamines deviennent des lectrices assidues d'ouvrages philosophiques. Je désire juste leur apprendre davantage qu'une enseignante ordinaire. Je veux qu'elles puissent lire et comprendre en même temps, qu'elles arrivent à compter de façon intelligente et qu'elles apprennent que la religion, c'est un peu plus que de réciter des prières par cœur.

— C'est beau en patate, être idéaliste.

— Je pense que c'est réaliste. Comme tu disais, il me faut un but. Tant qu'à être enseignante, aussi bien faire exploser les frontières trop traditionnelles d'une instruction qui ne donne pas d'envergure aux gens d'ici. »

Renée hoche la tête, en se disant que sa jeune sœur n'a jamais eu les deux pieds sur terre. Mais elle la laisse parler. Il y a deux ans, suite à l'accident, elle passait son temps à dire que sa vie était terminée. Ses propos d'aujourd'hui sont beaucoup mieux, mais Renée connaît la réalité, si chaude que souvent elle fait fondre les plus beaux idéaux d'un seul clin d'œil. Carole a en sa faveur un amour réel des enfants. Ses neveux et nièces adorent cette jeune tante qui parle si bien, qui a un si joli visage doux et leur raconte de belles histoires. Carole sait les approcher, les faire découvrir, les émerveiller. Elle a lu beaucoup d'ouvrages de psychologie de l'enfance, tout comme elle a étudié les causes profondes de la délinquance sociale qui trouve souvent sa source dans les premières années de la formation scolaire.

Au souper, son père Roméo la félicite « de long en large », ajoutant ce que Carole devinait et ne voulait pas entendre : « Ce sera une belle expérience en attendant d'atteindre des objectifs plus élevés propres aux étudiantes supérieures comme toi. » Le soir, il lui propose une balade en automobile du côté du quartier Sainte-Marguerite, où des ouvriers travaillent à la construction d'une douzaine de nouvelles maisons de leur coopérative d'habitation.

« Je ne comprends pas pourquoi tout le monde parle sans cesse de ces maisons. Je ne vais pas habiter ce quartier. Je vais y travailler.

— Est-ce que tu veux, oui ou non, faire cette promenade en auto?

— Non. J'ai de la lecture. »

Au cours des semaines suivantes, Carole lit des traités de pédagogie. Elle note dans un cahier les pensées importantes des auteurs afin de les enrichir de sa propre réflexion. Elle désire intégrer à ses stratégies d'enseignement les plus récents développements intellectuels dans le domaine de la science didactique. Les Américains excellent dans cette branche. Soudain, son enthousiasme pour son métier l'étonne elle-même, mais la réalité la rattrape quand sœur Angèle, directrice de la petite école Sainte-Marguerite, la convoque à son bureau pour lui remettre les manuels scolaires dont elle devra se servir en septembre.

« N'oubliez surtout pas, mademoiselle Tremblay, que ce sont avant tout des petites enfants.

— Oui, ma sœur.

— Et que vous avez la lourde responsabilité d'une classe de première année. Les premiers pas dans le monde scolaire sont les plus importants.

— Oui, je comprends très bien, ma sœur. Soyez assurée que je m'y prépare de façon consciencieuse.

— Lire, compter, écrire et surtout bien connaître leur catéchisme, voilà la clef de leur succès dans la vie. »

Carole aimerait bien signaler qu'elle n'est pas d'accord, mais elle demeure discrète et polie. À quoi bon dire à cette religieuse qu'elle désire que les enfants apprennent aussi le goût du dépassement, et qu'il se trouve au-delà de ces manuels scolaires archaïques? Soudain, la sœur directrice regarde le gros tas de livres et de cahiers sur son bureau.

« Ma pauvre enfant! Serez-vous capable de transporter une aussi grande quantité de livres, avec votre infirmité?

— Oui. L'autobus passe à deux pas d'ici. Ce n'est pas si lourd.

— L'autobus? Attendez! Je vais téléphoner à monsieur le curé Chamberland! Je suis certaine qu'il pourra prêter son automobile à son bedeau pour vous reconduire chez vous.

— Non, non. Ce n'est pas nécessaire, ma sœur. Merci quand même.

— J'insiste. C'est beaucoup trop lourd! Vous êtes si petite et faible. »

À quoi servirait de lui expliquer que si elle boite, ses mains sont en parfaite condition? Qu'elle ne transporte pas ces livres avec sa jambe et qu'elle a passé sa vie à marcher avec des livres sous les bras? Carole soupire pendant que la sœur donne son coup de fil au presbytère. Elle regarde par la fenêtre, n'écoute pas les banalités que la religieuse continue de lui transmettre. « Oh! c'est monsieur le curé lui-même qui a décidé de venir vous chercher! » dit-elle avec une émotion à peine contenue, embarrassée comme une adolescente recevant pour la première fois un amoureux. Carole voit descendre un prêtre, très petit, portant son chapeau malgré la chaleur, et qui marche avec fermeté jusqu'à la porte d'entrée.

« Monsieur le curé, voici mademoiselle Carole Tremblay, notre nouvelle institutrice qui enseignera aux petites filles de première année, en septembre. » Carole tend la main. Le prêtre hésite quelques secondes avant de lui présenter la sienne.

« Je vous connais. Vous êtes la fille de Roméo Tremblay, le journaliste et écrivain.

— Oui. Mais mon père est maintenant libraire. Il ne travaille plus comme journaliste. Puis il ne rédige plus de romans depuis longtemps.

— Quel gâchis! Votre père écrivait de façon supérieure. Je l'ai souvent rencontré lorsque je m'occupais de nos syndicats catholiques. Mais vous deviez être très jeune à cette époque. Quel âge avez-vous?

— J'ai vingt ans, monsieur le curé.

— Vingt ans! Le bel âge! Bon! Allons-y!»

Sœur Angèle est gênée de voir que le curé ne pense pas à aider Carole à transporter ses livres. Elle prend les bouquins et suit le prêtre, pendant que Carole ferme le cortège. Le curé ouvre la portière de son automobile et regarde la petite boiteuse s'appuyer sur sa canne à chacun de ses pas.

« Qu'est-ce qu'elle a votre jambe, mademoiselle Tremblay?

— Elle est très bien, ma jambe, monsieur le curé.

— En voilà une façon de répondre! C'est ce genre de politesse que vous allez enseigner à nos enfants? Je ne suis peut-être plus une jeunesse, mais j'ai encore de bons yeux pour voir que votre jambe a quelque chose. »

Carole est embarrassée par l'arrogance du prêtre. Habituellement, elle ne répond jamais à des remarques semblables, mais elle ne peut justifier son attitude. Peut-être parce que cet homme lui fait une mauvaise impression. Il parle sèchement et son visage lui apparaît trop sévère.

« Une automobile m'a renversée en 1944. J'ai roulé violemment sur l'asphalte, une partie de mon bassin s'est fracturée et ma jambe gauche s'est tordue, en plus de se casser à plusieurs endroits. C'est pourquoi ma jambe est plus faible et que j'ai besoin de l'appui d'une canne.

— Je vois, je vois. Mais tout ceci ne vous empêchera pas de faire la classe comme il faut, n'est-ce pas? On enseigne avec sa bouche et sa tête.

— Oui.

— Et avec son cœur aussi, mademoiselle Tremblay! Avec son cœur! Enseignez aux enfants le respect des commandements de Dieu et l'amour du prochain. Ce sont les deux matières les plus importantes pour la bonne éducation de nos futures ménagères et mères de famille. »

Le curé regarde prudemment des deux côtés avant de s'engager dans la rue Sainte-Marguerite. Enfin en piste, il appuie sur la pédale d'accélération et regarde rapidement dans son rétroviseur. Il fait un petit geste d'impatience envers un conducteur qui semble chercher une adresse. Carole lui explique la route à suivre, mais il l'interrompt en disant abruptement qu'il connaît le chemin. En ouvrant la porte, il lui propose : « Venez me voir avant le début de l'année scolaire. Mes paroissiens seront contents de vous rencontrer. Ainsi, vous connaîtrez un peu leurs enfants. Mes salutations à votre père et à votre mère. » Il repart de plus belle, laissant Carole sur le trottoir, les bras chargés de ses livres. La mère de Carole accourt pour l'aider, lui demander qui a eu la gentillesse de venir la reconduire. Elle s'immobilise de surprise quand sa fille lui apprend que c'est le curé Chamberland qui vient de lui rendre ce service.

« Le curé Chamberland! Mais c'est un saint!

— Non, maman. C'est un petit homme bête comme ses deux pieds. »

Carole passe le reste du mois de juin à lire les manuels scolaires, se disant sans cesse que toute cette pédagogie n'est pas très contemporaine, que les auteurs font parfois preuve d'un mauvais goût et d'une étroitesse d'esprit affligeants. Ce sont, en général, les mêmes livres que ceux qu'elle utilisait au cours de son enfance, et probablement les mêmes que sa mère étudiait au début du siècle. Dans sa tête et dans ses cahiers de notes se formulent des stratégies nouvelles qui permettront aux enfants de mieux découvrir et comprendre. Mais dès juillet, Carole retourne à ses livres de philosophie et de science, les parcourant terrée dans la cour de la maison, ne sortant presque jamais, vivant à l'écart du reste de Trois-Rivières, comme elle a pris l'habitude de le faire depuis ce jour fatidique où ce chauffard criminel l'a renversée avec une violence primitive. Au milieu d'août, elle revient dans la paroisse Sainte-Marguerite, obéissant à un appel téléphonique de sœur Angèle, afin de participer à des réunions préparatoires avec les autres enseignantes de l'école. D'un premier regard à sa démarche et d'un second à sa canne, ces consœurs ont mis en doute la capacité d'enseigner de cette trop jeune femme, de cette pauvre petite infirme.

Septembre 1947
Faites pareil avec nos enfants

Le jour de la rentrée scolaire, Carole se lève très tôt afin d'éviter la suggestion de son père de la reconduire à l'école. Carole a le goût d'être seule, de ne pas l'entendre faire ses recommandations. Elle monte dans le second autobus de la journée, certaine qu'il sera à peu près vide. Une fine pluie arrose mélancoliquement cette matinée grise de septembre. La voilà face à l'école silencieuse qui, dans peu de temps, sourira aux humeurs des écolières et reprendra vie pour les prochains mois, après son long « hivernement estival ». Lors des réunions du mois d'août, Carole a entendu les enseignantes se plaindre de la petitesse de la bâtisse, de l'inconfort de leur salle de détente, et même des « petits monstres criards » à affronter en septembre. Carole s'était dit qu'il fallait être vraiment dépourvu de conscience professionnelle pour qualifier ainsi les enfants.

Carole entre dans l'école et entend de loin les Filles de Jésus s'activer dans la grande salle de récréation. Elles placent des tables. Carole s'offre pour les aider. « Non! Non! Reposez-vous, mademoiselle Tremblay! » Carole soupire devant l'éternel sous-entendu à son infirmité. Elle marche vers une fenêtre et voit les premières fillettes arriver dans la cour. Elle se sent soudainement nerveuse. Une religieuse vient la chercher, pour lui désigner sa table, où seront appelées ses élèves. Les mères se présentent, en connaissant déjà le nom et la réputation des maîtresses. « Qui est la nouvelle? Elle paraît bien jeune. Elle n'est pas de la paroisse. Vous avez vu? Elle marche avec une canne, la pauvre! » de chuchoter les mamans. Sœur Angèle invite certaines des enfants à se mettre en rang devant la table de Carole. La nouvelle enseignante se lève, met la main sur sa canne, sourit aux petites, qui reculent d'un pas en voyant que leur maîtresse est une infirme.

Mais, d'un autre côté, elles sont enchantées de constater que leur première institutrice est jeune, qu'elle n'est pas une vieille fille grassouillette au visage de bouledogue. Après la prière du matin, les enseignantes se rendent à leur salle de classe avec leurs élèves. « Suivez-moi, les enfants. Et regardez bien où est votre classe. Gardez le silence, s'il vous plaît.» Les petites chuchotent, malgré la demande de Carole. Elle se retourne et les somme de se taire. Carole les place par ordre alphabétique, puis dispose les plus menues face à son bureau et les plus grandes dans le fond du local. Cette tâche terminée, Carole est prête à leur offrir le discours de bienvenue qu'elle mijote depuis deux mois. Mais elle ne peut compléter sa première phrase, interrompue par une fillette qui crie : « Maman! J'veux plus!» Quinze minutes plus tard, les enfants n'obéissent pas à sa consigne et tournent violemment les pages de leurs livres, à la recherche d'images. Une grande rousse réclame à hauts cris d'aller à la toilette. Ça ne fonctionne pas du tout comme Carole avait prévu! Du tout!

Voici le temps de la récréation. Carole a un mal fou à les faire tenir en rang. Une religieuse arrive et dit à Carole de ne pas se fatiguer, qu'elle prendra soin de ses élèves pendant cette pause. À bout de nerfs, Carole lui ordonne de lui ficher la paix. De retour après quinze minutes, les petites ont le goût de continuer à jouer et Carole vient bien près d'exploser d'une colère pas très sage. Puis, elle leur annonce que monsieur le curé Chamberland va venir les voir. Alors, immédiatement, comme par enchantement, ces trente diablesses se transforment en anges blonds et purs, après avoir brièvement chuchoté leur excitation : « Monsieur l'curé va venir! Oui! Monsieur le curé!» À l'extérieur, le ciel s'obscurcit et un coup de tonnerre inattendu fait hurler et pleurer de peur une petite fille, qui ne vient pas à bout de se calmer. Carole se dit qu'on ne lui a pas enseigné une telle situation à l'École normale... Le soleil revient aussitôt que le curé Chamberland entre dans la classe, accompagné par sœur Angèle au large sourire, mais aux yeux un peu malicieux quand elle regarde furtivement Carole. Les enfants se lèvent à l'unisson pour saluer leur pasteur.

« Bonjour, les enfants! Vous êtes contentes d'enfin aller à l'école? » Ouiiiii, monsieur le curé! « Vous avez hâte d'apprendre le catéchisme, à lire et à compter? » Ouiiiii, monsieur le curé! « Vous promettez d'être gentilles avec votre maîtresse d'école? » Oh oui... Le bon curé vante les mérites de la bonne instruction catholique et, avant son départ, distribue des images pieuses. Les enfants comparent les figures sur leurs cartons, tout en ne se privant pas pour exprimer leur grande excitation d'avoir été bénies par le curé Chamberland. Carole saisit sa règle, donne un grand coup sur le bureau en ordonnant le calme. Quand la cloche de l'heure du dîner sonne, Carole reste seule dans sa classe, se perdant en soupirs et sentant son cerveau prêt à éclater en morceaux. À l'extérieur, la pluie reprend de plus belle et un coup de tonnerre fait sursauter Carole au même moment où sœur Angèle entre.

« Vous n'avez pas été très polie à l'endroit de sœur Agathe à la récréation, mademoiselle Tremblay.

— Pardon?

— Vous lui avez dit de vous ficher la paix. Un tel langage ne saura être toléré, mademoiselle Tremblay. D'autant plus que des enfants ont été témoins de votre arrogance inqualifiable.

— Oh! je m'excuserai, ma sœur. Je n'ai pas voulu être impolie. Vous comprenez, j'étais un peu nerveuse et...

— Je ne veux entendre aucune excuse, mademoiselle Tremblay. Aucune! Je vous ordonne de ne plus jamais utiliser un langage semblable envers les enseignantes. Point final! »

Carole se rend à la salle de détente du personnel où elle mange son casse-croûte dans le plus grand isolement. Les autres enseignantes laïques bavardent et n'osent pas approcher la nouvelle pour lui demander comment s'est passé son premier avant-midi. Un peu avant le son de cloche du retour en classe, des pensées plus rationnelles éclairent le cerveau de Carole. Elle se critique. Elle analyse ses torts. Elle n'a pas été assez ferme et claire dans ses consignes. Pourtant, on lui a répété cette règle cent fois à l'École normale. Les enfants entrent dans le local en criant, insatisfaites de ne pas avoir pu jouer dehors, à cause de la pluie. Carole garde le silence en les observant. Peu à peu, les petites se taisent. Alors, elle leur énumère les règles de conduite en classe. « Vous avez bien compris? » Elles hochent la tête positivement. Mais Carole ne pense pas que les enfants promettent aussi rapidement qu'elles oublient. Le reste de l'après-midi se déroule plus paisiblement que la matinée, sauf que Carole remarque quelques fillettes dont les lèvres bougent pour tout et pour rien. Carole a pu voir passer la sœur directrice à quelques reprises devant la fenêtre de sa classe, ce qui l'a rendue encore plus nerveuse. À la cloche de quatre heures, Carole est encore seule dans son local, le cœur un peu lourd. Et personne ne s'informe du déroulement de sa journée. Sœur Angèle lui dit froidement : « À demain, mademoiselle Tremblay. » Carole sort de l'école, les larmes prêtes à couler de ses yeux.

Soudain, elle entend une petite fille pleurer à s'en fendre le cœur. Carole la trouve près de la cour et la reconnaît immédiatement : c'est son élève qui a eu peur en entendant le tonnerre, ce matin. « J'sais plus où est ma maison! » de crier l'enfant, en redoublant ses pleurs de désespoir. Carole cherche à l'orienter, lui faire reconnaître une particularité près de son domicile. Rien à faire! Elle la fait rentrer dans l'école, où la petite sèche un peu ses larmes, tandis que Carole fouille les fichiers d'inscription à la recherche de l'adresse de cette Lucienne Comeau. Elle habite rue Sainte-Marguerite : la même que l'école! Comme il n'y a pas de numéro de téléphone pour avertir ses parents, Carole décide de la reconduire chez elle.

Carole marche, sa canne dans la main gauche, sa valise de livres dans la droite, criant à l'enfant de ne pas aller trop vite devant elle. Les numéros civiques sont petits et Carole murmure pour elle-même que la maison de Lucienne doit être à l'autre bout de la rue, au-delà des limites de Trois-Rivières. Soudain, une averse violente les surprend. La petite se remet à pleurer; elle a peur que le tonnerre ne l'assomme. Elle court pour s'abriter près d'une maison, mais glisse, s'érafle les genoux et hurle sa douleur. Carole presse le pas pour la rejoindre et essayer de la calmer. L'orage est aussi court que spectaculaire. Vingt minutes plus tard, Carole est devant la maison de l'enfant : un taudis aux murs blanchis à la chaux, entouré d'une carcasse de camion, de bidons rouillés et de vieux bouts de bois. Soudain, la porte s'ouvre et un grand gaillard en camisole apparaît face à Carole. Elle s'avance, pose le pied gauche dans une petite mare de boue où sa chaussure s'immobilise. « Tiens! Cendrillon vient de perdre son soulier! » de faire l'homme, avant de se précipiter vers l'enfant, puis vers le soulier prisonnier. Carole se tient en équilibre sur une jambe, mais tombe sur le côté. L'homme part à son secours, la prenant dans ses larges bras pour l'emmener dans la maison.

« Ça va, mademoiselle?
— Non, ça ne va pas! Ça ne va pas du tout! Ça n'a jamais été aussi mal de toute ma vie!
— Tant mieux.
— Tant mieux? Pourquoi?
— Si vous êtes convaincue que c'est aujourd'hui le pire jour de votre vie, il vous reste donc des dizaines d'années de beaux jours. »

Carole sourit brièvement en l'examinant rapidement. Il a un regard perçant, un nez droit et une bouche généreuse. Ses cheveux frisés sont trop longs et lui donnent un air de jeune lion. La musculature de ses biceps ne peut être cachée par sa camisole. Il a un physique athlétique digne d'un dieu de l'Olympe. « Attendez, Cendrillon. Je vais vous mouiller une guenille pour éponger votre robe et votre pied plein de boue. » Pendant qu'il s'affaire à actionner une vieille pompe à eau, l'enfant déballe tous ses manuels scolaires dans le but de les montrer à son grand frère. « C'est bien beau, Lucienne. Mais est-ce que ta maîtresse d'école est gentille? » La petite fille désigne Carole du doigt et le jeune homme fronce les sourcils, un peu rougissant.

« Moi, la première fois que je me suis présenté à l'école, ma maîtresse ressemblait à un poisson, souriait comme un poisson et sentait le poisson. Vous, vous avez l'air douce et gentille. C'est important pour une enfant comme Lucienne.

— Votre jeune sœur s'est égarée. Je suis venue la reconduire.

— S'égarer? Mais c'est sur la même rue! Lucienne! Je t'ai pourtant montré le chemin plusieurs fois! Ce n'est pas bien compliqué! »

Carole ne veut pas s'attarder. Il y a loin à marcher pour atteindre le premier arrêt d'autobus et elle veut profiter du ciel dégagé, avant qu'un autre orage ne lui tombe dessus. Elle est en retard pour le souper et a beaucoup de réflexions et d'ajustements à faire pour demain. Carole s'en va, n'osant pas regarder ce beau garçon qui la salue. Distraite, elle allait remettre les pieds dans la flaque de boue. « Attention! Cendrillon! » Carole marche le cœur aussi lourd que son sac de livres, jusqu'à l'arrêt du transport en commun. Il y a quatre ans, avant que cet accident ne l'enlaidisse autant, elle aurait fait les yeux doux à ce Romuald.

À la maison, ses parents attendent son retour triomphal. « Ça s'est bien passé », résume-t-elle, sans sourire. Son père Roméo sait très bien déceler les mensonges de sa fille. Après le souper, Carole monte à son bureau écrire sa fureur en grosses lettres sur un bout de papier : « Ce sont toutes des petites mal élevées! Et le personnel de l'école l'est tout autant! » Elle le déchire aussitôt. Le jour un n'a jamais existé. On le détruit comme le papier et on recommence de meilleure façon le lendemain.

Carole se place avec fermeté à l'entrée de sa salle de classe. Les enfants entrent en jacassant. Elle voit arriver Lucienne, qui lui avoue gaiement : « Je ne me suis pas égarée! Romuald est venu me reconduire! » Carole ne bronche pas et lui indique son pupitre d'un doigt autoritaire. Après les préliminaires dits sur un ton très ferme, il faut commencer à travailler. Leçon d'alphabet. Les petites ricanent pour un rien. Carole reste calme, efface son sourire. Elle pense à ses lectures de la veille à propos de la discipline en classe. À la récréation, elle descend dans la cour pour surveiller ses enfants, mais elles sont les dernières à obéir à l'ordre de la cloche. Carole leur en fait le reproche sévère, avant de poursuivre avec l'alphabet. Mais trente minutes plus tard, elles sont encore excitées et Carole se perd dans ses réflexions. Et la sœur directrice qui n'en finit plus de passer dans le corridor, en regardant par la fenêtre du local!

Pendant l'heure du dîner, pour oublier cet avant-midi raté, Carole s'éloigne de l'école. Soudain, elle voit dans le champ les maisons de la coopérative d'habitation. S'élançant en plein soleil, elles ressemblent à des blocs placés en ordre par un gamin. Elle avance un peu pour les regarder. Des ouvriers sont en train de travailler à la touche finale. Ce sont des petites maisons ordinaires, modestes, sans grande personnalité puisqu'elles sont toutes pareilles. Mais de les voir si isolées dans ce champ leur donne une apparence étrange. Soudain, une femme arrive près de Carole, deux sacs d'épicerie entre les bras.

« C'est vous, la nouvelle maîtresse?
— Oui. Je m'appelle Carole Tremblay.
— Ma petite fille est dans votre classe. Mireille. Mireille Bronsard.
— Oui, oui, de répondre Carole, sans savoir de qui il s'agit.
— Je demeure là. Mon mari est dans la coopérative. C'est notre maison. Vous vous rendez compte? Notre maison bien à nous! Elle est belle, hein?
— Oui, elle est jolie.
— Faites pareil avec nos enfants, mademoiselle Tremblay. »

La femme s'éloigne, puis se retourne, désigne de nouveau sa maison du doigt, en souriant ridiculement trop. Carole demeure immobile, impressionnée par la fierté curieuse de cette femme, puis songe à la réaction des enfants quand le curé Chamberland est venu, hier matin. En entrant dans sa classe, Carole garde silence. Elle s'assoit sur son bureau, en délaissant sa canne, deux gestes qui font chuchoter d'étonnement les petites filles. « Vous aimez le curé Chamberland? » demande-t-elle, obtenant une réponse unanime et bruyante. « Combien d'entre vous habitent les maisons de la coopérative? » Les élues lèvent la main en un huitième de seconde, un sourire radieux et vantard sur leurs visages. « Celles qui n'y habitent pas souhaitent voir un jour leur famille posséder une de ces maisons? » Oui! Oui! font-elles en brandissant leurs bouches, leurs pieds, leurs mains et leurs têtes. Carole reprend sa canne et donne un vif coup sur le bureau, puis se remet debout.

« L'instruction, c'est tout comme une maison de la coopérative du curé Chamberland. Quand vous commencez l'école, il y a un champ sans maison dans votre vie. Et peu à peu, lentement, avec du travail et de la détermination, vous posez une à une les briques de la maison de l'instruction. Il y a une brique pour l'alphabet, une autre pour le calcul, encore une pour la bienséance et une autre brique pour la lecture. À chaque jour, vous ajoutez une brique à votre maison de l'instruction en faisant bien attention qu'elle soit installée comme il faut. Et toujours vous travaillez fort pour poser chaque brique afin de construire votre maison de l'instruction, tout comme les papas de la coopérative ont travaillé avec ardeur pour construire une jolie maison. Moi, je suis l'architecte de votre maison de l'instruction. Vous savez ce que c'est, un architecte? C'est la personne qui dessine les plans de la maison et qui dit comment faire pour construire une belle maison solide. Sans architecte, il n'y a pas de maison. Sans maîtresse d'école, il n'y a pas de maison de l'instruction. Mais vous êtes les seules à poser les briques de la maison et vous devez le faire en étant gentilles avec moi, votre architecte. Vous posez chaque brique avec l'aide de vos camarades de classe, tout comme vos papas de la coopérative bâtissent les maisons avec leurs amis. Avec le temps, les heures, les jours, les semaines, les mois, vous construisez une belle maison de l'instruction, tout comme vos papas. Est-ce que vous comprenez ce que je viens de dire? » Carole regarde une trentaine de têtes interrogatives et ahuries. Une fillette lève la main pour demander : « Et quand on a fini de bâtir notre maison? Qu'est-ce qu'on fait? » Carole hésite, puis retourne à la chaise de son bureau.

« Vous devenez comme vos mamans et vos papas : vous êtes heureuses en habitant la maison neuve et vous n'arrêtez pas de travailler pour la rendre plus belle. Ici, à l'école, on vous donne tout ce dont vous avez besoin pour construire une belle maison de l'instruction. Mais il faut travailler fort et sérieusement. Je suis certaine que monsieur le curé Chamberland n'endure pas les paresseux sur le chantier des maisons. Quand on est paresseux, quand on ne travaille pas fort à construire sa maison, elle devient vite moins jolie : ses briques ne tiennent plus, ses fenêtres cassent et la mauvaise herbe pousse dans la cour. Prenez l'exemple sur vos papas et vos mamans qui travaillent fort pour avoir leur maison. Ils seront contents de vous, tout comme le curé Chamberland le sera. Et moi, l'architecte, je serai satisfaite de vous. Et en vous voyant, monsieur le curé dira : Tiens! Voilà des vraies petites femmes de la paroisse Sainte-Marguerite, qui ont travaillé fort pour construire leur jolie maison de l'instruction! Vous comprenez? »

De nouveau, Carole fait face à ces têtes questionneuses. Elle sait qu'elles n'ont pas réellement compris, que ces métaphores sont trop complexes pour des petites filles de six ans, enfants d'ouvriers. Mais les écolières demeurent très sages et attentives tout le reste de l'après-midi. En attendant l'autobus, ce soir-là, Carole ne peut s'empêcher de regarder à nouveau ces petites maisons qui se dressent dans le champ. Et si tout à coup les élèves ont réellement compris...

Septembre 1947
Obéir pour maintenir l'immobilisme

Après sa première semaine, Carole sait que les enfants de l'école lui ont trouvé un surnom : Cendrillon-la-patte. Elle n'ignore pas non plus qu'elles ont été impressionnées par son histoire de maisons, qu'elles en ont parlé à leurs parents, à leurs frères et sœurs, aux autres enfants des niveaux supérieurs et même au curé Chamberland. Chaque matin, les petites entrent en classe silencieusement, écoutant attentivement et travaillant avec ardeur. Le vendredi, Lucienne verse encore des larmes à la porte de l'école, ne se souvenant plus du chemin à prendre pour retourner chez elle. L'enfant a aussi dit à Carole, en pleurant, qu'elle n'aura pas de belle maison de l'instruction comme les autres filles de la classe. Devant cet aveu, Carole se passe la méchante réflexion à l'effet qu'il s'agit probablement de la vérité : cette écolière est lente à comprendre des choses très simples. Carole lui assure que sa maison sera la plus belle, à condition d'y travailler.

« Je vais t'aider à construire ta maison. Tu veux bien?
— Oui, mademoiselle.
— Bon! Rentre chez toi et commence tout de suite en regardant comme il faut tes livres!
— Je sais pas où c'est, chez nous!
— Lucienne, ne fais pas le petit bébé. Ta maison est tout là-bas, en suivant la rue, toujours tout droit.
— Où?
— Là! Tu marches devant toi et tu la verras.
— Venez me reconduire, mademoiselle!
— Lucienne, je t'ai indiqué le chemin. Tu es une grande fille et tu es capable de retourner chez toi toute seule.
— Romuald, il voudrait bien que vous veniez me reconduire, lui. »

Carole relève le sourcil devant ce chat sorti du sac. L'institutrice accepte de la reconduire chez elle, après lui avoir fait jurer que c'était la dernière fois, même si, en réalité, Carole souhaite que cela se reproduise souvent. Adolescente, l'ardeur qu'elle mettait à parler aux garçons effrayait son père. Mais depuis l'accident, elle est réaliste et sait qu'aucun homme ne voudra d'une infirme, surtout un bel homme comme ce Romuald Comeau, qui doit avoir à ses pieds toutes les plus jolies filles du quartier. Son regard franc et ses bras musclés ont hanté quelques inutiles heures du temps de Carole, au cours de cette semaine.

Romuald est en train de nourrir les poules quand Lucienne se lance à son cou en criant maladroitement : « Elle est venue! Comme tu me l'as demandé! » Carole rougit. Elle ne voit pas qu'il fait de même. Probablement qu'il désire que Carole lui donne quelques conseils pour aider Lucienne à étudier. « Bonjour, Cendrillon », fait-il presque timidement. Carole n'ose pas lui demander de cesser de la surnommer ainsi. Déjà que les bavardages de Lucienne ont fait leurs ravages dans l'imagination des fillettes de l'école. Cendrillon-la-patte! Quel surnom ridicule et méprisant! Quand elle aura leur entière confiance, Carole leur fera comprendre de ne plus jamais l'affubler d'un sobriquet aussi humiliant.

« Je voulais vous voir parce que je pense que Lucienne a de la difficulté à bien étudier.

— Oui. C'est ce que j'ai deviné. Mais il est un peu tôt pour sauter aux conclusions.

— Vous ne voulez pas?

— Bien, je peux certes vous donner des conseils pour l'aider à étudier.

— C'est très bien! Il fait chaud, hein? Vous voulez de la limonade, Cendrillon? »

Bien qu'elle déteste ce surnom, Carole aime quand le beau garçon le prononce. Il insiste sur le i, prouvant par cet accent qu'il n'est probablement pas natif de Trois-Rivières. En buvant sa limonade, elle apprend que Romuald a vingt-quatre ans et qu'il vient d'Asbestos, qu'il travaille comme ouvrier à l'usine de pâtes et papiers de la Canadian International Paper, qu'il vit avec sa mère et sa sœur Pierrette, toutes deux employées par la compagnie de textiles Wabasso, que le père de famille est décédé il y a environ trois ans, que ceci l'a empêché d'être soldat lors de la conscription. La famille Comeau est arrivée à Trois-Rivières à la fin de la guerre, pour recommencer à neuf dans une nouvelle ville. « Mon père buvait beaucoup et jouait aux cartes pour de l'argent, beaucoup d'argent. Puis il gageait sur les chevaux », confie-t-il, pudiquement.

« À Asbestos, il n'y a que la mine. On y étouffe, même après en être sorti. On ne voit jamais le soleil. Mais à Trois-Rivières, il y a assez d'usines pour faire travailler toute ma famille. Avec toutes les dettes de mon père, on n'avait pas beaucoup d'argent en arrivant ici. On a vendu nos meubles et j'ai pu emprunter pour acheter cette vieille maison. C'est moins beau qu'en loyer, mais, au moins, on est vraiment chez nous. Je fais un peu de réparations, mais le matériel est cher. Quand je suis arrivé, le curé Chamberland avait déjà fait construire les dix premières maisons de la coopérative. Quand j'ai appris que c'étaient des gars d'usine, comme moi, qui devenaient propriétaires de si belles maisons, j'ai cru qu'on me faisait une farce. Mais je me suis vite rendu compte du miracle qu'accomplissait ce saint prêtre! Depuis, j'ai aidé à la construction de toutes les maisons, même si je ne suis pas membre de la coopérative, parce que je ne suis pas marié. Le curé Chamberland peut compter sur moi et il le sait. Quand je vais me marier, je pourrai être membre de la coopérative et devenir propriétaire d'une maison. C'est le rêve de ma vie!

— Avoir une maison ou se marier?

— L'un ne va pas sans l'autre.

— Heu... sans doute.

— Est-ce que tu songes à te marier, toi, Cendrillon? Oh! je m'excuse! Je vous ai tutoyée!

— Ça ne fait rien. Si je songe à me marier? Non, je ne crois pas.

— C'est bizarre!

— Vraiment? Les maîtresses d'école laïques ne sont-elles pas toutes des vieilles filles?

— Les autres, je peux comprendre! Mais pas toi! Tu es bien trop jolie, Cendrillon!

— Appelle-moi Carole. Je te nommerai Romuald. »

Il se met à parler sans pouvoir s'arrêter. Carole est étonnée par ses propos : les mêmes que ceux d'une fille de vingt-quatre ans impatiente de se marier par crainte de terminer ses jours vieille fille. Ses pensées sont parfois naïves, comme lorsqu'il parle des loisirs de ses futurs enfants. Carole cesse de l'écouter pour le regarder, puis une phrase la fait sortir de ce songe : une invitation pour le cinéma du samedi soir.

« J'ai beaucoup de travail, cette fin de semaine. Tu comprends, je suis une débutante et j'ai des leçons à préparer.

— Tu n'aimes pas le cinéma?

— Oh oui! Beaucoup! Mais j'ai du travail samedi soir.

— Un souper dans un restaurant! Ça, ce serait bien! Et ça ne te retarderait pas dans ton ouvrage : à sept heures et demie, tu serais chez toi. C'est raisonnable? Qu'en penses-tu?

— Non, malheureusement, je ne peux pas.

— Bon! Ce sera pour une prochaine fois, alors?

— Oui.

— Très bien! L'autre vendredi? Ça te va?

— Je ne sais pas. »

Carole est sortie de l'école enthousiasmée par l'idée de dessiner sur des cartons des charpentes de maisons pour chacune de ses élèves. Elle coupera aussi des petites briques, des fenêtres, des portes avec le nom de la matière à étudier. Ainsi, à chaque bulletin scolaire, les enfants pourront construire leur maison de l'instruction. Elle esquisse des croquis du modèle de maisons de la coopérative, puis se met à la tâche. Le dimanche, alors qu'elle découpe sa trois centième brique, Carole tombe dans la lune, se disant qu'elle vient de refuser la double invitation du plus beau garçon de Trois-Rivières. Voilà si longtemps qu'elle n'est pas sortie avec un homme. Tous ses amis l'ont délaissée après l'accident et elle n'a jamais cherché à connaître de nouveaux prétendants, de peur de se faire rejeter. Qui voudrait d'une infirme? Pourquoi un garçon s'embarrasserait d'une boiteuse? Pourquoi Romuald l'a invitée? Par politesse, parce qu'elle a reconduit Lucienne à la maison deux fois? Il a dû trouver facilement une autre fille pour sa fin de semaine. Carole sent qu'il vaut mieux oublier ces pensées. Vite, elle découpe une autre brique.

Quand elle montre ses dessins de charpentes de maisons à ses élèves, elles réagissent avec une joie incontrôlable. Carole leur propose de nouveau son discours et présente ses consignes. À la récréation, elles se vantent auprès des autres enfants que Cendrillon-la-patte va leur permettre d'avoir une belle maison, comme celles de monsieur le curé. La sœur directrice entend parler de cette histoire et se presse d'enquêter. Carole lui montre ses maisons de carton et ses briques. La religieuse regarde d'un air sévère, pendant que Carole lui explique le principe.

« C'est très bien, mademoiselle Tremblay. Je suis contente de vous. Voilà une façon intelligente de faire apprendre les enfants. Vous leur donnez un but. Vous savez, ici, le quartier vit au rythme de ces maisons. Vous venez de toucher une corde sensible du cœur de ces petites paroissiennes.

— Merci, ma sœur.

— Mais vous devriez les accrocher au mur. Ainsi, les enfants verraient leurs maisons se construire et elles pourraient comparer avec celles de leurs amies.

— Psychologiquement, il vaut mieux que je garde les dessins dans mon tiroir. Une élève dont la maison ne se bâtit pas aussi vite que celle de sa camarade serait humiliée et découragée. L'apprentissage est un acte intime et personnel. Je n'ai pas à exposer les succès ou les insuccès de tout le monde au risque de troubler certaines.

— Je... Cela mérite réflexion. Ce sont les nouvelles méthodes enseignées à l'École normale?

— Non, c'est un principe élaboré par une équipe de psychologues éducateurs américains.

— Des protestants? Nous, les catholiques, n'avons rien à cacher. Nous en reparlerons, mademoiselle Tremblay. »

Le monde est petit, dans la province de Québec. Volon-

tairement petit, tenu minuscule par des autorités conservatrices fermées à tout ce qui se passe de moderne et de positif
dans les autres pays. Le clergé est petit. Le premier ministre
Duplessis est dix fois plus petit. Ce sont ces réflexions qui
ont mûri dans l'esprit de Carole au cours des trois dernières
années. À la lecture assidue des philosophes du siècle des
Lumières, Carole a découvert l'étroitesse d'esprit de ceux qui
dirigent cette province. Tous ces livres à l'index, cachés, effrontément maudits, contiennent tant de modernisme et de
sagesse! Mais ici, même le premier ministre se vante de ne
jamais lire. « Nous sommes encore au Moyen Âge », de se
dire Carole. Lors d'un voyage organisé par son père Roméo
au Jardin botanique de Montréal, il y a quelques années,
Carole avait eu la joie extrême de rencontrer le frère Marie-
Victorin, un éminent botaniste applaudi mondialement, un
penseur libre et progressiste que Carole écoutait religieuse-
ment à Radio-Collège. Elle avait parlé trente minutes avec
l'éminent savant, ainsi qu'avec un autre père franciscain. Et
Carole avait constaté que ces gens-là étaient d'un autre bois
que les religieux qu'on voit partout dans les rues. À l'Université Laval, Carole aurait pu s'enrichir au contact intellectuel
de ces hommes ouverts et supérieurement intelligents. Karl
Marx est un auteur qui fascine Carole. Mais si elle disait qu'elle
lit Marx, la police arriverait toutes sirènes hurlantes devant la
porte de sa maison pour l'embarquer et l'accuser d'espion-
nage pour le compte des communistes soviétiques. Les Libéraux du dix-neuvième siècle étaient des gens extraordinaires!
Les héros de la Révolution française aussi! Et Luther suscite
l'admiration de Carole. Mais ici, ces gens sont des amoraux,
des agitateurs et le damné qui a inventé le protestantisme!
Dans la province de Québec, tout est petit, comme vient de
le prouver sœur Angèle.

Pourquoi Carole n'a-t-elle pas fréquenté l'université,
comme elle le désirait avant cet accident stupide? Elle aurait
pu, par la suite, travailler à sa thèse de doctorat en France, en
Italie, en Angleterre, là où le savoir est applaudi et où la culture bat au rythme de la vie. La voilà dans une école primaire
d'un quartier pauvre de Trois-Rivières, à penser que tout est
petit, que l'idéal des gens de cette paroisse ne tient qu'au

mince rêve de posséder une maisonnette banale de la coopérative.

Carole connaît bien la Bible, le Nouveau Testament et s'intéresse beaucoup au bouddhisme. Avec un retard de deux semaines réprimandé par sœur Angèle, Carole doit mettre la main sur le petit catéchisme qui rend Dieu et la religion aussi ternes que le gris de la page couverture du livre. Carole a pourtant assuré à sa supérieure qu'elle a parlé de Dieu et de religion à ses écolières, pendant tout ce temps. « Faites-vous lire les numéros un à dix par vos parents, et ensuite, nous allons en parler ensemble », dit-elle. Les enfants, qui voient leurs frères et sœurs apprendre par cœur le catéchisme, se demandent pourquoi il faut en parler. La récréation venue, les fillettes chuchotent entre elles que Cendrillon-la-patte est étrange. « Père et mère tu honoreras, afin de vivre longuement. » Le retenir, c'est très simple! Même un perroquet peut y arriver! Mais comprendre ce commandement de Dieu est plus difficile. « Qu'est-ce que cela veut dire? » demande Carole. Réunies en équipes, les enfants pensent à chaque mot afin de bien comprendre. « C'est quoi, honoreras, mademoiselle? » Évidemment, suite à cette initiative, Carole se retrouve dans le bureau de sœur Angèle, flanquée du curé Chamberland, tous deux inquiets parce que les enfants de sa classe ne sont rendues qu'au numéro dix, alors que les autres enseignantes ont déjà appris à leurs élèves à réciter les dix commandements et les numéros un à trente.

« Mademoiselle Tremblay, nous ne transformerons pas ces enfants en des théologiennes. Ils faut en faire de bonnes catholiques qui connaissent les prières et les règles de notre sainte religion. Si par bonheur et par chance une foi profonde gagne leur cœur, elles iront au couvent pour étudier savamment la parole de Dieu. Mais ne brûlez pas les étapes. Ce sont des petites filles de six ans qui doivent avant tout connaître leur catéchisme, et vous ne les aidez pas avec ces méthodes modernes de discussion, alors qu'on vous demande de leur faire réciter le catéchisme, en attendant qu'elles puissent lire comme il faut dans quelques mois et l'apprendre par cœur. De toute façon, vos méthodes ne font pas partie du programme approuvé par nos évêques. Ces enfants sont la progéniture de gens simples et honnêtes. Contribuez à faire d'elles des catholiques aussi bonnes que leurs mères. Ce n'est pas compliqué à comprendre. » Carole répond « oui » au curé Chamberland et fait semblant d'écouter la réplique de sœur Angèle. Il y a deux jours, elle lui a ordonné de mettre sur le mur les croquis des maisons de l'instruction. Carole avale discrètement un sanglot, alors que le curé Chamberland garde un œil sévère vers elle. Carole se lève, s'appuie sur sa canne et sort du bureau avec un air de chien battu. Le bon curé ne peut s'empêcher de la rejoindre rapidement.

« Ce n'est pas pour mal faire, mademoiselle Tremblay.
— Je comprends.
— Mais vous n'acceptez pas.
— Vous êtes franc, monsieur le curé. Je le serai aussi. Non, je n'accepte pas. Mais je le ferai quand même. C'est si typique du peuple canadien-français : se taire et obéir pour maintenir l'immobilisme.
— Bon! En voilà tout un drame pour si peu! Venez au presbytère. On va en parler doucement, comme des adultes.
— Non. Mais ne vous inquiétez pas. Vos petites catholiques vont savoir leur catéchisme par cœur. Comme depuis toujours. »

Elle s'éloigne rapidement, de peur de se mettre à pleurer devant lui. Le prêtre est fâché de la franchise et de l'attitude enfantine de la jeune enseignante. C'est son devoir de retourner voir sœur Angèle pour lui recommander de surveiller Carole de près. En sortant, il décide de rencontrer Roméo, à sa librairie de la rue Saint-Maurice. Le curé Chamberland parle à Roméo comme à un ami, comme à un père de famille dont la grande fille, toujours mineure, est encore sous son autorité parentale. « Ma fille est une intellectuelle, vous savez. C'est normal pour elle de mettre en doute certaines réalités de notre société. » Le curé reste étonné par cette réponse. Il vide sa pipe dans le cendrier, à petits coups secs et sonores.

« Les règles établies par cette société ont permis à notre peuple de survivre dans sa langue et dans sa foi, alors que le conquérant britannique cherchait à faire de nous des protestants et des Anglais, monsieur Tremblay.

— Je suis bien d'accord avec vous, monsieur le curé. Mais, à ce que je sache, Carole n'a pas cherché à priver ses élèves du catéchisme. Elle veut juste que ces enfants comprennent ce qu'elles apprennent.

— Vous êtes raisonnable, monsieur Tremblay. Vous êtes un adulte d'âge mûr. Je viens à vous comme un prêtre va vers un père de famille. Votre fille m'a semblé révoltée contre les règlements de la sœur directrice. Parlez-lui comme un bon père doit le faire à son enfant.

— Je vais y voir, monsieur le curé.

— Votre fille a-t-elle la foi, monsieur Tremblay? Va-t-elle à la messe?

— Pourquoi ne lui demandez-vous pas?

— C'est vrai! Et je n'ai pas l'habitude de perdre du temps, ni de passer par quatre chemins quand j'ai quelque chose à dire. C'est pourquoi je vais être franc avec vous et vous avouer que votre fille m'intimide. Je ne sais pas pourquoi, mais elle me glace le sang! »

Cette famille Tremblay de Trois-Rivières a depuis longtemps la réputation de ne pas être parmi les meilleurs catholiques de la ville. Ceci origine de l'attitude souvent hostile du jeune Joseph Tremblay, père de Roméo. Sa regrettée fille Jeanne n'allait presque pas à la messe et était une pécheresse reconnue, alcoolique, vivant de façon contre-nature avec une protestante américaine et ayant accouché d'une petite bâtarde, née de père inconnu, alors qu'elle vivait en France. Roméo a enseigné à ses enfants à prier avec leur cœur, attitude qui a fait d'eux des catholiques peu attentifs à la messe. La seule qui était très catholique, selon la tradition, était Carole, la Carole d'avant l'accident. Roméo ne veut pas attrister le curé Chamberland en lui disant que Carole lui a déjà avoué ne plus tellement croire en la justice de Dieu, à cause de son accident, et aussi parce que la puissance divine n'est pas intervenue quand les nazis, comme les pires barbares de l'histoire de l'humanité, ont massacré si cruellement tous ces Juifs d'Europe.

De ce refus de la religion de sa petite enfance, Carole rejette aussi tout le catholicisme démonstratif, disant que les processions du Sacré-Cœur ou de la Fête-Dieu ressemblent en tous points aux parades du père Noël du grand magasin Fortin. Elle déteste aussi Duplessis, symbole parfait d'un statu quo imprégné de catholicisme aveugle. Ayant étudié les discours et les œuvres de grands politiciens comme Wilfrid Laurier, Abraham Lincoln ou Benjamin Disraeli, elle trouve Duplessis vraiment ridicule, grossier et incompétent. Or, dans la province de Québec, tout le monde aime Duplessis et la religion catholique. Mais si Carole a parfois ses humeurs franches, elle n'est pas du genre à ruer dans les brancards, comme sa sœur Renée ou sa tante Jeanne. Fâchée contre les ordres de sœur Angèle et peinée par les propos du curé Chamberland, Carole va tout de suite se défouler en lisant Platon. Cela lui fait du bien, l'empêche de pleurer ou de mordre le premier piéton venu. Ce vendredi matin, Romuald vient reconduire Lucienne à l'école, prétexte pour réitérer sa demande de sortie à Carole. Cinéma? Non. Restaurant? Non. Sûr de son coup, Romuald invite Carole à la messe.

« À la messe? Tu m'invites à la messe?
— Oui! Tu n'es jamais venue à la messe à Sainte-Marguerite? Oh! que c'est beau! Et tout le monde est content, surtout quand le curé Chamberland nous offre un sermon comme lui seul sait les faire! Quand le curé Chamberland fait un sermon, on dirait Jésus parlant aux apôtres!
— Je ne veux pas venir à la messe ici.
— Je suis sûr que le curé de ta paroisse te pardonnerait.
— Il n'y a pas d'autobus le dimanche et c'est trop loin pour venir à pied.
— As-tu une bicyclette? Tu pourrais venir à bicyclette. C'est bon, pour la santé.
— Veux-tu rire de moi, Romuald?
— Non! Pourquoi je rirais de toi?
— Ma jambe! Ma jambe m'empêche de faire de la bicyclette.
— Qu'est-ce qu'elle a ta jambe, Cendrillon? Si tu peux marcher, tu peux pédaler.

— Je t'interdis de te moquer de moi! Ce n'est déjà pas drôle pour moi d'être ainsi diminuée suite à ce maudit accident!»

Carole le quitte à la hâte, enragée par sa façon insultante de faire semblant de ne rien voir, par son admiration aveugle pour ce petit prêtre conservateur et par ses demandes incessantes de sortie, qui ne sont que de la dérision. Après sa journée de travail, Carole rentre chez elle pour bouder et lire, corriger des devoirs, préparer ses cours de la semaine suivante. Sa mère soupire en essayant en vain de savoir ce qui ne va pas. Maman Céline est habituée aux moues de sa fille et de son mari. On dirait que Carole n'est que chambreuse chez ses parents. L'ambiance dans cette maison n'est pas très gaie depuis la mort de son frère Gaston, de celle de sa tante Jeanne et de la disparition de son grand-père Joseph. Avec Carole, il ne reste plus à la maison que Christian, dix-huit ans, qui travaille dans une boulangerie. Les autres enfants Tremblay, Renée, Maurice et Simone, savent que les fins de semaine sont souvent ennuyeuses pour leur mère et c'est pourquoi ils viennent régulièrement passer l'après-midi du dimanche avec elle.

Profitant de cette belle journée du début d'automne, Renée arrive avec son mari Roland et leur fille Lucie. C'est une excuse idéale pour faire sortir Carole et Roméo de leurs cachettes. Les voici dans des chaises de parterre, dans la cour, près du grand chêne. Carole est face à son père, visiblement pas très heureux de recevoir cette visite. Et soudain, voilà qu'arrive Romuald à bicyclette. Il se présente à madame Tremblay comme le meilleur ami de Carole. Cette dernière le regarde avec étonnement, se demandant surtout de quelle façon il a réussi à avoir son adresse. « Il fait si beau. C'est parfait pour faire un tour à bicyclette. » Carole étouffe un éternuement, s'excuse pour chercher de la limonade à la cuisine, poursuivie par sa sœur Renée.

« Patate! Comme il est beau, ce garçon! On jurerait Jean Gabin! C'est ton flirt?
— Renée Tremblay, je t'interdis de rire de moi!

43

— À ta place, voilà longtemps que j'aurais sauté dessus.

— Je vais lui en parler, moi, de son sans-gêne et de sa visite non annoncée!

— Il doit embrasser aussi bien que Cary Grant.

— As-tu terminé d'ânonner des bêtises? »

Quand Romuald annonce à madame Tremblay qu'il est de Sainte-Marguerite, il est tout de suite question du curé Chamberland. Alors le bellâtre résume le sermon de la messe de ce matin. Roland, de son côté, veut parler des maisons de la coopérative. Romuald s'illumine et se vante d'avoir participé à la construction de ces habitations, de connaître la plupart des familles y logeant et ne se gêne pas pour confier qu'il ambitionne de devenir un jour propriétaire d'une de ces maisons.

« Mais pour ça, il faut être marié, je crois.

— Oui, tu as raison. Mais ça viendra.

— Ce sont de vraies belles petites maisons.

— Si on me donnait un million de dollars, je ne me ferais pas bâtir un château. Non! J'aurais une maison pareille comme celles de la coopérative, bâtie par les gars du quartier. Je te le jure! C'est ça, le bonheur! Et chaque jour, je remercie le bon Dieu de m'avoir mis, moi, ma mère et mes deux sœurs, sur le chemin de la paroisse du curé Chamberland. Je prie aussi pour que notre curé garde la santé. Mais je crois au destin. Et c'est Dieu qui nous a conduits vers Sainte-Marguerite, pour qu'un jour j'aie ma maison. Partout ailleurs, dans la province, c'est impossible pour un simple ouvrier d'avoir une maison bien à lui. On est une race de locataires. Et puis avec le salaire qu'on fait, dans les usines... Mais avec le curé Chamberland, tout devient possible!

— C'est un saint homme, de confier maman Tremblay, en joignant les mains.

— Oh oui, madame! Soyez certaine qu'il va aller au ciel à cent milles à l'heure, et que le pape, deux jours après sa mort, va faire de lui un saint. Vous vous rendez compte? Chaque jour, je côtoie un saint! »

Carole n'a pas du tout le goût d'entendre ce genre de fantaisie naïve, mais les autres membres de sa famille semblent intéressés à connaître ce dynamique jeune homme. Quand Romuald parle de son travail à l'usine, de sa mère et de ses sœurs, de ses responsabilités en qualité de remplaçant du père décédé, Carole apprend malgré elle à le découvrir. Madame Tremblay l'invite à partager leur souper, mais Romuald a la politesse de refuser. Il se fait reconduire à la rue par Carole. Le garçon, heureux d'avoir fait ces nouvelles connaissances, attend un sourire de la jeune femme, mais elle ne se gêne pas pour lui faire le reproche de cette visite, et profite de l'occasion pour mettre ses cartes sur table : « Je n'aime pas faire rire de moi. Tu n'es pas mon genre et tu perds ton temps à rôder près de moi. Je suis certaine que tu pourras trouver une fille répondant à tes ambitions de futur mari. Trouve-toi quelqu'un de ta paroisse, avec qui tu vas te marier et avec qui tu pourras être heureux dans une maison du curé Chamberland. » Romuald, qui ne s'attendait pas à cette réplique, fait un sourire embarrassé, regarde l'asphalte cinq secondes, puis relève la tête avant de lui dire, avec un air malicieux : « C'est important, Cendrillon, d'être en paix avec soi-même et d'avoir un but dans la vie. » La remarque assomme Carole. Comment diable ce garçon a-t-il pu deviner tout son être, tous ses conflits, tous ces démons qui trop souvent lui tiraillent le cœur, depuis son accident?

La jeune institutrice dort mal, cette nuit-là. Le matin, ses élèves l'attendent avec joie pour une nouvelle semaine de découvertes. Sans sourire, Carole leur demande de prendre leur petit catéchisme. Elle fait la lecture des dix premiers numéros et leur ordonne de répéter. Le manège dure près d'une heure. Elle leur dit de les apprendre à la maison, avec l'aide de leurs parents ou de leurs frères et sœurs, car il y aura une récitation dès vendredi. Après, elle les prie de prendre leur cahier d'arithmétique. Mais alors qu'elle écrit une addition au tableau, les grosses larmes nouant sa gorge sortent de ses yeux. Elle laisse tomber sa canne pour s'éponger, perd l'équilibre et s'écrase sur le plancher, sous les cris effrayés des élèves.

Cette semaine est horrible pour Carole. Les enfants

notent son manque d'enthousiasme et leur attitude suit la même courbe. Le mardi, sœur Angèle vient lui demander si elle s'est enfin décidée à enseigner le catéchisme comme il faut. Comme il est impératif qu'elle se mette à cette tâche, la religieuse lui indique que le curé Chamberland viendra lui-même faire l'examen de catéchisme vendredi. En l'annonçant à ses élèves, la veille, Carole sent un vent de panique s'emparer d'elles.

« Bonjour, les enfants. Je suis bien content de vous rencontrer pour savoir si vous avez été de bonnes paroissiennes qui étudiez fort votre catéchisme. Souvenez-vous que si vous ne l'apprenez pas comme il faut, vous ferez de la peine au petit Jésus. Mais je suis certain que vous avez obéi à votre maîtresse et que vous avez étudié comme de bonnes filles. » Le petit prêtre pose les questions une à la fois, et les enfants répondent en chœur. Il a l'œil vif et repère rapidement celles qui bougent à peine les lèvres. Une fillette roule ses yeux trois fois avant de répondre à une question personnelle du curé. Elle se trompe de quatre mots et l'homme la reprend. Content, le curé Chamberland félicite les élèves et les bénit. Il tire au sort des images du Sacré-Cœur puis, se retournant vers Carole, dit aux enfants : « Je suis certain que votre maîtresse est fière de vous parce que vous avez bien étudié. Continuez et le petit Jésus ne vous oubliera pas, surtout si vous priez chaque soir avant de vous coucher. Vous pouvez aussi réciter le chapelet avec vos parents quand il passe à la radio. » Carole tient son rôle et demande aux enfants de se lever pour saluer poliment le bon curé. Après son départ, Carole a encore le goût de pleurer, car elle vient de voir ses écolières faire les gestes de sa propre enfance. Les mêmes que ses frères et sœurs, que ses parents. Petit. Immobilisme. Les ouvriers demeureront ouvriers. L'élite restera l'élite. Les patrons seront toujours des Anglais. Et, avec un peu de malchance, Duplessis sera centenaire. Rien ne bouge dans un monde imparfait jugé comme parfait.

En sortant de l'école, ce vendredi, Carole hésite entre l'est et l'ouest, car elle a le goût de voir Romuald. Mais l'orgueil lui dicte de ne pas se rendre à sa maison. Elle monte dans son autobus, comme à tous les jours, mais ne roule pas cent pieds, et descend pour se mettre à marcher rapidement vers le domicile du jeune homme. Jamais de sa vie elle n'a tant maudit sa canne et sa jambe déficiente. Elle aimerait avoir de nouveau seize ans, courir vers le garçon, lui sourire, lui parler avec enthousiasme. Décoiffée, en sueur, Carole arrive à la maison et ne cogne pas à la porte avant d'entrer. Surpris, Romuald la regarde et ne fait que : « Salut, Cendrillon. » Carole ouvre la bouche, mais aucun son n'en sort. À quoi bon? Comprendra-t-il sa colère? Comme tout le monde, Romuald a été endoctriné par le catéchisme, par l'élite et ses patrons. Petit ouvrier il est, petit ouvrier il demeurera. Un numéro sur la liste de paie du comptable de l'usine Canadian International Paper. Et Carole est certaine qu'il doit voter pour Duplessis.

« Notre monde est tellement petit, Romuald!

— Oui? Ça s'peut. Mais si on est bien dedans, il devient le plus beau et le plus grand de tous. »

Octobre 1947
La fille du roi

« Faible! Je suis faible! » s'est dit Carole, la première fois qu'elle a accepté de faire une sortie avec Romuald. Soirée au Cinéma de Paris, puis visite à la salle Notre-Dame pour entendre une chorale. C'est lors des deux soupers au restaurant que Carole s'est rendu compte que ce garçon parlait pour lui-même et qu'elle l'imitait. Il l'a entretenue de baseball, de pêche, de son travail à l'usine et, encore une fois, de sa sainteté le curé Chamberland. Elle s'est ennuyée à faire semblant de l'écouter. Puis Carole lui a parlé de ses propres passions : Bach, Voltaire, Baudelaire et Proust. Comme Romuald s'est forcé pour ne pas lui bâiller en plein visage!

Mais il ne s'est rendu compte de rien d'alarmant, continuant à lui téléphoner – et il doit marcher deux milles pour le faire – à l'attendre à la sortie de l'école. Il lui a confié qu'il a eu beaucoup de plaisir lors de leur dernière sortie. « Oui, au fond... » de se dire secrètement Carole : le plaisir de son regard, de sa belle voix, de ses lèvres invitantes. Peut-être pense-t-il de la même façon. Romuald la traite avec respect. Sans doute attend-il la vingtième sortie pour lui demander d'être sa blonde. Pendant cette attente, le sommeil de Carole est perturbé par le souvenir amer des baisers qu'elle échangeait autrefois avec ses amoureux. Tous des bons garçons du séminaire Saint-Joseph avec qui elle pouvait parler latin et discuter d'art byzantin. Mais quand venait le temps d'embrasser, ces pauvres garçons faisaient bien piètre figure. Carole se fiche de savoir si elle se comporte bien ou non quand elle saute à la bouche de Romuald. Il y a en son cœur cet attrait indéniable et la possibilité de le voir expert dans l'étreinte. Comme c'est le cas, Carole se sent au paradis et ne veut pas que cette joie cesse, jusqu'à ce qu'il la repousse délicatement.

« Ça... ça veut dire que tu m'aimes?
— Ne pose pas de questions. Continuons. »

Il ne peut y avoir de bienséance morale quand le corps de Carole frémit d'envie. Elle se sent prête à aller jusqu'au bout, sachant que peut-être plus jamais aucun autre homme ne lui fera le plaisir de sa chair partagée.

« Moi, je t'aime, tu sais, Cendrillon.
— Pourquoi t'aimerais une boiteuse? Beau comme tu es, tu peux avoir toutes les filles de ton quartier d'un seul claquement des doigts.
— Oh! je sais ça! T'inquiète pas! Les plus belles filles de Sainte-Marguerite passent leur temps à tourner autour de moi. Elles sont jolies, mais tellement idiotes. Elles n'ont rien dans la tête. Toi, tu es intelligente et très instruite. Je pense que c'est primordial pour une mère de famille d'avoir beaucoup d'instruction pour élever mes enfants.
— Pardon? »

Carole recule la tête et l'interroge du regard, de tout son être. Romuald hausse les épaules et avoue : « Tu ne veux pas te marier avec moi? » Carole soupire et se défait de son emprise.

« Mais non! Je ne veux pas me marier avec toi! Qu'est-ce qui te fait croire une telle chose?
— Ben... On s'est embrassés, non? C'est comme un pacte. Un contrat.
— Pas dans mon esprit!
— Tu as raison! C'est stupide de ma part de dire ça! C'est un peu tôt pour songer au mariage!
— Voilà qui est plus sage.
— On y verra le printemps prochain. La coopérative va construire de nouvelles maisons et je suis certain que le curé Chamberland ne m'oubliera pas.
— Tu veux te marier avec moi pour avoir une maison? de hurler Carole, abasourdie.
— Mais ce sera notre maison! Pas juste ma maison! Puis celle de nos enfants. »

Carole demeure dans la lune, pensant soudainement à cette histoire des filles du roi, sélectionnées par le bon souverain Louis XIV et son ministre Colbert, arrivant en Nouvelle-France dans le but de peupler le territoire. Des filles de bonne éducation et en parfaite santé, mariées quelques semaines, parfois quelques jours, après leur arrivée.

« Je pense à nous deux. À notre avenir. Tu verras, tu seras enfin heureuse.

— Enfin? Pourquoi, enfin?

— Parce que tu ne l'as jamais été de ta vie.

— Je t'interdis de juger ma vie! »

Carole essaie de ne plus revoir cet hurluberlu. Elle donne l'ordre à ses parents de ne pas lui acheminer les appels téléphoniques de ce cinglé et l'ignore avec froideur quand, chaque jour, il se rend à l'école pour l'attendre. Un jeudi, Carole, exaspérée par ces visites répétées, se tourne vers lui et dit : « Si tu n'arrêtes pas de venir ici chaque jour pour me voir, je vais me plaindre au curé Chamberland! Ce n'est pas bien pour un paroissien de venir reluquer une enseignante à la porte de l'école! » Romuald se sauve tout de suite à pleines jambes...

Carole a trop à penser pour perdre son temps aux fantaisies de Romuald. Après la crise du catéchisme de septembre dernier, Carole a vécu la crise de la lecture, sœur Angèle se plaignant que Carole utilisait d'autres livres que ceux prescrits par les évêques éducateurs. Carole devine qu'elle verra bientôt naître la crise de la bienséance ou du dessin. Pourtant, la sœur directrice ne voudrait surtout pas parler contre Carole, qui est une jeune enseignante ne regardant pas les heures, très professionnelle et qui a su gagner rapidement la confiance des enfants, après une première semaine difficile. De plus, Carole parle un français de haute qualité, a une culture supérieure aux autres institutrices et est un exemple de courage, à cause de son infirmité. Quel mal à suivre le programme, qui a fait tant de bien à des générations de petites filles? Souvent, sans être polissonne, Carole répond à la sœur directrice, prouvant qu'elle a ce grand défaut d'être têtue.

« Il faut apprendre aux enfants à se surpasser, à aller au-delà de tout! » répète Carole, alors que sœur Angèle lui rappelle encore et encore que ces enfants ne deviendront pas des philosophes, mais bien de bonnes mères de famille. Alors Carole fait la moue et répond évasivement un : « Oui, ma sœur » révélant que la jeune femme n'accepte pas son autorité, ni celle du système éducatif en place depuis des années, qui a fait ses preuves, et que même le premier ministre Duplessis considère comme le meilleur au Canada. Carole ignore aussi qu'elle est souvent le sujet de conversation des femmes de la paroisse. « La nouvelle maîtresse d'école. Vous savez, la petite boiteuse? Il paraît qu'elle est bien bonne, malgré qu'elle soit une infirme. » Mais d'autre part, on jase aussi du fait qu'elle a un air détestable, qu'elle parle comme une snob, qu'elle se pomponne un peu trop pour une maîtresse d'école et qu'elle méprise les ouvriers. Les mères de ses élèves sont cependant très enthousiastes et se vantent auprès des autres femmes d'avoir Carole comme maîtresse d'école de leurs enfants. Carole a reçu, de leur part, quatre invitations à souper, trois pour un samedi de magasinage et deux propositions pour un dimanche après-midi à la maison. Carole refuse poliment, prétextant être très occupée à préparer ses leçons, raison qu'elles ne croient pas. Elles pensent pour elles-mêmes qu'il est vrai que la jeune Tremblay a un petit aspect snob. Mais Carole ne ment pas : s'il paraît facile d'enseigner ABC et 1 + 1 = 2 à des fillettes de six ans, la jeune enseignante ne peut se contenter des méthodes traditionnelles. Elle passe ses fins de semaine à réfléchir, à analyser, à évaluer, à consulter les meilleurs ouvrages pédagogiques. Carole a toujours été excessive dans tout ce qu'elle a entrepris. Elle a perpétuellement voulu se dépasser et continue à le faire, même si elle sait que sœur Angèle lui interdira ces expériences.

Son père Roméo, toujours aussi morose et de plus en plus inactif, la regarde travailler autant avec curiosité que fierté. Il reconnaît les attitudes si typiques de sa fille. Mais toujours persiste-t-il à croire que c'est une perte de temps de travailler pour quinze dollars par semaine, alors qu'elle pourrait briller dans une université. Roméo ne voit cependant pas toutes les longues minutes que Carole passe le cœur vide devant ses livres ouverts. Il ne sait pas que Romuald lui remue tous les sens, tant par son physique invitant que par les grandes vérités qu'il lui dit, avec son langage simple d'ouvrier. « Tu n'as jamais été heureuse de ta vie. » L'écho de cette remarque n'arrête pas de hanter Carole. Pourquoi ce garçon sans instruction a-t-il pu facilement deviner une si grande vérité en si peu de temps? Pourquoi la sait-il si mal dans sa peau? Et pourquoi a-t-il des attitudes si enfantines à son égard? « La fille du roi! Moi, une fille du roi!» Pour se débarrasser de cette idée, Carole va se rafraîchir la mémoire de cette histoire ancienne de Nouvelle-France. Les colons avaient de vastes territoires à explorer, pour faire du commerce avec les Indiens, d'immenses terres à cultiver, mais ce qui leur manquait le plus, c'était des femmes. Mais quelle Française du dix-septième siècle aurait été assez folle pour partir à l'aventure dans le Nouveau Monde? C'est pourquoi Louis XIV recruta ses pupilles parmi les orphelines et les malchanceuses du royaume, leur donnant une prime de mariage et payant leurs frais de transport pour venir épouser les sujets de ce pays froid et sauvage. La plupart trouvaient rapidement un mari. Malheureuses en France, elles avaient maintenant un mari, des enfants, une maison, tout comme le désir de Romuald pour Carole. La majorité de ces pupilles de Sa Majesté venaient de l'Île-de-France et de Normandie, avaient entre seize et vingt ans. Le roi les voulait courageuses, saines et probes. Il en est venu près de huit cents, entre 1663 et 1672, dont quatre-vingts ont trouvé mari dans la région immédiate de Trois-Rivières. Carole est peut-être descendante de l'une d'entre elles. Moi, le colon Romuald Comeau, désire la fille du roi Carole Tremblay, pour avoir feu et lieu en cette terre et fonder une famille. Et que ça saute! Merci, Votre Majesté, de m'avoir envoyé cette Tremblay.

Et que sont les autres jeunes femmes de son âge? Mariées, ou en attente prochaine de l'être. Ses compagnes du couvent se sont dirigées vers des métiers propres à la condition féminine : secrétaires, infirmières ou enseignantes, en attendant de se marier. Les autres sont sur le point de devenir religieuses. Carole n'a jamais eu d'amies véritables. Personne n'aime une perpétuelle première de classe, surtout quand elle se donnait des airs d'en savoir plus que les sœurs enseignantes. Au Canada français, on glorifie la simplicité, qui, souvent, est synonyme d'ignorance. Avoir trop de connaissances est souvent perçu comme douteux, dangereux.

Carole n'a jamais sérieusement songé au mariage, sinon avec un intellectuel qui comprendrait qu'on peut avoir des enfants et mener une carrière. Mais depuis l'accident, il n'en est plus question. Elle se juge laide, avec ce handicap. Elle n'a de coquetterie que pour son visage. Ses robes et ses jupes sont ternes. Ses consœurs de l'école ne se gênent pas pour dire entre elles que Carole est mal habillée, ne donne pas un bel exemple vestimentaire à ses élèves. Son père Roméo sait que Carole est la plus jolie de ses filles, et celles-ci, Simone et Renée, ne seraient pas peinées d'entendre leur père l'avouer. Mais Carole se trouve horrible. Une Quasimodo femelle : la beauté n'est que dans le cœur. Mais le sien est en bouillie depuis qu'elle a rencontré Romuald. Carole ignore que bien des filles du quartier Sainte-Marguerite sont d'une furieuse jalousie de savoir que le beau Romuald s'est épris de cette boiteuse. On ne sait trop d'où est née cette rumeur que Carole a osé refuser Romuald, qu'elle l'a envoyé promener dans les choux. C'est peut-être lui-même qui en a parlé, sans s'en rendre compte. Les filles, sachant l'infirme éloignée du bellâtre, ont recommencé à ronronner près de lui, et Romuald a répondu à l'une d'entre elles que « Cendrillon va bientôt cesser d'être fâchée ».

Comme les méchantes sœurs de la vraie Cendrillon, ces malheureuses décident d'une vengeance pour remettre à sa tâche cette torcheuse de planchers. Il ne fait pas trop beau quand trois d'entre elles s'approchent de Carole, qui attend paisiblement l'autobus. Leurs pas décidés inquiètent soudainement la menue maîtresse d'école. « T'es pas de la paroisse et tu vas laisser Romuald tranquille! » Carole n'a pas le temps de réagir qu'une des filles donne un coup de pied sur sa canne. Voilà Carole dans l'herbe fraîche, ayant un mal fou à se relever, voyant s'éloigner ces délinquantes, balayant l'air avec sa canne. Carole réussit à s'accrocher à un poteau de téléphone et geint toute seule en pleurnichant : « Je le savais que c'était un quartier comme ça! » Elle regarde derrière et aperçoit son sac sur le point de s'ouvrir, prêt à laisser s'envoler les copies de devoirs des élèves. Elle laisse son poteau, tombe et se traîne jusqu'au sac, s'en saisit, puis retourne au poteau en rampant. Elle voit arriver de loin le curé Chamberland, essaie de se donner de la contenance, mais sa robe mouillée, son bas déchiré et sa coiffure désordonnée la trahissent.

« J'ai été attaquée, monsieur le curé! Vous comprenez? Attaquée! Par trois de vos paroissiennes qui m'ont volé ma canne sans laquelle je ne peux pas marcher!

— Qui a fait ça? Décrivez-les-moi.

— Et être à la source d'une autre guerre et risquer de me faire encore agresser? Jamais!

— Donnez-moi la main. Je vais vous aider. Allons au presbytère et on tirera tout ça au clair. »

Carole fait « ouille » au troisième pas. Le curé s'immobilise, puis l'invite à s'accrocher à son cou. Tout en se sentant humiliée d'être portée par le petit prêtre, Carole cherche sa canne du regard.

« Je vais vous reconduire chez vous, où vous prendrez une autre canne. Mais je vous ordonne de me décrire les vauriennes qui ont fait une chose aussi honteuse.

— Je ne vous le dirai pas et je n'ai qu'une seule canne.

— Comment, une seule canne? Quelle imprudence! »

Le curé dépose Carole sur une chaise, dans son bureau, pendant que la ménagère court vite à la salle de bain chercher des tampons, des pansements et de l'iode. « Qui? Qui? » répète le curé. Devant le refus de Carole, le prêtre soupire d'impatience en étirant les bras.

« Dans quelle direction sont-elles parties?

— Je ne vous le dirai pas.

— Comment voulez-vous qu'on retrouve votre canne si vous ne me le dites pas?

— Oui... évidemment. La même que nous avons empruntée.

— Donnez-moi trente minutes et je reviens avec votre

canne. Ma sœur va panser vos blessures et vous préparer du thé pour vous calmer. »

Carole n'a pas le temps de protester que le curé remet son chapeau et sort en claquant la porte. Elle n'entend que le tic-tac de l'horloge et son regard est attiré par la bibliothèque volumineuse du prêtre. Se tenant contre le bureau, elle avance et force son regard pour lire des titres. Vie des saints, histoire de la chrétienté, compilation de lettres pastorales du diocèse, philosophie gréco-latine, l'œuvre de monseigneur Bourget. La ménagère arrive avec son plateau et la remet dans le monde de la réalité par un plaignard : « Ma pauvre enfant! S'attaquer à une petite infirme! Il n'y a plus de monde! Je suis certaine que mon frère ne laissera pas un tel crime impuni! » Carole donne un coup de tête pour replacer ses cheveux et lui demande : « Le curé est votre frère? » Carole réclame le livre de philosophie gréco-latine à cette femme au physique aussi ingrat que celui du petit prêtre. Carole se plonge dans cette lecture, oubliant totalement ce qui vient de lui arriver, pendant que la femme est à ses genoux et mouille d'iode sa jambe. Les livres ont ceci de magique qu'ils absorbent les gens, font oublier la réalité et rendent insensible au mal.

Carole ignore que le curé Chamberland lève une véritable battue pour retrouver sa canne. Pas moins d'une quinzaine de personnes ratissent chaque coin de la rue Sainte-Marguerite. Un ouvrier, tout fier, court vers son curé en brandissant le trésor retrouvé dans une poubelle. Carole sourit à peine en remettant la main sur son précieux objet. Le curé a l'air autant survolté qu'à son départ. La canne permet à Carole de s'approcher de la bibliothèque. Le curé Chamberland regarde le volume que Carole vient de déposer sur son bureau.

« Vous lisez en latin?

— Oui. J'ai étudié au couvent, non?

— Bien des couventines et des séminaristes cessent de lire le latin en entrant dans une carrière laïque.

— Platon en latin, c'est si beau. Mais c'est encore mieux en grec.

— Vous lisez le grec aussi?

— Ainsi que l'anglais et l'allemand. Un peu d'espagnol, aussi.

— Heu... oui! Bon! Mademoiselle, il faut me décrire les pécheresses qui ont posé ce geste et je dois aussi connaître les raisons de leur acte.

— Je ne vous le dirai pas.

— Vous êtes très têtue.

— Merci pour votre hospitalité. Je dois rentrer chez moi. J'ai du retard.

— Je vais vous reconduire avec mon auto.

— Je vais prendre l'autobus.

— Têtue et orgueilleuse!»

En entrant chez elle, Carole monte rapidement à sa chambre pour enfiler un pantalon et ainsi cacher à sa mère sa blessure au genou. Il ne s'est rien passé. Rien du tout. Mais Carole bouillonne encore contre Sainte-Marguerite. La pauvreté entretenue n'apporte que d'autres misères, dont ces trois filles sont le plus bel exemple. Si on leur avait enseigné le goût de se dépasser, le culte de la beauté de la culture, elles n'auraient pas été jalouses et fait cette bêtise.

Le bel idéal de Carole de vouloir changer les attitudes sociales en enseignant le goût du dépassement aux enfants vient de dégringoler de quelques crans suite à cette attaque et face à l'attitude majoritaire de ses élèves. «Que voulez-vous faire quand vous serez grandes?» leur demande Carole. Bien sûr, à six ans, elles veulent toutes devenir comme leurs mamans. Mais Carole leur pose cette question dans l'espoir de voir un signe de différence chez l'une d'entre elles. Rien. Celles qui ne veulent pas faire comme maman désirent devenir religieuses ou maîtresse d'école. Une petite répond, des étoiles au fond des yeux, qu'elle veut se marier et habiter une maison du curé Chamberland. Mireille, la plus douée de la classe, a une mémoire bourdonnante. Elle ingurgite tout ce qu'elle peut entendre et le retourne à Carole impeccablement, mais il est très évident qu'elle n'y comprend rien. À quinze ans, cette petite machine à tout répéter aura tout oublié. Carole essaie de leur apprendre à comprendre et à devenir curieuses. Elle ne sait pas si la stratégie fonctionne. À long terme, peut-être que la flamme du véritable désir de découverte s'illuminera chez certaines. Alors celles-là ne seront pas du genre à attaquer sournoisement une institutrice infirme. Quand Carole était jeune, les Trifluviens surnommaient le quartier Sainte-Marguerite *Le Petit Canada*. Les mères recommandaient à leurs enfants de ne pas s'y rendre à bicyclette et les jeunes filles devaient éviter de fréquenter seules ce coin de leur ville. On leur parlait des pauvres, qui font bien pitié et qu'il faut aider en donnant des boîtes de conserve et des vieux vêtements. Depuis, Carole a appris que le dénuement matériel découle de la pauvreté intellectuelle. En apportant une instruction supérieure et en donnant le goût de se surpasser, Carole veut vaincre ce type de misère. Qu'arrivera-t-il quand elle retournera en classe lundi? Carole devine qu'une rumeur de l'incident sera parvenue jusqu'aux oreilles des enfants. Comment se servir de cette mésaventure pour instruire les jeunes? N'est-ce pas là une magnifique occasion de faire de la prévention? De préparer une leçon de religion où il sera question de respect, d'amour, de tolérance? Carole réfléchit à ces questions et conclut : « C'est extraordinaire, ce qui vient de m'arriver! Quelle grande occasion d'éduquer les enfants! » Elle passe son samedi à réfléchir, noter, écrire, préparer un exposé de leçon de vie. Elle se remet au travail le dimanche midi quand, tout à coup, son père Roméo lui annonce l'arrivée de ce garçon athlétique si charmant. Carole soupire et descend au salon où elle se retrouve nez à nez avec un Romuald nerveux, qui ne s'embarrasse pas de la présence des parents de Carole et de son frère Christian pour aller droit au but.

« Qui a fait ça?

— Je ne comprends pas ce que tu veux dire.

— Qui a volé ta canne et t'a frappée vendredi à la sortie de l'école?

— Mais de quoi parles-tu?

— Je suis au courant et toute la paroisse aussi, car le curé Chamberland a fait un sermon que personne ne va oublier! C'est la honte sur nous tous de savoir que trois filles ont pu te faire une telle chose. Je veux savoir qui!

— Oh non... Il n'a pas raconté cette histoire à tout le monde... »

Quoi? Quoi? Qu'est-ce qui se passe? de se demander Roméo et son épouse Céline. Alors, Carole est obligée de tout dire. Romuald garde son regard perçant, assoiffé de vengeance, tout en ayant un air protecteur qui agace Carole.

« Tout ceci, c'est un peu ce quartier, papa.

— Ce n'est pas vrai, Carole! Ce ne sont pas tous les gens de la paroisse qui sont comme ça! On a du cœur! On est honnêtes! Ce n'est pas parce que trois têtes folles ont fait une bêtise que tu as le droit de dire que la paroisse Sainte-Marguerite est habitée par des voyous!

— Mais je n'ai jamais affirmé une telle chose, Romuald! Tu interprètes ce que je dis! Et puis, tu as l'air trop vengeur! Moi, je pardonne. Je tire une leçon de tout ceci. Chercher à dire ma façon de penser à ces filles ne fera que jeter de l'huile sur le feu et les motiver à recommencer. Je suis certaine que le curé Chamberland a dû parler de tolérance, de respect et d'amour dans son sermon.

— Oui, c'est un peu vrai. Mais moi, je...

— Tu oses désobéir à ton curé, Romuald?

— C'est une affaire personnelle!

— Je te l'interdis! Ce n'est ni sage ni intelligent! Je n'ai pas à être vengée. Je dois être un bon exemple pour mes élèves et je ne le serai pas en devenant le sujet de croisade du preux chevalier Romuald Comeau. »

Voilà de nouveau Carole fâchée contre Romuald. Il croyait pourtant qu'elle serait flattée d'être protégée. Il est tellement certain qu'elle est folle de lui autant qu'il est fou d'elle. Il le sait. Il constate qu'il doit la connaître davantage pour être son véritable amoureux. Romuald se trouve soudainement malhabile. Il s'apprête à s'excuser et à rejoindre les siens quand Roméo, constatant avec joie que le cœur de ce garçon bat si fort pour sa fille, invite Romuald à passer l'après-midi à la maison. Céline ajoute qu'il pourra rester pour le souper. « Maman, je n'ai pas le temps », de marmonner Carole, entre les dents. C'est ainsi que Romuald se retrouve au salon, entre Roméo et son épouse, pendant que la jeune institutrice est remontée à son bureau pour compléter sa préparation de cours.

« C'est pas vrai que la paroisse Sainte-Marguerite est comme ça, monsieur Tremblay. Je vous le jure.
— Carole se fie à la réputation qu'avait ce coin de Trois-Rivières quand elle était petite. Ma fille est très instruite, mais elle n'a que vingt ans, Romuald. À cet âge, on fait encore des erreurs de jugement. Il ne faut pas lui en vouloir.
— Je la trouve si intelligente. C'est bon pour nos enfants. »

Roméo croit qu'il parle des enfants de l'école. Il renchérit sur le sujet. Romuald l'écoute à peine, songeant aux petits qu'il aura de Carole. Il sera bien dans cette belle-famille. Ils sont chaleureux et simples, malgré leur grande maison riche. Romuald connaît aussi Maurice, le frère de Carole, propriétaire de ce petit restaurant de la rue Champflour. Il se souvient aussi avec joie de Renée et de son mari Roland. Le jeune Christian est sympathique, aussi. Et voilà qu'arrive l'autre sœur, Simone, en compagnie de son mari François et de leurs quatre enfants. « Comme cette famille a l'air heureuse! » de se dire Romuald.

« Carole, est-ce à toi ce beau garçon qui est avec papa au salon?
— Non, Simone, ce n'est pas à moi.
— Renée m'en a parlé et...
— Renée est une bavarde. Tu m'excuseras, j'ai du travail.
— C'est très mal élevé de fuir la visite.
— Il le sait! Je lui ai dit que j'ai du travail! Il a compris, lui! »

Carole n'ignore pas que son attitude est, en effet, impolie. Mais elle a le devoir de compléter cette préparation de cours. Dix minutes après le départ de Simone, elle jette son crayon sur son bureau et soupire en se frottant les yeux. Elle va jusqu'à l'escalier et appelle Romuald. Le garçon hésite à obéir, demande la permission à Roméo. Il pense qu'elle est dans sa chambre et monte l'escalier le cœur battant. Il se demande quel genre de père est Roméo de permettre à un garçon de rejoindre sa fille dans sa chambre. Mais Carole occupe un bureau de travail et de lecture dans la pièce jadis habitée par son défunt frère Gaston. Carole y est tranquille, sous la domination d'une grande quantité de livres, impeccablement rangés sur des tablettes. C'est la première chose qui frappe Romuald en entrant : il n'a jamais vu autant de bouquins de sa vie.

« T'as pas lu tout ça...
— Si, bien sûr.
— Et qu'est-ce qu'ils racontent?
— Les livres font les gens. Dis-moi ce que tu lis et je te dirai qui tu es.
— Moi, je ne lis pas. Je ne suis pas une personne, donc?
— Tu n'as jamais lu un livre, Romuald?
— À part ceux de la petite école, non. Tu sais, on n'a jamais eu d'argent. Mais je lis le journal et l'almanach! Ma mère aime bien *La Revue moderne*. Puis j'aide Lucienne à faire ses lectures.
— Et le conte de Cendrillon qui perd son soulier? Comment se fait-il que tu le connaisses?
— Oh! ce sont des vieilles histoires que tout le monde raconte! »

Carole voulait le faire monter pour avoir un tête-à-tête sérieux sur la situation ridicule qu'il entretient dans son imagination, mais quand elle voit son regard de petit enfant impressionné par le décor de son bureau, elle le trouve attendrissant. Elle pose la main rapidement sur un livre précis, sans se tromper, cherche *Cendrillon ou la petite pantoufle de verre* de Charles Perrault.

« En verre? Et c'est une pantoufle? Pas un soulier?
— Regarde. Voici la véritable histoire de Cendrillon. Tu la liras.

61

— Tu me prêtes ce livre?

— Oui.

— Merci! Je vais faire attention! »

Elle aurait pu lui prêter l'histoire des filles du roi, mais elle craint qu'il ne la trouve formidable. En mettant ses mains sur le petit manuel, il serre les lèvres et le regarde, puis pose les yeux vers Carole, qui se sent rougissante et embarrassée.

« C'est ici que je travaille, que je corrige les devoirs et prépare les leçons.

— Oui, c'est très beau. Tu es bien chanceuse d'avoir tout ça pour toi. Oui... (Il réfléchit quelques secondes.) En fait, je ne devrais pas dire ça. La chance, on se la fait en travaillant fort. Ton père n'a pas dû se tourner les pouces pour avoir une si belle maison. Et toi aussi. Pour avoir toute cette instruction, tu as travaillé fort. C'est comme ça que je vois la vie. Mon père nous empêchait de vivre, avec sa boisson et son jeu. On se cachait quand il arrivait à la maison. Ce n'est pas au milieu du boulevard Saint-Luc d'Asbestos qu'on apprend les bonnes choses de la vie. À la mort de papa, j'ai décidé d'emmener ma famille ici pour repartir à zéro. Ça ne veut pas dire que je vais rester à zéro toute ma vie. Y a juste les zéros qui demeurent à zéro.

— Je pense aussi de cette façon, Romuald. Dis-moi, qu'est-ce qu'il a dit précisément, le curé Chamberland, dans son sermon? »

Le petit prêtre a parlé aux fidèles de l'incident, exprimé sa honte, évoqué l'esprit de paix et d'amour du Christ devant habiter tous les catholiques, terminé par la tolérance, le respect, le pardon, par la leçon à retenir de cette malencontreuse aventure. Il a aussi fait allusion à la coopérative d'habitation, où tout le monde s'entraide et apprend à s'aimer, à se respecter, ajoutant que les paroissiens et paroissiennes de Sainte-Marguerite devaient garder constants ces sentiments dans la vie de tous les jours. Sainte-Marguerite montre à construire et non pas à détruire. Bref, il a parlé exactement des mêmes sujets que Carole médite depuis deux jours.

« Et tu l'as cru?

— Bien sûr. Un prêtre ne ment pas. Puis, c'est plein de bon sens. Tout le monde a compris ça. Je te jure que personne à Sainte-Marguerite n'est content de ce que ces trois filles ont fait.

— Ce n'était pas tellement ton attitude quand tu es entré ici.

— Je m'excuse encore. Il vaut mieux ne jamais se mettre en colère. Mais j'ai vu rouge quand j'ai appris cette nouvelle! C'était plus fort que moi! »

Au fond, Carole est flattée. C'est la première fois de sa vie qu'un garçon cherche à la défendre, à la protéger. Carole ne peut s'empêcher de s'approcher pour lui offrir ses beaux yeux afin de l'inciter à lui faire don de ses lèvres. Carole n'arrive pas à s'arrêter. Elle aime ses baisers, sa peau, sa chevelure, son odeur. L'attirance physique de l'homme s'allie à l'attrait spirituel de ce garçon si gentil et tellement fou d'elle. Carole sait surtout que Romuald n'a jamais mentionné son handicap. C'est même sans malice qu'il l'avait invitée à danser, en septembre dernier. Plus elle l'embrasse, plus elle caresse son visage et plus Carole sent se préciser cet amour qu'elle ne veut pas lui révéler. Si elle lui dit « Je t'aime », Romuald va tout de suite élaborer des projets de mariage. Si elle est une fille du roi arrivant dans le Nouveau Monde de Sainte-Marguerite et apercevant ce beau colon fort et honnête, Carole sait qu'elle a le temps que ces lointaines ancêtres n'avaient pas. Soudain, il la repousse gentiment, interrompant un baiser que Carole désirait infini. Carole en devine les raisons tout de suite. Romuald s'empresse de confirmer l'intuition de la jeune femme.

« Ce n'est pas très convenable, pendant que tes parents sont en bas. Je ne voudrais pas que ton père monte et m'aperçoive. Je ne veux pas lui déplaire.

— Romuald, il y aurait un million de personnes dans ce bureau que je t'embrasserais de la même façon.

— Descendons. C'est plus poli. Je ne voudrais pas que mon futur beau-père pense que je suis un mal élevé en profitant de sa fille dans un *appartement* sans surveillance.

— Romuald, tu viens de gâcher ma journée. »

Octobre 1947 à février 1948
La paix troublée

Personne n'accueille Carole avec des fleurs, le lundi matin. À peine une consœur qui lui dit froidement : « C'est bien fâchant ce qui vous est arrivé. » Le discours si bien préparé par Carole a l'air d'une réplique du sermon du curé Chamberland. Les enfants la regardent, les yeux exorbités, ne comprenant pas trop ce qu'elle raconte, se répétant encore : « Des fois, elle parle bizarrement, Cendrillon-la-patte. » Elles se demandent surtout quand la leçon de catéchisme va débuter.

Les trois coupables ne sont pas venues s'excuser et le curé Chamberland a jugé que tout ceci finirait par sortir en confession. Le seul à vraiment se préoccuper est Romuald, qui vient chaque soir attendre l'autobus en compagnie de Carole. Quand la neige apparaît en ce début d'hiver 1947, pour la première fois, Romuald fait allusion à la jambe de Carole : « Ce doit être bien plus dur pour toi, l'hiver. » Carole ne répond pas. Depuis un mois, elle s'est habituée à entendre les propos de Romuald sur la douceur d'un foyer d'une maison de la coopérative, ajoutant même une automobile à son beau rêve d'homme à marier. Ils ont passé beaucoup de temps ensemble, si bien qu'il est arrivé à Carole de négliger sa préparation pédagogique et de prendre du retard dans ses leçons.

Chaque jour, sœur Angèle s'informe du numéro du catéchisme où les écolières de Carole sont rendues. Elle vérifie aussi leur progression dans les autres matières et ne trouve pas à se plaindre même si, parfois, elle se chuchote que « Mademoiselle Tremblay parle souvent pour ne rien dire ». Les croquis des maisons affichés au mur de la classe prouvent que Carole a des élèves qui réussissent très bien. Cependant, la jeune femme ne se vante pas d'avoir la meilleure classe de première. Ce ne serait pas poli pour une débutante. Mais Carole n'est pas surprise des succès de ses enfants car, mine de rien, elle applique les plus récents développements pédagogiques du monde entier, alors que les autres enseignantes ne font que répéter les mêmes formules usées depuis des années, celles d'un programme archaïque, mais béni par les évêques responsables de l'éducation.

Depuis septembre, Carole entretient des relations assez froides avec les autres enseignantes, autant les laïques que les religieuses. Ces dernières sont toutefois gentilles à son endroit, aussi aimables que peuvent l'être des religieuses envers une infirme. Souvent, elles lui parlent comme à une fillette, à cause de son âge, de son apparence frêle et de la pitié que leur inspire sa jambe handicapée. Les laïques, de leur côté, ne se gênent pas pour se dire entre elles que Carole est prétentieuse. Quand Carole se présente dans leur local de repos, elles ont l'habitude de se taire et de commencer à murmurer leurs conversations. Carole devine leurs pensées, ce qui l'indiffère totalement, car elle a passé sa vie au cœur de ce genre de mépris pour les intellectuelles. Sœur Angèle lui demande souvent pourquoi elle ne cherche pas conseil chez ses aînées. Carole lui répond poliment qu'elle le fera. Mais, certaine de ses méthodes modernes, de ses initiatives créatives et des savoirs acquis grâce aux chercheurs, psychologues et pédagogues américains et européens, Carole sait qu'elle n'a pas besoin des trucs de ces enseignantes conservatrices, qui ont laissé leur imagination au vestiaire de l'École normale, il y a des années. Son père Roméo ne croyait pas que Carole allait autant s'impliquer dans son métier, tout en notant que, parfois, il lui arrive de démontrer moins d'enthousiasme. Chaque soir, Roméo voit sa fille s'enfermer dans son bureau pour préparer ses leçons et consulter des livres qu'elle commande des États-Unis. Ce soir-là, il ne peut s'empêcher de l'interrompre dans son travail pour avoir quelques précisions.

« Je fais une recherche sur l'origine du père Noël pour créer une analogie entre la bonté du père Noël et la naissance de Jésus.

— Tu vas te faire taper sur les doigts si tu glorifies le

père Noël en classe. Le père Noël, c'est bon pour les grands magasins, et Jésus, c'est excellent pour l'évêché, la commission scolaire et ta sœur directrice.

— Je sais. Mais les enfants aiment le père Noël et leur faire découvrir son origine est une introduction à des notions d'histoire qui va attiser leur curiosité. Je dois être à l'écoute des goûts de mes élèves. Et puis, ça m'enlèvera une demi-heure de stupide catéchisme. As-tu des articles sur l'origine du père Noël?

— Je ne sais pas.

— Mais oui, papa. Je suis certaine que tu le sais.»

À l'âge de Carole, Roméo voulait tout savoir. Il était un jeune homme d'une curiosité inassouvie. Pour retracer l'origine du père Noël, il aurait fouillé toutes les bibliothèques, questionné des gens, téléphoné à des historiens. Il aurait trouvé sa documentation et écrit son histoire afin de la lire aux jeunes du quartier. Enfant, Roméo entretenait son imagination sans limites. Adolescent, il avait travaillé très fort à l'élaboration d'un roman à saveur historique. Jusqu'à trente ans, Roméo a publié cinq romans régionalistes, tout en étant le journaliste le plus créatif du *Nouvelliste*. En même temps, il dévorait tous les livres qu'il pouvait toucher, se constituant une belle bibliothèque bien garnie et très variée. Mais, peu à peu, le temps et les responsabilités familiales ont fait diminuer cette flamme. Pendant la Seconde Guerre mondiale, Roméo a refusé d'écrire des articles sur le conflit et s'opposait à la censure de la presse imposée par le gouvernement canadien. Roméo détestait la guerre, y ayant perdu son frère Adrien en 1918, tout en étant lui-même gravement blessé comme soldat, en 1915. Aujourd'hui, il a encore du mal à lever son bras gauche à cause de cette vieille lésion. Congédié par son journal, Roméo a ouvert cette petite librairie de la rue Saint-Maurice, où Carole travaillait quand elle était adolescente. Quelles belles relations elle entretenait alors avec son père! Sa présence aidait Roméo à redoubler ses efforts pour le succès de ce commerce. Mais elle savait qu'il n'avait jamais accepté son congédiement. Puis, en 1944, à six mois d'intervalle, les deux êtres qu'il aimait le plus au monde, son père Joseph et sa sœur Jeanne, sont décédés pitoyablement. En 1945, son fils Gaston est mort des suites d'un accident d'automobile, dans un camp militaire en Ontario. Depuis, Roméo ne lit plus, écrit encore moins. Il n'est plus curieux. Sa librairie est dans un état lamentable. Les livres de sa bibliothèque sont poussiéreux et il ne sait plus trop ce qu'ils renferment, alors que quinze ans plus tôt, Roméo aurait trouvé en dix secondes l'article ou le livre réclamé par Carole sur le père Noël. « La vie est trop injuste et cruelle », pense-t-il souvent. Et ni son épouse Céline ni ses enfants ne peuvent le dissuader de cette sombre conviction. À cinquante-deux ans, Roméo est persuadé que le meilleur de son existence est derrière lui. Il ne passe pas une journée sans penser à sa sœur Jeanne, qu'il aimait d'une façon étrange.

C'est Carole, en décembre 1944, qui avait trouvé dans la pharmacie de la salle de bain le pot vide de somnifères que sa tante Jeanne avait absorbés. Mais personne n'a pensé à un suicide, car la tante Jeanne, en plus d'être aphasique, était schizophrène, et avait l'habitude de répéter le même geste sans s'en rendre compte. Sans doute que, ce soir-là, en voulant prendre un somnifère, elle en a avalé involontairement quinze. Roméo, Carole et toute la famille Tremblay, sauf peut-être Renée, sont persuadés de l'hypothèse d'un accident.

Jeune femme, Jeanne était une artiste peintre extraordinaire, vivant parfaitement de la vente de ses peintures, mais brûlant sa vie par les deux bouts avec ses attitudes excessives et son penchant plus que prononcé pour l'alcool. De plus, elle entretenait une relation contre-nature avec une pianiste américaine de son âge. Exilée à Paris par Roméo, afin qu'elle puisse y rejoindre son amie, Jeanne était retombée dans le labyrinthe sans fin de l'alcool. C'est à ce moment qu'elle a eu une enfant illégitime, Bérangère, aujourd'hui gardée par Renée. Roméo, à la veille de la guerre, a dépensé une fortune en argent et en énergie pour se rendre en France chercher Jeanne. À son retour, Carole a retrouvé sa tante obèse, insupportable et indifférente à tout ce qui l'entourait. De jour en jour, Jeanne dépérissait, jusqu'à cette mort affreuse en 1944, survenue quelques mois après l'accident de Carole. Ce matin-là, Carole a entendu son père hurler de douleur, tel un animal agonisant. Mais jamais Roméo n'a cessé d'aimer sa sœur, d'un amour parfois embarrassant. Dans son bureau de travail, il y a des photographies et des peintures de Jeanne sur tous les murs. Croyant que ces illustrations ne faisaient qu'entretenir la tristesse infinie de Roméo, sa femme Céline avait décidé de tout enlever. Pour une seconde fois, Carole a entendu son père pousser ce hurlement glacial. Depuis, rien n'a bougé, et l'ancien bureau, où jadis Roméo écrivait ses livres et ses articles, est devenu un sanctuaire inviolable à la gloire de Jeanne. Lorsqu'il entre dans cette pièce, sous prétexte de lire, tout le monde sait que Roméo va adorer Jeanne, à la manière de cette histoire à la radio où l'avare Séraphin Poudrier va caresser son or caché dans des sacs d'avoine. Personne n'évoque plus Jeanne. Pas même Renée, qui aimait énormément cette tante étrange. Pour sa part, Carole ne lui en parlait même pas quand elle était vivante. Elle la tolérait avec une politesse froide. Carole n'a jamais aimé sa tante, qu'elle jugeait lâche et égoïste. Même après sa mort, Carole lui en veut encore. Elle sait trop bien que son père s'enfonce dans un gouffre honteux pour un homme de sa culture et de son intelligence. Carole n'ose dire à personne de sa famille que son père aurait besoin des services d'un psychiatre. Pour eux, cela voudrait dire qu'elle pense que son père est un fou et elle perdrait son temps à essayer de leur expliquer les bienfaits de cette science de la connaissance de l'humain. D'autre part, Carole croit que son père a la force de caractère voulue pour remonter la pente lui-même. Elle est persuadée que s'il écrivait à nouveau, il pourrait retrouver un peu d'enthousiasme et reprendre goût à la vie. Tous les deux entrent dans la pièce poussiéreuse. Carole ne regarde pas les photographies de sa tante Jeanne, installées juste au-dessus du fichier contenant la description de tous les livres et revues de son père. Elle trouve facilement la carte désirée.

« Tu vois? Tu as répertorié trois articles et un extrait d'encyclopédie parlant du père Noël.

— Je ne m'en souvenais plus.

— La mémoire est comme le corps : elle a besoin de gymnastique pour être en bonne santé.

— C'est facile à dire quand tu as vingt ans.

— Allons, papa! Je te mets au défi de me trouver en une minute une de ces quatre références sur le père Noël!»

Roméo reste sur place, se croise les bras en lui souriant moqueusement, l'air de lui signifier que ce jeu ne l'amuse pas. Carole l'ignore et déniche l'encyclopédie, installée sur la plus haute tablette. Elle s'empare du petit escabeau, qui lui rappelle trop son infirmité. Roméo grimpe pour lui tendre le livre dont elle a besoin. Elle garde la tête basse, puis s'éloigne. Roméo demeure immobile dans sa caverne et, cinq minutes plus tard, il entend le bruit produit par la canne lancée sur un mur. Pourquoi avait-elle oublié sa jambe? À cause des baisers et de l'enthousiasme de Romuald? Parce qu'elle travaille trop à ce métier qu'elle remet soudainement en question? Carole regarde son réveille-matin, constate avec souffrance que Romuald doit être à l'usine. Le cœur un peu vide, elle ferme les yeux et essaie en vain de s'endormir.

Voici un autre lendemain, un autre voyage en autobus, un autre regard sévère de sœur Angèle et de nouveaux enfantillages de ses élèves. Elle leur fait réciter le catéchisme aussi machinalement qu'elles le réclament. Hier soir, au coucher, Carole a encore mis en doute la bonté de Dieu, et chaque jour passé dans cette école lui enlève le goût de la religion catholique. Le midi, en compagnie des autres maîtresses de première, elle participe à la répétition de la saynète que les enfants présenteront à leurs parents, peu avant le congé de Noël. Petite, Carole avait fait la même. Première de classe, on l'avait honorée en lui donnant le rôle de la Vierge Marie. Mireille, sa meilleure élève, lui démontre le même enthousiasme pour son rôle.

La salle de classe de Carole est décorée de banderoles de bons souhaits, et les enfants ont fabriqué, avec du carton, les personnages de la crèche. Elles adorent ce jeu, mais Carole se demande si, pour elles, Jésus n'est qu'une autre poupée. Le lendemain, Carole arrive en classe avec une photographie du père Noël. Les petites mains se tendent, leurs bouches s'activent et les cœurs battent plus rapidement. «Qui est ce monsieur? D'où vient-il?» Les réponses fusent dans un brouhaha que Carole contrôle en fermant les yeux : « On lève la main avant de parler.» Le père Noël vient du pôle Nord! Non! Il vient du magasin Fortin! Mais non! Il vient de la cheminée! Il vient des États-Unis et boit du Coca-Cola! Il apporte des jouets, des bonbons et des poupées! Non! À moi, il a apporté une robe neuve! Moi, je lui ai demandé de la vaisselle avec des fleurs! Mireille, la savante de Carole, lève le petit doigt et affirme avec un air pointu : « Le père Noël, c'est saint Nicolas.» Ben non, niaiseuse! Le père Noël, c'est le père Noël! de lui répliquer la moitié de la classe. « Qui est le meilleur pour les enfants? Le père Noël ou le petit Jésus?» Face à cette question cruciale, les fillettes ne savent pas trop quoi répondre, jusqu'à ce que l'une d'entre elles lève la main pour philosopher : « À Trois-Rivières, le père Noël est le *plus bon* parce qu'il nous apporte des cadeaux, mais pour quand on sera au ciel, le petit Jésus est bien plus important.» Les autres approuvent bruyamment cette théorie. Carole leur raconte l'origine du père Noël et propose ses comparaisons avec Jésus. Les fillettes l'écoutent comme... le père Noël! Elles partent silencieusement pendant leur récréation et Carole les regarde avec joie : elles discutent au lieu de jouer au ballon. Évidemment, à quatre heures, sœur Angèle convoque Carole à son bureau pour démolir dix heures de recherche et de réflexion. « Nous sommes une école catholique, mademoiselle Tremblay. Il ne faut pas glorifier les valeurs païennes et commerciales, qui nous éloignent du véritable esprit de la fête de la Nativité.» Carole a entre les mains tous les arguments pour prouver à la sœur directrice qu'elle vient de donner aux enfants un excellent cours de religion, mais elle préfère se taire, sachant que la Fille de Jésus refusera d'entendre ses explications.

« T'en as mis du temps à sortir, Cendrillon. Tu as déjà raté deux autobus.

— Est-ce que tu crois que le père Noël est meilleur que le petit Jésus, Romuald?

— Hein?

— Tu as bien entendu. Réponds à ma question.

— Bien... quand on est pauvres, comme bien des gens de Sainte-Marguerite, les enfants doivent croire à tout ce qui est bon. Et dans ce cas, le père Noël est aussi bon que le petit Jésus.

— T'es vraiment intelligent, beau prince. Tu me dis en cinq secondes ce que j'ai mis dix heures à préparer.

— Donne-moi ton sac, Cendrillon. Il ne faut pas manquer le prochain autobus. »

Comme la parenté de Romuald demeure loin, on n'a pas tellement les moyens financiers pour se rencontrer pendant le temps des fêtes. Romuald économise afin de pouvoir, au jour de l'An, payer à sa mère le voyage en train à Asbestos pour qu'elle rencontre ses sœurs et frères. En attendant, il fait tout pour que les siens passent un beau Noël. L'an dernier, des familles habitant des maisons de la coopérative les avaient invités. Pour cette année, en accord avec Roméo, Carole convie les Comeau à réveillonner à la maison. La mère de Romuald a d'abord hésité à se joindre à ces gens qui habitent une maison de riche. Il lui a expliqué que, malgré les apparences, la famille Tremblay n'est pas si riche, que Carole doit chaque semaine donner la moitié de son maigre salaire pour aider sa mère à faire l'épicerie, car la librairie de monsieur Tremblay ne rapporte pas assez pour vivre confortablement. Carole est contente qu'ils aient accepté et espère que leur présence ravivera son père. C'est quatre jours après le Noël de 1944 que la tante Jeanne était morte dans cette maison et, depuis, Roméo associe cette fête au décès de sa chère sœur.

Roméo aime bien Romuald. « Il a une bonne tête sur ses épaules », dit-il souvent à Carole. À l'opposé de sa fille, Roméo a toujours eu beaucoup de sympathie pour les ouvriers d'usine, ayant grandi dans leur entourage et passé les premières années de son mariage dans un quartier ouvrier. Quand il travaillait comme journaliste, passionné par sa petite patrie de Trois-Rivières, Roméo n'écrivait pas sur les grandes familles bourgeoises, les notaires et les industriels : il pondait des articles sur la vie dans les quartiers, les loisirs de cette population. Mais il y a si longtemps de cela...

En attendant cette grande fête de Noël, Carole règle le cas du bonhomme rouge versus le petit Jésus, en accompagnant Romuald pour que Lucienne rencontre le gros bonhomme rouge dans son domaine des jouets du sous-sol de chez Fortin. Lucienne, gênée, se tortille lorsqu'elle s'assoit sur le père Noël. Carole note son embarras et sourit devant ce charmant tableau. Dans la file d'attente, quatre de ses élèves lui envoient la main, attendant leur tour pour rencontrer cet être extraordinaire.

« Tu as l'air en paix, Cendrillon. Tu me sembles heureuse.
— Oui, ça va.
— Tu aimes les enfants. Imagine si Lucienne était notre enfant. Tu serais encore plus heureuse aujourd'hui.
— Beau prince, tu m'avais promis de ne plus jamais faire d'allusions au mariage et à tes futurs enfants.
— Oh! moi, je ne fais que dire ce que tu penses en ce moment. »

Quelques jours plus tôt, Carole s'était rendue voir la grande parade du père Noël organisée annuellement par le magasin Fortin. Cet énorme rassemblement populaire est devenu une tradition trifluvienne depuis la première parade, en 1929. Carole n'aime pas les foules, mais sous l'insistance de Lucienne et de Romuald, elle les avait accompagnés et a eu un grand plaisir à applaudir la fanfare et les chars allégoriques.

La veille de Noël, Roméo va chercher la famille Comeau à la porte de leur humble demeure. En septembre, Carole parlait d'un taudis. Maintenant, c'est elle qui insiste sur l'expression « humble demeure ».

« Ils habitent là-dedans?
— C'est joli et propre à l'intérieur.
— Elle est pas mal humble, leur demeure...
— Sois poli, papa. »

Hors Lucienne et sa mère, la famille Comeau compte aussi une adolescente, Pierrette, travaillant à l'usine de textiles Wabasso. Seize ans, peu instruite, Pierrette correspond à

73

l'idéal d'immobilisme canadien-français qui agace Carole. La jeune fille ne désire que se marier pour sortir de la misère de l'usine et passer à la misère de femme à la maison. Les quatre membres de cette famille portent sur leur dos ce qu'ils ont de plus beau : des vêtements ayant probablement appartenu à d'autres. Romuald, dans son habit du dimanche, ressemble à un gorille prisonnier d'une camisole de force. La mère étrenne une robe à pois et un vieux chapeau. Elle a l'air terriblement vieille, alors qu'elle n'a que quarante-trois ans. Mais plusieurs fausses couches, des milliers d'heures d'usine et vingt-trois années d'un mariage malheureux ne peuvent porter cette femme à la coquetterie.

Lucienne sautille sur le siège arrière de l'automobile. Pour elle, la randonnée en voiture est aussi précieuse qu'un cadeau du père Noël. Ils entrent dans la grande maison sur le bout des orteils, gênés par les décorations et la clarté émanant du salon. Mais les enfants de Roméo rendent rapidement ces invités bien à l'aise. Renée fait tourner ses disques de Glenn Miller et danse seule devant le phonographe, alors que son mari Roland effraie Pierrette avec un briquet à la flamme énorme. Simone et son époux François parlent du curé Chamberland à maman Comeau au moment où Maurice, sa femme Micheline et leurs quatre enfants sont accueillis par le cadet Christian.

« C'est une belle famille que vous avez là, monsieur Tremblay, de faire remarquer madame Comeau.

— Il manque mon père Joseph, mon garçon Gaston et ma sœur Jeanne. Ils sont tous morts.

— Papa a aussi une sœur, d'interrompre Carole, pour changer de sujet de conversation. Elle est ursuline. C'est ma tante Louise, qui est enseignante à l'école des filles de Saint-Philippe. Mais le reste du temps, elle demeure à son couvent, comme le veut sa congrégation. Nous allons la visiter deux fois par année.

— Vous avez une sœur qui est religieuse? C'est une bénédiction, monsieur Tremblay.

— J'avais aussi deux frères : Adrien et Roger. Mais eux aussi sont morts. Adrien à la guerre de quatorze et Roger de la grippe espagnole.

— Ça ne fait rien, papa. Madame Comeau trouve qu'on a une belle famille. C'est le principal, non?

— Non, Carole, ce n'est pas le principal! Ne dis pas que ça ne fait rien! Je te l'interdis! »

Romuald sourit à une très belle jeune fille, qui semble demeurer très éloignée de son oncle Roméo. Il s'agit de Bérangère, l'enfant de Jeanne. Depuis la mort de sa mère, à chaque Noël, Bérangère se sent la cause des drames de Roméo. Elle explique à Romuald que les Tremblay ne sont pas tout à fait une famille normale, soulignant avec un accent radiophonique qu'elle est née en France de père inconnu et de mère alcoolique.

« Oh! pauvre toi...

— Non. Cela ne me fait rien. Nous sommes tous un peu bizarres, les Tremblay. Je vis avec ma tante Renée, qui est bizarre aussi.

— Et ta tante Carole, elle est bizarre?

— Certes.

— Et que veux-tu faire, plus tard?

— Secrétaire. Puis me marier et avoir des enfants bizarres. »

Renée saisit le bras de Romuald pour le faire danser le boogie woogie. Son mari Roland allume une autre cigarette avec son briquet lance-flammes, tout en jetant un regard à la Humphrey Bogart à Bérangère. Les petits-enfants de Roméo courent de gauche à droite et miaulent autour de l'arbre de Noël. Un garçon attend silencieusement devant la cheminée. Carole éloigne les Comeau de l'entourage immédiat de son père, sentant Roméo fin prêt à une autre crise de morosité. Au souper, tout le monde parle et se raconte des histoires, déguste les excellents mets traditionnels cuisinés par Céline. Tous fraternisent avec cette nouvelle famille amie. Seul Roméo ne parle pas. Carole craint de le voir exploser à tout moment. L'an dernier, il s'était mis à pleurer sans pouvoir s'arrêter. Bérangère, sentant cette menace, tente de se faire petite dans son coin. Comme Carole, elle soupire de satisfaction en constatant que Roméo a réussi à traverser le temps du souper sans se mettre à hurler ou à verser des larmes. Le garçon de tantôt retourne s'asseoir devant sa cheminée, pendant que les adultes prennent le salon d'assaut. Renée remet la main sur ses disques pour faire bouger Romuald, mais le garçon veut plutôt danser avec Carole, qui refuse sèchement.

« Je suis plus solide que ta canne, Cendrillon. Ta sœur Renée m'a dit que tu adorais danser.

— C'est le passé.

— Fais-moi plaisir.

— Si je danse, ça va juste me faire réaliser davantage que je suis infirme. Une infirme ne danse pas, beau prince.

— Je n'en sais rien. Je sais juste que Carole Tremblay peut tout faire dès l'instant où elle y croit.

— J'ai dit non. »

Si Carole ne veut pas danser, elle ne peut empêcher Romuald de chanter. Les disques de jazz de Renée font place à ceux de danses carrées et des chansons de La Bolduc, ce qui procure à Romuald l'inspiration pour la seule chanson à répondre qu'il connaît. Mais aussitôt se met-il à chanter que la famille Tremblay plonge dans un grand silence, sachant que cette mélodie est la même que la parenté réclamait à grand-père Joseph à tous les réveillons. Il n'en faut pas plus à Roméo pour réveiller les vieux démons. Le voilà qui pleure et se sauve à toutes jambes vers sa chambre.

Quatre jours plus tard, en ce triste anniversaire de la mort de Jeanne, Roméo hurle à nouveau son désespoir. Il est malade pendant les cinq journées suivantes, refusant de manger et de parler. En janvier, voyant que la situation de son père devient de plus en plus critique, Carole ose parler à cœur ouvert à sa mère : il faut faire soigner Roméo. Lui-même admet qu'il ne se sent pas très bien et accepte de séjourner dans un sanatorium de Québec, sous les soins d'un médecin. Carole va installer un écriteau dans la vitrine de la librairie : « Fermée temporairement ». Dorénavant, les petits salaires de Christian et de Carole devront faire vivre Céline, entretenir la maison et payer les soins de Roméo. C'est à ce moment que Carole réalise qu'elle ne gagne pas une paie suffisante. Avant, pour elle, l'argent n'était qu'un moyen de troc servant à acquérir des livres et quelques vêtements. Elle n'a jamais eu de responsabilité budgétaire. Le tout coïncide avec la venue de sa majorité. Carole touche quinze dollars par semaine et travaille en moyenne près de soixante-quinze heures. Pour la même tâche, un instituteur laïc gagne le double. Quelle injustice! Surtout en constatant que ce métier emploie beaucoup plus de femmes que d'hommes.

Depuis la fin de la guerre, le coût de la vie a augmenté, mais les ouvriers d'usines ont vu leurs rémunérations majorées. La commission scolaire perçoit plus de taxes avec l'accroissement de la population trifluvienne, mais le salaire des enseignantes demeure le même. Le Syndicat professionnel des Instituteurs et Institutrices catholiques de Trois-Rivières, face au refus de la commission scolaire d'augmenter les salaires, décide de déposer un grief à un tribunal d'arbitrage. À l'école Sainte-Marguerite, les maîtresses parlent plus de ce conflit que de pédagogie. Triste et inquiète à cause de cette situation et de l'état de santé de son père, Carole perd son enthousiasme face à son métier, un peu lasse de toujours se faire reprocher ses initiatives par sœur Angèle. Ses écolières ressentent ce chagrin et se demandent ce qui arrive à Cendrillon-la-patte. Carole se persuade qu'elle a fait un mauvais choix, que ses grandes connaissances et ses habiletés ne pourront jamais s'épanouir dans un monde si fermé au progrès. Son idéal de dépassement n'est qu'une illusion de jeunesse; toutes ces fillettes veulent devenir comme leurs grandes sœurs, comme leurs mères et grands-mères, lesquelles agissaient comme leurs aïeules. Carole retourne aux sombres humeurs qui lui tiraillaient le cœur avant d'accepter de s'inscrire à l'École normale, en réponse au défi lancé par son père. Comme depuis toujours, Carole ne sait pas ce qu'elle veut faire de sa vie, ce qu'elle attend de l'existence.

À cette crise se juxtapose la remise en question de sa foi catholique. Si la Bible a toujours été pour elle une lecture passionnante, si les traités de théologie sont une source de réflexion intellectuelle, Carole comprend de plus en plus les héros de la Révolution française et les Libéraux du dix-neuvième siècle d'avoir voulu écarter la religion catholique de l'État. Dans la province de Québec, on maintient ce statu quo, près de cent soixante années après les décisions de ces grands hommes de France. Mais Carole sait qu'il y a un Dieu. Rien ne peut expliquer l'origine de la création, sinon la présence d'un esprit supérieur. Mais ce Dieu-là n'habite pas le Vatican, ni le Canada français ni Trois-Rivières, pas plus que l'école Sainte-Marguerite.

Alors, très secrètement, comme une voleuse, confondant tous les passants avec des espions, Carole se rend voir l'homme qui pourrait éclaircir sa foi : le pasteur protestant de l'église Saint-James. Accueillie chaleureusement, Carole peut parler ouvertement de la Bible. Elle veut aussi discuter de Luther et de spiritualité. Carole trouve chaussure à son bon pied. Le pasteur Scott est un homme très cultivé, intelligent, et pas du tout missionnaire devant une âme à convertir. À chaque visite, Carole sort par la porte arrière et vérifie si le passage est libre. Ce n'est pas par honte de sa démarche, mais elle sait qu'elle pourrait perdre son emploi si ces visites venaient à s'ébruiter jusqu'à la commission scolaire ou jusqu'à l'école. Les Canadiens français sont aussi féroces envers les protestants que les Américains envers les communistes. Ils sont comme les barbares ignorants de Catherine de Medicis fonçant l'arme à la main sur les huguenots. La mère de Carole n'est même pas au courant. Ni ses frères et sœurs, et pas même Romuald, qui constate surtout que Carole a perdu son enthousiasme. Il croit que c'est à cause de la maladie étrange de son père. Pour bien comprendre, il enquête auprès de Carole pour savoir qui était cette Jeanne. « Ce serait trop long à t'expliquer. Et cette question ne m'a jamais passionnée. Va voir ma sœur Renée. L'histoire de Jeanne est le roman de sa vie. » Romuald prend bonne note du conseil et visite Renée à plusieurs reprises.

« Pourquoi cherches-tu à savoir tout ça, beau prince?
— Pour aider ton père. Par intérêt pour ta famille, Cendrillon. Je sais ce qu'est la souffrance dans une famille. Je l'ai si bien vécue à cause de mon père. Notre devoir de catholiques est d'aider nos semblables. Et avant d'aider, il faut com-

prendre. La religion, c'est aussi ça. On ne peut pas gagner son Ciel si on ne met pas en pratique la parole de bonté des Évangiles.

— C'est valable pour n'importe quelle religion, ce que tu me dis là.

— J'imagine que oui.

— Tu es un sage, Romuald.

— Moi? C'est depuis que je suis dans Sainte-Marguerite que je pense comme ça. Avant, je l'aurais égorgé, mon père, sans avoir peur de l'enfer éternel. Jadis, je m'en serais lavé les mains que ton père soit malade. C'est le curé Chamberland qui m'a montré à m'accomplir comme catholique sincère. Quand je travaille à une maison de la coopérative, je suis le meilleur catholique du monde, car mon cœur est plein d'amour pour mes semblables.

— Romuald, cesse de faire une obsession avec ces maisons...

— Tu comprendras un jour. Et ce jour-là, tu seras une vraie catholique et tu aimerais Dieu comme il faut.»

Romuald prend le sac de Carole et lui tient la main pour marcher jusqu'à l'humble demeure, avec Lucienne trottant à petits pas derrière eux. Il doit lui préparer son souper, car Pierrette et sa mère travaillent toujours sur l'horaire d'après-midi, alors que lui-même est, la plupart du temps, employé de nuit. Depuis le début de 1948, Carole a pris l'habitude quotidienne d'accompagner Romuald jusque chez lui, même si ce parcours retarde son retour à la maison. Mais Carole ne vit que pour ces moments où Lucienne s'empresse de jouer dans la neige en attendant son souper, la laissant seule avec son beau prince. Elle peut se perdre dans ses baisers, lui caresser le visage, passer ses mains dans ses cheveux et se blottir contre lui.

Quand Carole est tiraillée, elle fait tout pour que Romuald lui dise une parole de sagesse, une phrase de dix mots qui apaise ses angoisses. Et quand la jeune femme l'entend, elle veut être cet animal femelle en chaleur devant le mâle. Carole est ainsi faite et ne s'est jamais sentie coupable de ses sentiments, comme tout le monde voudrait qu'elle le soit : les religieux, ses parents, les convenances sociales et même Romuald qui, souvent, met un frein aux ardeurs de sa Cendrillon par une parole idiote, comme : « Sois raisonnable, Carole. » Le volcan qui tourbillonne en elle n'a jamais été autant en activité et déborde du désir de faire couler sa sève d'amour partout au creux de sa chaleur. Lucienne entre par la porte avant en criant : « Viens voir mon bonhomme de neige, Carole! » L'enfant ne s'aperçoit pas de l'embarras de sa maîtresse d'école, rougissante et décoiffée aux côtés de son grand frère. Il se lève pour agiter le contenu du chaudron de pommes de terre, alors que Carole rattrape sa canne pour regarder l'œuvre de l'enfant.

« Si tu mettais autant d'ardeur à étudier qu'à faire des bonshommes de neige, tu ne penses pas que ça irait mieux à l'école?

— J'aime pas quand tu me parles comme ma maîtresse d'école.

— Je suis tout le temps ton institutrice, Lucienne. Je veux ta réussite au même point que je la désire pour tes camarades de classe. »

Ce samedi soir, Carole constate qu'elle est seule à la maison, son frère Christian étant parti chez son amie de cœur et maman ayant décidé de veiller puis de coucher chez sa sœur, au Cap-de-la-Madeleine. Carole ne se souvient pas de la dernière fois où une telle situation s'est produite. « C'est maintenant ou jamais! Il le faut! Il le faut! Je ne peux plus tenir! » se dit-elle, crispant les poings et pensant à Romuald. Et dire que la veille, elle a refusé son invitation à sortir sous prétexte qu'elle a du travail! Carole rage en pensant qu'il n'a pas le téléphone. Elle s'habille chaudement pour affronter le verglas d'hiver. Les trottoirs sont glissants et elle doit se tenir contre un poteau de téléphone en attendant l'autobus, qui arrive avec douze minutes de retard. Dans le véhicule, elle enlève son foulard trempé en se demandant pourquoi le conducteur ne va pas plus vite. Lorsqu'elle descend près de l'école, Carole prend son courage à deux mains avant d'affronter la chaussée dangereuse de la rue Sainte-Marguerite;

elle pense à ces deux milles à marcher avant d'arriver chez Romuald. Après être venue près de tomber à trois reprises, elle abandonne le trottoir au profit de la rue. Vingt pieds plus loin, elle tombe à la renverse, se fait mal aux coudes, puis se relève, rattrape sa canne et continue avec plus de vigueur. Carole essaie de marcher avec fermeté, mais glisse à quatre autres occasions. Enfin, elle atteint son but! Elle cogne vivement à la porte. Pierrette lui répond.

« Mon frère? Il est parti jouer aux quilles avec des gars de son usine.
— Où? Je dois savoir où!
— Je ne sais pas. Mais entre donc, tu es trempée. Je suis seule avec Lucienne et c'est ennuyeux ici, sans radio. On va jaser.
— Je ne peux pas rester. Tu connais ses amis? Tu as leurs numéros de téléphone?
— Qu'est-ce qui se passe de si urgent? Pas de la mortalité dans ta famille, j'espère! »

Carole ne récolte rien de Pierrette et retourne tout de suite dans la rue Sainte-Marguerite, transformée en véritable patinoire. Et voilà le vent qui se mêle à son périple casse-cou, poussant la pluie glacée dans son visage rougi par la froidure, mais n'atteignant pas son corps encore si chaud de désir. Et l'autobus qui tarde à venir! Soudain, une automobile approche. Carole reconnaît celle du curé Chamberland.

« Où allez-vous, mademoiselle Tremblay?
— Au centre-ville, monsieur le curé.
— Montez. »

Carole ne refuse pas. Le prêtre est accroché à son volant, le nez avancé pour mieux voir à travers son pare-brise. Au premier feu rouge, il a un geste d'impatience qui étonne Carole. « Je déteste la pluie en hiver! Ce n'est pas logique! En été, il pleut! En hiver, il neige! Pas la pluie en hiver! Est-ce qu'il y a de la neige, en été? C'est illogique! » Une fois le feu vert, le curé pèse promptement sur sa pédale et les roues de l'automobile glissent sur place, avant de mordre un bout d'asphalte en un hoquet criard.

« Vous arrivez de chez le jeune Comeau?
— Oui.
— Êtes-vous en amour avec lui?
— Ceci, monsieur le curé, m'est personnel.
— Ne montez pas sur vos grands chevaux! Je ne fais que poser une simple question.
— Un curé doit tout savoir, n'est-ce pas?
— Tout savoir ce qui est bon pour la paix de sa paroisse. Et Romuald Comeau est un garçon de cœur. Qu'il fréquente la jeune maîtresse d'école me réjouirait. J'espère qu'il va vous aider.
— M'aider? À quoi?
— À trouver la paix.
— Monsieur le curé, auriez-vous la gentillesse de me reconduire jusqu'à la rue des Forges et ne pas essayer de me psychanalyser?
— Je sais que vous fréquentez le pasteur protestant, mademoiselle Tremblay. Je sais aussi que vous n'êtes pas une sotte. Je suis en droit de vous dire que lorsqu'une enseignante d'une école catholique rend visite à un pasteur protestant, elle n'est pas en paix et va au devant de graves ennuis. Voulez-vous qu'on en parle, mademoiselle Tremblay? Venez au presbytère et on va jaser devant un bon thé.
— Non.
— Bon! D'accord! Je vais vous reconduire! Mais je garde votre secret au chaud pour une prochaine fois. L'invitation tient toujours.
— Merci.
— J'ai bien connu votre grand-père Joseph, vous savez. Vous lui ressemblez. Bon cœur, mais le catholique le plus endormi que l'on puisse imaginer. »

Carole sort de l'auto les larmes aux yeux. La pluie tombe de plus belle et Carole l'accompagne de son propre torrent, marchant avec peine afin de visiter chaque salle de quilles de la ville. Rien! Rien! Et rien! Il est presque dix heures et son frère Christian est probablement sur le point de revenir à la maison. Carole dépose les armes et saute dans un taxi pour regagner son foyer. Elle se sèche, pleure encore, lance sa canne contre un mur, prend une grande gorgée de gin et fait couler un bain. L'eau chaude sur son corps la calme un peu. Elle s'installe au salon avec un livre, se demandant pourquoi Christian a un si long retard. Il revient à minuit. Carole vient de perdre deux heures qu'elle aurait pu passer avec Romuald, pour qu'il apaise son envie.

Le lendemain, Romuald arrive avec sa pelle, s'offrant pour casser la glace de l'entrée de la maison. Tout en travaillant, il raconte à Carole sa soirée d'hier, alors qu'il est allé jouer aux cartes avec ses copains de l'usine, après avoir changé d'idée pour la soirée de quilles, à cause du mauvais temps. Soudain, il cesse de parler, ayant noté l'air piteux et le nez rougi de Carole.

« Tu as la grippe, Cendrillon?
— Je pense que oui.
— Ah! mais rentre au chaud! Vite!»

De la fenêtre, Carole regarde Romuald travailler. À petits coups secs, il hache des carrés, puis il fait glisser la pelle dessous et lève un parfait quadrilatère de glace, qu'il avance pour lancer sur le parterre, en prenant grand soin de ne pas atteindre les beaux chênes. Elle observe chacun de ses gestes, renifle, serre les lèvres en contenant son goût de pleurer. C'est l'amour fou, le désir incontrôlable. Si elle écoutait son cœur, elle sortirait à toute vitesse pour se jeter dans ses bras, malgré le froid et la glace.

« Regarde. C'est pas mauvais, hein? Ça va te paraître étrange, mais j'aime pelleter. Ce matin, après la messe, j'ai fait notre entrée, puis celle de la veuve Thivierge, et je me suis dit que vu que ton père est absent et que...
— Monte à mon bureau, Romuald. Je vais te préparer un café.
— Au bureau? Ce ne serait pas mieux le salon, car ton frère est ici et...

— Monte au bureau. »

Romuald est face à Carole, qui le dévore tant des yeux que le garçon devient curieusement gêné. Elle oublie son handicap et se lance entre ses bras et vers sa bouche. L'agressé se laisse conquérir, puis la repousse poliment deux minutes plus tard.

« Je t'aime comme une damnée, Romuald.

— Ne dis pas de tels mots.

— Comme une folle! Je suis comme dans une chanson française : tu es à moi, je ne peux vivre sans toi, je vais mourir pendant ton absence, je t'appartiens, fais ce que tu veux de moi, ma vie est à toi!

— Moi aussi, je t'aime, Cendrillon. Depuis toujours. Et l'amour se partage. Ce n'est pas digne de ton intelligence de dire des paroles aussi peu sérieuses.

— Beau prince, tout le monde m'affirme que je suis troublée. Oui, je le suis, tant que je ne t'aurai pas entièrement à moi, partout en moi. Tu es ma seule paix. »

À ce moment, Carole entend son frère Christian marcher vers la porte de sortie. Elle se sait maintenant seule dans ce lieu avec son amour. Elle se fond avec ferveur sur ses lèvres et guide la main droite du garçon vers ses seins. Emporté par la chaleur de Carole et son aveu d'amour, Romuald la caresse doucement, alors qu'elle l'invite à s'étendre sur le fauteuil. Carole se perd en « Je t'aime » en se frottant contre lui. Elle se cambre et précipitamment fait voler les boutons de sa blouse, se penche pour retrouver la bouche de Romuald, alors que sa main attaque le poil de sa poitrine, sous cette chemise sur le point d'agoniser. Il n'y a pas de cadre romantique, de jonc échangé, de cascades de violons, de promesse au clair de lune, ni de chambre au Château Frontenac. Il n'y a que ce lieu, avec ces livres devant ses yeux. Cette folie de désir qui lui tiraille les sens depuis hier soir ne s'embarrasse pas des conventions catholiques. Romuald sent tout ce désir et l'aime tant qu'il ne pense qu'à la posséder, mais des flèches de culpabilité lui piquent l'esprit : « Qu'est-ce que je suis en train de faire là ? » Il le sait tout en l'ignorant. Elle insiste de la langue et des doigts. Elle guide, pose ses mains vers son désir dans un soupir devenu râle. En cet instant, Carole ne fait plus qu'une avec cet être qu'elle adore au-delà de l'amour. La sueur ruisselle sur son visage, alors que Carole ne peut empêcher d'exprimer de façon animale son Paradis enfin conquis. Enfin, elle sent le soulagement de Romuald, insiste par gourmandise, alors que les yeux du garçon plissent de bonheur. Puis les deux entendent la porte claquer et Christian siffler.

Elle ne peut et ne veut le quitter, alors que la réalité la rattrape. Carole s'affaisse sur le fauteuil en un dernier soupir, alors que Romuald a déjà la main sur son pantalon. Carole baisse pudiquement les paupières en remettant son soutien-gorge, puis se relance goulûment vers sa bouche, pour avoir le bonheur de l'embrasser pour la première fois en qualité de femme totale. Carole replace ses cheveux, alors que Romuald fait les cent pas, pour que Christian croie qu'il agit proprement avec sa sœur. Elle ricane comme une fillette en lui donnant la tasse de café déjà refroidie.

« Toi qui es si catholique, beau prince, est-ce que tu penses que tu as péché ?

— Ce n'est pas le temps, Carole...

— Oui, c'est le temps. J'ai été ton Ève, avec ma pomme et mon serpent. Réponds-moi. Te sens-tu coupable ? Crois-tu que je suis coupable ?

— Non.

— Au nom de notre amour, Romuald, promets-moi que tu n'iras pas raconter ce moment extraordinaire en confession au curé Chamberland. Ce n'est pas un péché, beau prince. C'est notre amour. Notre grand amour.

— Je le confesserai au curé Chamberland.

— Romuald...

— Je le dirai au curé Chamberland à la confession précédant notre mariage. Pas avant. Je te le jure. »

Mars et avril 1948
Faire éclater les frontières

Carole n'a pas cessé de rencontrer le pasteur protestant, alors que le curé Chamberland passe son temps à lui courir après pour l'avertir du péril de sa démarche. Le petit prêtre ne s'inquiète pas de l'âme de Carole, mais il craint surtout de voir tout le quartier se la mettre à dos. Bon stratège, il attend de la voir avec Romuald pour l'inviter de nouveau à venir discuter au presbytère. Carole soupire d'insatisfaction, en attendant quelques secondes la réaction prévisible de son amoureux : « Tu es chanceuse, Cendrillon! Le curé Chamberland veut te rencontrer! Vas-y vite! » Carole se présente au rendez-vous avec une moue insatisfaite, croyant à de longs sermons missionnaires.

« Le pasteur Scott est un homme cultivé et nous prenons une heure par semaine pour parler de la Bible. Nous en discutons calmement, comme des adultes réfléchis.

— Je connais très bien le pasteur Scott, mademoiselle Tremblay. Il est en effet un homme de grande qualité. Mais ce que je veux surtout, c'est éviter de perdre une maîtresse d'école comme vous. Bien sûr, je sais très bien que vous leur enseignez le catéchisme à rebrousse-poil, mais ces fillettes ont appris à lire, écrire et compter de façon extraordinaire. Vous formez des citoyennes exemplaires et les parents des petites filles passent leur temps à me parler en bien de vous. Je peux comprendre qu'une personne de votre culture puisse mettre en doute sa foi, mais si les gens de la paroisse finissaient par apprendre vos visites au pasteur protestant, c'est avec des roches qu'ils vous chasseront de Sainte-Marguerite. »

Carole baisse timidement les paupières face au compliment du curé. On ne lui en fait guère à l'école. Elle est surtout le sujet de la jalousie des autres institutrices et croit que personne n'apprécie ses efforts pédagogiques.

« Que reprochez-vous à notre religion, mademoiselle Tremblay?

— C'est de cela que je veux éviter de parler avec vous. Je fais une démarche personnelle et intime, qui ne veut pas nécessairement dire que je désire devenir protestante. Ce que je n'aime pas, ni chez les catholiques ni chez les protestants, c'est l'aspect arbitraire et sans fondement de foi de la pratique religieuse.

— Chaque organisation, chaque société a ses règles, mademoiselle Tremblay. Toutes les religions aussi.

— Quand la foi devient un mode de vie sociale et non un choix de conscience, j'ai du mal à accepter ces règles. Et ici, dans la province de Québec, je trouve que la religion catholique prend trop de place et empêche ainsi toute évolution en tant que peuple vivant dans un monde moderne nord-américain. La survivance ne survit plus : elle radote, se mord la queue comme un chien idiot. On dirait que personne dans le clergé n'a réalisé que l'ultramontanisme du dix-neuvième siècle a été un grave échec. Alors que le pape lui-même avait permis l'instruction obligatoire, au début des années trente, nous avons dû attendre dix ans plus tard pour qu'un tel fait se réalise ici. Et ce n'est pas Maurice Duplessis qui a fait adopter cette loi mais Adélard Godbout, le seul premier ministre moderne que nous ayons eu au cours de ce siècle. Les autres provinces du Canada sont plus riches que nous, intellectuellement et matériellement, puisqu'elles ne font pas de la religion un style de vie qui gouverne tout.

— Ce sont de graves accusations. Le pasteur Scott vous offre une meilleure alternative?

— Je n'en sais rien. Je discute avec lui. Il dirige mes lectures et nous en parlons comme des personnes adultes.

— Vous pouvez faire pareil avec n'importe quel prêtre catholique.

— Sauf votre respect, monsieur le curé, permettez-moi d'en douter.

— Vous nous prenez pour des caves, mademoiselle

Tremblay? Savez-vous que j'ai aussi étudié la théologie et la philosophie? Savez-vous que je peux me rendre avec vous rencontrer le pasteur Scott et que nous pouvons, tous les trois, avoir une conversation adulte qui vous donnera satisfaction?

— Je n'ai pas voulu vous insulter, monsieur le curé.

— Promettez-moi de me donner une chance. Venez ici autant que vous voudrez et nous discuterons des Écritures et de la foi. Et si vous désirez continuer à rencontrer le pasteur Scott, laissez-moi lui téléphoner pour lui demander qu'il se rende chez vous. Aller à son église est un risque que je n'aime pas. N'importe qui peut vous voir et je ne tiens pas que les élèves de l'école Sainte-Marguerite perdent leur Cendrillon-la-patte.

— Chez moi? En présence de ma mère? De mon frère et de mon père? Je ne peux pas faire ça, monsieur le curé!

— Si vous n'avez pas peur de vos convictions, si vous êtes aimée par votre famille, je ne vois pas où est le problème.

— C'est facile à dire! Non, je n'accepte pas vos propositions.

— Vous êtes très têtue!

— Probablement. »

Carole sort du presbytère et aperçoit Romuald faisant le pied de grue, désireux de savoir ce que le prêtre voulait lui dire. « Rien. » Carole n'a pas le goût de parler de cet homme toujours trop certain de lui-même, avec ses manies promptes et cassantes. Elle déteste aussi l'aura de sainteté qu'on attribue à ce petit prêtre, à cause de la construction des maisons de la coopérative. Et Romuald est sans l'ombre d'un doute le prototype de cet adorateur aveuglé. En rentrant chez elle, Carole ne sait pas pourquoi elle rougit devant ses parents. Elle monte à son bureau ranger ses livres et cahiers, et préparer sa correction pour la soirée. Son père cogne à sa porte pour demander la cause de cet empressement curieux. Roméo est revenu de sa cure de repos il y a une semaine et, s'il paraît plus calme, personne n'est certain qu'il a pu chasser le fantôme de sa sœur Jeanne de son esprit. Depuis son arrivée, il n'est pas retourné à son travail et passe ses journées à lire ou à faire semblant de lire.

« Je vais ouvrir la librairie la semaine prochaine. Christian et toi avez été bien bons de vous occuper financièrement de la famille pendant mon absence.

— J'ai fait mon devoir, papa.

— Au salaire que tu gagnes, ce devait être bien difficile pour toi.

— Mon salaire? C'est une paie normale pour une débutante catholique, détentrice d'un simple brevet C, et qui, de toute façon, va finir par se marier. Pourquoi on me donnerait un salaire proportionnel à mes efforts et mes aptitudes?

— Allons donc... Quel nouveau drame vis-tu?

— Aucun. »

Roméo ne cherche pas davantage à découvrir ce qui se passe dans la tête de sa fille. Il croit soudainement que cette humeur salariale est le résultat de tout ce qu'il a déjà pensé : ce n'est pas un métier digne des capacités de Carole. Pourtant, l'automne dernier, Roméo ressentait un grand plaisir à la voir travailler avec tant de ferveur, jurant de prendre exemple sur elle et de faire de son humble librairie de quartier le magasin le plus dynamique de Trois-Rivières. Mais il a oublié cette idée, le temps d'un regard vers une photographie de Jeanne.

Le lendemain matin, la neige tombe avec violence. Roméo insiste pour reconduire Carole à l'école, même s'il sait qu'elle considère ce geste comme de la pitié, à cause de son infirmité. Arrivée à destination, Carole l'invite à entrer, pour lui montrer sa salle de classe. Les couloirs des petites écoles semblent toujours les mêmes : sombres, aux plafonds hauts, avec des cintres suspendus à des bâtons, servant de vestiaire aux écolières. Carole pousse la porte de sa classe et Roméo en a deviné l'intérieur : les pupitres en rangées militaires, l'imposant crucifix au-dessus du tableau noir et la traditionnelle carte géographique. La seule différence est la présence de ces dessins de maisons sur les murs. Carole montre du doigt la lente construction de chacune d'entre elles.

« C'est leur grande motivation. Il y a même des tiraillements entre mes élèves et les autres de première, car leurs

90

institutrices refusent de se prêter à ce jeu. Il y a aussi des jalousies entre les écolières, parce que certaines ont du retard dans la construction de leurs maisons. C'est pour éviter cela que je ne voulais pas les mettre à la vue de toutes. Mais la sœur directrice m'a ordonné de le faire, ce qui, pour moi, est un manque flagrant de psychologie. J'ai toujours détesté l'idée d'exposer les succès ou les insuccès de chacune. C'est une invitation à la vanité et aux complexes d'infériorité. J'ai aussi horreur de classer les élèves par rang de réussite. C'est une attitude archaïque.

— C'est bien, Carole. Ce sont les maisons de la coopérative.

— Tout le monde dans ce quartier se fait une idée fixe avec ces maisons. Ça devient presque loufoque. Romuald est presque aussi enfantin que mes élèves au sujet de ces habitations. L'an prochain, il faudra dépasser ce stade et leur faire construire leur propre idéal, et non pas celui de leurs parents, représenté par ces maisons.

— Oui. Mais c'est très bien quand même. C'est différent.

— C'est très illusoire de penser faire évoluer le monde de l'enseignement dans des structures aussi restreintes et conservatrices. Voilà! C'est mon lieu de travail! Je vais te montrer la salle de récréation, qui est coupée en deux pour y ajouter une classe, afin de combler le manque de place. Quand on a construit cette école, personne n'avait pensé que tout le monde se mettrait à faire des enfants comme des lapins. Il y a aussi la poussée démographique de Trois-Rivières qui n'a pas été prévue, et les commissaires d'école ont toujours une mentalité de bas de laine : instruisez les enfants, mais il ne faut pas que ça coûte cher. Donc, pas de rénovation, pas d'agrandissement et on préfère couper la salle de récréation. C'est plus économique.

— C'est très bien, ma fille. »

Roméo ne trouve rien d'autre à dire. Carole se remet à parler, sans se rendre compte que son père ne l'écoute pas vraiment. Roméo est content de savoir que Carole aime son travail, même si souvent elle lui laisse l'impression d'être insatisfaite. Et si ce petit métier n'était que la première étape menant Carole vers sa véritable destinée? se demande-t-il, pendant que Carole continue de bavarder et lui de ne pas l'entendre. Quand Roméo parle de Jeanne, personne ne l'écoute, sinon sa fille Renée. Et sa femme Céline l'interrompt souvent. Alors, il se fâche. Il ne se rend pas compte qu'il ennuie et désole tout le monde. Il ne se souvient plus que, jadis, il parlait de tout. Maintenant, Roméo est un grand livre fermé qui ne peut qu'évoquer la page couverture, représentant Jeanne. La fille et le père marchent vers la salle de récréation et croisent sœur Angèle. Carole fait les présentations rapidement; elle ne s'attend surtout pas que la religieuse indique à Roméo qu'enfant, elle a fréquenté la même école que Jeanne.

« Je me souviens très bien de vous, monsieur Tremblay, car ma mère m'envoyait souvent à votre restaurant de la rue Champflour pour faire des commissions. Je vous y ai vu souvent, ainsi que votre sœur Louise, qui est aujourd'hui ursuline.

— Vous... vous étiez dans la classe de Jeanne?

— Pendant deux années, je crois. Un hiver, je m'en rappelle avec tant de joie, il y avait une grosse tempête de neige et votre père était venu chercher votre sœur Jeanne à l'école et il avait fait monter des enfants, dont j'étais, dans son automobile. C'était la première fois que je prenais place dans une telle voiture et j'avais été très impressionnée! Bien! Je suis heureuse de vous avoir rencontré.

— Mais...

— Oui?

— Jeanne... elle était...

— Une très belle petite fille. On m'a dit qu'elle est maintenant décédée. Quel grand malheur d'être appelée si jeune auprès de son Créateur. Je prierai pour elle. »

Carole regarde sœur Angèle comme si elle venait de commettre une grave faute. Roméo sort de son songe, jette un coup d'œil à sa montre, puis souhaite une bonne journée à Carole. Il demeure songeur derrière son volant, hésitant à démarrer. En roulant doucement, il voit arriver les garçons et les filles vers leurs écoles respectives, sacs accrochés au dos, rieurs et insouciants. Il se revoit, il y a tant d'années, défendu contre les grands par son frère Adrien, et protégeant lui-même Jeanne des mauvais coups dont les petites filles trop fragiles sont souvent victimes. Puis, ses six enfants ont tous suivi le même chemin des peurs et des angoisses devant la table des multiplications, la même route rieuse des jeux de cour d'école, des amitiés éternelles évanouies en si peu de temps. Maintenant, tous ses enfants ont quitté l'école et Roméo se juge vieux. Il se sent davantage âgé en pensant que cette religieuse au regard de cire a pu être jadis une compagne de classe de Jeanne. Dans quelques années, son plus jeune, Christian, se mariera à son tour. Peut-être que Carole, si amoureuse de Romuald, va aussi prendre époux. Ces deux derniers enfants partiront un jour prochain. Dans deux ans? Trois? Que fera-t-il, seul avec sa Céline dans cette grande maison? Il n'a vécu seul avec elle que six mois, au début de leur mariage en 1914, avant qu'il ne fasse la bêtise de partir pour cette guerre qui a tué son frère Adrien et brisé à jamais le cœur de son père Joseph. Roméo n'a pas beaucoup de patience envers ses petits-enfants. Ils sont si jeunes, criards, turbulents. Il sait qu'ils arrivent à la maison dans la joie de voir leur grand-mère. Sans dire qu'il est ignoré par eux, il sent très bien qu'ils ne l'aiment pas comme des enfants doivent admirer leur grand-papa. Et Roméo est conscient qu'il n'a rien fait pour se faire apprécier par eux. Retourner à la case départ de son mariage le rendra triste. Il sera un amoureux désuet, regardant sa Céline devenir vieille à son tour. Tout comme il a pris soin de son père Joseph, peut-être encore plus tard, un de ses enfants le gardera pour le nourrir, le vêtir, et pour se faire raconter des récits du temps passé. Ses souvenirs sont si cruels : le grand incendie de juin 1908 qui avait dévasté le cœur de Trois-Rivières et la maison de sa naissance; son bras gauche déchiré par cette balle allemande; son frère Adrien mort lors d'un des derniers combats de la guerre; son autre frère Roger, si jeune, happé par la terrifiante grippe espagnole, tout comme sa mère; le mal contre-nature et l'alcoolisme dont souffrait Jeanne; les difficiles années de la crise économique abattant les ouvriers de Trois-Rivières; la lente déchéance de son père

Joseph; l'accident de Carole; celui, si stupide, qui a coûté la vie à son fils Gaston. Est-ce là des souvenirs de grand-père? Les cris des enfants de l'école s'éloignent et Roméo quitte son songe, freinant violemment, venant près de heurter une autre automobile. Son conducteur, un jeune, lui crie des injures que Roméo devine trop bien : « Quand on est trop vieux pour conduire, on ne le fait pas!» Il roule lentement et le quartier Sainte-Marguerite disparaît dans son rétroviseur. Il arrive à temps pour l'ouverture de sa boutique. Hier, il a vu une cliente faire une grimace de dédain parce qu'elle a mis le doigt sur la poussière d'une tablette. Roméo se promet de tout nettoyer ce matin. Il se met à la tâche avec son chiffon et son seau d'eau savonneuse. Il déplace tous les livres, sans grande précaution. Jadis, il les touchait comme des trésors. Il connaissait tous les goûts de ses clients. Maintenant, il se contente de commander ce que le commis voyageur lui propose. Pour lui, les livres ne sont plus que des objets à vendre, au même titre que les crayons, les plumes et le matériel de bureau qu'il offre à la population. Roméo transporte les livres sans avoir la politesse de les regarder, ne s'apercevant pas que certains titres sont vieux et qu'il pourrait les solder à bas prix, pour les remplacer par des ouvrages plus attrayants et contemporains.

Quand il a ouvert ce magasin, en 1943, il désirait qu'il devienne le rendez-vous de tous les amateurs de littérature. Jeune adolescente, Carole venait y travailler et formait avec son père une équipe spécialiste, faisant la joie d'une clientèle fidèle. Mais depuis l'accident de Carole et la mort de Jeanne, la librairie a suivi l'humeur descendante de Roméo et de Carole. Elle n'est plus fréquentée que par des midinettes en quête d'un roman d'amour à cinq sous et par des vieilles filles qui ne s'intéressent qu'aux ouvrages religieux. Roméo ne se rend pas compte de cette situation. Ce travail lui permet de rapporter à la maison le minimum d'argent nécessaire à payer les comptes et à faire une épicerie par semaine. Après avoir nettoyé pendant vingt minutes, Roméo laisse tomber le chiffon, pour permettre à ses mains de se reposer. Il s'assoit derrière son comptoir, ne fait rien, ne pense à rien. La clochette de la porte tinte et Roméo sursaute en voyant entrer Romuald.

« Je viens acheter des cahiers d'école pour ma petite sœur Lucienne, monsieur Tremblay.

— Oui, j'en ai.

— Aussi, je vous remets ce livre que Carole m'a prêté. C'est la vraie histoire de Cendrillon. Je vous le donne parce que je ne pourrai pas la voir ce soir à cause de la réunion des membres de la coopérative. Le curé Chamberland va nous donner des nouvelles pour les maisons à construire en 1948. J'ai si hâte!

— Tu ne fais pourtant pas partie de la coopérative, Romuald.

— Non, car je ne suis pas marié. Mais je participe à tout! Je le veux bien et j'en ai besoin. L'hiver a été long sans rien à construire. Je dois tout savoir! Quand je serai marié, le curé Chamberland ne m'oubliera pas.»

Roméo est au courant des fantaisies « d'homme à marier » de Romuald. Carole lui a tout raconté. Le garçon a même un trousseau de futur marié, tout comme une ingénue rêvant à son grand jour. Dans ce coffre, Romuald collectionne des outils, des articles de jardinage, mais aussi de la vaisselle et des ustensiles de cuisine. Ainsi, son trousseau, mêlé à celui de sa future épouse, procurera au couple un bon confort matériel au début de leur union consacrée. Romuald sort de la librairie, son paquet sous le bras, marche jusqu'à la quincaillerie Saint-Pierre pour acheter des clous. Un bon ouvrier, un brave garçon, mais sûrement pas le mari idéal pour une intellectuelle comme Carole. Roméo croyait que Romuald allait vite se lasser de sa fille. Si Romuald osait demander la main de Carole, Roméo ne sait pas trop s'il accepterait, même s'il l'aime bien.

Roméo regarde le livre des contes de Perrault : une belle édition venue de France qu'il avait offerte à Carole le jour de ses dix ans. *Peau d'Âne, Le Petit Chaperon rouge, Riquet à la houppe* : ces belles histoires qu'il connaissait par cœur, il y a longtemps, et qu'il racontait avec gestes et mimiques à une Jeanne enchantée. Roméo parcourt brièvement le conte de Cendrillon. Il sourit, puis hausse les épaules. Il délaisse le livre au profit de son chiffon, puis, trente minutes plus tard, lit *Cendrillon*, en sachant que Romuald donne ce surnom à Carole. Les mots de Perrault surgissent de sa mémoire, mais Roméo ne se rend pas à la morale de l'histoire, perdu dans ce songe qu'autrefois, lui aussi écrivait des contes de fées pour plaire à Jeanne. Il avait même été appelé par le vicaire de la paroisse Saint-Philippe pour lire ses créations aux enfants des ouvriers. Si ces histoires venaient de son imagination et de son désir d'émerveiller Jeanne, elles ont, à son adolescence, pris leur source dans les récits d'un quêteux surnommé Gros Nez, qui a vécu avec sa famille au cours de ces années. Roméo n'a jamais oublié ce quêteux, un être cultivé et épris de liberté. À son contact, le jeune Roméo avait encore plus développé son imagination. Des contes, Roméo était passé au roman. Il en a publié cinq, entre 1920 et 1935. Des petits romans de gare, comme il les qualifiait, qui n'ont jamais fait de lui un écrivain reconnu, mais qui ont apporté de la joie aux gens de Trois-Rivières. Cette ardeur de l'écrivain, il la gardait vive pour Jeanne, qui illustrait ses romans. D'ailleurs, après le départ de Jeanne pour Paris, en 1930, écrire était devenu un travail pour Roméo, influencé par le régionalisme de l'abbé Albert Tessier, un prêtre historien et cinéaste qui encourageait les créateurs de la Mauricie à produire des œuvres sur leur petite patrie. Mais que sont devenus les disciples de l'abbé Tessier, ces gens férus d'histoire régionale et débordant d'optimisme? Où sont Moïsette Olier, Marguerite Bourgeois, Sylvain, Jeanne L'Archevêque-Dugué? Entrés dans le rang du mariage ou du travail? Tout comme Roméo? N'était-il pas comme eux, sous l'effet d'une mode entretenue par l'enthousiasme de l'abbé Tessier? Il arrive encore qu'on félicite Roméo pour ses livres, vieux souvenirs jaunis traînant sur une table de salon. Il répond poliment, même s'il ne se sent plus concerné par toutes ces histoires. Critique, il admet que ses romans n'étaient pas très bons et qu'ils méritent l'oubli dans lequel le temps les a enfermés.

Sur le trottoir, devant sa boutique, déambulaient jadis son père Joseph, Jeanne et Gros Nez le quêteux. Maintenant, il n'y a que des marcheurs anonymes, qui ne s'intéressent pas aux bouquins. À quoi bon lire, quand il y a la radio et le cinéma? On parle même de cette invention du nom de télévision qui permet de ne plus sortir de chez soi pour être informé, égayé et instruit. Les livres sont morts. Ils ne sont plus que des objets à vendre, lourds à porter quand ils arrivent dans une caisse, et qui attirent la poussière comme aucun autre produit. En cette journée, Roméo ne reçoit que quatre clients. Ce temps libre lui permet de songer à la sœur directrice de l'école de Carole. Si elle est une ancienne compagne de classe de Jeanne, son devoir est de la rencontrer! Elle pourrait lui raconter des histoires inédites sur Jeanne.

Roméo rentre chez lui morose et Carole boudeuse. À la fin de sa journée, comme d'habitude, elle s'est rendue chez Romuald pour goûter à ses baisers, mais cette fois, elle s'est plutôt cogné le nez à un message disant qu'il allait passer la journée avec les membres de la coopérative en vue de la réunion du soir.

« Ah! j'oubliais! Romuald est passé par le magasin pour te remettre ce livre.

— Les contes de Perrault! J'avais bien hâte de le ravoir, mais je n'osais pas le lui demander. »

Carole remet le livre à sa place, soupire et se lance dans une séance de correction, même si elle n'en a pas le goût. Elle songe à ce que Romuald va inévitablement lui annoncer demain : il va préférer passer ses soirées à construire des maisons pour des étrangers au lieu d'être avec elle. Carole a envie de lui préparer un ultimatum sans lendemain : c'est moi ou les maisons! Non! Quelle idée bête... Il préférerait sans doute les maisons. Que fera-t-elle tout ce temps qu'il passera à cogner des clous? Pourra-t-elle se passer de sa chaleur? De plus, il risque de se blesser à travailler sur ces maisons! Il va s'épuiser et ne rentrera pas en forme à son travail. Il va bâtir ces demeures pour des gens qui risquent de le salir, de l'insulter, de le trahir, de l'abandonner. S'il aime tant manier les outils, pourquoi ne consacre-t-il pas ce temps à faire des réparations chez lui? Il n'y a même pas de baignoire, ni de toilette! Carole sait tout cela et pourrait s'éterniser à trouver des raisons logiques pour l'empêcher de travailler au chantier du curé Chamberland. Mais elle n'ignore pas non plus qu'il est, comme tant d'autres, pris sous l'ensorcellement de ce petit prêtre détestable. Aujourd'hui, à l'école, les enfants étaient inattentives, sachant que c'était la journée de décision pour la construction des maisons de 1948. Elles n'ont que six ans et déjà elles sont hypnotisées par les envoûtements simplistes du curé Chamberland.

Ces maudites maisons! Ce leitmotiv de tout un quartier! Carole les connaît bien, car Romuald lui en a fait visiter six, alors qu'une seule aurait suffi, tant elles sont pareilles. Bien sûr, c'est plus beau et plus neuf que dans les logements ouvriers exigus de la rue Sainte-Marguerite. Mais ces habitations sont construites rapidement, à l'économie et, dans dix ans, ces si fiers propriétaires d'aujourd'hui vont s'arracher les cheveux en voyant que tout s'y brise et s'y use à une vitesse folle. Il y a à Trois-Rivières des logements plus décents que ceux de Sainte-Marguerite. N'est-il pas plus simple de déménager? Et ainsi se rapprocher de leurs usines? Romuald, lui, faisait visiter à Carole avec encore plus de fierté que le propriétaire. Une cuisine, un vivoir, quatre chambres à coucher, une minuscule salle de bain et le chauffage central. À l'étage, il y a un loyer identique permettant au coopérant de toucher un revenu, afin de l'aider à éponger sa dette à la caisse populaire. Les chambres sont petites, mais la cuisine assez grande, ce qui est idéal pour des ouvriers vivant surtout dans cette pièce. Même si ces maisons sont neuves, elles n'ont rien de moderne. Dans dix ans, elles seront probablement des taudis prématurés. Et Romuald qui les confond avec le palais de Buckingham! Bien sûr, Carole a remarqué le bonheur des couples propriétaires et de leurs enfants. Tous les ouvriers des autres quartiers de Trois-Rivières envient leur chance. Il y a aussi le petit idéal de voir un bas salarié réaliser un grand rêve. Carole comprend tout cela. Mais pour elle, c'est toujours le règne de la philosophie canadienne-française et minimale du petit bonheur, de la petite vie, du petit idéal, sans jamais oser penser aller plus loin.

Le lendemain, Carole n'a pas à regarder le journal pour connaître la nouvelle, car ses fillettes en parlent comme des grandes. Cinquante maisons! Le curé Chamberland va faire construire cinquante maisons! Ce chiffre astronomique, additionné à la quarantaine de maisons érigées au cours des quatre dernières années, prouve que la coopérative fonctionne avec succès. Une célèbre revue américaine n'a-t-elle pas consacré un article à la coopérative, en décembre dernier?

« L'Amérique a les yeux sur nous, Cendrillon!

— Bon, c'est ça. Hollywood va arriver avec Gary Cooper et Rita Hayworth.

— Cinquante! Cinquante, Carole! Tu ne te rends pas compte?

— C'est très bien, beau prince. Très bien. Si tu étais membre de la coopérative, je collerais un ange dans ton cahier.

— Allons donc! Ne te moque pas d'un miracle, Cendrillon.

— Va les aider si ça t'amuse, de temps à autre, mais que tu décides de passer tout ton temps là me déçoit beaucoup! C'est la preuve que tu ne m'aimes pas autant que tu le prétends.

— Alors là, c'est toi qui forces la dose! Et de toute façon, je ne te crois pas sincère en me disant une telle bêtise.

— Tu es bien décidé?

— C'est mon devoir, Carole.

— Adieu.

— Adieu? En voilà un chantage! Et de nouveau, je ne te crois pas.»

Comme Carole a prévu ce coup bas depuis l'automne dernier, elle a eu le temps d'économiser afin d'acheter une collection britannique en douze volumes de l'histoire de l'empire romain, sans oublier l'édition de luxe en allemand d'une étude sociologique des théories de Marx et Engels. Avec tant de délices à se mettre sous les yeux, Carole n'aura pas le temps de s'ennuyer, pendant que Romuald sciera des planches pour des inconnus.

Alors que Sainte-Marguerite se fait une fête du début des travaux de construction, Carole demeure étrangère à l'excitation de ces hommes et femmes. Mais elle pense que les écolières vont être distraites par ce remue-ménage, vont étudier moins et être dissipées. De la cour de récréation, on voit parfaitement le chantier des cinquante maisons. « Ne vous occupez pas des maisons de vos parents. Vous avez vos propres maisons de l'instruction à bâtir et je serais bien triste de vous voir y mettre moins d'ardeur, alors que nous approchons du but. » En donnant ce conseil à ses filles, Carole a le sentiment d'être regardée comme un monstre, une étrangère, une renégate. Carole essaie de faire amende honorable : « C'est la même chose. C'est avec le travail que vos pères bâtissent ces maisons, et vous devez être vigilantes à votre propre construction. » Rien à faire!

Ce vendredi, comme à tous les mois, le curé Chamberland vient en classe pour vérifier si les enfants apprennent bien leur catéchisme. Le petit prêtre est accueilli comme un être suprême. Carole regarde les yeux admiratifs des enfants, qu'elle juge bien naïves et aveugles. Il n'y a rien à redire, les élèves de Carole connaissent bien leur catéchisme, « même si elles n'y comprennent rien », se dit-elle.

« Vous n'êtes pas venue me voir à propos des Écritures, mademoiselle Tremblay.

— Non, malheureusement, j'ai beaucoup de travail pour la préparation de mes leçons.

— Tellement de travail que cela ne vous empêche pas de continuer à accepter les rendez-vous du pasteur Scott.

— À moi d'identifier mes priorités, monsieur le curé.

— Un esprit vif comme le vôtre n'a pas besoin de trois heures pour préparer des dictées et quelques soustractions. Je vous lance à nouveau l'invitation. Vous verrez, ce sera très intéressant.

— Vous n'avez pas le temps, avec ce chantier de cinquante maisons.

— Que savez-vous du chantier? La coopérative fonctionne très bien, car tout le monde prend ses responsabilités. J'ai le temps et j'aimerais bien vous rencontrer. Je suis sincère.

— Je n'irai pas, monsieur le curé.

— Bon! Voilà qui est enfin clair, net et précis! Pas « J'ai des leçons à préparer! » (Il dit cela en imitant maladroitement la voix de Carole.) Si vous ne voulez pas me visiter au

100

presbytère, venez au moins au chantier. Vous travaillez dans cette paroisse et votre devoir est d'au moins vous y intéresser un peu, ne serait-ce que par simple politesse envers les parents de vos élèves.

— Peut-être que j'irai plus tard.»

Carole n'écoute pas sa suggestion. Elle déteste de plus en plus cette idée fixe à propos de ces maisons. Elle n'aime pas quand les fillettes, dans la cour de récréation, regardent le chantier au lieu de jouer au ballon. Et, avant tout, elle a horreur de voir Romuald lui préférer ces maudites habitations. La fin de semaine, quand il arrive chez elle, Carole sait qu'il va passer son temps à lui parler des maisons. Pour le punir, elle essaie de lui démontrer que Caligula n'était pas un empereur sanguinaire. Mais elle regarde son amoureux et fond comme une faible femme entre ses bras. Après un long baiser, Romuald lui dit : « Viens donc voir le chantier, Cendrillon. Ça ne coûte pas cher.» Remarque qui rend amer le plus doux baiser.

Carole veut s'enfuir, mais les maisons la rattrapent partout à Trois-Rivières. Tout le monde ne parle que d'elles et du curé Chamberland. Carole rage devant tant de petitesse. Peut-être l'air est-il plus sain dans une autre ville? Et pourquoi, finalement, n'irait-elle pas étudier à l'Université Laval, et par la suite se rendre à Paris ou à Londres pour travailler à son doctorat? Il y a tant de gens qui partent d'Europe pour venir étudier en Amérique. Quel mal y aurait-il à faire le trajet inverse? Paris, c'est sûrement mieux que le quartier Sainte-Marguerite! Et pourquoi pas Rome? Bien sûr, l'Europe est un continent ravagé par les ruines de la guerre, mais le Vieux Monde est intellectuellement si supérieur! Carole serait si heureuse parmi d'autres gens aux ambitions et à la soif de savoir illimitées.

« Papa, je pense que je vais faire ma demande d'admission à l'Université Laval. Ou à McGill.

— Ah oui? Mais c'est une grande nouvelle, Carole! Enfin, je te reconnais!

— J'y ai bien réfléchi depuis un mois.

— C'est ta destinée, Carole. Tu le sais très bien. À dix ans, tu y rêvais déjà. À treize ans, tu ne pensais qu'à l'université. Tu n'aurais jamais dû cesser d'y croire. Tes études à l'École normale t'ont prouvé que ton handicap n'était pas une entrave à quoi que ce soit. C'est avec ta tête, ton intelligence, ta phénoménale capacité d'apprentissage et de compréhension que tu vas atteindre enfin ton but. Que veux-tu étudier?

— Je ne sais pas.

— Carole... Allons donc...

— Je ne sais pas! Je vais consulter les documents des facultés et faire un choix. J'ai besoin d'être ailleurs, papa. Il faut que je sois ailleurs. Ici, c'est trop petit. »

Roméo hoche la tête. Il n'aime pas le mot « ailleurs », mais ne saurait reprocher à sa fille ce goût de trouver satisfaction hors des limites de Trois-Rivières. Lui-même avait senti ce profond besoin quand il s'était porté volontaire pour l'armée, en 1914. Et sa sœur Jeanne ne rêvait que de Paris, tout comme son regretté fils Gaston ne pensait qu'à quitter sa ville natale en répondant avec enthousiasme à son ordre d'affectation, lors de la conscription obligatoire de 1944. Quelles ont été leurs souffrances dans cet ailleurs tant désiré? Ils n'y ont trouvé que du malheur. Mais l'herbe semble toujours plus verte chez le voisin et il est vrai, pense-t-il soudainement, que le désir de Carole est moins aventurier que celui de Jeanne, de Gaston et de lui-même. Ils désiraient de l'inédit, de l'inattendu, et Carole ne veut que vivre parmi d'autres intellectuels et suivre sa destinée.

« Et Romuald?

— Il comprendra. N'a-t-il pas fait la même chose en quittant Asbestos pour venir s'établir à Trois-Rivières, une ville où il ne connaissait personne?

— Pourras-tu trouver un aussi grand amour, Carole?

— Maintenant, je sais qu'un homme peut m'aimer, malgré mon infirmité. Je suis reconnaissante à Romuald de me l'avoir fait réaliser.

— Je me demande pourquoi tu as pu en douter.

— Je ne veux plus parler du passé. Il me fait un peu honte.

J'ai eu tort et mon jeune âge ne pardonne pas cette faiblesse. La vie peut être magnifique pour tout le monde à condition de faire éclater les frontières qui nous retiennent prisonniers.

— C'est une parole de sagesse.

— Je pense que Romuald veut faire pareil. Mais sa frontière traversée, il en trouvera d'autres sur sa route. »

Carole baisse les paupières et avale un petit sanglot. Roméo enlace sa fille en lui promettant son appui, disant à nouveau que la vie intellectuelle est la seule qui peut la rendre heureuse; il a toujours su qu'elle ne pourrait totalement s'affirmer à Trois-Rivières ou dans la province de Québec.

« Tu as sans doute raison.

— Ton père a toujours raison, ma petite Carole.

— Oui, mais tu peux faire pareil, papa. Tu es intelligent et cultivé. Tu es un journaliste et un écrivain. Ne cache pas cela plus longtemps, si tu veux faire exploser ta frontière de tristesse. »

Avril et mai 1948
Sous enchantement

Depuis qu'elle vit avec son handicap, Carole se demande quelle saison aimer, en sachant que la pluie d'automne, la neige de l'hiver et la boue du printemps l'incommodent dans ses pas. Et elle a toujours eu horreur de l'été, qui active son insomnie et la rend mal à l'aise dans ses vêtements. Ce printemps 1948 est assez humide et lorsque Carole se décide enfin à rencontrer Romuald pour lui signifier son intention de partir pour la grande ville et son université, elle doit marcher sur un terrain où se mêlent la boue, les cailloux pointus ainsi que la neige grisâtre et durcie. Bâtir une maison le long d'une rue, c'est très bien; en construire cinquante dans un champ, c'est moins charmant, surtout lorsque Carole doit s'appuyer sur sa canne pour se déplacer. En approchant des maisons, elle entend le ronronnement des scies et la danse primitive des marteaux se mêlant aux rires gras des hommes. Mais où se cache Romuald, sur ce vaste chantier? Carole sursaute en entendant crier : « Salut, Cendrillon! » Un homme, grimpé sur le squelette d'une toiture, lui envoie la main en souriant trop.

« Monsieur! Pouvez-vous me dire où est Romuald Comeau?
— Ah! la p'tite maîtresse d'école cherche son amoureux!
— Où est-il?
— À l'autre bout, là-bas. Sur le terrain de Laurier Milot.
— Merci.
— Bonne promenade, Cendrillon! »

Carole soupire en apercevant toutes ces maisons, placées en bon ordre, comme les dents d'un peigne. Trois habitations plus loin, un autre homme la salue, cette fois en la surnommant Cendrillon-la-patte. Carole s'informe de nouveau.

« Plus loin! » Le bout de la canne de Carole a du mal à trouver un appui solide. Elle marche avec peine et se fatigue rapidement. Il fallait ce terrain et ces maisons pour lui rappeler aussi cruellement son handicap. À la huitième charpente, on lui indique plutôt un autre chemin. Ces hommes ne semblent pas réellement savoir où travaille Romuald. Soudain, le curé Chamberland surgit d'une maison, une scie entre les mains, un ceinturon de tournevis accroché à sa soutane.

« Ça me fait plaisir que vous veniez voir le chantier, mademoiselle Tremblay.

— Je viens plutôt rencontrer Romuald, monsieur le curé.

— Je sais où il se cache. Il est sous les ordres de monsieur Milot. Ne bougez pas d'ici, mon auto est à quelques pas.

— Dites-moi simplement où il se trouve et je vais m'y rendre à pied. Vous avez du travail, à ce que je vois.

— Avec votre infirmité, c'est difficile de marcher sur ce terrain accidenté. Ne bougez pas, je reviens.»

Carole obéit, n'ayant surtout pas le goût de se déplacer davantage. L'automobile du petit prêtre hoquette en soubresauts et il la conduit comme un militaire au volant d'une Jeep. Il la dépose à la toute première maison du chantier. Carole rage en pensant qu'elle a entrepris sa recherche par le mauvais bout.

« Romuald est un très bon ouvrier. Je crois même qu'il a de l'avenir dans la construction de maisons.

— Et vous? Vous êtes un bon ouvrier?

— Je ne serai pas modeste : il n'y a pas un clou qui peut crochir quand je suis dans les parages!»

Carole sourit par politesse, puis regarde cette maison en construction, la trouve sinistre avec ses trous à la place des portes et des fenêtres, ses amoncellements de sable qui l'entourent, ses bouts de bois dépassant de partout. Elle fait attention où elle pose les pieds, se dirige vers l'arrière et tombe nez à nez avec une de ses élèves. « Faire travailler une petite fille de six ans à sept heures du soir dans le froid du printemps, alors qu'elle devrait étudier!» se dit-elle, tandis que l'enfant part à la course chercher son père. «Ah! mais c'est la petite maîtresse d'école!» de faire en chœur les hommes, ce qui est suffisant pour alerter Romuald, occupé à l'intérieur. Il sourit à Carole en retirant ses gants sales.

« Salut, Cendrillon. Tu me fais une bonne surprise. Viens en dedans, c'est moins froid.
— J'ai à te parler, Romuald.
— Entre. J'ai du Coke.»

Carole avance et son pied gauche s'enfonce dans la boue. Son soulier y demeure coincé. Nul doute que ce rappel de leur première rencontre adoucit les deux regards un peu pointus qu'ils venaient de s'échanger. Carole s'appuie sur sa canne, incapable de se pencher pour prendre sa chaussure, au risque de perdre l'équilibre et tomber entièrement dans la boue. Romuald s'empresse de l'aider, mais la petite fille met la main avant lui sur le soulier et le tend à son enseignante. Romuald aide Carole à marcher jusqu'à la maison. Deux planches enjambent le petit fossé entre la demeure et la cour. Carole hausse les épaules, signifiant à Romuald qu'elle ne peut risquer d'utiliser un pont aussi rudimentaire. Sous les moqueries et les sifflements des hommes, Romuald la prend dans ses bras, tel un nouveau marié à la porte de sa chambre d'hôtel pour la nuit de noce.

« C'est pas un terrain pour toi, Cendrillon.
— Et c'est toi qui me dis ça? Toi qui voulais tant que je vienne?
— C'est dangereux. Tu risques de te blesser.
— Et la petite? Tu ne penses pas qu'elle peut se blesser plus que moi?
— Elle est avec Laurier, son père. Ce sera peut-être leur maison.»

C'est la seconde fois que Romuald fait allusion à la jambe boiteuse de Carole. Elle ne peut lui en vouloir, sachant qu'il a raison : c'est dangereux pour elle. « Je trace au crayon l'endroit où il faut couper le madrier. Il faut être précis », explique-t-il, en désignant son atelier improvisé. Il l'invite à s'asseoir sur une vieille chaise pleine de taches de peinture. Avec l'aide d'un tournevis, il lui décapsule une bouteille de Coca-Cola.

« Comment vont tes empereurs romains?
— Comme ta maison. Ce n'est pas terminé.
— Ah! ma maison! Elle va se terminer! Comme ta lecture et comme les maisons de l'instruction de tes élèves, et quand ça sera fait, nous serons tous plus instruits et meilleurs. »

Carole ne l'écoute pas. Elle n'a pas le goût d'entendre ce type de comparaison, devinant que son amoureux répète les paroles du curé Chamberland. Avant son départ, elle avait préparé un discours doux pour ne pas le chagriner en lui apprenant sa décision d'entreprendre des hautes études à Montréal. Mais Carole se sent soudainement vide de toute logique, en colère d'avoir marché avec peine dans la boue, mais se retrouvant si pleine d'envie quand elle ose regarder Romuald dans les yeux. Rien ne peut l'empêcher de se lancer vers sa bouche. Carole frotte son désir contre la chaleur de Romuald et plus rien n'existe pour les amants trop pleins d'espoir. La main du beau prince vagabonde vers la taille de Carole, tandis qu'elle écrase sa poitrine contre la chemise de Romuald. Leur solitude est brisée par les petits pas de la fillette, suivie par le « Wo! Wo! les jeunes! » de son père. Carole replace ses cheveux, tandis que Romuald se retourne, à la recherche d'un quelconque outil. La petite fille tire Carole par la manche, en miaulant : « Venez! Venez, mademoiselle! Je vais vous montrer ma chambre! » Peu après, son père l'imite et chante tout haut son beau rêve de projet d'ameublement pour chaque pièce, révélant ainsi à Carole l'espoir de sa vie. « J'ai vécu la crise », confesse-t-il, en baissant la tête. « Je vivais sur les bons de secours direct et j'allais quêter des repas à la Saint-Vincent-de-Paul. Après, pendant la guerre, j'ai travaillé à l'usine de douilles d'obus au Cap-de-la-Madeleine. Puis, en 43, j'ai retrouvé mon emploi aux pâtes et papiers, à la

Wayagamack. Mais je ne gagne pas bien cher et on a quand même sept enfants, ma femme et moi. Et voilà que je vais être propriétaire! Moi! Moi, un petit ouvrier sans spécialité! » Romuald sourit en l'écoutant. Il prend la main de Carole. Elle a entendu ces propos cent fois, mais cet homme au visage rude lui fait oublier ses préjugés. « C'est comme vous, mademoiselle Tremblay. Je suis sûr que vous voulez améliorer votre sort et faire la classe à des plus grandes, peut-être même à des enfants de huitième année! Alors vous travaillez fort pour y arriver. Nous, les coopérants, on fait la même chose, avec la force de nos bras, le bon œil de Romuald pour le calcul, et le courage que le bon Dieu nous donne grâce au curé Chamberland. » Après avoir dit le nom du petit prêtre, l'homme et sa fille font un signe de croix. « Bon! » fait-il en tapant dans ses mains, avant d'ajouter : « C'est bien beau, tout ça, mais il faut travailler, mon Romuald! Et il ne nous reste pas beaucoup de temps de clarté. » Romuald obéit sans protester, sachant que la pause prise avec Carole est plus longue que celle accordée habituellement. Il décroche son crayon, coincé derrière son oreille droite, et se remet à la tâche en sifflant. Carole reprend place sur sa chaise, balance les pieds et avale quelques gorgées de sa boisson gazeuse.

« À quelle heure as-tu l'habitude de partir?
— Quand on y voit plus rien.
— Et que fais-tu après?
— Je vais me laver, me préparer pour ma nuit de travail. Je bois un thé pour me reposer et je prends l'autobus de onze heures.
— Tu dois être très fatigué quand tu entres à l'usine. Tes patrons doivent s'en rendre compte.
— Non, je ne le suis pas. Quand on aime faire quelque chose, on est jamais fatigué. Et puis, ici, nous sommes entre amis. On accomplit des choses variées, au contraire du travail à l'usine. Faire toujours le même geste devant une machine à papier est bien plus fatigant que de travailler sur ces maisons.
— Vas-tu passer ta vie en usine, Romuald?
— Je ne sais pas. Mais l'usine a l'avantage de procurer du

travail pour le reste de ton existence. Ça permet de faire des projets à long terme.

— Le curé Chamberland prétend que tu es un bon menuisier.

— Il a dit ça? Je suis content de l'apprendre. J'imagine qu'après trois étés à bâtir ces maisons, j'ai développé des qualités.

— C'est très précis, les calculs que tu fais.

— Tu vois que j'ai bien retenu mes leçons d'arithmétique, ma petite maîtresse d'amour adorée? »

Carole sourit comme une gamine gênée. Il cesse de parler pour se concentrer sur sa tâche. Carole étire les bras et le cou, regarde la charpente de la maison, hume la bonne odeur du bois neuf, ses oreilles oubliant le bruit criard des ouvriers tout autour d'elle. Puis, elle scrute les yeux de Romuald posés sévèrement vers un point précis, ses bras généreux tendus vers une verge, les muscles francs de ses épaules, ses lèvres entrouvertes, laissant fuir une respiration régulière. Carole ne pense plus à la grave nouvelle à lui annoncer. Elle n'est qu'une femme perdue devant son désir de toujours étreindre son homme, enivrée par l'idée de l'aimer jusqu'à la fin des temps.

« On va arrêter, Romuald! » de crier Laurier Milot. Cet ordre fait sortir Carole de son beau songe. Elle voit Romuald continuer son travail, pointer un doigt signifiant : « Une minute! Une seule minute! » comme un enfant qui refuse de rentrer à la maison après une soirée de jeu. Il prend de nouveau Carole dans ses bras pour lui faire traverser les deux planches. Romuald a du mal à contenir ce goût de la garder ainsi, de la promener partout à Trois-Rivières pour crier à tous son grand amour pour Cendrillon. Il se contente de la tenir par la main.

« Tu retournes tout de suite préparer tes leçons?

— Je vais te suivre jusqu'à chez toi, te regarder te laver, préparer ton thé, puis je prendrai le même autobus que toi. Il faut parler, aussi. J'ai des choses importantes à te dire. »

La maison où habitent Romuald et sa famille est à l'écart du quartier Sainte-Marguerite. Le dernier poteau électrique est à quelques pieds de son domicile, mais la rue n'est pas éclairée. Il y fait très noir, le soir. Au rythme des naissances et de la réussite industrielle de Trois-Rivières, il ne fait aucun doute que cette partie de Sainte-Marguerite finira par être intégrée au tissu urbain. La demeure est éloignée de la rue, très petite, basse, d'apparence si hideuse qu'on la dirait abandonnée. Elle ressemble à un dé à coudre, n'a de fenêtre qu'au rez-de-chaussée. Autour, il y a un petit poulailler, un jardin de modeste dimension, un cabinet d'aisance dans le fond de la cour, et cette carcasse de camion, dont Romuald se sert pour entreposer du bois afin d'améliorer son foyer. « J'habite un taudis », admet-il. « Mais un taudis propre! » Les premiers temps où Carole s'y rendait, elle avait peur de voir des souris se balader sur le plancher de la cuisine. Mais ce ne peut être le cas, car Romuald a très bien isolé le logis, entretenu scrupuleusement par sa mère et sa sœur Pierrette. Quand il a acheté cette maison en 1945, pour une bouchée de pain, elle était déjà abandonnée depuis dix ans, mais on dit que bien des gens de passage y ont habité sans autorisation. Romuald préfère vivre là-dedans qu'être à la merci des propriétaires sans scrupules des logis ouvriers. Avec son salaire modeste, celui diminué de sa sœur adolescente et celui de sa mère trop âgée pour recevoir plein gage, Romuald a réussi à réparer un peu, mais sans trop insister. Il sait que ce n'est qu'un abri temporaire et que le jour où il déménagera dans une maison de la coopérative, il ne trouvera pas à vendre cette cabane, même s'il espère malgré tout obtenir quelques dollars pour le terrain.

Il n'y a pas d'eau courante dans la maison. Seule une pompe dans la cuisine apporte une eau de source assez limpide, mais qu'il vaut mieux faire bouillir avant la consommation. Il n'y a pas de baignoire, ni de salon, et l'électricité n'arrive qu'au rez-de-chaussée. Le deuxième, trop bas de plafond, est occupé par trois petites chambres froides en hiver et suffocantes en été. Les Comeau vivent principalement dans la cuisine. On y retrouve une berçante et un sofa. Comme beaucoup de logis abritant des familles ouvrières, cet espace n'est qu'un endroit où manger et coucher. Ils passent tout leur temps à l'extérieur, quand la température le permet. Carole s'est habituée à un intérieur aussi misérable, sombre et humide. Elle sait que tout y est en bon ordre, malgré la tristesse du premier regard.

À cette heure, il n'y a que Pierrette dans la maison, la mère et Lucienne étant déjà couchées. L'adolescente semble fourbue et songeuse. Elle s'empresse de demander des nouvelles des maisons à Romuald. Puis, elle ferme les yeux pour confesser tout haut : « Vite que je vieillisse et que je trouve un mari pouvant habiter une vraie maison. » Romuald s'approche pour lui dire qu'il fait de son mieux pour bien entretenir leur gîte actuel.

« Je sais! Je sais, Romuald! Mais c'est si loin de tout, ici! C'est noir! Ce n'est pas beau!

— Ton tour viendra, Pierrette. Mais ne précipite pas un mariage avec l'idée de t'en aller d'ici. L'amour, le vrai, il est beau n'importe où.

— C'est facile à dire. Et puis, je n'en peux plus de travailler! Passer mes journées en ayant peur des contremaîtres, ce n'est pas drôle! »

Pierrette soupire à nouveau, avant de monter à sa chambre, un boulet à ses chevilles, comprenant que les amoureux, ces chanceux, veulent sans doute profiter de la solitude trop rare de la cuisine. Romuald active le levier d'eau, en confiant à Carole que ce n'est pas toujours facile d'être à la fois le père et le grand frère de Pierrette. Carole ne l'écoute pas. Elle regarde ses muscles travailler. Le chaudron rempli, il le dépose sur le poêle.

« Tu devrais prendre ton bain, Romuald.

— Sois sage, Cendrillon. Ma mère et mes sœurs sont en haut.

— Je n'ai pas le goût d'être sage.

— Et puis le temps de remplir la cuve de bain, on perdrait des minutes précieuses qu'on pourrait mieux utiliser, n'est-ce pas?

112

— Et c'est toi qui viens de me conseiller d'être sage? »

L'eau bout. Il retire le chaudron du poêle et y ajoute une portion d'eau froide. Pendant qu'il enlève sa chemise, Carole s'empare du savon à son insu. Elle savonne un linge et le lui passe doucement dans le visage, le cou et sur les épaules. Elle refait le manège de plus en plus tendrement, jusqu'à ce qu'il tombe dans le piège désiré de l'embrasser avec passion. Sur le sofa, Carole devient une caresse grimpant le long des sens de Romuald. Son désir n'attend plus la permission de Carole et, hospitalière, elle laisse la paume des mains de Romuald lover ses seins, alors que leurs respirations s'unissent dans un baiser vorace qu'ils souhaitent éternel.

« Je dois aller travailler, Cendrillon...
— Comme c'est cruel!
— Et tu dois te coucher. Tu es chanceuse, car tu feras un beau rêve. Moi, je devrai rêver à toi au son des machines. C'est moins romantique.
— Oh! il faut le concrétiser, ce rêve, mon beau prince! Toujours! Tout le temps!
— Pour la vie, Cendrillon. Marions-nous.
— C'est un peu tôt, tu le sais. Tu conseillais à ta sœur de ne pas faire un mariage hâtif, il n'y a pas une demi-heure. Ça ne fait que huit mois que je te connais.
— Dans deux mois, alors?
— Romuald! Tu sais que je déteste quand tu me parles de mariage!
— Je ne veux pas me marier avec toi pour avoir une maison, comme tu le penses encore. Je veux me marier avec toi parce que dans la vie de chaque homme, il n'y a qu'un seul véritable amour. Et c'est toi qui es cet amour.
— Quand tu me dis des choses semblables, c'est fou comme je me sens faible...
— Allez! On se lève! Je ne veux pas te chagriner. Je ne te parlerai plus de mariage. De toute façon, je n'ai pas à le répéter. Tu connais mes sentiments à ce sujet. L'autobus passe dans trente minutes, on a juste le temps de se rendre à l'arrêt. »

Il monte chercher une autre chemise. Carole prend sa tête entre ses mains, se cogne le front d'un petit coup de poing pour se punir de sa faiblesse : elle a été incapable de lui parler de sa décision. Mais quand la jeune femme le revoit, prenant sa boîte à lunch, elle se sent encore plus anémique. Ils marchent jusqu'à l'arrêt. Tout le long de la rue Sainte-Marguerite, le véhicule cueille les travailleurs qui se rendent vers les grandes usines trifluviennes. La plupart des ouvriers de la coopérative ne se privent pas de moqueries en voyant le grand Romuald décoiffé, au bras de la petite maîtresse d'école, tout au fond de l'autobus.

En quittant Romuald au centre-ville, Carole se demande pourquoi la morale empêche la nuit de n'appartenir qu'aux jeunes amoureux. Elle se couche en essayant de ne pas penser à sa faiblesse et, le lendemain soir, elle se rend de nouveau au chantier, avec la ferme intention de parler à Romuald de son projet de retour aux études. Mais, perdue dans les rires et ne voulant pas retarder Romuald dans sa tâche, elle n'arrive pas à lui en glisser un mot. Après la fermeture du chantier, elle le suit silencieusement jusque chez Laurier Milot, pour boire du thé et manger des biscuits en forme de chats. Madame Milot se vante auprès de Carole de l'originalité de ses biscuits, disant que le moule est un héritage de sa grand-mère, que ses biscuits faisaient l'envie de toutes les ménagères du quartier, qu'ils étaient le résultat d'une recette secrète qu'elle refuserait de révéler, même contre un million de dollars. Pendant ce temps, les hommes discutent de hockey, et une adolescente de quatorze ans dévisage la canne de Carole.

« Ils sont gentils, hein? Ils ont l'air si heureux.
— Avec des biscuits semblables, il n'y a pas de doute sur leur chance de bonheur perpétuel.
— Ah! Cendrillon fait sa moqueuse!
— Oui, Romuald. Ils sont bien gentils et ont l'air heureux. »

Le vendredi soir, la famille Milot ira probablement jouer aux cartes chez la parenté. Le samedi, ils recevront des cousins. Le dimanche, ils iront à la messe et passeront le reste de la journée en famille, à manger des biscuits félins. Le soir, ils écouteront la radio. Et tout ce beau monde se couchera à dix heures pour préparer une autre semaine semblable aux quatre cents précédentes. C'est l'idéal familial canadien-français, tel que souhaité par les évêques et le premier ministre Duplessis.

« Je dois corriger mes dictées, Romuald. Les enfants attendent le résultat depuis quatre jours. Et suite à cet ouvrage, je dois réfléchir à leurs erreurs et préparer une leçon corrective. J'ai négligé mon travail depuis deux jours.

– Je comprends.

– Voilà pourquoi je te semble boudeuse ou moqueuse. Je n'aurais pas dû accepter cette invitation. J'ai perdu une heure.

– Tu as raison, Cendrillon. Je vais attendre l'autobus avec toi. Mais vas-tu revenir au chantier? Ça me fait tellement plaisir. Et t'as remarqué? Tout le monde est content de te voir.

– Je ne pense pas le faire cette semaine. Je dois vraiment travailler à la préparation de mes leçons. Et jeudi, on a une réunion et je devine que sœur Angèle va nous faire des recommandations. »

Le lendemain soir, Carole rentre chez elle mais ne peut s'empêcher de penser à Romuald. Il vente et fait froid. Elle sait que son amoureux s'habille toujours trop légèrement, sous prétexte qu'il est insensible aux changements de température. Elle craint qu'il ne s'enrhume à tant travailler sur ce chantier. Elle a le goût de se rendre jusque chez lui pour mettre la main sur un chandail. Le vendredi, Carole laisse tomber son étude de l'empire romain et décide de rejoindre Romuald. Elle a un serrement de cœur en l'apercevant assis à califourchon sur un madrier, près de la toiture. « Hé! Cendrillon! Salut! » crie-t-il, avec une voix qui ne peut masquer son rhume.

« Descends! Tu es malade! Tu vas prendre encore plus froid!

– Non, non. C'est une toute petite grippe.

– Je te l'avais dit que tu attraperais un rhume!

115

— Non, tu ne me l'as pas dit.
— En bas, tout de suite!
— J'en ai pour dix minutes. Va m'attendre dans la maison. »

Carole fait un geste d'impatience, puis se retrouve face aux deux planches menaçantes. Elle décide de ne pas les braver et attend Romuald, ses doigts giguant sur ses avant-bras. Les ouvriers, voyant sa colère, n'osent pas avancer pour l'aider à traverser jusqu'à l'intérieur de la maison. Carole pense à sa prochaine fin de semaine, gâchée à cause de l'imprudence de Romuald. Mais au fond, peut-être pourra-t-elle le soigner, le dorloter, embrasser son front bouillant, le confondre avec une poupée. Peut-être que ses baisers lui procureront la chaleur nécessaire à sa guérison. Il se présente à elle, mouchoir contre son nez, ouvre les bras en disant : « Tu vois? Ce n'est pas si grave! » D'un doigt autoritaire, elle désigne les planches, avec l'air de dire : « Vite! À la maison! » Cette gestuelle amuse Laurier Milot et les autres ouvriers.

« Est-ce que le curé Chamberland est d'accord pour que ses coopérants travaillent dans le froid quand ils ont la grippe?
— N'exagère pas, Cendrillon. Je ne suis pas si malade et je suis très résistant aux microbes.
— Je vais aller le voir, moi, le curé Chamberland!
— Hé! attends une seconde, Carole. Ne fais pas ça. »

Le lundi, Romuald est de retour à son poste, sous le regard sévère de son amoureuse, une bouteille de sirop dans son sac à main, s'assurant qu'il travaille à l'intérieur. Carole se rend au chantier tous les jours, au cours des deux semaines suivantes. À quelques occasions, elle croise le curé Chamberland, marteau à la main. Chacune de ses arrivées dans les maisons provoque une dévotion aveugle des ouvriers qui s'agenouillent pour demander sa bénédiction. Il les fait prier et chanter. « C'est très biblique », ose-t-elle dire au petit prêtre, sourire au coin des lèvres. Lui, à la surprise de Carole, ne s'offusque pas, lui répond que c'est l'amour du Christ et du prochain qui se manifeste à chaque instant chez les ouvriers du chantier. Elle voit aussi les femmes et les enfants venir aider les hommes. Chaque jour, Carole passe par un chemin différent pour se rendre au terrain occupé par l'équipe de Laurier Milot. Elle aime quand les ouvriers la saluent en utilisant son surnom de Cendrillon. Le jeudi, elle arrive avec six bouteilles de Coca-Cola, qu'elle donne à tous, gardant la dernière pour Romuald.

« Carole, où te rends-tu tous les soirs au lieu de travailler?
— Mais je travaille, papa. Puis, après huit mois d'enseignement, il y a des automatismes qui se créent et je n'ai plus à m'enfermer chaque soir dans mon bureau pour préparer mes leçons.
— Tu ne veux pas me dire où tu vas?
— Bien sûr! Je vais au chantier de la coopérative pour voir Romuald.
— Chaque soir?
— Oui.
— Il me semblait que tu n'aimais pas cette idée fixe des maisons du curé Chamberland.
— Tu sais, papa, il y a quelque chose d'enchanteur, sur ce site.
— Enchanteur?
— Oui. Dans le sens littéral du terme. Comme un enchantement, un sort, un charme, une manifestation de magie, d'irréel. Ces hommes sont tous habités par leur idéal et motivés par une force surnaturelle.
— Carole, ma fille, je pense que tu lis trop...
— C'est difficile à exprimer. Cela se ressent quand tu y vas souvent.
— Et Romuald? Il t'enchante encore, même si tu vas le quitter pour étudier à l'Université McGill?
— Je ne le lui ai pas encore dit.
— Comment? Mais on a reçu la documentation, Carole! Et avec tes notes du couvent, ils vont te dérouler le tapis rouge! Nous sommes à deux semaines de ton inscription pour l'automne!
— Je n'ai pas été capable de le dire à Romuald, papa! Je n'ai pas été capable! »

Carole sort pour attendre son autobus, un sanglot au fond de la gorge. Elle a le sentiment curieux d'avoir attristé son père. Il y a une semaine, elle a souligné à l'encre rouge toutes les facultés qui l'intéressent et grâce auxquelles elle pourra assouvir sa soif de savoir. À la fin de l'exercice, le document, trop rougi, lui a donné des maux de tête. Comme depuis toujours, Carole ignore ce qu'elle veut faire de sa vie. Tout ce qu'elle sait est que l'amour l'aveugle et la rend faible, et que ces sentiments honteux lui plaisent. Les sourires et les salutations des ouvriers de la coopérative la flattent, car ils sont des manifestations chaleureuses de sympathie. Elle sait que les autres enseignantes de l'école Sainte-Marguerite ne sont pas aussi populaires auprès des parents du quartier. Elles sont vieilles, laides et sévères; elle est jeune, jolie et tous leurs enfants l'adorent. Un peu de simplicité ne fait pas de mal à la vie de Carole, où tout a toujours été complexe.

Hier, elle a vu un ouvrier aux mains enflées lancer son marteau au loin, vociférant qu'il avait trop de difficultés avec un contremaître de son usine pour se créer des soucis à bâtir des maisons pour d'autres hommes. Ses compagnons l'ont tout de suite réconforté, encouragé, puis l'ont laissé s'enfuir jusque chez lui. Il est revenu trente minutes plus tard et a repris son marteau sans dire un mot. Carole n'a aucune idée de ce que les ouvriers ont pu lui dire précisément, mais cette scène a hanté sa nuit. Le courage, la charité des uns pour les autres, la solidarité, le respect, l'amitié et l'amour chantent à tout instant sur ce lieu. Ces attitudes se reflètent chez les fillettes de sa classe, sans même que le curé Chamberland prononce ces mots. Carole comprend soudainement pourquoi le petit prêtre insistait pour qu'elle fréquente le chantier. Cette révélation triomphe de ses préjugés à l'égard des ouvriers et de leur œuvre de bâtisseurs. Elle ne se creuse pas la tête à chercher des excuses : elle aime se rendre au chantier.

« Est-ce que votre père Roméo ou votre grand-père Joseph vous ont déjà parlé du grand incendie qui avait détruit Trois-Rivières à l'été 1908, mademoiselle Tremblay?

— Oui, abondamment, monsieur le curé.

— C'est dans le malheur que se manifeste souvent la

bonté des hommes. Après le grand incendie, tout le monde avait aidé son prochain, sans rien demander en retour. De tous les coins de la province arrivaient des trains avec du linge, du bois, de la nourriture, des outils, des poches de ciment et même des jouets. C'est aussi à cette occasion qu'a surgi la vieille tradition canadienne-française de la corvée, qu'on appelait aussi le levage. Quand un cultivateur se construisait une nouvelle grange, tous les voisins du coin arrivaient pour l'aider, sans que personne les appelle. C'est ce qui s'est fait à Trois-Rivières, après le grand feu de 1908. J'étais jeune homme, j'avais participé et cette joie a marqué ma vie. Votre grand-père Joseph, qui était probablement le pire catholique de la ville, avait travaillé au levage avec la même foi, la même bonté, la même abnégation que le plus dévot Trifluvien. Sur le chantier, en ce moment, c'est la même chose qui se passe, mais en plus moderne, en plus organisé. C'est la même manifestation de Dieu qui anime ces hommes, ces femmes et ces enfants. Le chantier de la coopérative construit des maisons, mais il bâtit surtout de meilleurs citoyens, de meilleurs êtres humains, et de meilleurs catholiques, mademoiselle Tremblay.

— Oui, je comprends.

— Ce sont des sentiments inspirés par la bonté de Dieu. Ressentez-vous la même chose? Dieu ne vous fait-il pas des signes?

— Je ne sais pas. Je suis bien, c'est tout. Je ne fais que partager les sentiments de Romuald.

— Dieu se manifeste en vous, mademoiselle Tremblay.

— Si cela vous fait plaisir de le croire. Mais tout ceci ne m'empêchera pas de trouver l'enseignement du catéchisme très limitatif pour le développement d'une foi sincère chez les enfants. Tout comme je trouve les processions catholiques vides de sens et que les marchands du temple font des affaires d'or, que ce soit à l'Oratoire Saint-Joseph de Montréal ou au Sanctuaire Notre-Dame du Cap-de-la-Madeleine. Et tant que je vivrai, jamais je ne comprendrai pourquoi Dieu a laissé les nazis traiter les Juifs comme de la vermine, sans que le pape Pie XII lève le petit doigt.

— Nous en parlerons plus tard. Venez au presbytère.

— Je ne sais pas si j'y tiens.

— Bon! Bon! D'accord! Mais je m'en voudrais de vous dire qu'il vous reste une chose à faire, mademoiselle Tremblay. Prenez des planches et tendez-les aux hommes. Plus tard, vous pourrez peindre les murs des maisons, laver les fenêtres, faire comme les autres femmes.

— Oh, ça! C'est une autre histoire! Je ne suis pas une domestique!

— Si vous passez une autre semaine à flâner sur le chantier, ça pourrait être négatif pour monsieur Milot et ses amis. Travaillez avec eux. Et vous comprendrez mieux.

— Flâner?

— Oui, vous flânez.

— Vous pourriez le dire un peu plus poliment!

— Vous et moi avons notre franc-parler. Ne venez-vous pas de m'offenser en me disant que l'enseignement du catéchisme est vide de sens? Je vous pardonne et nous sommes quittes. Je ne suis pas fâché. Je vous demande simplement de venir au chantier pour travailler. Essayez. »

Carole retourne d'un pas saccadé jusqu'à la maison de Romuald. Laurier Milot et ses ouvriers l'attendent pour lui demander ce que vient de lui dire monsieur le curé. Carole ne leur répond pas, boudeuse, refusant même le petit bec que Romuald veut lui donner.

« Romuald, je voudrais t'annoncer que je vais aller étudier à l'Université McGill à Montréal, dès septembre.

— C'est vrai? Bravo! Mais... ça veut dire que tu ne feras plus la classe aux enfants de la paroisse?

— Exactement.

— Quel dommage! Les petites filles vont êtres déçues. Elles apprennent beaucoup grâce à toi. Mais si c'est ton désir, tant mieux! L'université! C'est pour des savants! Je ne savais pas que ma Cendrillon était une savante!

— C'est tout l'effet que ça te fait?

— Mais quoi? Je suis content! Tu voudrais que je sois fâché?

— Non! Ou peut-être oui...

— Tu ne sais pas ce que tu veux, Cendrillon.

— Et c'est le drame de ma vie...

— On va s'arranger, tu verras. Le train pour Montréal a des prix à rabais la fin de semaine. J'irai te voir souvent. »

Carole soupire en le regardant. Elle approche, touche son visage, soupire à nouveau et s'excuse, prétendant qu'elle a des devoirs à corriger. Elle n'a pas pensé que Romuald allait immédiatement dire à ses compagnons ce grand secret, très fier de leur annoncer que sa blonde est une savante qui va étudier dans une université d'Anglais. Le lendemain, évidemment, à la première heure, cinq élèves, les yeux noyés de tristesse, lui demandent d'un air piteux : « C'est vrai que vous vous en allez bien loin, mademoiselle? » La remarque de sœur Angèle est moins mielleuse : « À McGill! Chez les protestants! Vous n'y pensez pas, mademoiselle Tremblay? Les Franciscains tiennent une excellente université dans notre langue et notre religion! » Une heure plus tard, tout en mangeant son dîner dans le local de pause, Carole sent les regards de ses consœurs encore plus méprisants. La jeune Tremblay sait depuis longtemps qu'elles la trouvent snob et prétentieuse. Ajouter un cours universitaire chez des Anglais ne fait qu'accentuer ce sentiment à son endroit.

Cette journée ravive son goût de s'en aller, de fuir ce milieu si étroit et étouffant. Maintenant, elle est bien contente de savoir que Romuald n'a pas mal réagi à son annonce spontanée de la veille. Il a même parlé comme si leurs amours allaient continuer. Et pourquoi pas? Voilà qui est idéal et qui satisfera ses deux besoins les plus profonds : le dépassement intellectuel en semaine et une simple femme folle d'amour le week-end. En rentrant chez elle, Carole décide très rapidement de s'inscrire à la faculté de psychologie. Elle cachette l'enveloppe et va la déposer tout de suite dans une boîte aux lettres. Avoir attendu une demi-heure de plus, elle aurait hésité entre la littérature et la géologie.

« Ma fille, je suis très fier de toi. Et je suis certain que tes sœurs et frères seront aussi contents. Tous savent que les hautes études sont ta seule destinée. Dimanche, nous ferons une grande fête pour souligner ta sage décision.

— Je ne sais pas si c'est sage.

— Carole! Tout de même! Ne recule plus! Cesse de reculer! Tu as passé ta vie à reculer, à hésiter! Fonce! Tout comme tu l'as fait en entreprenant ces études à l'École normale.

— Je n'accepte pas que tu me parles ainsi, papa! Tu dis des choses que tu es incapable de faire, que tu refuses à cause de ta tristesse morbide! Ce ne sont que des formules vides de sens!

— Carole, je sais que tu es maintenant majeure, mais ce n'est pas une excuse pour parler aussi impoliment à ton père. Encore moins pour me faire la morale.

— Ah! Et puis zut! Je m'en vais, moi!

— Où? Au chantier?

— Oui! Il y a Romuald, monsieur Milot et leurs amis, et c'est plus sincère que tes clichés sur ton optimisme fonceur!»

En approchant du chantier, Carole voit des badauds, comme à tous les soirs. Elle se sent comme Jésus devant le temple et ses marchands de pacotille. Elle a le goût de leur crier : « Allez-vous-en! Ce n'est pas une place pour les flâneurs!» Quand elle arrive au terrain de Laurier Milot, les ouvriers constatent que la petite maîtresse d'école ne semble pas de bonne humeur. Un d'entre eux ose tout de même l'approcher pour la féliciter d'avoir été acceptée à l'université, ajoutant qu'elle va manquer à Sainte-Marguerite.

« Vous croyez vraiment? Je ne suis pas de la paroisse, pourtant. Je ne suis qu'une enseignante qui n'aura travaillé ici qu'une seule année.

— On n'oubliera pas que toutes ces petites filles ont entrepris l'école du bon pied grâce à vous.

— J'ai fait mon devoir.

— Qu'est-ce que vous allez étudier, chez ces Anglais?

— La psychologie.

— Oui? C'est bien de vouloir aider les malades mentaux. »

Carole étouffe un petit rire, qui dissipe sa colère. Romuald rit aussi, la serre contre lui en regardant son ami. L'homme se gratte le cuir chevelu, hausse les épaules et retourne scier ses planches, croyant que Romuald le prend pour un imbécile.

« Que fais-tu aujourd'hui?
— Je pose les écrous pour les portes qu'on va recevoir demain.
— Bon. Je vais t'aider.
— Pourquoi? »

Romuald prend ses mesures, alors que Carole tient la boîte d'écrous. Chacun est dans un petit sac, qui contient aussi les vis. Quand Romuald tend la main, Carole y dépose ces objets, puis elle plie les sacs délicatement. Elle admire la précision de chaque geste de Romuald. S'il en pose un trop bas ou trop haut, la porte ne pourra pas trouver bonne souche, d'où l'importance de bien savoir mesurer. Si Carole enseignait aux garçons, elle se servirait de cet exemple pratique pour les convaincre du bien-fondé d'exceller en calcul. Avec les filles, on l'oblige à se servir des mesures de farine, de sucre et d'eau pour préparer un gâteau.

« Voilà qui est fait.
— C'est tout?
— Non. Je dois faire le deuxième étage. Attends-moi, ce ne sera pas long.
— Je t'accompagne.
— L'escalier n'est pas terminé. Il faut grimper par une échelle. Tu ne peux pas, avec ta canne. Reste ici.
— Tu crois que je t'ai été inutile?
— Je n'ai pas dit ça. »

Carole regarde Romuald monter et disparaître. Elle examine l'échelle, fait trois pas, puis change d'idée. Elle décide d'aider les autres, à l'extérieur, mais les deux planches l'empêchent de quitter la maison. La voilà prisonnière de cette cuisine. Elle trouve un balai et s'apprête à s'en servir, mais sans l'appui de sa canne, Carole ne peut rien faire. Elle se rapproche de l'échelle, vérifie sa solidité, pose le pied droit sur le premier échelon, puis lève le gauche péniblement. Elle attaque le second échelon, puis le troisième, forçant fermement à chaque fois. Elle grimpe par la seule puissance de ses bras et l'appui de son pied droit. Elle arrive en haut et a soudainement très peur de tomber, si elle ne réussit pas à s'élever jusqu'au plancher. La voilà couchée par terre. Elle se relève péniblement, titube jusqu'au mur à grand-peine, quand soudain Romuald, alerté par les soupirs des efforts de Carole, va vite l'enlacer. « Cours chercher ma canne. » Il descend et remonte avec une telle vitesse et une telle facilité qu'un sanglot noue la gorge de la jeune femme.

« T'es comme un chat, Cendrillon. Il finit par grimper à l'arbre, mais rendu en haut, il ne sait plus comment descendre. Pourquoi es-tu montée? Tu aurais pu tomber!
— Je veux t'aider.
— Ce n'est pas nécessaire.
— Oui, ça l'est!»

Dans un silence embarrassé, Romuald continue son travail, alors que Carole lui tend les écrous et plie les sacs. Ils n'entendent que le chant des ouvriers de la troisième maison voisine. La tâche terminée, Carole, par ses baisers, retient Romuald prisonnier du deuxième étage. Elle se sent seule au monde et veut profiter de cette intimité. Mais le jeune homme n'a en tête que de demander à Laurier Milot une autre mission.

Carole refuse de descendre sur les épaules de Romuald. « Je suis montée, je vais descendre », lui dit-elle avec fermeté. Au pied de l'échelle, il regarde Carole descendre, presque suspendue à chaque barreau, son pied droit servant d'appui, alors que le gauche, si faible, balance dans le vide avant de s'installer inutilement près du droit. Romuald ne peut s'empêcher de penser : « Pauvre petite Cendrillon... » réalisant pour la première fois que des gestes si simples pour tous deviennent complexes pour quelqu'un dans l'état de Carole. Mais elle triomphe de l'épreuve, bien que ses mains soient très rougies par l'effort. Romuald lui donne tout de suite sa canne, puis l'aide à traverser le pont de madriers la menant à la cour. Il lui demande de transporter des planches près de la maison. Elle s'empresse d'obéir. Pour Carole, il n'est pas question de prendre les planches à deux mains et d'en transporter plusieurs à la fois. Elle en saisit une, la colle contre ses hanches, marche lentement jusqu'à sa destination, la dépose, puis revient en prendre une autre. En la regardant faire avec désolation, Romuald se demande pourquoi elle cherche tant à aider.

« Voilà. Est-ce que j'ai bien travaillé?
— Est-ce que tu te moques de moi, Carole?
— Non. Je fais comme toi. C'est tout. Où est le mal?
— Mais qu'est-ce que tu caches?
— Rien du tout. Quelle est ma récompense?
— Le plaisir d'avoir participé et partagé avec nous.
— Je n'ai même pas droit à un baiser? »

Roméo est agacé de voir sa fille rentrer pour souper et gigoter à l'idée de rejoindre Romuald au chantier. Il y a même eu un soir où elle n'est pas revenue de l'école. Elle a transporté ses livres et cahiers jusqu'à la maison où travaille son amoureux. En temps normal, se dit-il, elle aurait déjà dévoré cinq livres de psychologie, tout en trouvant des nouvelles méthodes pédagogiques pour les enfants. Roméo craint que sa fille ne change d'idée à cause de ce garçon au petit avenir, qui pourrait empêcher Carole de s'épanouir comme elle se refuse à le faire obstinément depuis son accident. Il a aussi peur que Carole n'entre dans le moule sans surprise de l'enseignement traditionnel, alors qu'en septembre dernier, elle luttait contre son étroitesse. Il pense aussi que sa fille ne se rend pas au chantier, qu'elle va se cacher avec Romuald dans un quelconque endroit mal famé, afin d'appliquer avec danger ses principes de liberté. Son autre fille Renée lui a fait remarquer qu'à quinze ans, Carole était une « mangeuse d'hommes » et que l'amour porté à Romuald peut attirer des ennuis. Enceinte et obligée de se marier à ce garçon, voilà une perspective qui n'enchante pas Roméo. Il décide de se rendre sur place pour en avoir le cœur net. Le beau temps revenu, les abords du chantier sont remplis de curieux. Les cinquante maisons du curé Chamberland sont le grand sujet de conversation des Trifluviens. Parmi cette foule, Roméo est salué et abordé par un ancien compagnon de travail du journal *Le Nouvelliste.*

« Ça fait trois ans qu'on écrit des articles sur la coopérative et on ne sait plus trop quoi dire. Tout semble avoir été souligné. Mais cinquante maisons d'un seul coup, ce n'est pas banal! Qu'est-ce que t'écrierais, toi, Roméo? Tes articles nous sortaient de l'ordinaire.

— Tu connais ton métier. Tu n'as pas à me poser cette question.

— Je ne suis qu'un gribouilleur de mots. Je reproduis la réalité et transcris l'information. Toi, tu es un écrivain. T'as plus de vocabulaire et d'imagination que nous tous réunis.

— Tu m'excuses. Je dois trouver ma fille. »

Roméo fait du porte-à-porte. On lui indique que Cendrillon est à la dernière maison. « Cendrillon! Cendrillon! Quel surnom idiot! » marmonne-t-il, en marchant avec plus de fermeté. Quand enfin il l'aperçoit, assise sur un baril, à démêler des clous, Roméo sent la moutarde lui monter au nez.

« Je savais que tu viendrais.

— Tu vas te faire mal, Carole.

— Mais non. J'ai même réalisé des choses inimaginables, ici. Tu vois ces deux planches reliant le terrain à la maison? Je les ai traversées. Oui, avec ma canne!

— C'est Romuald le responsable de tout ce cirque?

— Non. Romuald préférerait me voir derrière un livre. La responsable, c'est moi. Ou plutôt, s'il y a quelque chose de responsable, c'est l'enchantement qu'il y a ici.

— En voilà une autre histoire! Tu viens? On rentre à la maison.

— Mais je suis à la maison! »

Juin à août 1948
Les résurrections

« Mademoiselle Tremblay, on a lu le *rapport* vous concernant. La sœur directrice est contente, parce que vous avez *faites* de bonnes élèves, mais que, d'un autre côté, vous avez des fois eu de la difficulté à obéir à la sœur et que vous avez pas beaucoup collaboré avec les autres maîtresses dans le travail. Ce serait un point à améliorer.

— Oui, monsieur le commissaire. On peut toujours s'améliorer. Même en français.

— Pardon?

— Je dis que je suis particulièrement contente, parce que mes élèves ont amélioré leur français. C'était primordial pour réussir dans la vie.

— Oui. C'est ce que j'avais compris. Mais d'un autre côté, pour vos relations avec les autres, il faudrait améliorer ça.

— J'y veillerai.

— On a dit aussi que vous partiez. Est-ce que je peux avoir de la clarté là-dessus?

— C'était une rumeur. J'ai dit que je désirais plus tard entreprendre des études universitaires.

— Ah oui... On a déformé. On sait comment *sont faites* le monde.

— C'est cela, monsieur le commissaire. Je veux continuer à enseigner aux enfants, par désir de m'améliorer et aussi pour atteindre mon plein potentiel comme stratège pédagogique. Concrètement, je dois aussi économiser pour payer mes futures études universitaires.

— C'est très bien. Et... répondez-moi si vous voulez, car au fond, c'est pas de mes affaires, mais qu'est-ce que vous voulez étudier, dans l'université?

— La psychologie.

— Ah oui! Pour soigner les malades dans les asiles. C'est une bonne idée.

— Merci.

— Le sœur directrice ne m'a pas parlé de votre infirmité, probablement par charité chrétienne. Mais j'aimerais que ce soit clair entre nous, parce que, au mois de juin l'an passé, on en avait parlé.

— Avez-vous eu des plaintes?

— Non.

— Je ne peux enseigner la gymnastique à mes élèves. C'est tout. Je n'ai aucun problème.

— Tout a bien marché?

— Oui. »

Il a dit ceci avec un sourire étouffé, croyant que Carole allait s'esclaffer de rire en entendant le verbe « marcher ». Il se cache derrière son cigare et se met à brasser des feuilles. Puis, il lui parle paternellement de l'importance de la bonne éducation des futures ménagères. Carole a hâte qu'il en finisse, afin qu'elle appose sa signature sur le contrat d'engagement et qu'elle puisse déguerpir de ce bureau pollué par l'odeur de vieux tabac. Elle désire ne plus jamais le revoir, ce gros porc analphabète et bêta propulsé commissaire d'école à cause de son argent, probablement gagné en accordant des salaires minuscules aux employés de son entreprise de transport par camion. Elle veut partir le plus rapidement possible et fermer ce dossier, afin de se préparer à tout avouer à son père. Roméo a passé le dernier mois à battre de l'aile en disant à tout le monde que Carole ira à l'Université McGill, en septembre. Elle doit aussi l'apprendre à Romuald qui, d'une certaine façon, risque aussi d'être déçu, lui qui s'est vanté devant tous que sa blonde allait entreprendre des études de savante.

Mais en signant le papier du repoussant à cigare, Carole s'engage à conserver son salaire de quinze dollars par semaine pour travailler une autre année à la petite école des filles de Sainte-Marguerite, dans ce quartier qu'elle juge... non! Qu'elle ne juge plus, qu'elle ne veut plus étiqueter de ses préjugés prétentieux. Ce qu'elle a vécu au cours des trois derniers mois lui a prouvé que la petitesse qu'elle voyait est en fait une grandeur de cœur extraordinaire, que la petite ambition terre-à-terre des ouvriers est en réalité immense, et que tous ces gens ont une bonté qu'elle ne pourra trouver ailleurs, même chez les intellectuels universitaires. Il est certain que ce n'est pas avec ces hommes et femmes qu'elle pourra échanger sur les correspondances entre Marx et Engels, ni discuter du déclin de l'empire maya face au barbarisme des conquistadors espagnols. Elle ne pourra même pas le faire avec ses compagnes de travail, dont la culture ne va pas plus loin que le bouton permettant de mettre en fonction leur appareil radiophonique.

Il y a deux semaines, elle a aidé les épouses des coopérants à faire des petits travaux de peinture. Comme elle se sentait étrangère à leurs conversations! Même avec les plus jeunes. Elles ne parlaient que de radioromans, des sermons du curé Chamberland et de recettes de cuisine. Mais entre ces bêtises, elles disaient à Carole des paroles si gentilles, si flatteuses, avec une telle sincérité que la jeune enseignante ne pouvait arriver à les mépriser. Samedi dernier, les ouvriers ont organisé une fête pour remercier Carole de cette année d'éducation qu'elle a apportée à leurs enfants. Romuald a dû travailler avec fermeté pour la convaincre de l'accompagner à la salle paroissiale. Carole refusait obstinément de participer aux loisirs trop catholiques de Sainte-Marguerite. Mais après dix minutes, un ouvrier a pris la parole pour souhaiter bonne chance à « la petite maîtresse d'école » dans ses études de haut niveau et, ne connaissant pas plus qu'il ne faut l'œuvre de Perrault, a fait une analogie entre le conte de fées de Cendrillon et l'arrivée de Carole dans la vie des écolières. Il a aussi souligné le grand intérêt que Carole a porté à la construction des maisons de la coopérative et l'a remerciée pour « tout le Coke que tu nous a donné, Cendrillon-la-patte! » Ils lui ont remis des fleurs et un livre de psychologie, sans doute recommandé par le curé Chamberland. Ils gagnent des salaires de crève-la-faim, ils ont peine à nourrir et habiller leurs enfants, ils n'ont pas d'argent pour leur propre confort et ils ont acheté ce bouquin. Carole a pleuré avec retenue, mais les ouvriers ont tellement applaudi avec ferveur, qu'elle n'a pu faire autrement que de verser de chaudes larmes. Assise dans un coin près de Romuald, Carole pestait en elle-même en pensant que tout ceci devait être une initiative du petit prêtre. Mais comme Romuald n'a jamais rien à cacher, il lui a avoué que la fête était une idée de Laurier Milot et des autres hommes travaillant à la maison, ainsi que des mères de ses écolières. Et voilà qu'elle rend caduque leur belle fête d'adieu par la remise en question de son départ. « Une année, Romuald. Une seule. Je dois économiser pour payer mes études. » En un quart de seconde, Carole sent bien que son beau prince ne la croit pas. Son étreinte si forte fait jaillir la véritable raison : « Je ne peux vivre sans toi », comme dans un mauvais film ou un roman à cinq sous.

Mais la fausse raison fonctionne auprès de son père. Le regard de Roméo ne peut cacher sa déception, puis il lui rappelle qu'il est content de lui payer une partie de ses études universitaires. « Avec quoi? Les profits de ta librairie? Tu fais à peine la somme nécessaire à payer les épiceries de maman et ta facture de téléphone! » Roméo s'offusque de cette remarque, lui rappelant qu'elle lui parle très impoliment depuis six mois. Carole ne se rend pas compte qu'elle s'adresse maintenant à son père comme à un ouvrier de Sainte-Marguerite et un peu comme au curé Chamberland : noir sur blanc et sans détour.

Le lendemain matin, Roméo rentre à son travail en bousculant son ombre, s'empressant de faire ses comptes. « Je gagne ce qu'il faut! Elle a eu tort de me parler comme ça! » Roméo n'a jamais eu de perte d'autorité face à ses enfants, même dans le cas d'une turbulente comme Renée ou d'un entêté comme Gaston. Il craint soudainement qu'un malheur ne frappe Carole s'il ne redresse pas cette situation. Le voilà à penser à Renée, à Simone, à son Maurice, qui ont tous suivi la trace traditionnelle des Canadiens français, à son bébé Christian qui va probablement lui aussi se marier après des fréquentations normales et une jeunesse passée dans le respect de ses parents. Mais il se dit que Carole est différente, qu'elle a un peu du caractère anticonformiste de sa pauvre sœur Jeanne. Encore Jeanne! Il est difficile d'en sortir avec Roméo. La cure de repos forcée est lointaine et a surtout servi à faire taire sa femme Céline et Carole. Mais il n'y a pas une âme sur cette terre, pas un saint du ciel qui ne pourra jamais empêcher Roméo de toujours aimer Jeanne, de le priver du plaisir de penser à elle. Les jours passent sous le silence de son magasin fatigué, pendant que Carole termine sa première année comme enseignante et continue, chaque soir, à aider Romuald et ses amis à la construction des maisons. Roméo regarde Carole avec des yeux comparatifs, cherchant dans ce sang qui est le sien un peu de celui de Jeanne. Il ose lui dire qu'elle ressemble à Jeanne, même s'il sait que sa fille n'a jamais aimé cette tante. Mais Carole ne se fâche pas, cette fois.

« Je pense que ma tante Jeanne était une très grande artiste peintre, papa.

— Oui, bien sûr qu'elle l'était.

— Et je suis certaine que lorsque les Canadiens français s'éveilleront enfin à la vraie culture, il y aura quelqu'un pour reconnaître que Jeanne Tremblay était la meilleure peintre de cette province au cours des années vingt, parce que son art de portraitiste aura su capter mieux que quiconque son époque et ses gens.

— Oui! Oui, bien sûr! Ça me fait plaisir que tu me le dises! Tu sais que j'ai toujours pensé ainsi et que j'ai dépensé des fortunes à récupérer une partie des tableaux qu'elle avait vendus.

— Mais elle a gâché sa vie et son talent.

— Ne sois pas si sévère, Carole...

— Pourquoi? C'est pourtant ce que tu pensais d'elle, quand tu l'as ramenée de France avant la guerre.

— Moi? Jamais de la vie!

— Tu faisais tout pour qu'elle retrouve sa passion pour la peinture et tu as été bien content de voir ce soubresaut créatif qu'elle a eu à la fin de sa vie, car tu croyais qu'elle se remettrait enfin sérieusement à la peinture.

— Ah! ceci, par contre, c'est tout à fait vrai.

— Tu es bien comme elle. Tel frère, telle sœur. Tu baisses les bras comme elle a fait. Tu es incapable d'affronter une épreuve. Tout comme elle! Et toi qui lui tapais sur la tête pour la faire peindre de nouveau, qu'elle reprenne confiance en son talent. Et moi, aujourd'hui, je tiens ton rôle : je te tape sur la tête en te disant de ne plus laisser sommeiller ton talent d'écrivain que tu caches sous l'épreuve passée de la mort de Jeanne. Et je te le dis aussi impoliment que tu le criais à tante Jeanne.

— Je t'interdis de faire de telles comparaisons! La situation n'est pas la même!

— C'est la même! Et moi, j'ai appris une chose depuis les derniers mois : des gens qui n'avaient rien, pas même l'espoir de rien, sont arrivés à quelque chose de beau grâce à leur courage et à leur grande détermination. Prends exemple sur les ouvriers de la coopérative et fais quelque chose de ta vie avec ton courage de faire ressusciter ce que tu es vraiment, ce que tu as toujours été : un écrivain et un journaliste.

— Et toi? Refuser de faire face à ton destin d'intellectuelle en ajournant ton départ pour l'université? Ce n'est pas manquer de courage?

— Carole Tremblay voulait fréquenter l'université. Cendrillon ne le désire pas réellement.

— Oh! Carole! Je t'en prie! Ne dis pas une telle sottise!

— Je suis Cendrillon-la-patte de Sainte-Marguerite, l'amoureuse de Romuald Comeau, l'homme le plus extraordinaire au monde! Je suis une maîtresse d'école pour des enfants d'ouvriers qui apprennent le courage et la bonté au contact de leurs parents et des gens de leur quartier! Et par mon propre exemple de personne infirme qui n'a peur de rien! Et par ma pédagogie, je leur enseigne le désir de dépassement qui fera d'elles des femmes intelligentes! Et tout ceci n'empêchera jamais la satisfaction que j'aurai toujours à chercher ma plénitude intellectuelle pour le simple bonheur de le faire et pour la nécessité de mon développement intégral! C'est ce que je suis, papa! Et je suis heureuse d'enfin le savoir, après vingt et un ans d'errances et d'incertitudes! Tu assistes à la naissance de Cendrillon! »

Il y a quelque temps, le curé Chamberland et la coopérative ont tiré au sort les maisons. Laurier Milot n'a pas hérité de celle sur laquelle il a tant travaillé. Carole croyait que cela était pour le décevoir. Mais comme les maisons sont toutes pareilles, Laurier lui a affirmé avec le sourire que le lieu de la maison n'avait aucune importance. En attendant, il continue de travailler à la même maison. Le propriétaire désigné par le sort est venu le voir pour lui serrer la main, n'a même pas regardé l'état des travaux. Laurier a rendu la pareille à ceux qui besognent à son futur nid. Carole croit qu'il s'agit d'un beau conte de fées, d'une histoire jolie et que seul son père pourrait la présenter de façon séduisante à un journal de la ville. Ça changerait les lecteurs des articles toujours si semblables, qu'ils ont l'habitude de lire à propos de la coopérative. Roméo le journaliste était ainsi. Avec une seule phrase, il résumait vingt lignes des autres. Ses articles prenaient la forme d'histoires à raconter aux enfants. Ses romans suivaient ce modèle, avec une morale implicite et se terminant par un sourire. Que Roméo les méprise dépasse l'entendement de Carole.

Au cours des cinq journées suivantes, Roméo boude sa fille. C'est tout juste s'il accepte de s'asseoir à la même table pour le souper. Et Carole ne cherche pas davantage à faire un rapprochement. Au milieu de cette situation tendue, maman Céline réfléchit pour décider qui a raison et qui a tort. Elle est ainsi faite, cette brave ménagère canadienne-française, fille d'un ouvrier père de sa douzaine d'enfants : chaque chose a son bon et son mauvais côté et il faut que la bonté l'emporte sur le vilain. Céline sait que son mari avait été agacé par les remarques de ce journaliste lors de sa première visite au chantier, à l'effet que lui seul pourrait écrire un article intéressant sur les cinquante maisons. Elle n'ignore pas non plus que le curé Chamberland a demandé à Carole de prolonger son rôle d'éducatrice pour les premiers mois d'été, en veillant à ce que les enfants n'envahissent pas le chantier pour jouer. Pour calmer les ardeurs impolies de Carole et stimuler le renouveau de Roméo, Céline décide de violer un secret de son mari, en fouillant dans un grand coffre de cèdre pour en extraire des textes de contes qu'il écrivait lorsqu'il était adolescent. Carole en prend connaissance discrètement, à la demande de sa mère. La réaction de Carole est très spontanée : ces histoires débordent d'images extraordinaires et de merveilleuse féerie.

« Pourquoi ne nous a-t-il jamais raconté ceci quand nous étions petites ?

— Parce qu'il était un écrivain sérieux, un journaliste professionnel et que ces histoires de jeune homme, qu'il écrivait pour plaire à sa sœur Jeanne, faisaient partie de son passé. Mais moi, je me souviens de leur effet sur les enfants du quartier Notre-Dame.

— Je comprends, maman. Quel grand trésor dans ce coffre de cèdre ! »

Les cinquante maisons seront habitables dès cet automne. Au cours de l'été, les coopérants ont comme mission de voir à leur électrification, aux travaux de finition, à l'embellissement des terrains. Pendant ce temps, la municipalité et leurs camions feront naître des rues de ce qui était, il n'y a pas une année, un vaste champ. Les maisons seront en papier brique, contrairement à celles construites les années précédentes. Elles ressemblent à des petits cubes impersonnels et n'ont pas beaucoup de qualités esthétiques. Carole persiste à les trouver ternes, même si elle a depuis compris qu'elles ne sont pas là pour plaire à l'œil, mais pour raviver des pauvres cœurs, habitués depuis l'enfance à être locataires, comme leurs pères et mères, ainsi que leurs grands-parents. De plus, elle a appris à aimer l'intérieur fonctionnel, bien qu'il soit loin d'être joli. Mais la fierté des propriétaires rend tout resplendissant. En mai dernier, par un beau samedi soir de chaleur, Carole avait fait dévier Romuald de sa route pour se réfugier à l'intérieur d'une chambre à coucher de « leur » maison où, sans autre confort mobilier que leur imagination, le couple avait fait comme si cette chambre déserte était leur nid d'amour. Carole connaît le propriétaire heureux de cette maison : un ouvrier de l'usine de pâtes et papiers de la Canadian International Paper, un peu rondelet, à demi chauve, marié à une femme à l'allure d'éléphant, mère de cinq enfants ressemblant tous à des ballons. Elle aurait préféré qu'un beau jeune couple perpétue dans cette chambre le geste partagé avec Romuald. Symboliquement, Carole aurait été plus comblée.

Les vacances d'été débutent pour les écolières et leur Cendrillon-la-patte. Habituellement, Carole a toujours le projet de lire une grande quantité d'ouvrages au cours de la saison estivale, mais cette année, elle sait que son devoir est d'être près des enfants de ces cinquante ouvriers et du nombre égal de leurs locataires. La paroisse Sainte-Marguerite a son parc, son O.T.J., sa salle de loisir, son boisé pour les vilains guerriers indiens et les braves cow-boys, sans oublier ses vastes champs pour les rêveuses, mais le curé Chamberland sait trop bien que ces petites âmes vont tourner près des chantiers, les unes pour aider, les autres pour jouer, et ainsi risquer de se blesser. Carole a accepté avec joie cette tâche de s'occuper d'eux. En quelques soirées, elle a retranscrit les contes de son père, pour en faciliter la lecture, tout en les analysant afin de mieux les comprendre et cherchant dans leurs symboles la trace des jours heureux de la jeunesse de Roméo. Carole réalise que ces histoires sont très féminines, ce qui prouve, comme le prétend sa mère, qu'elles étaient essentiellement destinées à Jeanne.

« Est-ce que tu connais Roméo le lutin?
— Non. Qui c'est? Un vrai lutin?
— C'est un grand-père lutin. Tu ne savais pas qu'un lutin pouvait être grand-papa? Et il a écrit de belles histoires avec des animaux qui parlent.
— Des vrais animaux qui parlent?
— Tu veux que je te raconte une histoire de Roméo le lutin?
— Oh oui, mademoiselle! Et puis après, vous me direz une histoire de Cendrillon.
— Va chercher toutes tes amies. Je vais la leur raconter aussi.
— Mais pas aux gars, hein! »

Carole a remarqué que le jeune Roméo avait tendance à tout déformer : les objets inanimés, les lieux, les animaux. Tout pouvait parler et voyager. Ses personnages ne restaient jamais en place, se rendaient chez un voisin, dans un autre pays ou sur la plus haute étoile. Dans ces contes, les tables avaient la faculté de voler, les chevaux pouvaient trotter sur les nuages et les petits garçons, de grands aventuriers, faisaient tout pour plaire aux fillettes, belles et douces, avec toujours des cheveux noirs, comme ceux de Jeanne. Quand quelqu'un était beau, il comparait toujours ce personnage à une bille. Qui sait qu'autrefois, à Pâques, ce sont les poules qui emportaient leurs œufs dans les jardins des maisons pour célébrer la fin du carême et la résurrection de Jésus? Mais ces pauvres étourdies n'avaient pas tellement le sens de l'orientation, si bien que les œufs de Pâques arrivaient trois jours après la fête et se retrouvaient au milieu des rues où les chevaux les écrasaient. Un gentil garçon, n'en pouvant plus de sécher les larmes de sa petite sœur parce qu'elle n'avait jamais ses œufs à temps et au bon endroit, demande une explication à la reine des poules, la Mère Poule, à propos de cette situation inacceptable. Il est conduit à la grande basse-cour par un lapin très rapide et méticuleux, si bien que le garçon croit que les lapins feraient de bien meilleurs livreurs que les poules. La Mère Poule, confuse par cette suggestion, demande au garçon ce que feront ses sujettes si elles ne peuvent plus faire de livraisons. Or, la grande basse-cour était peinte de merveilleuses couleurs enchanteresses. Et si les poules coloriaient leurs œufs, livrés par les lapins? Et c'est depuis ce jour...

« C'est charmant, n'est-ce pas?
— Et c'est ton père qui a inventé ça?
— Oui, beau prince.
— Pourquoi n'en écrit-il pas d'autres?
— C'est ce que je me demande.
— Des histoires semblables, il ne faut pas les cacher, Cendrillon. »

Les premiers enfants attentifs aux contes passent le mot aux autres : « Cendrillon-la-patte raconte des histoires qui ne sont même pas dans des livres! » Le Petit Chaperon rouge, Blanche Neige et même Cendrillon, les enfants les connaissent depuis toujours. Mais pas les contes de la maîtresse d'école. Il paraît même qu'elle parle de Trois-Rivières! Il y aurait eu des fées à Trois-Rivières? Quelle révélation! Peu à peu, Carole emmène son public enfantin à l'écart du chantier, au parc Sainte-Marguerite, plus sécuritaire et enchanteur pour se faire raconter de nouvelles histoires. Parfois, les petits posent des questions, exigent d'entendre à nouveau une fable appréciée il y a trois jours. Au contact de cet auditoire attentif mais exigeant, Carole découvre les coins secrets de ces contes. Elle note aussi les imperfections, les passages qui intéressent moins les enfants.

« Maman, c'est de ce garçon extraordinaire dont tu étais amoureuse?
— Oui. Qu'aurais-tu fait à ma place?
— J'aurais été amoureuse moi aussi!
— Mais tout ça est encore là, au fond de lui. Aide-le à faire ressusciter son cœur de jeunesse. C'est mieux que de lui dire impoliment ses quatre vérités, comme tu as tendance à le faire.»

Il est certain que Roméo va entrer dans une grande colère si Carole lui avoue qu'elle raconte aux enfants de Sainte-Marguerite ces histoires enfouies dans un coffre caché au grenier. Il pourrait même gronder son épouse, se replier davantage sur lui-même pour répondre à ce viol de sa vie privée. Carole pense plutôt utiliser les enfants les plus admirateurs des contes. Voilà au moins vingt fois qu'elle leur a dit que le grand-père Roméo le lutin existe. Les petites filles et garçons rêvent de le rencontrer, promettant d'être sages, de ne pas jouer près du chantier. Une fillette, entre autres, apporte à Carole des bonbons et des fleurs en retour de sa promesse d'être la première à rencontrer le grand-père lutin. Ce vendredi, cette petite arrive en compagnie d'un homme dans la quarantaine avancée, qui semble être son père.

« Je le connais, moi, Roméo le lutin. Quand j'étais petit, il venait chaque samedi après-midi raconter ses histoires dans le sous-sol de l'église Saint-Philippe. C'est Roméo Tremblay, l'écrivain.
— Oui. C'est mon père. Et ces histoires que je raconte aux enfants sont les mêmes que papa vous offrait.
— C'est une bonne idée de ne pas avoir jeté ça! C'est fou comme je me souviens d'une histoire avec un petit garçon

qui avait perdu ses souliers dans la rivière Saint-Maurice et qui partait les chercher dans un bateau de papier. Il rencontrait des poissons parlants qui l'aidaient à trouver les souliers.

— Oui, j'ai ce conte.

— Racontez-le-moi! »

Plus Carole parle, plus l'homme devance des éléments du récit, réagissant avec le sourire à des passages oubliés, reprenant vie instantanément par la voix de Carole. Il a quarante-huit ans. Si cette histoire peut résister à plus de quarante ans de vie, c'est qu'elle a une valeur inestimable. Carole fait de cet homme son allié et, le dimanche, en compagnie de Romuald, il arrive chez Roméo dans une vieille automobile remplie d'enfants. Les petits semblent déçus de voir la tête de cet homme sans sourire. Il ne ressemble pas à un lutin. Peut-être même pas à un grand-père.

« Vous voulez que je raconte ces histoires à ces enfants? Ça fait des douzaines d'années que c'est oublié!

— Moi, je ne les ai pas oubliées, monsieur Tremblay. Racontez-nous. »

Par le regard qu'il lance à Carole et à sa mère, les deux savent que Roméo est très fâché. Mais il doit masquer cette colère devant les enfants. Carole tend le paquet de feuilles à son père. Il se gratte le cuir chevelu, pendant que Céline invite les petits à passer dans la cour, où elle leur servira de la limonade.

« Pourquoi fouilles-tu dans mes affaires, Carole?

— Ce n'est pas moi, c'est maman. Et si ces histoires t'embarrassent autant, pourquoi ne les as-tu pas jetées?

— Ce sont des souvenirs de jeunesse reliés à ta tante Jeanne! Je vais leur raconter une histoire, à tes enfants, mais je te jure que dès qu'ils seront partis, toi, moi et ta mère allons avoir une conversation que vous ne serez pas prêtes d'oublier! »

Les enfants regardent ce monsieur d'un air incrédule. Non,

ce ne peut pas être lui qui a inventé ces belles histoires. Son spectacle le prouve : il lit le conte sans trop y croire, se trompe à trois reprises, comme un mauvais écolier! Après cette triste démonstration, les bambins regardent Carole. Après les avoir si bien étudiés, autant lus en privé comme en public, elle connaît la façon de les faire vivre. Après une exécution, les enfants en réclament une autre, puis une autre, et encore une. Les verres de limonade se vident et il ne faudrait pas abuser de la générosité de grand-mère Céline. Romuald passe près de Roméo et lui chuchote : « Bravo, monsieur Tremblay! Écrivez-en d'autres.» Ce qui, involontairement, vend la mèche préparée par Carole et sa mère. Et comme l'une et l'autre ne peuvent mentir, elles avouent sans sourciller. « Non! » de trancher Roméo. Carole se fait câline, prend le bras de son père en roucoulant : « Tu as vu comme les petits enfants aimaient tes histoires?» Il se débarrasse de son emprise, hausse les épaules et monte à son bureau deux marches à la fois. Insatisfaite de cette réaction, Carole s'empresse de le rejoindre.

« Je n'ai rien à te dire! Comment veux-tu que j'écrive des histoires semblables? J'avais onze ou treize ans! Et j'en ai cinquante-trois! Et mon inspiration est décédée avec Jeanne. Et moi, j'ai vécu, entre-temps! J'ai vécu deux guerres, la mort de mon père, d'un de mes fils, de ma mère, de ma sœur et de deux de mes frères! Si tu penses que j'ai le goût de parler de lapins volants! Ça ne s'invente pas ainsi, des histoires semblables. Il faut avoir des prédispositions. Et ce que tu as lu aux enfants, ce sont celles de mes treize ans. Pas celles d'aujourd'hui!

— Pour quelqu'un qui n'a rien à dire, tu parles beaucoup.

— Est-ce que je vais être obligé de mettre des cadenas sur mes effets personnels? Si c'est une initiative de ta mère, tu es sa complice et aussi coupable qu'elle! C'est une véritable honte!

— Est-ce que je peux continuer à raconter tes histoires aux enfants, papa? Ils les aiment tant.

— Non! Raconte-leur des histoires de Cendrillon! Et ferme la porte en sortant!»

Sa colère évanouie, Roméo se trouve dans de meilleurs sentiments et accepte de prêter ses contes à Carole. Les jours suivants, il réfléchit au fait que ces gamins n'ont pas aimé l'entendre raconter ses propres histoires, tout comme il se sent attristé parce que les plus jeunes de ses petits-enfants le fuient quand ils viennent à la maison. Roméo se permet d'aller, de loin, entendre sa fille dans son rôle de raconteuse. « Elle le fait très bien », se dit-il. Ce qui l'étonne est de constater l'attention des enfants pour des histoires qu'ils doivent commencer à connaître par cœur. Il quitte le parc pour flâner dans ce quartier qui transforme tant Carole. Bien sûr, il n'a jamais pensé, comme elle, que l'idéal des futurs propriétaires des maisons de la coopérative est petit, que les maisons seront des taudis dans dix ans et que toute cette paroisse vit pour le statu quo catholique conservateur. D'ailleurs, il sait qu'elle a effacé de son esprit ces pensées injustes.

Roméo aime bien les ouvriers des usines. Il sait que si les bourgeois se vantent d'avoir établi à Trois-Rivières la capitale mondiale du papier journal, ils n'auraient pu le faire sans la complicité de ces ouvriers dociles et travaillants. Ces hommes ont raison de considérer le curé Chamberland comme un héros. Cet être est de cette race de prêtres pragmatiques, pour qui Dieu se manifeste aussi dans les gestes concrets du quotidien. Si les prêtres ordinaires ennuient Roméo, il n'a que de l'admiration pour ces soldats du Divin qui retroussent leurs manches et bâtissent. Le curé Labelle, le frère André, le frère Marie-Victorin, l'abbé Albert Tessier : voilà des hommes extraordinaires! Et Roméo sait que le curé Chamberland est de ce même bois. Roméo l'a croisé à maintes occasions, quand il travaillait comme journaliste. C'est lui qui avait écrit l'article relatant la fondation de la paroisse Sainte-Marguerite, en 1932. Auparavant, il avait interrogé le petit prêtre sur son rôle de responsable des syndicats catholiques de Trois-Rivières. Roméo se souvient que Sainte-Marguerite, dans les premiers jours, n'était qu'une banlieue pauvre et peu recommandable. Il sait que le curé Chamberland, par son exemple et son dynamisme, a fait de ce coin de la ville une paroisse qui fait l'envie de toutes les autres. Le curé Chamberland est un prêtre haut comme quatre pommes, au visage osseux et aux gestes vifs. Il fume sa pipe tout en parlant et marche d'un pas saccadé. C'est un prêtre urbain. Roméo ne l'imagine pas lisant son bréviaire dans une allée d'un beau jardin paysan. C'est un prêtre d'asphalte, du trafic automobile, de la symphonie des boîtes à lunch, des cris des enfants, du sifflement des usines. Le curé Chamberland est un prêtre du vingtième siècle, fier de sa ville et de son industrialisation, mais connaissant les dangers qui guettent ses brebis : l'alcoolisme, le découragement, l'anglicisation par les divertissements.

Roméo sait que si Carole a un peu appris à respecter le curé Chamberland, elle le guette toujours comme une chatte examine un rat. Ses manières, ses paroles parfois offensantes ne peuvent rejoindre une intellectuelle comme Carole. Combien de fois lui a-t-elle raconté sa révolte quand le curé vient, une fois par mois, faire réciter si bêtement le catéchisme à ses élèves? Roméo est certain que le petit prêtre a dû, de son côté, commettre cinq à six péchés pas si véniels en pensant que Carole est une « petite pincée », une snob à la forte tête, qui, sous l'excuse de s'instruire, a dû flirter quelques fois avec le communisme et le protestantisme. Mais une relation intéressante s'est probablement développée entre eux pour qu'il ose lui confier les enfants de la paroisse. Roméo décide de pousser sa flânerie jusqu'au presbytère, prétexte à une visite de courtoisie. La ménagère lui indique que monsieur le curé est parti au chantier de construction de la nouvelle église. Roméo le voit marchant de long en large sur le trottoir, missel à la main, lisant malgré le bruit des camions et la poussière de leurs travaux. « Un prêtre urbain », de se répéter Roméo.

« Ah! monsieur Cendrillon! Quelle grande surprise!
— Monsieur quoi?
— Monsieur Tremblay.
— Vous m'avez appelé monsieur Cendrillon.
— J'ai dit ça? Non! Ridicule! Vous avez mal entendu! Ces camions font un tel vacarme! »

Le curé désigne de la main les travaux de construction de son futur temple, en invitant Roméo à le suivre jusqu'au presbytère où ils pourront parler en paix. Roméo s'essouffle à le suivre, si bien que le petit prêtre a le temps d'allumer une nouvelle pipée, à petits coups saccadés et fumants.

« Vous aurez une église magnifique.
— Je remercie chaque jour le bon Dieu. La campagne de souscription a été un succès. Sans mes paroissiens, le Christ n'aurait pu avoir une aussi belle maison.
— Ils vous le doivent bien.
— Non. Tout ce qu'ils me doivent, c'est d'être de bons catholiques. Et c'est toujours un libre choix. Si je m'occupe de la coopérative, je le fais en coopération avec les coopérants. Ah! Ah! Votre fille ne me donnerait pas une bonne note en français pour cette dernière phrase!»

Les deux hommes parlent de choses et d'autres autour d'une tasse de thé. Roméo ne se rend pas compte qu'il mène une enquête journalistique. Le petit prêtre déborde d'optimisme. Construire cinquante maisons et une nouvelle église était un défi de taille.

« Ce qui se construit beaucoup ici, ce sont des bébés. La prospérité de la ville fait naître l'amour des jeunes gens et la sécurité nous apporte des nouveaux petits catholiques. Il n'y a pas d'enfants pendant les crises économiques et les guerres. Mais quand tout le monde travaille en harmonie, les petits anges arrivent à la pelletée! Je n'ai jamais vu autant d'enfants dans une paroisse! Votre fille a dû vous en parler. Les salles de classe sont trop petites dans nos deux écoles, qui rencontrent pourtant les normes de construction. Des enfants, des maisons, des écoles, une église : Trois-Rivières est une ville en santé, monsieur Tremblay. Votre fille aime beaucoup les enfants. Je pense qu'elle les aime plus que les adultes, bien qu'elle se soit un peu améliorée de ce côté-là, au cours des derniers mois. Elle raconte de belles histoires aux gamins de la paroisse. De très belles histoires très saines. Ce sont les vôtres, n'est-ce pas?
— Oui.
— Je l'aurais juré. J'ai reconnu votre style. Écrire comme

il faut, c'est un trésor nécessaire à notre race. Écrire avec style, ce n'est pas donné à tout le monde. Dites-moi, monsieur Tremblay? Votre fille, elle est en santé?

— En santé? Carole? Oui, je crois bien.

— Elle me semble en santé. C'est important. Elle est jeune, intelligente, parfois agréable. Puis très instruite. Elle a tout pour devenir une mère de famille exemplaire. Son infirmité? Ça ne l'empêchera pas d'avoir des enfants?

— Non.

— Je suis bien content de l'apprendre!

— Mais vous savez, monsieur le curé, je ne sais pas si avoir des enfants est son but dans la vie.

— C'est le but de toute vraie femme. Ah! vous pensez à ses études universitaires? J'ai des idées modernes là-dessus. Bien sûr, ce n'est pas tellement le rôle de la femme de fréquenter une université, mais comme elle a ces dons et qu'elle est une jeune femme à l'intelligence supérieure, bien qu'elle manque un peu de maturité, je ne vois pas pourquoi elle ne pourrait pas poursuivre ses études et avoir des enfants. Surtout avec un garçon de cœur comme Romuald Comeau.

— C'est Romuald qui vous a parlé de tout ça?

— Non, c'est mon petit doigt.»

Le curé bouge son petit doigt et sourit à Roméo, qui rit brièvement, par politesse, pour masquer son insatisfaction. Il n'est pas venu pour entendre parler du probable mariage entre Romuald et sa fille. Cette idée ne lui plaît pas, même s'il sait qu'il ne s'opposerait pas à une telle union. Il considère Romuald comme un très bon garçon, intelligent et généreux, mais peut-être pas l'idéal de Carole. En quittant le presbytère, le curé lance à Roméo : « Continuez à écrire des bonnes histoires pour nos enfants, monsieur Tremblay. Notre Seigneur vous a donné ce don servant à faire plaisir aux petits. » Est-ce un coup monté par Carole ou ignore-t-il vraiment que ces histoires sont vieilles de quarante ans? Roméo repart lentement vers le parc, profitant du bon air estival. Il s'attarde au bourdonnement qui entoure les cinquante maisons. Dans le parc, il voit Carole sur une balançoire, poussée avec grande force par trois petits garçons.

143

« Ces petits coquins veulent que je devienne leur maîtresse. Mais je crois qu'ils sont un peu jeunes pour être mes amants, même si je les trouve bien séduisants.

– Attention de ne pas tomber, Carole.

– Je pense que je ne m'étais pas servie d'une balançoire depuis quinze ans, papa. Et avec ces trois hercules, tous très braves, où est le danger? Marcel, le plus grand, est un des fils de Laurier Milot, l'ouvrier pour lequel Romuald a travaillé depuis ce printemps. Son histoire est fascinante. Sa famille venait de la campagne et est arrivée à Trois-Rivières au début des années dix pour trouver de l'ouvrage dans les nouvelles usines. Laurier a travaillé dans les années vingt, puis a vécu sur les bons de secours pendant la crise. Il était parmi les chômeurs qui ont bâti le stade de baseball du parc de l'exposition. Ensuite, il a travaillé pour l'usine de guerre du Cap-de-la-Madeleine et a retrouvé sa place dans les pâtes et papiers, au milieu du conflit. Passer des bons de secours à propriétaire de maison, c'est fantastique, non? Et puis, il a connu tante Jeanne à l'époque où elle était une jazz baby flapper.

– Comment?

– Ah! je savais que c'était pour te réveiller! Au début de la vingtaine et toujours célibataire, Laurier avait participé à une fête organisée par Jeanne et son amie américaine, vers 1923 ou 1924. Quelqu'un parmi leur bande avait un appareil photo et Laurier a une photographie du groupe qui avait participé à la fête. On y voit tante Jeanne. »

Carole pose son pied droit par terre pour arrêter le mouvement de la balançoire, à la grande déception de ses trois futurs amants. Elle regarde son père droit dans les yeux, avec un air un peu hautain et triomphant. Elle sait qu'il va lui demander de rencontrer Laurier Milot pour voir cette photographie.

« Je pense qu'il travaillait de nuit, hier. Il doit dormir, à cette heure. Enfin, s'il peut arriver à dormir par cette chaleur dans un troisième étage au toit mince comme une feuille et avec les sons d'une cour remplie d'enfants.

– On peut revenir après souper.

— Comme tu veux. Hé! vous autres! Poussez! Cendrillon veut s'envoler! »

Carole désire surtout que Laurier parle de lui-même à Roméo. Elle sait que jadis son père faisait ce type de reportage. Il ne décrivait jamais la façade des événements, s'attardait à l'aspect intérieur. Parler d'une maison de la coopérative, c'est facile. Raconter le destin d'un des propriétaires demande plus de savoir-faire. Évoquer la vie d'un éternel gagne-petit de près de cinquante ans, ancien misérable de la crise et qui devient propriétaire, est un sujet en or. Mais Roméo n'en a que pour la photographie, tel un enfant pressé de manger le dessert. Ce n'est qu'un cliché sombre, un peu hors foyer, sur lequel on aperçoit un groupe de jeunes gens, dont Laurier avec un accordéon. Jeanne et son amie, par leurs vêtements très américains, tranchent fermement avec les robes fades portées par les autres jeunes filles. Tout le monde a l'air vieux sur cette photo, sauf Jeanne et sa compagne. D'ailleurs, Laurier n'a de souvenirs que pour cette Anglaise, qui jouait du piano au cinéma Impérial et qui riait tout le temps, en parlant bizarrement. « Elles ne faisaient rien comme tout le monde, mais les jeunes les aimaient bien, sachant qu'en leur compagnie, on pouvait vivre comme dans un film américain. Mais votre sœur, monsieur Tremblay, ne parlait pas beaucoup aux garçons. Un peu le contraire de l'autre. » Roméo n'écoute pas trop, hypnotisé par cette photographie. Laurier la reprend, la regarde, et confie : « J'ai une photo quand j'étais bébé, celle-là, puis celle de mon mariage quand j'avais déjà plus de trente ans. C'est la seule photographie de ma jeunesse. Quel heureux temps! Mais on change tellement! On a toujours l'air un peu idiot, sur une photo. Les souvenirs sont toujours plus beaux quand on ne les voit pas. Ne me montrez pas de photo de la crise, je ne voudrai pas la voir! Mais ce que j'ai vécu pendant ces années, ça ne s'efface pas de ma tête et ça ne peut vieillir, au contraire d'une photo. » L'épouse de Laurier arrive avec son plateau de thé froid et ses biscuits. Il continue de parler de la crise, alors que Roméo regarde l'intérieur de la maison. Il ne se souvenait pas jusqu'à quel point les logements ouvriers sont petits et sombres. Leurs planchers ne sont pas toujours au niveau et on peut si facilement entendre tout ce qui se dit chez les voisins.

« Carole m'a dit que vous vouliez voir ma maison?
— Pardon?
— La maison de la coopérative? Vous voulez la visiter?
— Oh! oui! Oui, bien sûr! Je n'en ai jamais vu l'intérieur.
— C'est un palace, monsieur Tremblay. Un palace pour les ouvriers. Et chaque mur, chaque joint, chaque coup de pinceau nous rappellent le dévouement, le courage et l'amitié des gars qui ont donné de leur temps et de leur sueur pour nous permettre de devenir propriétaires. C'est pourquoi ces maisons sont des palaces. »

Laurier fait visiter chaque pouce carré de son futur domicile, indiquant à Roméo la façon dont tout a été construit. « Et tous les travaux ont été bénis par le curé Chamberland », d'insister sa dame. La fierté de Laurier est à fleur de peau. Les plus jeunes trépignent d'impatience autour de leurs parents, anxieux d'habiter leur château. Carole souhaite que toutes ces émotions germent dans l'imagination de son père. Mais comme il retourne vite dans son mutisme et son quotidien grisâtre, Carole a un moment de découragement et de faiblesse qu'elle manifeste par une prière à l'église Notre-Dame-des-sept-Allégresses, loin de son quartier et de Sainte-Marguerite. Jamais elle ne voudrait que le curé Chamberland l'aperçoive à genoux. D'ailleurs, la prière terminée, Carole se juge ridicule de tomber dans ce piège passéiste, vieux souvenir de son enfance aveuglée par les mythes catholiques. Si Dieu peut se manifester par la bonté des gens, le courage et l'entraide, il serait bien bête de se complaire dans des formules immuables et vides de véritable foi. Avant de sortir de l'église, Carole prend bien soin de regarder de gauche à droite, afin de s'assurer que personne ne la remarque. Elle fait un long détour pour ne pas passer devant la librairie de son père, située à quelques pas de l'église. Elle se rend ensuite au restaurant *Le Petit Train*, pour renouer avec le délicieux monde terre-à-terre de son grand frère Maurice.

« Papa est venu ce matin. Il était très bizarre.

— Bizarre? Que veux-tu dire?

— Je veux dire bizarre. Il a demandé des nouvelles de mes enfants. Je ne savais même pas qu'il pouvait se souvenir de leurs prénoms.

— Et tu trouves ça bizarre?

— Oui, bizarre.

— Tu es bizarre. »

Peut-être est-ce là le signe que Carole attend? Il lui semblait bien que cette prière n'avait rien à voir avec le destin dont Carole force la main, avec l'aide de sa mère, de Laurier Milot et des écrits de jeunesse de Roméo. Trois jours plus tard, Roméo lui remet des copies dactylographiées de ses contes : « J'ai corrigé les fautes et amélioré des aspects. » Elle lui donne un beau baiser, heureuse de ce premier pas, certaine que bientôt il écrira un article sur l'histoire de Laurier Milot, qu'il ira le proposer à l'un des deux journaux de Trois-Rivières. Mais il ne se passe rien de semblable et le temps file vite le long des beaux jours d'été. Roméo n'est même pas retourné à Sainte-Marguerite pour rencontrer Laurier ou le curé Chamberland, ni pour vérifier l'effet de ses contes améliorés. Confiant sa tristesse à Romuald, Carole se fait répondre qu'elle n'a pas eu le résultat désiré parce qu'elle n'a pas prié. Elle rit brièvement de sa remarque, ce qui offusque Romuald. Mais jamais il ne juge, ni ne se fâche réellement.

« Tu n'es pas une très grande catholique, Carole.

— Tu viens de t'en rendre compte? Je suis une catholique somnolente, comme mon grand-père Joseph.

— C'est un peu triste. Mais je t'aime quand même. Mais pour me faire plaisir, essaie une petite prière. Tu verras le résultat. »

Il le demande avec un si beau sourire de séducteur, en clignant des cils, en esquissant un petit sourire au coin de ses lèvres. Il est plus beau que Jean Gabin et Cary Grant réunis. Elle accepte de lui accorder ce plaisir, mais refuse avec véhémence d'entrer dans l'église de Sainte-Marguerite.

Ils se rendent à Saint-Philippe, mais Carole empêche Romuald de la suivre.

« Comment saurais-je si tu as réellement prié?
— Tu me fais confiance ou tu veux un billet signé du curé?
— Bon, d'accord. Je te fais confiance, Cendrillon. »

À l'intérieur du bâtiment, Carole ne sait pas quoi faire. Elle se juge ridicule d'avoir tenu une telle promesse à son amoureux, tout en sentant que son devoir est de ne pas trahir sa confiance. Mais, dans son cœur, elle ne croit pas à cette démarche, tout en étant attirée par l'atmosphère sombre de l'église. Elle sursaute quand un jeune prêtre vient lui murmurer : « Je peux vous aider, mon enfant? » Carole tourne la tête vers la nef, puis regarde l'homme, et détourne encore son visage, attitude nerveuse prouvant au prêtre que cette jeune femme ne doit pas avoir la conscience tranquille.

« Priez Dieu, ma fille. Il aime écouter les prières des pauvres et des infirmes.
— Je vous interdis de dire que je suis une infirme! Je suis une accidentée! Pas une infirme! »

Il recule la tête, effrayé par l'agressivité de son ton et, en même temps, Carole oublie totalement son handicap et met tout son poids sur sa jambe gauche, décidée à sortir de l'église en courant. En moins de deux secondes, elle se retrouve le nez sur le plancher, sa canne cinq pieds plus loin. Le jeune prêtre s'empresse de l'aider à se relever, puis l'invite à se reposer au presbytère. Carole frotte son genou en faisant « Ouille! » alors que le prêtre est parti à la cuisine faire chauffer du café. Le regard de l'institutrice est tout de suite attiré par une pile de livres sur le bureau. À sa surprise, elle reconnaît *Esquisse d'un tableau historique des progrès de l'esprit humain* de Condorcet, une œuvre du dix-huitième siècle, pas précisément une époque idéale pour le clergé catholique. Quand le prêtre revient, Carole a une main caressante posée sur les livres.

« Je suis nouveau dans la paroisse. C'est mon premier vicaire.

— Oh là! Fraîchement sorti du grand séminaire?

— De Québec, oui.

— Moi, j'ai fréquenté le couvent des ursulines, à Trois-Rivières, puis l'École normale des Filles de Jésus. Je suis enseignante à l'école des filles de Sainte-Marguerite.

— Chez le curé Chamberland? »

Carole ne répond pas, prend le livre de Condorcet et mène son enquête. Tout comme elle refuse son destin universitaire par amour pour Romuald, le jeune prêtre décline le sien par idéal religieux. Être curé de paroisse est, selon lui, plus noble que de détenir un doctorat en littérature, même s'il possède les aptitudes pour y arriver. Les yeux de Carole s'arrondissent devant cet aveu. En moins de deux, une conversation littéraire prend forme. Elle aime bien Diderot, Voltaire, Rousseau et Montesquieu, mais il préfère Montaigne, Boileau et Maupassant. Les deux s'unissent quand il est question des classiques de l'Antiquité et se lancent dans une mélopée sur les mérites d'Aristophane. C'est en bifurquant vers Anselme de Cantorbery que Carole se rend compte que Romuald doit encore l'attendre sur le perron de l'église, depuis plus d'une heure.

« Excuse-moi pour cette longue attente.

— Ça ne fait rien. Quand j'ai vu que tu priais tant, je me suis joint à toi. Tu vas voir qu'avec tant de dévotion, ton père va ressusciter, lui aussi.

— Pourquoi dis-tu lui aussi?

— On s'en va prendre un Coke et une pointe de tarte chez Christo? »

Dans le petit appartement de Laurier Milot, les boîtes de carton s'accumulent dans chaque coin disponible. On prépare peu à peu le déménagement, prévu pour dans deux mois. Partout, à Trois-Rivières, les commerces sont visités par les enfants de Sainte-Marguerite, en quête de boîtes vides. On les voit par petits groupes, six boîtes en équilibre dans leurs bolides à quatre roues, s'en allant vers les logements des cent familles qui vont prendre possession des cinquante maisons de la coopérative. En retour de ce service, les gamins reçoivent une sucrerie ou quelques sous noirs. Roméo les accueille, ce samedi après-midi. Comme il n'a que deux petites boîtes à leur donner, les enfants hésitent à les accepter. « Non. Merci quand même, monsieur. Mais vos boîtes ne sont pas assez grosses. » Cinq minutes plus tard, il les revoit passer devant sa vitrine, leur véhicule chargé des boîtes de la quincaillerie Saint-Pierre. Roméo pousse sa porte pour les saluer.

« Les enfants! Je reçois une commande mercredi prochain. Avec des grosses boîtes. Si vous les voulez, je vous les mets de côté.

— Elles sont grosses comment, vos boîtes? »

Roméo tend les bras. Le chef des enfants se gratte derrière l'oreille, sort de sa poche un calepin où il écrit : « Magasin de livres, rue Saint-Maurice, mercredi. » Il salue et promet d'être au rendez-vous. Roméo les regarde s'éloigner, alors que deux boîtes tombent sur le trottoir, à l'approche du tunnel. Le chef met les mains sur ses hanches, tape du pied et fait un reproche à la fillette chargée de garder une main sur la pile. Roméo trouve cette scène amusante. Cette enfance est semblable à la sienne. Si aujourd'hui ils veulent trouver des boîtes pour rendre service à leurs parents et voisins, Roméo cherchait plutôt des vaches dans la commune, lors de cette déjà lointaine époque où la municipalité prêtait un vaste terrain pour que les citadins puissent faire paître leurs laitières. Les temps changent. Les enfants aussi. Mais les cœurs des petits demeurent les mêmes, à l'affût de tendresse, d'amour, d'amitié éternelle. Ces enfants de Sainte-Marguerite aiment ces histoires de Roméo le lutin, qui plaisaient à leurs parents autrefois. Secrètement, Roméo a écrit un nouveau conte, puis l'a déchiré le lendemain, avant de recommencer quatre jours plus tard. En voyant ces jeunes quêteurs de boîtes, Roméo a le goût d'écrire une histoire sur une boîte magique, qui, lorsque la bonne incantation lui est formulée, peut se mettre à rouler aussi rapidement qu'une automobile.

Lui qui a accusé Carole de fouiller dans ses affaires, il ne s'est pas privé, très discrètement, pour entrer dans le bureau de sa fille, afin de regarder les compositions de ses écolières. En effet, Carole a gardé les plus intéressantes de la dernière année. Il sait que sa fille n'est pas assez bête pour leur demander un texte sur « ce qu'ils ont fait cet été ». Ces mots d'enfants, patiemment tracés entre les grosses lignes d'un cahier, révèlent leur réalité immédiate : maman fait des gâteaux, papa travaille à l'usine et monsieur le curé m'a donné une image du petit Jésus. Quand ses propres enfants étaient petits, Roméo faisait tout pour stimuler leur imagination et participait à leurs jeux et découvertes. Gaston, Carole et Renée ont développé des caractères modulés au sien, alors que Christian, Simone et Maurice possèdent le gros bon sens de leur mère Céline. Mais il lui semble que ses enfants ont grandi trop vite et qu'il a été un mauvais grand-père pour les petits que les siens lui ont donnés.

L'enfance à Sainte-Marguerite n'est pas tout à fait celle des autres quartiers. On les dit privilégiés, à cause de la coopérative d'habitation. Ils sont pourtant les plus pauvres de Trois-Rivières, mais, grâce aux solides valeurs d'entraide et de solidarité inculquées par la coopérative, ces enfants sont devenus serviables, débrouillards et altruistes. Carole les décrit ainsi à son père. Roméo se rend espionner les enfants de Sainte-Marguerite, interroge le garçon revenu chercher ses boîtes le mercredi, parle aux parents... Pendant ce temps, Romuald continue de prier pour lui. L'article du *Nouvelliste* sur les enfants de la paroisse Sainte-Marguerite n'était pas signé, mais en le lisant, Carole a reconnu tout de suite le verbe et le charme du style de son père. Elle ne le savait pas aussi orgueilleux pour tout faire en cachette. Peut-être s'est-il senti humilié de demander à la direction de publier son texte, eux qui l'avaient si cavalièrement congédié après vingt ans de loyaux services. Mais on lui a dit : « C'est excellent, monsieur Tremblay. Écrivez-en d'autres et venez nous les montrer. » Carole, tout comme sa mère, respecte le secret de son père. Mais l'après-midi même, Romuald arrive à la course, prend

Roméo entre ses solides bras en lui disant : « Bravo, monsieur Tremblay! Carole et moi, on a tant prié pour que vous repreniez votre métier de journaliste! Et quand on écrit sur Sainte-Marguerite, le bon Dieu ne peut ignorer l'union de deux cœurs joints par des prières sincères! »

Septembre et octobre 1948
L'espoir de Cendrillon

« L'éternel chemin de la petite école. » Pour ce second article, Roméo ne s'est pas caché. Il l'a écrit en plein jour, comme autrefois. Pour le réaliser, il a suivi à la loupe les faits et gestes de Carole se préparant à sa rentrée scolaire. Le matin, il était dans la cour de récréation pour voir sa fille accueillir les nouvelles écolières. Il les a suivies jusque dans la salle de classe et y a passé une demi-heure, scrutant les visages des petites demoiselles, découvrant lui-même cette Cendrillon-la-patte dont il a tant entendu parler. Roméo a travaillé fort, a cherché les termes les plus appropriés pour évoquer ces sentiments de l'enfance au premier jour de classe. Il a recommencé, biffé, mais n'a jamais déchiré une feuille. Fier, il a montré le résultat à Carole et Céline. C'est avec la même fierté qu'il est retourné au *Nouvelliste* proposer au rédacteur en chef le fruit de ce travail. Mais c'est très abattu qu'il est sorti de son bureau, après s'être vu refuser son article. Alors il a déchiré sa feuille et est retourné silencieusement dans sa librairie. Romuald voulait le voir pour l'encourager, lui apporter des comparaisons avec les maisons du curé Chamberland, lui parler de la patience des ouvriers face à leur destin, mais Carole lui a conseillé de ne pas s'en mêler. Elle lui a même ordonné de ne pas prier. Elle trouve qu'il a la fâcheuse tendance à se transformer souvent en machine à prières depuis la fin de l'été.

Carole a subi un échec semblable en entrant trop confiante dans sa salle de cours. Elle s'est butée aux petites qui désiraient retourner près des jupes de leurs mères, à celles qui voulaient changer de classe et à la classique fillette qui fait pipi sur son banc. « On analyse, on évalue, on émet une hypothèse, on trouve une solution et on l'applique. » La formule était indiquée dans son livre de pédagogie, bien qu'elle commence à voir l'écart entre la théorie et la réalité.

La troisième journée après la rentrée, alors que Carole commence à comprendre ces criardes, elles reviennent toutes excitées de leur récréation en sifflant : « Y a l'feu! Les pompiers sont passés!» Dix minutes plus tard, les enfants ont l'occasion de voir l'étonnant spectacle du grand Romuald Comeau, entrant dans la classe sans frapper pour se lancer dans les bras de la maîtresse en pleurant : « Pourquoi ça nous arrive à nous autres?» Carole se sent embarrassée, invite Romuald à la suivre jusqu'au couloir où, des larmes noyant ses yeux, Romuald lui dit que sa maison flambe comme du vieux carton, qu'il n'a pu maîtriser le début d'incendie et qu'il a dû courir deux milles afin de téléphoner aux pompiers.

« Maman et Pierrette travaillent. Comment je vais leur dire? Où est la classe de Lucienne? Qu'est-ce qu'on va devenir, Carole? On avait à peu près rien et on le perd!

— Calme-toi. Je vais t'aider. Va chercher la sœur directrice pour qu'elle me remplace.»

Si on peut voir la fumée de loin, ce n'est pas bien longtemps. Ce ne sera qu'en entrefilet dans le journal du lendemain. Et encore! Faut-il vraiment gaspiller de l'encre pour évoquer un taudis de la banlieue de Sainte-Marguerite, rasé en quinze minutes? Surtout qu'à Sainte-Marguerite, il y a plein de maisons neuves, qu'elles poussent dans les champs sous l'œil satisfait d'un petit prêtre, la pipe à la bouche. Mais personne ne voit une fillette en pleurs dans les bras de son frère, une mère effrayée, une adolescente attristée, n'ayant comme protection que les vêtements qu'ils ont sur le dos et comme seule fortune les quelques sous dans leurs poches. Personne à Trois-Rivières ne le remarque, sauf les paroissiens de Sainte-Marguerite. Romuald et les siens ont un grand choix de toits pour passer la nuit, mais le jeune homme n'est pas trop d'humeur à apprécier cette générosité, car il sait que sa mère, refusant de faire confiance aux banquiers, a perdu toutes ses économies dans l'incendie et que son patron, à qui il vient de demander un congé, lui a répondu : « Si tu ne rentres pas, tu ne seras pas payé. »

La famille Comeau accepte l'invitation de Carole pour passer tout le temps qu'ils voudront chez elle. La fille et la mère sont perdues, fatiguées par leur journée de travail, ce qui contraste avec la joie de Lucienne d'habiter une grande maison en compagnie de Cendrillon-la-patte. Céline les accueille avec un bon souper, mais personne ne semble avoir faim, ni le goût de se distraire. Pierrette et madame Comeau n'ayant pas obtenu de congé, doivent se coucher de bonne heure en songeant à leur journée du lendemain à la filature. Romuald, dans la lune, attend avec Carole l'heure de départ pour l'usine, et même l'affection qu'elle lui donne ne peut chasser l'horreur de cette journée abominable.

« C'était très propre, leur petite habitation, papa. Romuald ne négligeait rien. Mais c'était une très vieille maison, ne rencontrant probablement pas les normes de sécurité actuelles. Sa mère et Pierrette gagnent des salaires bas de gamme et je pense qu'ils continuaient de payer des dettes du père, du temps où ils habitaient à Asbestos. Romuald désirait juste être libre avec les siens, ne voulait pas habiter ces horribles logements ouvriers où les propriétaires ne font que ramasser le chèque mensuel, sans jamais rien réparer. Plus que leur maison, c'est leur fierté qui a brûlé. Ça fait drôle à dire, non? Leur fierté? Pour une maison qualifiée de taudis? Mais moi, j'ai appris que ce n'est pas l'apparence qui fait une véritable maison. C'est le cœur et l'amour des gens qui distinguent une véritable maison d'un simple habitat.

— Je vais les aider, Carole. J'ai des amis qui sont propriétaires et je suis certain qu'ils seront bien traités. Puis ta mère fera une quête dans le quartier pour leur trouver des vêtements.

— Ils doivent demeurer dans Sainte-Marguerite, papa. Ce quartier est l'espoir de leur vie.

— Toi aussi, tu es l'espoir de leur vie?

— C'est un sentiment très grand de le savoir. Mais mon idéal demeure le même : toujours me surpasser, aller plus loin, tout connaître. Tout peut se matérialiser. Rien n'est incompatible. J'ai en moi l'espoir de Cendrillon face à son destin et à son beau prince. »

Carole a du mal à dormir. Elle pense à Romuald, qui a le cœur en bouillie, et doit se concentrer sur les opérations de sa machine, dans le bruit et la poussière de l'usine. Elle désire être à la porte, quand il reviendra. Carole oublie qu'elle a sa propre journée de travail. Au retour de Romuald, Pierrette et sa mère se lèvent pour débuter leur journée à la Wabasso. Il est évident qu'elles ont pleuré abondamment et pas beaucoup dormi. Seule Lucienne rit en faisant voguer ses orteils sur le tapis du salon. Romuald n'en a que pour son pantalon. Celui qu'il porte est sale de l'huile de l'usine. « Je n'en ai plus d'autres », répète-t-il sans cesse, pendant que la mère de Carole lui assure qu'elle lavera son unique paire pendant son sommeil de la matinée.

Roméo va reconduire madame Comeau et sa fille à l'usine, alors que Lucienne et Carole attendent l'autobus. La fillette ne se préoccupe pas de porter la même robe qu'hier. Carole sent que l'enfant ne se rend pas compte qu'elle a tout perdu. « Je vais peut-être avoir des poupées neuves », confie-t-elle. À l'école, les petites de sa classe l'accueillent avec un don de soixante-huit sous et six biscuits, résultat d'une quête faite dans la cour de récréation. Ce geste est un signe de ce qui s'est passé hier soir dans le quartier. Le midi, le curé Chamberland vient informer Carole que son père est venu chercher des caisses de vêtements et de vaisselle, ainsi que quelques petits meubles.

« Et le logement?
— J'ai demandé à votre père de ne pas trop faire de zèle. Je vais réunir les coopérants ce soir pour étudier la possibilité de libérer un des loyers des cinquante maisons pour l'offrir à la famille Comeau.
— Vous n'êtes pas sérieux?
— Comment, je ne suis pas sérieux? Ce n'est pas mon idée! Elle circule depuis hier après-midi. Vous ne saviez pas que mes paroissiens avaient le cœur sur la main, mademoiselle Tremblay? Quoi qu'il en soit, j'approuve cette suggestion. Madame Comeau est une veuve qui a beaucoup souffert des vices de son défunt mari et que nous combattons ici : l'ivrognerie, la paresse, le manque de respect pour notre religion. Elle a tra-

vaillé fort et a été courageuse. Puis Romuald est un garçon dévoué, qui a travaillé trois ans sur les chantiers, sans même faire partie de la coopérative. Il est admiré de tous à cause de ça. Cette famille était parmi les plus pauvres de la paroisse, mais tous savent que ce sont des gens honnêtes et qui ont beaucoup de cœur. Cela vaut bien le sacrifice d'une famille de laisser leur place dans un logement d'une des maisons. C'est aussi ça, la religion, mademoiselle Tremblay. C'est aussi votre père qui se dévoue et les paroissiens qui donnent généreusement pour aider la famille Comeau dans le besoin.

— N'en parlez pas à Romuald. Il va être en état de choc... Il ne rêve que d'habiter une de ces maisons.

— L'espoir, accompagné du travail et de la bonté, est souvent récompensé par les voies divines. Souvenez-vous de ça, mademoiselle Tremblay.

— Monsieur le curé, j'ai appris à vous connaître et à avoir du respect pour vous, mais je n'ai pas à cacher que vous m'énervez énormément quand vous passez votre temps à vous adresser à moi comme un missionnaire devant une brebis égarée.

— Tiens! Cendrillon-la-patte commence à parler franc comme une vraie paroissienne de Sainte-Marguerite! Félicitations, mademoiselle Tremblay. »

À la maison, à son réveil, Romuald garde un long silence, le visage dans le creux de ses mains. Céline essaie de le rendre à l'aise, mais il a du mal à cacher son embarras quand elle lui apprend que Roméo est parti chercher de l'aide. « Et j'ai passé ma matinée à dormir », soupire-t-il. Roméo revient à ce moment précis, avec ses caisses de vêtements.

« C'est toujours comme ça, la vie. Les plus pauvres héritent des guenilles des autres.

— Romuald, tu es plus riche que bien des gens fortunés que je connais.

— Monsieur Tremblay, ce n'est pas le moment de me parler avec des symboles.

— Et puis, ce ne sont pas des guenilles. Regarde comme

il faut. Et je suis certain que si ton voisin était passé au feu, tu aurais été le premier à donner généreusement pour l'aider.
— N'empêche que c'est le linge des autres. »

Pierrette et sa mère ont la même réaction, et Lucienne, mettant la main sur des souliers, les rejette aussitôt en disant : « Ce n'est pas à moi! » Mais elle accepte volontiers les trois poupées trouvées dans le fond d'une caisse.

« Tu penses que je suis Cendrillon, n'est-ce pas?
— Carole, je t'en prie, ce n'est pas le temps...
— Je ne suis pas Cendrillon. Je suis la bonne fée du conte. D'un coup de baguette, je vais transformer des souris en chevaux et une citrouille en char. Tu ne me crois pas?
— Non.
— Tu as tort. »

Romuald détourne la tête avec un air exaspéré. Carole a le goût de prier aveuglément, comme la petite fille de sept ans qu'elle était et qui touchait précieusement les chapelets que lui donnait sa tante Louise. Après tout, quel futur locataire, impatient depuis cinq ans d'habiter un logement salubre, laisserait sa place à un étranger et sa famille? Quelle force devra avoir le curé Chamberland pour convaincre cet homme d'un tel sacrifice, sinon une force divine? Carole n'y croit pas tellement. Pourtant, elle prie. Et quand le curé Chamberland vient lui annoncer le miracle, à la première heure, Carole ne croit toujours pas qu'il s'agit du fruit de sa soudaine dévotion. Mais, avant le début de la prière obligatoire et réglementaire du début de chaque journée scolaire, Carole exprime sa pensée devant ses écolières : « Les enfants, remercions le petit Jésus d'avoir guidé le cœur de monsieur Jean-Claude Leduc qui fait preuve de tant de bonté envers la famille Comeau, affligée par un incendie qui leur a tout enlevé. » Carole aurait aimé annoncer la nouvelle à Romuald, mais le curé lui a répondu que c'était son rôle et que ce sujet sera mieux traité d'homme à homme. À quatre heures, Romuald attend Carole à la sortie de l'école.

« Tu le savais, hein? Ton histoire de baguette magique, c'était ça?

— Je ne savais pas qu'un homme accepterait de loger une année de plus dans sa maison infecte pour te permettre de prendre possession d'un loyer d'une maison de la coopérative.

— Je me sens très mal, Carole...

— Je te comprends. C'est sûrement très gênant pour toi, ta mère et tes sœurs. Mais ce sont les hommes de la coopérative qui ont eu cette idée, pour te remercier du temps donné. C'est de la reconnaissance, beau prince. C'est gênant, mais accepter te grandit davantage, car toi aussi tu auras de la reconnaissance pour eux. Tu te fais des amis pour la vie, Romuald. C'est très bien.

— Et pourtant, je me sens si triste...

— Tu sais de quelle maison il s'agit?

— Oui! C'est sur la rue Chamberland, à trois blocs de celle de Laurier!

— C'est un bon coin.

— Ce n'est pas très loin de l'école, Carole... »

Quand Roméo et Carole voient madame Comeau et ses deux filles visiter leur nouveau logis, ils se tiennent par la main, comme deux amoureux. Ils regardent Pierrette tout toucher du bout des doigts, ils voient madame Comeau faire un signe de croix avant d'entrer dans chaque pièce et ils sourient quand Lucienne fait « Oh! » à chaque regard porté dans ce logement. La citrouille vient de se transformer en carrosse pour longtemps. Roméo a écrit et publié dans le journal un article sur ce grand élan de générosité des gens de Sainte-Marguerite pour leur famille la plus pauvre. Et Carole trouve une paix qu'elle n'aurait jamais pu imaginer.

Le lendemain matin, elle entre en classe avec cet air de quiétude. Elle flotte de bonheur. Les petites se disent que Cendrillon-la-patte est rêveuse, ce qui est une invitation à parler un peu plus. Mais Carole donne un grand coup de canne sur son pupitre. Elle parle avec fermeté. Une fillette a peur et pleure. Carole se demande : « Mais qu'est-ce que je fais encore ici? » Elle a sa bonne réputation comme maîtresse d'école auprès des enfants, car c'est une enseignante qui ne se fâche jamais. On s'amuse en sa compagnie. Elle ne peut nous faire peur. C'est le paradis. Mais Carole vit, en ce début d'année scolaire, les mêmes problèmes que l'an dernier. Un perpétuel recommencement? Aussi routinier que le travail en usine, qui tue le moral de tant de jeunes femmes? Sœur Angèle lui recommande d'être plus autoritaire. Ses consœurs de travail ne lui parlent pas. Et Carole juge encore que tout est trop petit, surtout quand elle doit donner la leçon de catéchisme. Que Romuald habite chez elle pour le prochain mois la déconcentre un peu. Elle rentre à la maison, corrige rapidement les devoirs, gribouille sur un bout de papier les leçons du lendemain et va tout de suite dans les bras de son prince. L'an dernier, elle prenait ce temps pour fouiller les livres des grands philosophes de l'éducation.

Romuald, de son côté, vit toujours dans l'embarras de sa situation et avec l'idée du confort dans lequel il s'ancrera bientôt pour plusieurs décennies. Depuis le printemps dernier, Carole n'a vécu que pour lui et son père, ne pensant plus à elle, à ses plaisirs intellectuels. Pour se consoler, elle décide de se rendre chez ce jeune vicaire de Saint-Philippe, si féru de grande littérature. De visite en visite, elle finit par aimer le son de sa voix et par le trouver beau. Mais elle sait que s'il est un prêtre intellectuel, il passera tout de même le reste de sa vie à confesser des vieilles filles et à distribuer des images pieuses à des enfants. En fin de compte, cet homme ne la console pas plus de son insécurité.

« Vous devriez former un cercle littéraire pour la paroisse, mademoiselle Tremblay.

— Pardon?

— Je ne répète pas. Vous avez bien entendu.

— Un cercle littéraire? Ici?

— Cessez de prendre les ouvriers pour des caves, mademoiselle Tremblay.

— Je n'ai jamais dit une telle chose, monsieur le curé!

— Les gens sont toujours intéressés par la découverte, quand on leur en donne la chance. Notre bibliothèque paroissiale est honnêtement garnie. Utilisez-la pour instruire

les adultes des merveilles de la bonne littérature. Vous pourriez commencer par Claudel et Molière, par exemple.
— Claudel! Oh, mon Dieu...
— Pardon?
— Vous avez bien entendu. Je ne répète pas. »

Le curé Chamberland ne dit jamais rien à l'aveuglette. Il connaît tout le monde et a su lire dans l'âme de Carole, sans que celle-ci lui révèle de grands indices. Si elle se rend souvent jaser avec cet intellectuel de vicaire de Saint-Philippe, c'est qu'elle n'a personne avec qui en parler. Si elle a le goût d'échanger ces connaissances, elle a peut-être celui de les faire découvrir à autrui. Un bon prêtre de paroisse est au courant de tout. Le curé Chamberland sait que la petite graine qu'il vient de semer maladroitement germera dans l'esprit d'une Carole toujours insatisfaite, sans cesse en quête de dépassement. La fleur sortira de terre dans trois, six ou dix mois.

À la bibliothèque de la paroisse, il y a des almanachs, des livres de cuisine, des ouvrages pieux, des romans bien de chez nous, des encyclopédies approuvées par les évêques. Puis on y trouve la littérature bénie par le clergé. À la bibliothèque du couvent des ursulines, c'était un peu la même chose avec, en supplément, quelques ouvrages scientifiques. Carole n'a vu de « vraie » bibliothèque que chez les Anglais ou chez son père. Pour elle, une bonne bibliothèque ne contient que des livres à l'index, car ce sont les seuls intéressants. Elle passe outre à la proposition ridicule du curé. « À quoi servirait de parler de Hugo ou de Condorcet à des ouvriers? » se demande-t-elle, avant de replonger dans ses lectures, tout en restant accrochée aux bras de Romuald. Il faut mêler l'utile à l'agréable, bien que le garçon se demande pourquoi Carole lui préfère un bouquin.

« Qu'est-ce que ça raconte?
— Pourquoi ça t'intéresserait?
— Parce que je m'intéresse à ce que tu aimes.
— C'est curieux, j'aurais aimé que tu me répondes : me prends-tu pour un cave?
— Carole! Quand même!

— Tu veux que je te raconte une belle histoire? Comme à un petit garçon?

— Là, tu me donnes franchement l'impression de rire de moi.

— Je vais te prêter un livre, Romuald. Et je veux que tu fasses l'effort de le lire. Il se nomme *Les Rêveries du promeneur solitaire* et son auteur est Jean-Jacques Rousseau.

— Ah! un livre canadien-français, avec un nom bien de chez nous! C'est du genre que ton père écrivait? »

Romuald met la main sur l'ouvrage, le feuillette quelques secondes, déçu de ne pas y voir d'images. Il sourit et remercie Carole d'un baiser. Elle lui a tant fait plaisir en l'aidant sur le chantier, en passant son été à Sainte-Marguerite et en l'accueillant dans sa maison suite à l'incendie, qu'il se doit de lire ce volume. L'amour, c'est aussi partager les goûts de l'autre afin de mieux la comprendre, se dit-il. Mais ses centres d'intérêt sont ailleurs que dans la lecture, bien qu'il sache que tant de connaissances peuvent améliorer des situations de vie. S'il lit à pas de tortue, Romuald a l'avantage de bien comprendre et de se souvenir parfaitement du contenu d'un texte. Il avait mis six mois à lire les contes de Perrault, mais, depuis, il se rappelle très bien chaque histoire. Romuald regarde encore le livre, alors que Carole se blottit contre sa chaleur. Voilà si longtemps qu'ils ne se sont pas permis un doux péché d'intimité.

« Je commence à m'habituer à ta présence dans la maison.

— C'est endurable?

— Oui, très.

— Tu vois, lorsque nous serons mariés, on saura d'avance qu'on peut se tolérer sous le même toit. C'est une grande chance que bien des couples ne peuvent avoir.

— Oui, c'est vrai.

— Cendrillon... C'est la première fois que tu dis que tu veux te marier avec moi.

— En quelque sorte.

— Alors, tu veux?

— Passe à mon bureau un de ces midis, on en discutera.

— Parfois, tu parles comme un homme...

— Et toi, tu ne cesses de t'exprimer comme une fille à marier.

— Je n'y peux rien! Dès le premier instant où je t'ai vue, j'ai su au plus profond de moi que c'était toi et personne d'autre qui serais mon épouse.

— C'est ce que je disais : tu parles comme une fille à marier. »

Rousseau a pris place dans une boîte de déménagement de la famille Comeau. Ils ont maintenant plus d'effets qu'avant l'incendie, comme si ce malheur les avait enrichis matériellement. Madame Comeau a travaillé fort en compagnie de Céline pour modifier tous ces vêtements, pour faire le tri dans la vaisselle, pour rafraîchir les lampes et les autres menus objets. Romuald, de son côté, a reçu l'aide de Roméo pour décaper et peindre les meubles.

C'est le branle-bas de combat dans Sainte-Marguerite, alors qu'une centaine de familles préparent leur déménagement, que des ouvriers d'autres parties de la ville vont les remplacer dans leurs logements dans l'espoir de devenir un jour membres de la coopérative et être propriétaires d'une maison du curé Chamberland. Le petit prêtre accueille ces nouveaux paroissiens avec prudence en leur disant que tout dans la vie a un début et une fin. En décembre, la coopérative fêtera son cinquième anniversaire et la rumeur la moins bien gardée du quartier dit qu'on profitera de l'occasion pour fêter le curé. On parle même de la présence du premier ministre Duplessis, un ancien confrère de classe du petit prêtre.

Avec toutes ces nouvelles maisons, les frontières de Trois-Rivières éclatent vers l'ouest. Estropiée par la crise économique, la cité de Laviolette connaît une expansion semblable à celle des années vingt. Tout le monde travaille, à Trois-Rivières. Il faut vraiment être paresseux pour demeurer chômeur. Les grandes usines de pâtes et papiers sont très prospères et leurs employés ont tous bénéficié d'augmentations de salaire. Certains d'entre eux ont même maintenant droit à des vacances payées! Et toute cette population organise ses loisirs et ses activités. Personne ne reste isolé dans sa demeure. C'est une ville catholique et francophone, docile comme le veulent Duplessis et les évêques. Toute cette agitation se fait proprement, sans heurts, sans un cri. Mais tout doit se stabiliser un jour, et le quartier Sainte-Marguerite ne pourra absorber à lui seul cette expansion urbaine.

Tout en donnant un coup de main à Romuald et les siens pour le déménagement, Roméo observe leurs visages, écoute leur langage, regarde le va-et-vient dans ces nouvelles rues, tend les oreilles vers les rires et les cris des autres familles qui imitent les Comeau. Il y a une activité fébrile digne des colons pionniers arrivant en groupe en Nouvelle-France pour établir un village sous la férule du seigneur Chamberland. Le chantier ayant déjà été béni, les nouveaux propriétaires et leurs locataires cherchent quand même à mettre le grappin sur leur prêtre pour obtenir une bénédiction plus personnelle. « Monsieur le curé s'en vient! Monsieur le curé s'en vient! » de chanter Lucienne. Immédiatement, madame Comeau fait son signe de croix. Le petit prêtre, après avoir visité le propriétaire du premier étage, sort de la maison et aperçoit Carole, une poche de vêtements dans sa main droite, s'appuyant sur sa canne et montant l'escalier une marche à la fois. « Donnez-moi ça, mademoiselle Tremblay », ordonne-t-il. Le curé la dépasse. Carole se retourne et va vers l'automobile de son père pour chercher un autre objet. À l'intérieur, tout le monde est agenouillé. Carole, le devinant, en profite pour prendre son temps.

« Je vais t'envoyer quelqu'un pour vous aider, Romuald. Vous n'êtes pas beaucoup.

— On n'a pas tellement de choses à monter, non plus. Mais peut-être que pour le poêle et la glacière... Pour le reste, ça va. Monsieur Tremblay est petit mais a beaucoup d'énergie.

— Ça ne prendra pas de temps que tu vas avoir des hommes pour monter tes meubles lourds. »

L'intention première de Romuald était de monter le plus rapidement ces meubles et effets, afin d'aider les hommes de la coopérative. C'est ainsi que Carole se retrouve avec son père, Lucienne et madame Comeau. Pierrette a décidé d'accompagner son frère. « C'est le plus beau jour de ma vie », d'avouer la femme. Elle le répète trois fois, ne trouve rien d'autre à dire. Carole fouille dans une boîte, à la recherche de sachets de thé. Pendant que madame Comeau prépare la boisson, Carole dépose sa tête contre les épaules de son père. Roméo lui prend les mains pour souligner le précieux du moment dont ils sont témoins. Elle espère que tous ces petits gestes feront bouillonner l'imagination de son père.

« Ce qui est intéressant avec Romuald, papa, c'est qu'il ne pourra jamais s'asseoir sur son confort. D'ici à ce qu'un nouveau chantier se mette en branle, il va passer son temps à visiter toutes les maisons pour aider les autres. Il a un but dans la vie. À son contact, mon propre but se forge d'heure en heure, même si je serai toujours une éternelle insatisfaite. Mais qu'il fasse quoi que ce soit, je veux toujours être avec lui. Ici, c'est beau. C'est le calme au milieu d'une armée d'enfants et des cris gras des ouvriers. Mais je serai toujours une insatisfaite. Il vaut mieux l'accepter. Puis-je l'épouser, papa?

— Quoi?

— Je te demande Romuald en mariage.

— Est-ce qu'il le veut?

— Depuis le premier instant où il m'a vue. C'est joli, n'est-ce pas?

— C'est vraiment ce que tu désires, Carole?

— Je veux être avec lui. C'est l'espoir de ma vie.

— Eh bien, dans ce cas, je t'accorde la main de Romuald.

— Merci. »

Novembre et décembre 1948
Les insoumis

Au début de novembre, Romuald ne voit pas souvent Carole, trop occupé à faire du zèle à l'église Sainte-Marguerite et, en général, dans toutes celles de Trois-Rivières. Il ne peut passer une journée sans remercier Dieu pour la chance extrême, le bonheur infini qu'il ressent face à l'idée d'être locataire d'une maison de la coopérative. Il fait brûler des lampions pour monsieur Leduc, l'homme qui lui a laissé sa place pour que sa famille trouve un bon refuge, suite à l'incendie. Romuald récite aussi une grande quantité de rosaires en pensant à Roméo, pour le remercier de lui avoir accordé la main de Carole, sans pourtant qu'il la lui ait demandée. Annonçant la nouvelle au curé Chamberland, le petit prêtre lui dit que, dans un tel cas, il serait considéré comme un membre de la coopérative si le mariage est célébré au cours de la prochaine année. Romuald tombe à genoux devant son bon curé, embarrassé par cette démonstration de gratitude un peu expansive.

Il s'en faut de peu pour que les paroissiens ne se mettent à applaudir quand, en chaire, le curé Chamberland annonce le mariage de Romuald et de Carole, prévu pour juin 1949. Tous les gens regardent dans leur direction. Romuald bombe le torse, alors que Carole, rougissante, veut devenir une souris, afin de s'enfuir discrètement vers le trou le plus proche. On profite de la fin de la messe pour féliciter chaleureusement les amoureux. Carole et Romuald sourient, mais elle préfère décliner les invitations, afin de retourner tout de suite chez elle pour se réfugier derrière un bon Voltaire.

« Tout ceci m'intimide tellement, papa.
— Pourquoi? C'est bien toi qui m'as demandé la main de Romuald.

— Oui. Et le beau mariage d'amour, de cœur et de raison, j'y crois bien naïvement. Je n'aurai pas honte le moment venu. Mais le voilà accompagné de toute cette tradition de démonstration folklorique catholique! Les poignées de main sur le perron de l'église, les farces grivoises que les hommes ont dites à Romuald en lui donnant des coups de coude, et les femmes qui voulaient tout de suite me donner des conseils culinaires! Comme tout ceci est petit!

— Tu recommences tes litanies? Et il me semblait que tu avais retrouvé la foi?

— La foi véritable, oui! Mais ça ne veut pas dire que je veux m'intégrer dans ce cirque canadien-français qui déconcerterait même le Vatican! Les ethnologues du monde entier devraient venir photographier les gens de Sainte-Marguerite, tout comme ils vont prendre des clichés des peuples sauvages d'Afrique centrale pour faire des études du comportement primitif. Et Romuald qui se transforme en saint! Ça m'énerve!»

Carole pense alors au mariage de sa sœur Simone avec François Bélanger. Elle se souvient qu'à la frontière de l'enfance et des premiers soubresauts adolescents, elle n'aimait guère ce François, qui se baladait avec sa médaille du Sacré-Cœur accrochée au cou, participait à toutes les processions et faisait partie des confréries catholiques de sa paroisse. Depuis leur mariage, il y a huit ans, quatre maternités sont venues combler François et Simone, et deux grossesses ratées leur ont brisé le cœur. François élève ses petits dans la peur du péché. Les enfants semblent surtout grandir dans la crainte de leur père sévère, qui ramène tout à Dieu. Carole déteste voir cette peinture de l'enfer et de ses diables fourchus, dans un petit coin du salon de la maison de sa sœur, sachant que François y fait agenouiller ses enfants pour tout et pour rien.

Or, depuis le début du mois, Carole croit que Romuald ressemble à François. Profitant d'un rarissime moment d'intimité dans le salon de leur nouveau logis, Carole n'a pas pu laisser passer cette occasion de chercher une caresse délicieuse, mais Romuald a reculé, disant qu'il ne fallait pas pécher dans une maison du curé Chamberland. Carole lui a rappelé que, de toute façon, ils allaient se marier l'an prochain. Romuald, entendant cette remarque, a semblé lui dire, à demi-mot, qu'il est un peu gêné par les quelques excès qu'ils se sont permis. Il a ajouté que le mariage ne sera pas réellement béni par Dieu s'il ne s'en confesse pas, brisant ainsi une promesse qu'il lui avait faite. Alors, Carole est partie en claquant la porte.

Le vendredi suivant, alors qu'il fait réciter le catéchisme aux écolières de Carole, le curé Chamberland se sert de ce moment pour leur parler du péché de l'impureté. Carole écarquille les yeux, se demande si elle ne devient pas paranoïaque. Et pourquoi donc le petit prêtre entretient des fillettes de six ans d'un tel sujet? « Parlons-en, du secret de la confession! » se dit-elle, exaspérée. Après le départ du prêtre, Carole demande aux enfants si elles ont des questions à poser sur cette grave question. Elles se regardent silencieusement. Carole leur répond que « L'amour est souvent plus beau que tout » avant de passer à la leçon de calcul.

Carole regarde ses filles s'appliquer à faire des additions sans avoir recours à leurs doigts. Pendant ce temps, l'institutrice s'interroge sur la façon dont elle influence ces jeunes esprits. À les écouter piailler à la récréation, Carole note que leur culture est le reflet de celle de leurs parents. Comment sera l'enfant qu'elle aura un jour de Romuald? Quel monstre hybride sera-t-il? Un lecteur de Dickens s'en allant jouer au hockey dans les rues? Une violoncelliste classique réclamant un ensemble de vaisselle pour son anniversaire de naissance? Et Carole a-t-elle le goût de porter des bébés? Romuald, c'est certain, croit qu'il aura autant d'enfants que Dieu le décidera. Il les élèvera dans une maison de la coopérative, travaillera à l'usine de pâtes et papiers pour le bonheur commun de sa femme et de sa progéniture. Chaque dimanche, ils iront à la messe, avant d'aller dîner ou souper chez Roméo, comme le font traditionnellement ses sœurs Simone et Renée, ainsi que leurs maris François et Roland, ou Maurice et sa Micheline.

En guise de prélude à cet avenir, Romuald reçoit cordialement ses amis dans son logement. Au salon, ils jouent aux cartes, parlent de hockey et des contremaîtres de l'usine, ces vendus aux patrons, sans oublier la visite prochaine du premier ministre Maurice Duplessis, venant lui-même jeter un coup d'œil à l'œuvre coopérative du curé Chamberland. Romuald est enthousiaste en pensant qu'il pourra peut-être rencontrer l'honorable chef politique, alors que deux de ses camarades lui affirment, les poings cognant sur le sofa, que Duplessis n'aime pas les ouvriers. Pendant ce temps, à la cuisine, Carole est entourée des fiancées de ces jeunes hommes. Elles sont bien heureuses de savoir que Carole va se marier, comparant son avenir à celui qu'elles souhaitent bientôt pour elles-mêmes. Elles auront des enfants autant que le Divin le permettra, elles ne rateront jamais une messe dominicale et, après, elles iront veiller chez leur beau-père. Et elles jaseront avec les autres femmes, à la cuisine, pendant que leurs maris, au salon, parleront de sport et de politique. Et leurs propres filles feront la même chose.

« Mais qu'est-ce que c'est?

— Des patins, Cendrillon. Presque neufs. C'est un gars de l'usine qui me les a vendus pour une bouchée de pain. Son plus jeune s'est cassé un pied et hurle de peur quand son père veut lui faire porter ces patins à nouveau. C'est pourquoi je les ai obtenus à bon prix. Ils sont beaux, hein?

— Oui, mais pourquoi as-tu fait un tel achat?

— Tu le sais bien, Cendrillon...

— Et si jamais j'ai un garçon, il faudra attendre six ans avant de pouvoir utiliser ces patins, et ils ne seront plus au goût du jour. Et tu sais que je déteste ces sports collectifs.

— Les garçons aiment tous le hockey, Carole.

— Et tu en veux probablement sept pour former ton équipe.

— Non, six. Un gardien de but, deux défenseurs, un centre, un ailier droit et un ailier gauche. Six, Cendrillon.

— Et si je trahis ton espoir et me contente d'avoir une fille? Que feras-tu de tes patins?

— Te contenter...?

— Romuald, ne me parle plus de Dieu, de mariage et d'enfants. Reviens sur terre.

— Mais je suis sur terre, Carole! Plus que jamais! Tiens!

Si c'est une fille, elle aura aussi des patins et nous en ferons une petite Barbara Ann Scott, et ensuite, elle...

— Romuald, tais-toi.

— Je me tais. Mais tes yeux sont bavards. Autant que les miens. »

Il y a des enfants partout. Trois-Rivières est une planète d'enfants. Ils crient, pleurent, courent, regardent, touchent. Puis, ils recommencent. L'école de Sainte-Marguerite a encore des problèmes d'espace et Carole doit faire la classe à sept fillettes de plus que l'an dernier. Les vitrines de la rue des Forges ne battent que pour le cœur des enfants et des futures mariées. Carole regarde une belle robe immaculée, se demandant à quoi elle ressemblera dans un tel attirail, sa canne à la main. « Je vais bientôt faire partie de la masse », se dit-elle, un petit sourire de dégoût au coin des lèvres. Carole est bousculée par deux petites filles dans le grand magasin Fortin. Reconnaissant ses anciennes élèves, Carole les apostrophe : « En voilà des façons! Les leçons de bienséance, ce n'est pas fait pour l'école, mais pour la vraie vie!» Les fillettes rougissent, s'excusent. Carole se rend compte qu'elle est une maîtresse d'école à toute heure du jour, même par un samedi après-midi de congé. Un peu plus tard, Carole les croise à nouveau. Elles tiennent absolument à lui montrer une poupée géante, régnant comme une belle princesse au rayon des jouets. Puis elles désignent du doigt un fer à repasser miniature et une maison de poupée. Soudain, l'une met la main sur un livre aux images colorées.

« Celui-là, je le veux, mademoiselle. Je l'ai demandé à ma maman.

— Pourquoi le désires-tu?

— Pour le lire. C'est sûrement une belle histoire, aussi belle que toutes les histoires que vous nous avez racontées. Regardez, il y a des chevaux et une petite fille. Je veux ce livre. Si maman ne me l'achète pas, je le demanderai au père Noël en lui écrivant au pôle Nord. »

Carole se sent transportée de joie par l'idée que cette

enfant réclame ce livre parce qu'elle lui a donné le goût de la lecture. La jeune boiteuse vibre de bonheur en se convainquant de cette pensée. Après le départ des enfants, elle remet le livre sur l'étagère, et son regard est attiré par une magnifique poupée aux yeux émouvants.

« Qu'est-ce que c'est?
— Une poupée.
— Comme cadeau de Noël à tes élèves? Tu vas faire un tirage?
— Non. Tu as acheté des patins? J'ai acheté une poupée. N'en parlons plus.
— Cendrillon, tu es merveilleuse! Déroutante, mais merveilleuse!
— Et toi, tu es enchanteur, beau prince.
— Dieu a été bon d'avoir permis notre rencontre.
— Ah non! Ne le mêle pas à notre histoire! »

Carole se rappelle les fiançailles et les mariages de ses sœurs. Simone a été une épouse de guerre. Afin d'empêcher son François d'être appelé sous les drapeaux, elle s'est unie dans ce cirque des mariages à la chaîne, à la veille de la date limite imposée par le gouvernement fédéral. Dans le cas de Renée, il pleuvait à boire debout. Leurs fiançailles avaient été gâchées par l'attitude de Roméo, s'inquiétant d'abord du sort de Jeanne en Europe, puis ensuite, ne se remettant pas de son décès. Roméo aussi se souvient de tout et désire faire amende honorable en organisant une gigantesque fête familiale, alors que Carole préférerait une cérémonie plus intime. Mais Romuald est content de l'idée de son futur beau-père. Il est heureux de devenir attaché, par le mariage, à tous ces Tremblay. Ce sont des gens sains, effaçant les souvenirs de son père alcoolique et parieur, et du reste de sa parenté estropiée par le travail incessant dans la mine d'amiante d'Asbestos. Carole laisse faire Roméo, satisfaite de croire qu'il pense de moins en moins à Jeanne, que le goût de lire, d'écrire et de créer lui redonne vie. Roméo a promis à tout le monde qu'il décrochera un emploi de journaliste au cours de l'année suivante. Il travaille en ce sens en préparant avec soin des articles.

En attendant Romuald pour une sortie au Cinéma de Paris, Carole tourne les feuilles d'un magazine féminin, acheté par sa mère, parce qu'on y trouve de beaux modèles de robes de mariée. Elle le fait soudainement voler sur la table, croisant les bras, une moue au visage. Roméo approche, lui demande ce qui provoque cette mauvaise humeur.

« Robe de mariée, maison, enfant, ménage, autre enfant, laver les planchers...

— Carole, il n'y a pas un mois, tu étais très excitée par ta future vie de femme mariée. Pourquoi changes-tu d'idée?

— Ça me ressemble, papa. Je suis très contente, mais un peu craintive en même temps, face à la grisaille de tout ceci. Pourrais-je l'éviter? Être l'exception? C'est si souffrant, être l'exception dans cette petite province. Je pense aussi à Simone.

— Simone est très heureuse en mariage.

— C'est faux. Elle a été malchanceuse d'épouser ce crétin, ses crucifix, son Lionel Groulx et son Duplessis. Et moi, je ne veux pas de tout ceci. Je désire plus. Toujours plus! Je veux... Je veux, par exemple, travailler! Pas juste en attendant d'avoir un enfant. Et tu sais bien que dès que j'aurai un bébé, la commission scolaire va m'empêcher d'exercer mon métier. Il faudra faire autre chose.

— Veux-tu t'occuper de ma librairie? Je n'en aurai plus besoin quand je serai à nouveau journaliste. »

Surprise, Carole écarquille les yeux. Elle n'a jamais pensé à cette éventualité. Contente, elle sourit à Roméo en lui tendant les bras. Être parmi les livres a toujours été l'idéal de sa vie. Carole rêve à ce métier, alors que Romuald arrive, veston gris et cravate large, prêt pour une autre soirée de cinéma. Sur le petit écran carré, de mauvais acteurs s'agitent dans un film médiocre. Romuald s'efforce de ne pas bâiller, sachant que Carole préfère les comédiens de France aux pitreries des Américains. Carole ne regarde pas, soudainement envahie par le récent souvenir de cette ancienne élève tenant absolument à posséder un livre vu dans le grand magasin. Ah! si elle pouvait enseigner très longtemps, peut-être en influencerait-elle d'autres comme celle-là? Et de l'autre côté de la rue, près du Cinéma de Paris, la piteuse librairie de son père l'invite aussi. Oui, elle saurait lui redonner vie et en faire le rendez-vous préféré de tous les lecteurs et lectrices trifluviens! Carole soupire, passe la main autour du cou de Romuald, pour goûter à cette belle impression de s'embrasser dans la pénombre d'une salle de cinéma, sous la comète lumineuse. Mais Romuald ne répond pas à son avance, trouvant sans doute déplacé de se livrer à ces aventures d'adolescents, lui qui va bientôt se marier. « C'est mauvais, ce film. Allons-nous-en », lui dit-elle, telle une délivrance.

Carole traverse la rue Saint-Maurice pour regarder la boutique de Roméo. Romuald l'invite à aller faire un tour à l'église Notre-Dame-des-sept-Allégresses, tout près. Ils se dirigent plutôt vers *Le Petit Train,* où la grande fille de treize ans de Maurice est de service. Les murs du restaurant familial rappellent à Carole de beaux souvenirs d'enfance, quand sa tante Louise était la patronne et, plus tard, quand Renée et ses amies s'y réunissaient pour préparer des plans pour empêcher les jeunes hommes de joindre l'armée canadienne.

« J'aimerais bien travailler, quand nous serons mariés.
— Oui, bien sûr.
— Même lorsque j'aurai des enfants.
— Maman en prendra soin, avec Pierrette. Lucienne aura grandi et sera contente d'être gardienne.
— Pourquoi ne me réponds-tu pas non? Pourquoi ne me dis-tu pas que le devoir d'une femme mariée est de s'occuper de son intérieur?
— Pourquoi veux-tu l'entendre? Pour me reprocher de l'avoir dit?
— Je ne sais pas. J'aurais juré que tu étais pour me le dire.
— Je ne suis pas aussi vieux jeu que tu le penses. Et où voudrais-tu travailler?
— Je ne sais pas.
— Réfléchissons à la question.
— Tout de suite?
— Ça te donnera encore plus de temps pour changer d'idée. »

Dans les suggestions de Romuald, il est surtout question de livres, de bibliothèque, et même de donner des cours privés, idée nouvelle qui enthousiasme Carole. Elle l'écoute en hochant la tête. Elle a le goût d'être délinquante, de sauter par-dessus le comptoir pour l'embrasser furieusement. En attendant l'autobus, Carole ignore les conventions sociales et les protestations polies de Romuald, et l'embrasse à la vue de tout le monde, comme des jeunes amoureux turbulents, sortant sans chaperon par un beau samedi soir libérateur. Elle invite Romuald à la maison, pour prendre une dernière boisson avant de retourner chez lui, mais il refuse sa proposition de monter à son bureau.

« Je te veux, Romuald.
— Pas si fort! Tes parents sont à la cuisine!
— Romuald, je te désire.
— Pourquoi dis-tu de telles choses?
— Parce que je suis libre et que je n'ai peur de rien, surtout pas de mes sentiments.
— Ce n'est pas bien, Carole.
— Tu parles comme mille curés.
— Carole, il faudrait vraiment que tu fasses un examen de conscience.
— Tu ne m'aimes plus?
— Je t'en prie, ne me regarde pas avec des yeux semblables... »

Le corps chaud, l'esprit troublé, Carole a un mal fou à s'endormir, si bien qu'au lever du jour, elle abat son réveille-matin d'une taloche agressive, serrant les poings et replongeant sous ses couvertures. Roméo et Céline lui demandent de sortir du lit, mais Carole leur répond en lançant l'oreiller. C'est ainsi qu'elle ne tient pas sa promesse d'accompagner Romuald à la messe. Quand, enfin, elle consent à sortir de ce confort, Carole est seule dans la grande maison familiale. Elle décide de donner un repos à sa mère et de préparer le dîner. Fouillant la glacière et les tablettes, elle trouve quelques légumes, un peu de viande, se demande ce qu'elle peut en faire. Elle s'imagine mal cuisinant trois repas par jour à

Romuald. Que sait-elle des tâches que toutes les jeunes femmes de son âge rêvent d'accomplir depuis l'enfance? Elle ne peut même pas tenir un balai, sinon pour remplacer sa canne. Il faudra réinventer les besognes ménagères du mariage, se dit-elle, avant d'ajouter qu'il serait aussi bon de tout changer dans la province de Québec. À sa grande surprise, Romuald arrive à la maison, inquiet du rendez-vous manqué, craignant qu'elle ne soit malade. Carole se lance dans ses bras, prise de désir, voulant profiter du temps qu'il lui reste seule dans cette maison, mais Roméo, Céline et Christian arrivent de la messe à ce moment.

« J'ai préparé le dîner. Reste avec nous. Ma sœur Simone doit aussi venir avec son imbécile.
— Oh! vraiment? Je n'ai jamais goûté à ta cuisine, Cendrillon.
— Comme tu es chanceux, beau prince.
— Et que nous as-tu préparé?
— Du ragoût au bœuf, avec beaucoup de navets. Les navets sont très nutritifs, et bien meilleurs pour la santé que les pommes de terre.
— Je suis certain que je n'oublierai jamais ce repas!
— Moi non plus. »

Simone et François arrivent, avec les quatre enfants endimanchés, bien échelonnés par ordre de grandeur décroissant. Ils se suivent en rang pour embrasser Céline et Roméo, surveillés sévèrement du coin de l'œil par François. Romuald serre la main du mari de Simone, s'excuse aussitôt, disant qu'il doit aller donner un coup de pouce à Carole à la cuisine.

« Qu'est-ce que tu fais ici?
— Je viens t'aider.
— Ce n'est pas nécessaire.
— Les hommes au salon et les femmes à la cuisine, n'est-ce pas? »

Carole soupire en le regardant s'éloigner. Elle pense alors

que son amoureux est peut-être moins conservateur qu'elle ne le croit. Comme esprit plus traditionnel, Simone n'a pas sa pareille, prête à donner des cours de cuisson à sa sœur intellectuelle.

« Quand ton mari rentre de l'usine après huit heures de travail, ce n'est pas Jean-Jacques Voltaire qu'il veut. Ce sont des patates et du steak. L'appétit vient en mangeant.

— Simone, je déteste quand tu parles avec des proverbes! Et laisse-moi donc tranquille! Tout le monde veut m'aider, comme si je n'avais jamais cuisiné de ma vie!

— Je t'aide avec sincérité, Carole.

— Je ne veux pas de ta sincérité.

— Comme je suis malchanceuse! Comme je suis malchanceuse! »

François et Romuald parlent avec enthousiasme de la venue du premier ministre Maurice Duplessis dans le quartier Sainte-Marguerite, où il prononcera un discours en l'honneur du curé Chamberland, à l'occasion d'une réception organisée pour fêter le brave prêtre. Romuald dit que le premier ministre visitera une maison et, avec un peu de chance, ce sera celle de son propriétaire et qu'il pourrait sans doute monter au seconde étage. Romuald ne se gêne pas pour dire qu'il est très déçu parce que Carole refuse de participer à la fête.

« Ce n'est pas tellement le curé Chamberland qu'elle boude, mais bien monsieur Duplessis.

— Romuald, franchement, Carole ne serait pas un peu communiste?

— Communiste?

— Avec tout ce qu'elle lit, tous ces livres à l'index, et puis elle rate des messes souvent. Il faut faire attention. Il vaut mieux prévenir que guérir.

— Il n'y a pas de communistes à Trois-Rivières.

— Attention! Ils sont bien malins! Ils s'infiltrent partout! Nos évêques et monsieur Duplessis ne nous mettent-ils pas assez en garde? Même nos persécuteurs, les Anglais américains protestants, combattent les Rouges. Que feraient tes enfants, si leur mère était communiste? Je te le dis amicalement. Un homme averti en vaut deux. »

Le ragoût semble tiède, les navets calcinés et le bœuf saignant. Céline se demande comment sa fille a pu réussir un tel prodige. Les invités mangent du bout des dents, alors que Romuald avale avec appétit, souriant à Carole. Puis les autres décident simultanément qu'ils n'ont pas très faim.

« C'était très bon, Cendrillon.
— Hypocrite. »

Pourquoi Carole s'en veut-elle de cet échec? Le rôle traditionnel de la femme, qui ne l'a jamais préoccupée, la rattrape en ce dimanche matin. Elle se dit qu'elle devra améliorer sa cuisine pour plaire à son mari.

« Quand j'aurai ma maison, je construirai de belles tablettes, pour les bouquins de Carole.
— À ta place, je lui achèterais des livres de recettes. »

Carole casse volontairement un verre qu'elle était en train d'essuyer, s'empare de sa canne pour aller menacer François du doigt. « Je t'ai entendu, beau-frère! » Il en rit, mais Carole ne sourit pas du tout. Après un café de politesse, Carole veut retourner à Sainte-Marguerite, parce que François palabre sans cesse sur Duplessis.

« Quand monsieur Duplessis va venir, je...
— Ne me parle pas de ce petit notaire paysan du dix-neuvième siècle!
— Vas-tu voter libéral, Carole?
— Bien sûr.
— Parlons-en! Nous n'avons jamais jasé de politique! Tu dois être très savante sur le sujet!
— Et si on parlait de sexe?
— Carole! Vas-tu cesser de tant désirer le péché depuis quelque temps?

— Quel péché? Et ce n'est pas de ma faute. Tu ne cesses de m'y faire penser. »

Les yeux de Carole pétillent, le mouvement de ses mains souligne son emportement. Madame Comeau demeure indifférente et Pierrette se demande pourquoi une future mariée perd son temps à s'intéresser à la politique. Romuald ne pose aucune question, charmé par l'excitation de sa Cendrillon. Carole connaît tellement l'histoire de la politique qu'elle ferait honte à un candidat chevronné. Il relève un peu le sourcil quand elle dit que leurs enfants, pour vivre libres dans la province de Québec, devront compter sur leurs parents pour voter libéral et chasser le tyran Duplessis.

« Il y a du bon dans ce que tu dis.
— Merci.
— Mais monsieur Duplessis a aussi fait de bonnes choses pour nous. Il nous a donné un drapeau.
— Emprunté en partie à la France de l'Ancien Régime.
— Il a fait travailler les chômeurs de la crise économique avec les grands travaux publics, comme ton beau-frère François.
— Copié sur le New Deal de Roosevelt.
— Et il lutte pour notre autonomie provinciale, pour qu'Ottawa ne se mêle pas des affaires de notre province.
— Ah! parlons-en, de l'autonomie provinciale!
— Oh non! N'en parlons pas!
— C'est une bonne idée.
— Mais il faudrait que tu viennes quand même à la soirée. Fais-le pour moi et pour notre curé. Tu lui dois quand même un peu, à notre saint prêtre. Tu lui dois notre rencontre, un métier, ton futur toit, une paix qui te manquait...
— Je lui dois un peu aussi mes bas de nylon, non?
— Cendrillon, fais-moi plaisir. Tout le monde sera content de te voir. Et comme maîtresse d'école, c'est aussi un peu ton devoir d'être présente. Tu fais partie des notables de la paroisse. »

Carole sait que l'amour est aussi partage, mais lui demander

179

de partager la même pièce que Duplessis est hors de sa bonne volonté. À l'école, elle a une prise de bec avec sœur Angèle, qui lance un concours de compositions, récompensant les sept meilleurs compliments destinés au premier ministre. Mais, dans ce cas, il semble que la directrice a plus de pouvoir que Romuald. Les fillettes savent que monsieur Duplessis est bon, car leurs parents ne passent pas une journée sans prononcer son nom. Avoir un Trifluvien comme premier ministre est un honneur que même les enfants connaissent. Leurs mères leur disent qu'elles-mêmes, à leur âge, elles recevaient des sous de monsieur Duplessis à chacune de ses visites à l'exposition agricole annuelle. Et elles savent qu'il est le monsieur qui a fait construire la belle piscine du coteau, où elles ont tant de plaisir à chaque été. « Endoctrinement! » de se dire Carole, se mettant à expliquer la démocratie à ses élèves. Les fillettes n'y comprennent rien, mais ne manifestent aucune impatience, car pendant que Cendrillon-la-patte parle pour ne rien dire, elles ne font pas de soustractions. Carole, devant leur silence, se rend soudainement compte qu'elle s'adresse à des enfants de six ans. L'an dernier, elle aurait préparé une activité pour leur faire réaliser pourquoi il faut voter, elle aurait inventé une histoire, fouillé des ouvrages psychologiques. Le lendemain matin, Carole ramasse les compliments destinés au premier ministre. Elle ne sourit même pas à la naïveté de ces mots enfantins quand, soudain, elle voit le dessin d'un homme au gros nez rougi, habillé comme une sorcière, se tenant en équilibre sur un manche à balai.

« Mon papa dit que Duplessis est une sorcière-monsieur. C'est pour ça que je l'ai dessiné, même si je sais que je ne gagnerai pas le concours. Mon papa a été content de moi.
— C'est très bien, Marie-Claude. Je te félicite.
— Pour vrai, mademoiselle? »

Le jour de la grande visite, Romuald assiste à la première messe, priant pour le curé Chamberland et monsieur Duplessis, demandant aussi à Dieu d'éclairer un peu Carole à propos de son obstination à vouloir transformer son amour en gestes condamnables hors mariage. Il offre aussi quelques rosaires pour que Carole se décide à assister à la fête de ce soir. Sainte-Marguerite ne vit que pour cette cérémonie, où leur curé bienfaiteur sera honoré par la plupart des gens importants de la Mauricie, et par nul autre que le premier ministre de la province de Québec. Les maisons de la coopérative sont astiquées par les ménagères, qui rêvent que monsieur Duplessis choisisse la leur pour sa visite.

Carole, de son côté, ne bouge pas, malgré les reproches de ses parents. Roméo croit aussi que Carole, comme enseignante, se doit d'assister à la fête. Lui-même y sera en qualité d'ancien journaliste. Il tentera d'écrire un reportage original, afin de regagner un poste. Roméo s'attardera aux sentiments exprimés par les ouvriers de Sainte-Marguerite. Carole se sent comme une fillette grondée. Sa gorge se noue d'une étrange culpabilité. Oui, elle doit beaucoup à Sainte-Marguerite et à son petit prêtre. Elle doit aussi à Duplessis ce goût de vouloir tout changer pour le bonheur de ses futurs enfants. Carole, espiègle, enfouit le dessin insultant de Marie-Claude, avec le goût de le coller dans le pare-brise de la voiture du premier ministre, ou, mieux encore, de le lui remettre en mains propres.

Le visage de Romuald s'illumine quand il voit arriver Carole. Céline esquisse un petit sourire, désigne de la tête Roméo, carnet à la main, volubile et si heureux, posant sans cesse des questions à tous les ouvriers. Quand le curé Chamberland entre, il est accueilli tel un Duplessis qui a encore gagné ses épaulettes, comme en juillet dernier. Carole remarque son sourire un peu forcé, sachant que l'homme est contre cette idée de fête. Le petit prêtre demeure humble, malgré l'immense tâche humanitaire accomplie par les ouvriers grâce à ses initiatives. Il a transformé une paroisse pauvre en un quartier coquet, vibrant chaque jour au son d'une fierté que ses habitants rendent parfois vantarde. Le curé Chamberland répète souvent que seul Dieu l'a fait agir, afin que les hommes et les femmes deviennent de meilleurs catholiques, des êtres humains dignes de ce nom.

« Regarde, Cendrillon! Monsieur Duplessis arrive!

— Où? Derrière ce nez? »

Carole est écrasée sous les bras élevés qui applaudissent le père de la nation. Elle n'imite pas ces partisans, soufflant à l'oreille de Romuald qu'elle ne peut laisser tomber sa canne. Vite, il va lui chercher une chaise, ce qui permet à Carole de croiser les bras. Roméo revient à ce moment, le carnet aussi rempli que son cerveau bouillonnant d'idées. Les discours défilent, suivis de leurs cortèges de clameurs. La parade est couronnée par les mots de monsieur Duplessis. « Quel démagogue! » de se dire Carole, de plus en plus boudeuse. Elle est bien décidée à lui faire parvenir le dessin de son élève. L'occasion s'y prête très bien, une demi-heure plus tard, quand le premier ministre approche pour serrer des mains. Son Honneur reconnaît très bien Roméo Tremblay le journaliste, qui présente Carole comme « sa fille ». Le premier ministre la regarde et la nomme Renée, ce qui estomaque Carole. Il dit qu'il se souvient d'elle alors qu'elle était déguisée en petite Indienne, parcourant les rues de Trois-Rivières, lors des grandes fêtes du tricentenaire de la ville, en 1934.

« Vous avez raison, monsieur le premier ministre. Il s'agit bien de Renée qui tenait ce rôle. Mais c'est mon autre fille. Celle-ci se nomme Carole.

— Bonsoir, Carole. Et votre garçon Maurice? Il est toujours propriétaire du restaurant *Le Petit Train*?

— Oui. Carole est enseignante à l'école des filles de Sainte-Marguerite.

— Maîtresse d'école? C'est un très beau métier, en attendant de se marier. Je vous félicite, mademoiselle. »

Romuald, aussi rougissant que Carole, a un soubresaut de courage. Il prend fièrement la main de sa Cendrillon, et indique qu'il va se marier avec la fille de Roméo, en juin prochain.

« Je suis Romuald Comeau. Je travaille à la C.I.P. J'ai aidé à bâtir toutes les maisons de la coopérative, depuis mon arrivée à Trois-Rivières, en 1945.

— Félicitations, mon garçon. Vous êtes de la race des valeureux bâtisseurs canadiens-français, comme vos ancêtres. Et vous venez de quelle ville?

— D'Asbestos, monsieur le premier ministre.

— Ah oui... Asbestos... Vous êtes bien mieux de travailler aux moulins de Trois-Rivières que dans la mine d'Asbestos. Il y a beaucoup d'agitateurs communistes à Asbestos, présentement, qui excitent les mineurs à faire la révolution et du désordre. Si les gens d'Asbestos sont assez moutons pour les suivre, vous allez voir que votre premier ministre va remettre de l'ordre dans la bergerie. »

Après une dernière poignée de main, Romuald regarde le premier ministre s'éloigner, se disant sans cesse : « Moutons? Comment, moutons? » Romuald sait que sa parenté, dans sa ville natale, souffre des maladies causées par la poussière de la mine, tout en étant très mal payée. Ses cousins lui ont écrit qu'il est possible qu'ils déclenchent une grève, afin d'avoir un salaire raisonnable et des conditions de travail humaines.

« T'as entendu, Carole? Des moutons? La population d'Asbestos? Et des communistes? Il n'y a pas plus catholiques que les braves gens de ma ville!

— Qu'est-ce que je t'avais dit, Romuald?

— Il vient de perdre mon vote pour le reste de ses jours! Viens! On s'en va!

— Quoi? Déjà?

— On s'en va!

— Où?

— Chez moi.

— Pourquoi?

— On s'embrassera et on parlera de sexe! Ça va me faire oublier les moutons d'Asbestos!

— D'accord! Place à la magie! Place aux nécessités! Place à l'amour! »

Janvier et février 1949
Quand les femmes s'en mêlent

Roméo a présidé la grande réception de fiançailles qu'il souhaitait. Pour la première fois, depuis ces dernières années, il n'a pas pensé à la mort de Jeanne pendant la période de Noël. Peut-être était-il trop occupé à jouer l'hôte par excellence, accueillant les compagnons de l'usine de Romuald, les amis de Sainte-Marguerite, et les parents Tremblay et Comeau. Ses enfants semblaient heureux de le voir si content. Ils étaient aussi très ravis pour Carole, sachant, sans jalousie, que la jeune boiteuse a toujours été la préférée de Roméo, peut-être parce que sa petite taille et sa grande beauté lui faisaient penser à Jeanne.

C'est dans cette vague d'optimisme que débute la nouvelle année, mais sœur Angèle et le curé Chamberland viennent noircir l'horizon de Carole en lui reprochant le retard de ses élèves dans l'étude du catéchisme, alors qu'elles sont championnes dans toutes les autres matières. L'an dernier, Carole aurait baissé la tête en obéissant, mais il semble que ce soit de plus en plus difficile pour elle. Si Carole refuse toujours de visiter le presbytère pour parler des Écritures avec le petit prêtre, elle accepte sans trop réfléchir la responsabilité d'un cercle littéraire pour les femmes de Sainte-Marguerite, peut-être pour rester dans les bonnes grâces du pasteur, car elle craint que son attitude rebelle ne nuise à Romuald pour l'obtention de sa future maison.

Carole visite d'abord la bibliothèque du quartier, située dans la salle paroissiale. C'est avec une certaine joie nostalgique qu'elle met la main sur les vieux romans de son père, et elle constate qu'ils sont toujours populaires. Une vieille fille du quartier s'occupe de la bonne marche de la bibliothèque. Elle voit d'un mauvais œil l'ingérence de cette étrangère, car elle désirait que le curé Chamberland lui confie la responsabilité du cercle littéraire.

« Le but est de faire naître le goût pour la littérature chez les femmes du quartier. Monsieur le curé m'a aussi parlé d'éducation. Or, comme j'ai une formation de pédagogue, il a cru bon de me proposer cette tâche.

— Je comprends, de répondre sèchement la vieille fille.

— Il faudrait acheter quelques livres. Je vous apporterai ma liste demain. Je pense tout de suite aux *Lettres de mon moulin*, de Daudet.

— Le budget est mince. La plupart des livres sont des dons.

— Le curé Chamberland a dit que Daudet serait très bien pour débuter. Il faudrait se procurer deux copies le plus rapidement possible.

— Vous voulez tout chambarder?

— Oui, bien sûr. »

La célibataire se redresse, surprise par cette réponse agrémentée du visage très sérieux de Carole. Dans l'esprit de la jeune enseignante, dans dix mois, les ménagères de Sainte-Marguerite sauront qui est Zola et Jean-Jacques Rousseau. Son grand idéal culturel devra se frotter à la réalité des spécialistes du reprisage, du lavage, de la cuisine et de l'enfantement. Le soir, Carole prépare les objectifs du cercle littéraire et le plan de déroulement des rencontres, assistée par son père. Elle est heureuse de le voir s'intéresser de nouveau à tout ce qui concerne les livres. Comme la gamine d'autrefois, Carole tremble de bonheur quand Roméo lui explique Kipling et Dickens.

« Je ne pense pas qu'elles vont lire Zola ou Rousseau.

— Je vais faire en sorte que, graduellement, ces noms deviennent des références aiguisant leur curiosité.

— Zola est interdit par le clergé, Carole.

— J'apporterai mes copies. Le curé Chamberland ne me neutralisera pas, ne fera pas de moi quelqu'un de banal.

— Je suis certain qu'il n'a jamais songé à une telle chose.

— Travaillons, papa. Travaillons. »

Depuis une année, Romuald a lu beaucoup de livres recommandés par son amoureuse. Il s'est fait expliquer la littérature par Carole. Admirant sa grande intelligence, Romuald peut maintenant noter des passages significatifs, dire où se situe l'élément déclencheur de l'intrigue, indiquer le point tournant, ou philosopher sur la pertinence de la finale. Carole croit que les femmes du quartier pourraient avoir des réactions semblables. Les ménagères de Sainte-Marguerite n'ignorent pas que cette petite infirme a gagné la sympathie de beaucoup de gens du quartier, qu'elle instruit les fillettes comme pas une. Conséquemment, elles répondent bien à l'invitation lancée en chaire par le curé Chamberland. La jeune Tremblay parle pointu comme une artiste de la radio. Son accent provoque plus la curiosité que la méfiance. Si elle parle snob, ça ne veut pas dire qu'elle est snob, se disent-elles, tout en sachant que les femmes s'exprimant ainsi ne sont pas « des nôtres ». Mais les ménagères veulent bien donner une chance à Carole car, après tout, si le curé Chamberland lui a confié cette responsabilité, c'est sûrement parce qu'il connaît son affaire.

Présentation, objectifs, explications, conclusion, période de questions. Les femmes se regardent simultanément et murmurent comme des élèves dissipées. Leurs remarques ne sont pas du tout celles prévues par Carole. Il est surtout question d'horaire. Le vendredi soir ne fait pas l'unanimité, parce que c'est le soir de lavage, la journée du marché, c'est la fin de semaine à préparer, mais, avant tout, elles ne veulent pas rater leur radioroman favori. Fâchée par un tel aveu – Carole a horreur de ces productions mélodramatiques minables – elle leur propose son éternel discours sur le dépassement de soi, mais la moitié du groupe juge ces propos comme une insulte à leur état de simples épouses d'ouvriers. « Espèce de petite pincée qui se prend pour une autre! On est du bon monde, tu sauras! » de dire méchamment une femme, qui tourne aussitôt le dos. Derrière Carole, la vieille fille bibliothécaire a le goût d'applaudir. D'autres candidates suivent la révoltée. Carole leur assure qu'elle n'a pas voulu les insulter, que ses propos ont été mal interprétés. Celles qui restent sont les mères de ses élèves, et les plus jeunes. « Nous, on veut bien s'instruire à lire de beaux livres, Cendrillon. » Ayant prévu cette référence à son surnom, Carole a sous la main la véritable histoire de Cendrillon qu'elle leur lit de belle façon. Tout de suite une discussion surgit, concernant principalement les variantes populaires que les siècles ont fait subir à ce conte de Perrault. Ensuite, Carole propose des lectures pour la prochaine réunion. Les femmes pourront échanger des opinions, raconter à leurs consœurs ce qu'elles ont retenu des histoires. Elles empruntent immédiatement les livres recommandés. Carole est contente.

Deux femmes invitent Carole à partager un café. Elle entre à nouveau dans une maison de la coopérative. Le mari est au salon avec deux amis de son usine, à discuter chaudement des mérites athlétiques du hockeyeur Maurice Richard, bien qu'ils ne l'aient jamais vu à l'œuvre. Devant un antique appareil de radio, deux enfants tentent d'écouter un feuilleton. Dans une chambre, une élève de Carole joue au mariage avec son frère. Sur les murs du couloir, des images du Sacré-Cœur et de Maurice Duplessis. La cuisine est le fief de la reine du foyer. Elle est son atelier de travail, son salon et son bureau tout à la fois. Carole remarque, sur un petit tabouret, une statue de la Vierge et un cierge, bénits par le curé Chamberland, de préciser la femme. Chaque soir, la famille récite la prière en famille devant ces objets. Cela se termine toujours par un souhait visant à protéger le petit prêtre de la maladie. « C'est grâce à lui si on a cette maison, mademoiselle Tremblay. Sans lui, nous serions toujours locataires d'un loyer plein de punaises. »

La jeune femme et son amie se vantent de leurs petits biscuits et de leur café. Elles ne se gênent pas pour dire qu'elles sont ravies d'avoir la visite d'une personne aussi distinguée que Carole. Un des hommes du salon, l'air méfiant, ouvre la porte pour aller chercher une bouteille de bière dans la glacière. Il se vante à Carole, sans que personne lui ait fait signe, qu'il n'a jamais lu un bouquin et qu'il gagne quand même très bien sa vie. Sur un ton voisin, la plus âgée des deux hôtesses souligne à Carole que découvrir des beaux livres lui fera avant tout passer le temps, entre deux travaux ménagers, que les réunions seront une occasion de sortir de la maison et de rencontrer des amies ailleurs qu'à la messe ou que chez l'épicier.

Ces femmes ont vingt-six ans et une mentalité vieillotte, de se dire Carole. Elles parlent de leur jeunesse de la fin des années 1930, alors qu'elles gagnaient beaucoup d'argent en travaillant à l'usine de textile Wabasso et, par la suite, dans la fabrication d'obus de guerre, à la fonderie Canada Iron. Leur enfance de privations, lors de la grande crise économique, a été vengée par l'effervescence monétaire des années de guerre. Elles allaient au cinéma toutes les semaines, s'amusaient beaucoup et achetaient régulièrement des vêtements. « C'est amusant d'avoir du bon temps, avant de se marier », de prétendre la plus grande, dans un soupir nostalgique.

En l'entendant, Carole ne peut s'empêcher de penser à sa tante Jeanne, qui, selon les récits de Roméo et de Renée, n'a jamais pensé cesser de s'amuser, au cours des années 1920. La jeunesse devait durer toujours et il n'était pas question de « avant de se marier » dans son cas. À vingt-six ans, Jeanne Tremblay était toujours jeune, à contre-courant de la mentalité de la majorité. Elle dépensait sans compter, s'habillait follement, écoutait du jazz américain et lisait de la poésie française. En suivant cette route, Jeanne s'est exposée à de terribles condamnations sociales, puis à beaucoup de souffrances. Pourquoi Carole a-t-elle ces pensées pour sa tante qu'elle n'a jamais aimée? Sans doute parce que ces jeunes femmes de Sainte-Marguerite sont si vieilles, à l'âge où Jeanne énervait la société entière, comme une vraie marginale, comme Carole l'est un peu, avec ses désirs de tout changer et de ne pas se plier au conservatisme qu'elle méprise. « À vingt-six ans, je ne serai pas vieille. Le mariage n'aura ni mon corps ni mon esprit. Je vaincrai le traditionalisme et Duplessis », réfléchit-elle, alors qu'une de ses hôtesses insiste en lui tendant une platée de biscuits.

« Je vous donnerai la recette, si vous voulez.
— On peut se tutoyer, si vous le désirez.
— Oh! vous, si vous voulez. Mais moi, je ne pourrai jamais tutoyer une personne savante comme vous. Ça ne se fait pas, par ici. »

Carole pense rarement qu'elle est la fille d'un petit

bourgeois, ayant grandi à l'écart de la majorité de la population industrielle de Trois-Rivières. Cachée derrière ses livres, elle ne s'est jamais préoccupée des ouvriers des grandes usines, sinon pour les mépriser sans les connaître. Depuis une année, Carole a accompli bien du progrès et a abattu quelques préjugés honteux. Ses frères et sœurs, par leurs mariages ou leurs emplois, ont toujours été en contact avec le « gros bon sens » réaliste des classes laborieuses, ce qui a souvent énervé Carole. La voilà s'apprêtant à vivre dans le quartier le plus ouvrier de Trois-Rivières, tout en désirant garder sa soif de savoir intellectuel. Les copains de Romuald traitent Carole avec une amitié polie, teintée du respect dû à celle qui instruit leurs enfants et, croit-elle, parce qu'elle est boiteuse. Pour les autres, Carole est une étrangère qui a peut-être déjà bu du thé avec des patrons, invitée au salon de leur grande maison de riche par son père journaliste et écrivain.

Dans les réponses au questionnaire qu'elle a fait remplir, ce soir, Carole constate que les seuls romans lus par ces femmes sont les feuilletons des journaux et de *La Revue moderne*. Sans doute pour la flatter, certaines ont écrit « Les livres de votre père ». Suivant cette logique, Carole demande à Roméo de venir faire une lecture publique, à la prochaine réunion.

« Jamais de la vie! Ce sont des histoires anciennes, ces livres! Tu sais très bien qu'ils m'embarrassent!
— Ne recommence pas ces lamentations de complexé. Tes livres sont encore populaires dans toutes les bibliothèques de Trois-Rivières. Et mes femmes n'ont jamais eu l'occasion de rencontrer un véritable écrivain.
— Un ancien écrivain.
— Elles s'en fichent, de tes problèmes psychologiques.
— De mes quoi?
— Si tu ne veux pas présenter un extrait de tes anciens livres, écris une nouvelle et viens la lire.
— J'ai des problèmes psychologiques? »

Dès le lundi, Carole reçoit la visite empressée du curé Chamberland, qui se montre aussi peu poli qu'elle ne l'a été envers Roméo. Il ne demande pas pourquoi Carole a fait fuir la moitié des volontaires, devinant que ses grands mots « à cent piastres » ont irrité ces braves femmes. « Ne les prenez pas pour des caves, mademoiselle Tremblay! » Carole bouillonne en entendant le petit prêtre utiliser une troisième fois ce mot, sous-entendant qu'elle méprise l'intelligence des paroissiennes de Sainte-Marguerite. Mais le bon curé sait qu'à chacune des occasions, Carole a ajusté son tir à la mentalité de la majorité.

Pour prouver à sa fille qu'il n'a pas de problèmes psychologiques, Roméo passe sa semaine à chercher dans ses romans un extrait qui ne le gênerait pas. Ayant mis le doigt sur quelques paragraphes, il les suggère à Carole, qui les ignore et choisit un passage plus à son goût.

« Pourquoi ce bout?

— Il y a une métaphore, une hyperbole et une très amusante allitération.

— J'ai fait ça? Tu me l'apprends! Et tu penses que tes femmes vont se passionner pour ces figures de style?

— Certes! Elles ne sont pas des caves, papa! »

En ce second vendredi, Carole, étonnée, voit revenir certaines fuyardes de la semaine passée, mais note l'absence de quatre femmes qui lui avaient pourtant juré fidélité. Une femme explique que son amie ne peut venir parce qu'elle attend de la visite pour la fin de semaine et qu'elle doit nettoyer la maison de fond en comble et préparer des tourtières. Il y a aussi cinq nouvelles candidates. Comme une bonne enseignante, Carole commence par un rappel de la dernière réunion, ne précisant rien aux nouvelles, afin de leur faire réaliser ce qu'elles ont raté. Trois femmes lisent, avec une grande peine, des extraits des volumes recommandés par Carole. La discussion s'ouvre et les commentaires se résument souvent à « C'est bien beau ». Carole ajoute son grain de sel, ses précisions, pour leur faire découvrir les sentiments des personnages ou l'efficacité des descriptions. Carole fait la lecture de *La chèvre de monsieur Seguin*. Les femmes croient d'abord que Carole les confond avec ses écolières. Mais les explications de Carole leur prouvent que Daudet n'écrivait pas du tout pour les petits. Carole recommande aux femmes d'apporter les deux livres des *Lettres de mon moulin* – gracieuseté généreuse du curé Chamberland – et de se les échanger au cours de la semaine. Les histoires sont courtes et faciles à lire. Un débat très intéressant pourra ainsi animer leur prochaine réunion. Pour terminer, Carole présente un véritable écrivain : « Mon papa! » Les têtes des femmes se tournent, excitées de rencontrer un homme qui écrit des vrais livres. Elles savent tout de suite que ce monsieur maigre est l'auteur des merveilleux contes pour enfants, qui ont égayé leur progéniture, l'été dernier. Carole décrit la carrière de son père, avant que celui-ci ne lise un extrait d'un de ses romans. L'explication de Carole est peu écoutée, car les femmes ont hâte à la période de questions. Elles assaillent Roméo de leurs interrogations charmantes et réalistes : comment cela prend de temps pour écrire un livre? Où trouvez-vous votre inspiration? De quelle façon choisissez-vous les bons mots? Quels sont vos projets? Est-ce que c'est payant? Est-ce que les gens de la radio vont adapter vos romans? Elles s'attardent longuement pour continuer à parler avec lui. Roméo se sent autant flatté que gêné par ce bain de foule.

« Tu vois, papa? Tu es toujours écrivain dans le cœur des gens de Trois-Rivières.

– Est-ce que ça veut dire que je n'ai plus de problèmes psychologiques?

– Tu es un écrivain, papa. Et un très bon! Allons prendre une bière pour en discuter.

– Quoi? Prendre une bière? Toi?

– Comme je suis maintenant majeure, je veux que tu m'invites dans un bar. Je n'en ai jamais fréquenté. C'est sûrement sociologiquement très passionnant. Je veux un tête-à-tête avec mon écrivain favori. »

Tout en parlant avec Roméo, Carole garde son calepin à portée de la main, dans lequel elle note parfois une scène de cet univers inconnu. Ils discutent de Perrault et des frères Grimm, ce qui amène Carole à dire à son père qu'il serait très intéressant de ressusciter son talent de fabuliste. Il l'extériorisait si bien à la fin de son enfance et au début de son adolescence. Tout en commandant une autre bière, Roméo lui avoue qu'il y a songé, mais que cet exercice pourrait s'avérer pénible, car il écrivait ces histoires en pensant essentiellement à Jeanne.

« Tu vas me faire un enfant, pour que je puisse raconter ces fables?

— Oui, bien sûr. J'aurai des enfants. Deux. Une rose et un bleu.

— Tu en auras plus, j'en suis certain.

— Pourquoi?

— Pour que je puisse leur offrir toutes mes histoires.

— Oh là là! Romuald aussi en veut une dizaine! Mais ce n'est pas ma mentalité. Je lui ai laissé le choix du prénom du garçon et je me suis gardé celui de la fille. Yvette et Martin.

— Martin? J'aime bien.

— Il voulait Maurice, mais il a changé d'idée depuis qu'il sait que notre dictateur pense que la population d'Asbestos est composée de moutons. »

Le quartier Sainte-Marguerite vibre sous les rumeurs concernant le cercle littéraire. Les femmes prétendent que Carole est très intéressante comme lectrice et animatrice. Plusieurs songent à s'y rendre pour s'inscrire. Ce succès immédiat inquiète et enchante le curé Chamberland. D'autre part, on dit que la maîtresse d'école a été aperçue dans un bar, avec un homme bien plus âgé qu'elle. Sœur Angèle enquête sur ce scandale. Carole éclate de rire et fait un pied de nez à l'autorité de la directrice en sortant de son bureau sans un mot d'explication, tout en continuant à s'esclaffer.

« On dit que vous vous êtes saoulée jusqu'à deux heures du matin avec des hommes d'âge mûr dans un grill du centre-ville, mademoiselle Tremblay.

— Monsieur le curé, ne me dites pas que vous croyez à tous ces commérages, déjà huit fois amplifiés depuis trois jours.

— Qu'en est-il, mademoiselle Tremblay?

— J'ai pris une bière en compagnie de mon père et nous étions de retour à la maison à onze heures.

— Vous vous êtes rendus dans un grill d'hôtel avec votre père?

— Est-ce interdit? Je vous invite, pour vendredi prochain. On prendra deux bonnes bouteilles et on jasera des Écritures.

— Mademoiselle Tremblay! Et... et de toute façon, ce n'est pas de ça dont je voulais vous parler! J'attends toujours la liste des auteurs dont vous voulez entretenir mes paroissiennes. Est-il vrai que vous projetez d'inviter ce jeune vicaire de Saint-Philippe?

— Oui. Il a une maîtrise en littérature.

— Sur Zola, je sais! Pas de Zola à Sainte-Marguerite, mademoiselle Tremblay! Nous avons bien convenu de lectures respectables et approuvées par nos évêques. Il ne faut pas inciter nos ménagères à se procurer des livres à l'index. Il y a amplement de bonnes lectures à votre disposition pour les occuper et leur faire découvrir les trésors de la langue française.

— Mais puisqu'il est prêtre! Il ne pourra pas les effrayer!

— Mademoiselle Tremblay, ne commencez pas à me faire regretter de vous avoir confié cette responsabilité du cercle littéraire. Et ma liste, je la veux demain!

— Je la ferai.

— J'y compte bien.

— En revenant du bar.

— Mademoiselle Tremblay! Je... Je... Tête de Joseph Tremblay! »

À la réunion suivante, le vicaire expert en littérature n'est pas au rendez-vous. C'est celui du curé Chamberland qui vient lui-même l'annoncer à Carole, lui apprenant aussi qu'il sera l'aumônier du cercle littéraire. Carole, après un bref étonnement, ignore la remarque. Le jeune prêtre assiste à la séance, menée nerveusement par Carole parce que ses passionnées des deux dernières semaines sont absentes pour des raisons ménagères. À la place, il y a quelques nouvelles, un peu perdues parce que Carole refuse de leur expliquer le fonctionnement. « S'il faut recommencer chaque semaine, les autres n'avanceront pas. Prenez le train en marche », tranche-t-elle.

« Alors? Est-ce que j'ai péché?
— Ce n'est pas la question, mademoiselle Tremblay. Chaque activité paroissiale a son aumônier. C'est ainsi partout.
— Et que voulez-vous faire? Décider à ma place?
— Monsieur le curé m'a demandé de vous assister. J'ai une culture littéraire, vous savez. Et il serait bon, par exemple, de débuter chaque réunion par une prière.
— Excusez-moi, monsieur le vicaire. Je suis pressée, car j'ai rendez-vous à onze heures avec un homme de soixante ans dans un tripot du vieux port. »

Alors qu'elle se blottit entre les bras de Romuald, Carole ne cesse de se répéter que ce cercle littéraire est une très mauvaise idée. Les livres de sa liste ont, pour la plupart, été refusés par le curé Chamberland et son vicaire, et ceux qui restent sont tellement ternes qu'elle ne sait pas comment elle pourra les utiliser, sinon pour les citer en mauvais exemples. Carole se sent démoralisée, se disant qu'instruire les enfants et leurs mères semble si vain, dans ce monde fermé, replié sur lui-même. « Il faut commencer au bas de l'échelle, Cendrillon », de lui dire Romuald.

Carole s'approche davantage de son amoureux, son seul refuge, son unique évasion. Comme tous les ouvriers et les gens simples, Romuald pense souvent en termes pragmatiques, sauf qu'il y ajoute son désir de renouveau, acquis au contact de Carole. Quittant sa ville natale d'Asbestos pour rompre avec un passé peu reluisant, Romuald est arrivé à Trois-Rivières pour tout reprendre à neuf. Qu'il dise à Carole de commencer au bas de l'échelle est une référence à sa propre vie. Petit à petit, l'oiseau fait son nid, comme le dit le proverbe populaire. Carole réalise qu'elle veut rebâtir un monde en voulant tout de suite meubler le grenier.

Carole prête l'oreille vers la mère de Romuald, à la cuisine, chantonnant gaiement cette « douce France, cher pays de mon enfance, bercé de tant d'insouciance ». Ce n'est que depuis ce déménagement miracle que Carole entend cette femme démontrer un peu de bonne humeur. Avant, elle se plaignait sans cesse, avec sa voix larmoyante de condamnée aux malheurs, d'assiégée par le défaitisme. L'adolescente Pierrette était à son image. La petite Lucienne, si mauvaise élève dans la classe de Carole l'an dernier, est maintenant devenue studieuse et monte un à un les échelons de la réussite. Fière, elle montre chaque mois ses bulletins à Carole, passant du vingt-huitième rang de sa classe au dix-septième. Pour les Comeau, le bonheur est fait de peu de choses et s'épanouit à une vitesse folle depuis qu'ils habitent ce logement ouvrier salubre. Si Romuald, comme prévu, a sa propre maison l'an prochain, Pierrette, Lucienne et leur mère seront encore plus comblées. Carole se sent un peu de responsabilité envers leur destin; si elle se met le curé Chamberland à dos, se vengera-t-il en refusant à Romuald d'être parmi les élus de la coopérative? Bientôt, le petit prêtre annoncera la date de la mise en chantier des nouvelles maisons, situées un peu plus à l'ouest que celles de 1948. De nouveau, il n'y a pas de rues dans ce vaste champ. Dans moins de douze mois, d'autres ouvriers y auront trouvé leur grand bonheur, après des heures de travail et d'abnégation.

Pierrette arrive par la porte arrière, bruyante et excitée comme une véritable adolescente. Elle revient d'une heure de patinage avec son ami de cœur, apparu dans sa vie depuis le déménagement. Il est journalier à l'usine de pâtes et papiers Wayagamack, et joue au hockey pour différentes équipes amateurs. Ces jeunes amoureux fréquentent les salles de cinéma de la rue des Forges, vont danser et jouer aux quilles. À l'image de Romuald, le garçon désire se marier et devenir propriétaire d'une maison de la coopérative, perspective qui comble Pierrette. Elle rêve à sa future vie de mère, de femme à la maison et, en attendant, elle sait qu'il faut profiter de l'existence et de la jeunesse pendant qu'elle en a le temps. Le jeune couple arrive au salon dans l'espoir de monopoliser le divan et échanger quelques baisers sucrés. Ils sursautent en voyant Carole et Romuald bien installés. Le jeune homme tend la main au frère de Pierrette, qui, elle, va tout de suite retrouver sa mère à la cuisine. Carole sait qu'elle doit la suivre. Un salon n'appartient qu'aux hommes et aux amoureux.

Romuald invite Carole à une promenade, même s'il sait qu'elle déteste marcher sur les pavés enneigés. C'est mieux que de veiller à la cuisine. Au parc de la paroisse, des hommes jouent au hockey, laissant l'autre moitié de la patinoire aux femmes et à leurs enfants. Carole se laisse bercer par la bonne humeur de Romuald, qui bavarde avec enthousiasme avec des compagnons de son usine. L'autobus les menant au centre-ville déborde de jeunes couples, dont le samedi soir résonne en leurs cœurs comme une grande promesse de plaisir, la récompense dorée au bout de leur longue semaine de travail. Il y a les vitrines à regarder, les casse-croûte, les sports, les cinémas et les boîtes de nuit avec leurs orchestres exotiques, où une chanteuse au teint basané, castagnettes entre les mains, promet un spectacle sud-américain annoncé avec fracas comme : « Après Québec, Montréal et Toronto, et avant Hollywood, Rita Rodriguez et ses Rois du Rythme, en grande première, à Trois-Rivières. » Qu'importe aux Trifluviens si Rita est en réalité une Gagnon de Shawinigan. Ce soir, elle est la reine de la rue principale, ce qui suffit aux jeunes, s'engouffrant dans la boîte enfumée pour s'enivrer d'un Tico Tico aussi enchanteur que celui d'Alys Robi.

Romuald, étranger à ces divertissements ne servant qu'aux jeunes désireux de connaître l'âme sœur, ne souhaite qu'un paisible tête à tête avec le regard de Carole, lui qui est maintenant sérieux et confirmé, par ses fiançailles, comme un futur marié. Au restaurant Christo, les yeux de Carole s'illuminent parce qu'elle parle de livres. Romuald hoche la tête, ne l'écoutant guère, mais ayant préparé à la dérobée une question qui la fera bavarder encore vingt minutes de plus, pendant lesquelles il rêvera d'avenir à la lueur de la beauté de son amour. Tout comme elle a montré un enthousiasme sincère envers le chantier de la coopérative, Romuald s'intéresse à la passion de Carole, mais avec la même réserve curieuse qu'elle entretient face au monde ouvrier, à sa société, ses valeurs et sa culture, dans laquelle chacun vit son quotidien, une journée à la fois. Romuald dit à Carole qu'il n'est pas juste que le cercle littéraire de Sainte-Marguerite ne soit réservé qu'aux femmes.

« Je peux former un cercle masculin, dont tu seras le premier membre pour quelques mois.

— Je suis d'accord.

— Et les réunions se feront le plus souvent possible, et toujours dans la plus stricte intimité.

— Ah oui... Je vois ce que tu veux dire. Mais je suis sérieux, Cendrillon. Prête-moi encore des livres. Je veux que tu m'en parles de la même manière que tu le fais avec tes femmes.

— Tu vas les apporter à l'usine dans ta boîte à lunch?

— À chaque fois que je les toucherai, où que je sois, je penserai aussi à toi, à notre amour et à toute la sagesse qu'ils apporteront à nos enfants.

— Romuald... tu me fais fondre...

— Martin saura lire et jouer au hockey. Yvette patinera et aura les plus beaux romans. Et tous deux seront à l'aise autant dans les grands salons que dans la salle paroissiale de Sainte-Marguerite. Les deux auront la grande intelligence de leur mère et la simplicité de leur père.

— Romuald, quand tu me parles d'enfants, je me sens si pressée...

— Moi aussi.

— Allons-y.

— Non, Cendrillon.

— Oui, beau prince. »

La nouvelle réunion du club littéraire débute par une prière de l'aumônier, suivie par la colère de Carole. Elle dit à ses femmes que le cercle ne doit pas être un lieu de passage, un rendez-vous irrégulier. Il doit devenir une activité importante, au même point que les associations catholiques auxquelles elles adhèrent avec fidélité. « Vos filles sont dans ma classe à chaque jour. Vous entretenez votre intérieur de façon disciplinée. Je suis déçue que vous ne démontriez pas la même attitude face aux livres. » Carole et Romuald visitent chacune des femmes qui se sont présentées à l'une ou l'autre des réunions, pour leur dire que si elles désirent sérieusement faire partie du cercle, elles doivent le faire avec régularité. Carole leur demande leur engagement, afin que toutes puissent s'enrichir aux découvertes des autres.

Le vendredi suivant, il y a foule. Carole lit un extrait de *Trente arpents,* écho paysan de la société canadienne-française. Elle fait suivre ce passage par quelques paragraphes de *Au pied de la pente douce.* Quelle est la différence? Est-ce que vous vous identifiez plus à madame Plouffe ou à l'épouse d'Euchariste Moisan? Pourquoi? Quel langage utilisent Lemelin et Ringuet, dans les dialogues? Quelle est la différence avec le langage descriptif? Les femmes échangent des points de vue de façon enthousiaste. Carole recommande les lectures pour la prochaine réunion. Elle promet que, bientôt, Alfred Desrochers leur fera découvrir la poésie. La fermeté de Carole étonne les femmes. Elles réalisent alors le grand effort déployé par la petite boiteuse. À la fin de la soirée, une invitation n'attend pas l'autre. Carole en accepte une et les rejetées lui assurent que ce n'est que partie remise, jurent qu'elles ne manqueront plus jamais un rendez-vous. Carole leur a parlé comme à des élèves, et non comme à des amies. Les femmes de la classe ouvrière sont à l'image de leurs maris; elles ont besoin d'une autorité, que ce soit celle de leurs parents, de leur époux, de leur patron ou de leur curé. Carole se sent satisfaite, même si elle a le goût de rouler une boule de neige et de la lancer à la tête de l'aumônier.

Les deux semaines suivantes confirment le grand intérêt que Carole porte à son cercle littéraire. Elle a l'impression d'être à l'université et d'enseigner à des adultes, bien que ses leçons n'agissent que graduellement chez les femmes. Romuald avait raison en parlant de son bas de l'échelle. Peu à peu, les femmes se rendent compte que la lecture est plus qu'une distraction, une façon de passer le temps entre deux corvées ménagères. La lecture peut devenir un grand plaisir, servant à instruire, à grandir le cœur, à fertiliser l'imagination. Elles adorent quand Carole lit un extrait de roman. Elles ont l'impression d'entendre une vedette de la radio, avec son beau langage et ses mots dodus, aussi bien prononcés que dans un film français.

C'est par l'appareil de radio de sa mère que Carole apprend, ce samedi, que la salle paroissiale de Sainte-Marguerite est la proie des flammes. Elle saute rapidement dans un taxi, en descend trop brusquement et tombe dans la neige. En relevant les yeux, Carole, horrifiée, aperçoit la fumée sortant des fenêtres de la bibliothèque. Les pompiers tentent de minimiser les dégâts, pour que le sinistre ne se propage pas entièrement à l'édifice. Deux femmes du cercle littéraire aident Carole à se relever. Tremblante, elle avance, puis recule, repoussée par la chaleur. Elle aperçoit le curé Chamberland, les mains jointes, imité par d'autres paroissiens. Carole ne cesse de porter un regard très droit vers la bibliothèque. Romuald la rejoint à ce moment. Carole laisse tomber sa canne pour se jeter entre ses bras, pleurant sans retenue.

« Dieu nous envoie cette épreuve pour nous rendre plus forts.

— Et les livres... Les livres, monsieur le curé...

— Vous disiez vous-même que c'était une bibliothèque désuète, mademoiselle Tremblay. La nouvelle sera meilleure. Avec tous ces enfants et leurs parents qui grandissent dans un quartier en pleine expansion, nous ne pourrons qu'avoir une meilleure bibliothèque. On recommence. C'est tout. »

La sagesse ordonne que l'on retire une leçon de tout. À écouter le sermon du petit prêtre, le lendemain, Carole a l'impression qu'il est presque content de cet incendie. Le printemps dernier, dit-il, quand la famille Comeau a été mise à la rue par le feu, tout le monde a fait preuve d'une généreuse solidarité qui a plu à Dieu. « Alors, nous n'avons plus qu'à nous servir de cette leçon pour bâtir une meilleure bibliothèque! » Le curé dit que la quête d'aujourd'hui n'est ni pour lui ni pour sa ménagère ou le bedeau, pas plus que pour ses œuvres, mais bel et bien pour la bibliothèque. Carole sent que tout le monde donne avec beaucoup de générosité, stimulé par les compliments et les mots vibrants du prêtre.

Tout au long de la semaine suivante, Carole reçoit la sympathie des femmes du quartier, comme si la mortalité venait de frapper sa famille. La réunion du cercle littéraire, comme commandé par le curé Chamberland, a lieu dans le sous-sol de l'église. Une à une, les femmes donnent à Carole les livres empruntés vendredi dernier, disant que ces quinze volumes seront la base sur laquelle il faudra bâtir la nouvelle bibliothèque. L'une des femmes, nommée porte-parole par ses consœurs, lui indique qu'elles veulent continuer les réunions, que cette épreuve ne doit pas les empêcher de découvrir, de discuter et d'entendre Carole faire la lecture. Elles remettent à l'aumônier une enveloppe contenant de l'argent quêté dans toutes les paroisses de Trois-Rivières, demandant que Carole soit mandatée pour acheter le premier nouveau livre de la future bibliothèque. Puis la porte-parole reprend sa place en disant : « Lisez-nous une histoire, Cendrillon. Vous le faites si bien. » Carole croyait, jusqu'alors, que les épouses des ouvriers ne servaient qu'à faire le ménage et la cuisine. Par leur présence, leurs mots, leurs gestes, Carole sait maintenant que le miracle de Sainte-Marguerite n'est pas exclusivement masculin. Plus que jamais, Carole veut habiter ce quartier. Pour toujours.

Mars et avril 1949
Plus rapidement que
dans le conte de Cendrillon

Alors que la salle paroissiale se refait une peau neuve, le curé Chamberland annonce que soixante nouvelles maisons seront construites. Cent cinquante demandes lui sont parvenues, dont celle de Romuald. Bien que le curé Chamberland lui ait promis d'être considéré aussitôt marié, ce sont les membres de la coopérative qui ont dû décider. À l'unanimité, ils ont fait en sorte que leur ami et sa maîtresse d'école représentent l'exception à la règle de la coopérative. Romuald, très mal à l'aise, demeure silencieux face à la réalisation prochaine de son grand rêve. Tant d'années de bénévolat, d'amitié, de courage seront enfin récompensées. Sainte-Marguerite aime les contes de fées, et Romuald et sa Cendrillon répondent bien à ce sentiment. Romuald retourne s'enfermer à l'église pour se perdre en prières, alors que Carole aide à reconstruire la bibliothèque, avec une liste de suggestions élaguée, pour ne pas dire estropiée, par le petit prêtre.

Ce soir-là, le jeune couple est dans le vaste champ, avec devant ses yeux un horizon dénudé rempli de neige recouverte par la suie des usines de Trois-Rivières. Là où ils posent les pieds, il y aura peut-être leur future maison. Une année s'est maintenant écoulée entre les bouderies de Carole, concernant l'implication de Romuald dans le chantier, et ce moment précis où elle vit le même espoir que lui. Elle partage son émotion et son désir de vouloir participer, aider, vivre ces grands instants extraordinaires de chaleur humaine, où chacun fera sa part, futurs propriétaires ou non, pour la continuation d'une grande œuvre. Pour la population locale, l'ouverture d'un nouveau chantier est une habitude printanière. On badine à dire que le petit prêtre à la pipe s'amuse à construire Chamberlandville, banlieue moderne de cette vieille Trois-Rivières. Mais pour quiconque impliqué de près, comme Romuald et Carole, il ne peut y avoir de routine. « Nous aurons une belle vie, Cendrillon. Il ne peut en être autrement. »

Roméo, à nouveau journaliste au *Nouvelliste*, raconte à sa façon cette épopée. Il parcourt aussi les villes avoisinantes en expansion, arpente la rue des Forges, le vendredi soir, pour voir ces jeunes pleins d'assurance et d'insouciance. Curieusement, Roméo constate, pour la première fois, qu'il n'y a plus de crise économique et de guerre. Il plane sur sa ville un optimisme, une vitalité lui rappelant la grande prospérité des années 1920, où tout le monde travaillait, dépensait, et recommençait le lendemain. Ces années 1920 de Jeanne Tremblay, à qui Roméo ne peut s'empêcher de songer en voyant des adolescentes à la porte du cinéma Impérial. Qui sait s'il n'y aura pas une nouvelle crise ou une autre guerre? Le marasme des années 1930 est né de la trop grande prospérité de la décennie précédente, et la haine maladive du communisme pourrait mener à d'autres affrontements armés. Mais qui veut y songer? Sûrement pas les Trifluviens, trop heureux de pouvoir enfin croquer dans tout sans réfléchir. Ce sont peut-être d'autres années folles. Et Roméo est au carrefour de ce bonheur retrouvé, à cinquante-cinq ans, sa jeunesse derrière lui, la vieillesse se manifestant par des cheveux de plus en plus grisâtres. Il envisage l'avenir avec le même amour que Carole. Bientôt, en juin, elle partira, ne laissant à Roméo et Céline que Christian comme dernier grand enfant, qui se mariera sans aucun doute au cours des deux prochaines années. Alors, il sera à nouveau seul avec Céline, prêt à affronter les vieux jours où ses petits-enfants viendront lui poser des questions sur cet ancien Trois-Rivières des années dix ou vingt, comme lui-même demandait à son père Joseph de lui raconter la vie dans les chantiers de haute Mauricie, au cours des années 1880. Carole aura un enfant qui, croit-il, sera un peu le sien, celui qu'il aimerait tant avoir encore de Céline. « Je serai un bon grand-père. Un vrai bon grand-papa », soupire-t-il. Bien sûr, Maurice, Renée et Simone lui ont donné une nombreuse descendance, mais Roméo sait qu'il n'a pas toujours été le grand-père favori de ces petits-enfants. Il n'est jamais trop tard pour se racheter Roméo sent que le premier bébé de Carole, né d'un si puissant et bel amour, marquera un nouveau départ dans sa vie, un premier pas vers une vieillesse heureuse.

Carole pense aussi à ses futurs petits, sachant qu'ils seront le symbole de cette apothéose de corps et de cœur pour Romuald. Carole a toujours aimé les enfants, mais elle les comprend mieux depuis qu'elle est enseignante. À sa seconde année comme maîtresse d'école, Carole a mûri, comme pédagogue. En ordre d'importance, elle est autoritaire, respectueuse, et amicale. L'inverse est synonyme d'une catastrophe. Ses élèves apprennent beaucoup et mieux que les autres. Sœur Angèle sait que Carole, malgré ses côtés détestables et hautains, est une enseignante sans pareille. Carole se dit qu'elle pourra devenir une mère semblable : autorité, respect et amitié, le tout enrobé d'amour. Entre les conseils de ses amies de Sainte-Marguerite et ceux de sa mère et de ses sœurs, Carole lit quelques savants ouvrages de psychologie enfantine. Ses consœurs de travail disent qu'elle perd son temps à de telles recherches, mais Carole ne les écoute pas. La vie et sa réalité sont une façon d'aborder les choses, mais ne représentent rien sans l'apport des réflexions d'experts. L'ignorance de l'un ou de l'autre n'apporte que des malheurs.

Chaque samedi, Carole retrouve Roméo à sa librairie, avec l'écriteau « Local à louer » bien en vue. Comme un adieu à son adolescence, Carole aime être en compagnie de son père, pour toucher les livres, en parler longuement avec lui. Parfois, la conversation bifurque simultanément vers les bébés. De quelle façon Roméo a-t-il accueilli chacun de ses six enfants? De quelle manière partageait-il ce bonheur avec Céline? Carole, pour la première fois, se rend compte que ses parents ont déjà eu son âge, ont été aussi amoureux et remplis d'espoir qu'elle. Les récentes lectures et les questions de Carole ne peuvent cacher à Roméo que sa fille mouton noir, toujours contestataire de la mentalité établie, a probablement « sauté la clôture avant le temps ». C'est en le sachant qu'il prépare sa réaction de bonheur pour cet instant où Carole lui annoncera qu'elle attend un bébé. Il sourira, sautant de joie, avant de l'embrasser avec affection. Mais, au début d'avril,

Carole le lui dit, sans mettre de gants blancs et Roméo demeure consterné, ne sachant pas quoi faire de ses dix doigts.

« Maman ne sera peut-être pas contente. Tu sais, elle a beau me connaître, elle m'a souvent mise en garde, comme toute bonne mère canadienne-française.

— Oui...

— J'ai aussi un peu crainte de la réaction de Romuald. Il va probablement penser que le curé Chamberland, pour le punir de son péché, puisque péché il y aura, lui enlèvera le droit de devenir propriétaire.

— Oui...

— Il faut avancer la date du mariage pour cette raison. Mais, personnellement, je n'aurais aucune honte de me promener dans la rue, enceinte de l'homme que j'aime et que j'allais marier, de toute façon. Mais tu sais! Nous! Notre petite nation rétrograde! Notre intolérance héréditaire! Notre catholicisme obtus! Sa stérile condamnation, même si tout le monde sait que Romuald et moi nous nous aimons et que nous avions promis de nous marier en juin. Il faut que je me marie le plus vite possible pour éviter tous ces drames.

— Je comprends.

— Tu n'es pas très volubile. Tu n'es pas content?

— Carole... c'est... c'est curieux... Maurice m'a donné quatre petits-enfants, Simone aussi, et Renée attend son deuxième bébé. Mais j'ai l'impression que c'est la première fois que ça arrive. Je suis très heureux, ma petite. Très content. Viens m'embrasser. »

Carole n'a pas le goût de se cacher. Visitant le chantier, elle aurait envie de se munir d'un porte-voix et de crier à tous et à toutes qu'elle aura un enfant de son beau prince. Mais elle se sent incapable de le dire à Romuald. L'air est un peu froid et Carole croit qu'elle est vêtue trop légèrement. Elle aime pourtant une bonne brise, mais elle pense au germe reposant dans son ventre. Carole est déjà une mère. Romuald force à transporter des sacs de ciment, alors que ses compagnons travaillent aux fondations des maisons. Le moment n'est pas propice aux aveux.

Carole se retire et se rend chez sa sœur Renée, qui tricote des bas de laine pour son futur bébé, dont la venue est prévue pour juin. Son mari Roland, inlassablement, retourne les disques de jazz sur le gros phonographe dans leur salon. En entendant Frank Sinatra, Renée plisse les yeux et arrondit la bouche dans un « Ah! » juvénile qui incite Carole à éclater de rire. Elle pose les mains sur le ventre de sa sœur, alors que Roland a décidé de laisser le salon aux femmes.

« C'est lourd?
— Pas plus qu'une poche de patates.
— Et ça fait mal? Accoucher?
— Logiquement, existe-t-il une raison pour que ça ne fasse pas mal?
— Évidemment...
— Mais c'est un mal formidable.
— J'attends un bébé, Renée.
— Patate! Qu'est-ce que tu me racontes là? »

La première pensée de Renée va pour l'acte consommé avant la nuit de noce et tous les péchés rattachés à cette faute. Mais, dix secondes plus tard, Renée enlace sa sœur, sachant que Carole ne fait jamais rien comme tout le monde et que toute la famille Tremblay a depuis longtemps deviné que Carole n'a pas le caractère à garder ce grand amour loin des tentations.

« C'est bien! Je suis contente! Je t'aiderai, Carole. Comme les meilleures amies que nous avons toujours été. Les derniers mois, c'est parfois désagréable et tu auras besoin d'une autre qui vient à peine de vivre ces souffrances. Et avec ta jambe et ta hanche, ce pourrait être difficile en patate. Tu en as parlé au médecin?
— Je n'ai pas vu le médecin. Mais avec ce retard, moi qui suis toujours si régulière, combiné avec la date de notre dernière aventure, je sais que j'attends un enfant. Et puis, j'ai eu tous les symptômes, comme les nausées.
— Il faut aller chez le médecin, Carole. Toi qui es si savante et intelligente, pourquoi ne pas l'avoir visité tout de suite?

— Parce que... c'est ce monde où l'on vit, Renée! Je ne l'accepte pas, tout comme je le crains. Je suis toujours une mademoiselle. Ce qui m'attend, je le sais trop bien. Même en changeant la date de mon mariage, les gens vont me pointer du doigt en jugeant que je suis une « mariée obligée », ce qui n'est pas vrai du tout!

— Le monde est ce qu'on en fait, Carole.

— C'est vraiment plus complexe que tu le dis. »

Renée a eu une petite Lucie, en 1945, à peine dix mois après son mariage. Maintes fois, les larmes aux yeux, elle a juré à sa mère et aux siens que jamais elle n'avait péché avec Roland avant son union. L'enfant a aujourd'hui quatre ans et Carole juge que c'est un bon écart pour avoir un autre bébé. En plus de Lucie, Renée a la garde de Bérangère, l'enfant illégitime de sa tante Jeanne. Renée a donc l'avantage, tout en étant encore jeune, d'avoir pu élever une enfant, et une adolescente, maintenant âgée de treize ans, ce qui fait d'elle une mère mature, selon Carole. Renée rit en déposant sa main droite sur son ventre et sa gauche sur celui de Carole, disant que c'est la première fois que les deux cousins se rencontrent.

« Ce sera une fille.

— Non, un gars. Et moi aussi, j'aurai un petit william, et je vais l'appeler Robert.

— Non, ce sera une Yvette.

— Un gars, patate! »

Elles se chamaillent, comme au temps de l'adolescence. Puis, enlacées, elles rêvent de l'avenir, qui ne peut être que beau, quand il y a tant de prospérité, quand les gens ne vivent plus de privations. Apaisée, Carole se rend au centre-ville où elle attend l'autobus d'où descendra Romuald. L'accompagnant vers l'usine, Carole lui avoue son secret. Romuald arrête aussitôt, laisse tomber sa boîte à lunch pour lever Carole de terre en riant, et la faire valser en la couvrant de baisers.

« Mais quelle nuit de travail je vais passer! Ah! je t'en veux, Cendrillon! Comment pourrais-je travailler en sachant que je vais être père? Je vais tellement y penser que je pourrais me blesser par inattention!

— Tu es sincèrement content, Romuald?

— C'est le plus grand jour de ma vie, Carole! Encore plus beau que celui où je t'ai rencontrée! Mais l'un ne va pas sans l'autre!

— Et le péché?

— Le péché, ça aurait été de tricher, de le commettre chacun pour soi, pour son propre plaisir malsain. Quand on le fait par amour, il n'y a pas de raison pour se sentir coupable. Le péché, on le laissera aux années quarante! Nous, notre avenir, notre vie, ce sont les années cinquante! »

Carole a du mal à s'endormir, songeant à tout ce qui peut passer par la tête de Romuald en ce moment précis. Quand elle rentre au travail, fatiguée par cette courte nuit, elle ne se doute pas que Romuald aura à son tour une grande difficulté à trouver le sommeil. Les écolières sont turbulentes, en écho du souvenir de l'an dernier, à pareille date, alors que la mise en chantier des nouvelles maisons les avait excitées autant que leurs parents. Mais Carole sait maintenant bien les remettre à l'ordre. Romuald, incapable de s'endormir, va la rejoindre sur l'heure du dîner. Il lui confie tout ce qui lui a tiraillé l'esprit au cours des dernières heures : il faut se vêtir chaudement, voir un médecin, faire attention, ne pas trop travailler, bien se nourrir. Carole rit devant tant de clichés, qui deviennent vite flatteurs. Il demande, d'un air désemparé, ce qu'il doit faire. Il ne parle pas de la possibilité de perdre sa maison. Carole est contente de constater qu'il n'y a pas songé.

« Il faut se marier bientôt, Romuald.

— Je sais.

— Viens chez moi, après le souper. Nous parlerons de tout ça. Il faudrait que tu le dises à ta mère.

— Ce ne sera pas facile...

— Pour la mienne non plus, d'ailleurs.

— Et ton père?

— Il est très heureux.

— Ah bon... Mais, tu sais, ce soir, j'ai le chantier, Carole.

— Ce soir, tu as moi, l'enfant et nos parents.

— Oui. Oui, bien sûr. Excuse-moi. »

Les mères de Romuald et de Carole sont désolées par tout ce qui arrive. Elles ont l'impression d'avoir mal fait leur devoir envers ces grands enfants qui ont joué avec le feu et doivent se marier en toute hâte pour tenter de préserver un peu la bonne réputation de leurs familles, tout en protégeant de la médisance le pauvre petit bébé. Carole trouve étrange d'entendre sa mère tenir de tels propos. Roméo va voir le curé de la paroisse Saint-Sacrement, lui dit qu'à cause de la situation de coopérant de Romuald, et parce que sa fille Renée va accoucher vers les jours prévus pour le mariage de Carole, il a décidé, en accord avec les amoureux, de devancer la date de l'union. Le mariage aura lieu dans dix jours, ce qui, chez les gens de Sainte-Marguerite, ne laisse aucun doute sur les jeux secrets de Cendrillon et de son prince.

« C'est urgent, tout à coup...

— Pas réellement en mon âme et conscience, monsieur le curé. Mais pour le Canada français et son intolérance aveugle, ce l'est beaucoup.

— Mademoiselle Tremblay, je jurerais que vous faites exprès pour être méprisante et hautaine quand je vous parle. Les hommes et les femmes de la paroisse ne vous décrivent pas ainsi! Ils disent que vous êtes un peu snob, mais gentille quand même. Mais quand vous me parlez, tout le venin sort à pleine vitesse. Je croyais pourtant que nous avions un peu appris à nous respecter.

— Je suis enceinte, monsieur le curé. C'est ce que vous cherchez à savoir? Je suis enceinte et très heureuse. L'enfant sera légitimé par le sacrement de mariage, tel que Romuald et moi le désirons, comme ma foi le veut. Nous serons très honorés de vous apporter le fruit de notre amour, en décembre prochain, afin qu'il puisse être baptisé par vous.

— Carole Tremblay : le jour et la nuit le temps de vingt secondes. La contradiction faite chair et esprit.

— C'est à votre tour d'être méprisant, monsieur le curé.

— Je veux vous aider, mademoiselle Tremblay. Les bavardages sont parfois mesquins et très blessants dans notre milieu. Et bien que je condamne votre faute, je veux faire en sorte qu'elle soit pardonnée par Notre-Seigneur. Il faut en parler ensemble, faire un examen de conscience, peut-être même participer à une retraite fermée, pour qu'un franc repentir habite votre cœur.

— Vous me parlez comme si cet enfant était arrivé tout seul dans mon utérus.

— N'employez pas un tel mot, quand même!

— C'est juste de la biologie, monsieur le curé. Une science reconnue.

— La femme, mademoiselle Tremblay, est...

— Ah non! Pas cette légende métaphorique d'Adam et Ève! Je n'ai plus six ans, monsieur le curé!

— Mademoiselle Tremblay! Tout de même! Je... je... Oh, et puis rien!

— Bénissez-moi, monsieur le curé.

— Quoi?

— Bénissez-moi.

— Est-ce que vous riez de moi, mademoiselle Tremblay?

— J'ai trop de respect pour vous. »

Le curé Chamberland n'attendait rien de moins de la part de Carole et, au fond, il est bien content de ce qu'il vient d'entendre. Se juge-t-il mauvais prêtre de pardonner sans confession à ces deux jeunes brebis égarées, qu'un amour profond unit, et dont l'histoire ravit tout le quartier? Tout ceci parce qu'un jour, elle a mis le pied dans une flaque de boue et qu'il l'a tout de suite surnommée Cendrillon, en constatant que son soulier était resté coincé. Pour ce que les gens de Sainte-Marguerite savent de ce conte, Cendrillon est une brave fille, injustement traitée, comme peut l'être une adolescente de Trois-Rivières renversée par un chauffard et devenue infirme. Et un beau prince a toujours du cœur, comme ce garçon travaillant à la coopérative sans en faire partie, toujours prêt à aider ses voisins et amis. Une telle histoire se termine toujours par un mariage. Le curé Chamberland ne veut pas que leur péché ternisse la belle finale, que tout le monde attendait pour juin, et qui, tiens... tiens...

Dix jours! Et Carole qui n'a pas de robe de mariée! Et Romuald qui n'a pas de bague à lui passer au doigt! Et le patron de l'usine qui refuse de reporter en avril la semaine de vacances qu'il a demandée pour juin! Et la maison qui n'est pas prête à accueillir Carole! Et toutes ces invitations que Roméo a mises à la poste un mois trop tôt! Le temps qui file rapidement enlève un peu de romantisme aux préparatifs du mariage. Carole se souvient que sa sœur Simone s'était aussi mariée à la hâte, en 1941, afin que François ne soit pas appelé par l'armée canadienne. Les églises de Trois-Rivières étaient bondées de ces jeunes couples voulant éviter ce fatalisme; le gouvernement n'appelait que les célibataires. Simone avait été attristée par ce mariage devenu comédie pour les photographes des journaux. Le peuple canadien-français avait été la risée des Anglais du reste du Canada. En sortant de l'église, quatre autres couples attendaient leur tour sur le perron.

Romuald et Carole conviennent de ne pas trop en parler à leurs connaissances qui, inévitablement, sauteront aux conclusions accusatrices. Mais chacun a vraiment le goût de l'avouer à quelques amis, si bien que la promesse de ne le répéter à personne n'est pas tenue et que l'annonce de ce mariage surprise s'éparpille aux quatre coins de Sainte-Marguerite. Avec sa mère et Simone, Carole va acheter sa robe de mariée. Se regardant dans la grande glace du magasin, Carole se trouve aussi jolie que ridicule. Elle juge que sa canne ajoute une note discordante à la beauté du vêtement.

« Comme tu es chanceuse! Comme tu es chanceuse!

— Tu crois ça, Simone?

— Tu ne pensais jamais te marier, à cause de ta jambe, et voilà que le plus beau jour de ta vie arrive à grands pas!

— Je n'ai jamais pensé à me marier, jambe ou pas. Sinon à un quelconque philosophe ou chercheur en chimie.

— Et tu ne pensais même pas pouvoir devenir amoureuse d'un homme.

— Romuald n'est pas un homme, mais un ange. Je crois aux anges, maintenant.

« — Tu es vraiment très belle! Tu es la plus belle de toutes les filles Tremblay, et cette robe... c'est... c'est trop beau, Carole!

— Allons donc, Simone... Tu ne vas pas te mettre à pleurer!

— Comme je suis malchanceuse! Comme je suis malchanceuse! »

De retour dans l'intimité de sa chambre, Carole enfile ses dessous, tentant de trouver une pose séduisante, de se transformer en « pin-up girl », en vue de sa nuit de noces. Elle met son voile et ricane de son image de future mariée en porte-jarretelles. Elle s'assoit sur le lit, passe doucement ses mains sur la robe immaculée et, lentement, l'enfile à nouveau, ralentissant chacun de ses gestes, pour mieux s'admirer dans le miroir. Elle prend différentes attitudes en souriant. Puis, Carole pose les mains sur son ventre et sent en elle un frisson délicieux en sachant que ce petit être, telle une merveilleuse exception, fera partie de la cérémonie de mariage de sa maman. Elle marche lentement, pour trouver un pas qui ne rendra pas disgracieux le port d'un aussi beau vêtement. La future mariée s'amuse en pensant qu'une canne blanche serait peut-être du meilleur effet. Puis, elle s'assoit pour lire quelques pages de Voltaire, fait ensuite glisser le livre le long de sa robe, en produisant un curieux soupir, comme celui du frisson de l'amour. Elle ferme les yeux pour essayer de deviner Romuald avec son habit de jeune marié. Elle pense à sa nuit de noces, dans un hôtel de Montréal. Un voyage éclair de deux jours. Carole aurait préféré un mois sur une île déserte, afin de vivre comme les bons sauvages de Jean-Jacques Rousseau, sans contrainte, sans société, saoulée par son amour et son désir. Sa mère la fait sortir de ces songes secrets en cognant à sa porte et en lui signalant que Romuald vient d'arriver. Carole se précipite vers la poignée, mais referme aussitôt; Romuald ne doit pas la voir en robe de mariée avant le grand jour, comme le veut la tradition. Soudain, Carole adore être traditionnelle.

« Tu as l'air étrange, Cendrillon.

213

— Je viens d'acheter ma robe de mariée. J'ai pris un certain plaisir à me regarder dans le miroir.

— Je peux la voir?

— Jamais de la vie! »

Romuald rit, révélant ainsi à Carole qu'il n'a jamais eu l'intention de la regarder en robe blanche avant l'instant de leur union. Le respect des coutumes est très important pour le jeune homme. Il faut aussi entendre madame Comeau percevoir ce mariage de façon quasi dramatique. Aussitôt qu'elle le peut, la mère de Romuald vient chercher conseil auprès de Céline, elle qui a déjà marié trois de ses enfants. Lors de la cérémonie du mariage de Maurice et de sa Micheline, Céline se souvient qu'elle était aussi sérieuse et craintive que son amie. La femme écrit à sa parenté d'Asbestos pour les prier de faire un petit effort afin d'assister à la cérémonie. Elle explique que Carole est vraiment une bonne jeune fille et qu'elle fera une épouse très propre à Romuald, signifiant ainsi que l'avancement de la date de mariage ne veut pas dire qu'ils sont contraints de faire ce geste grave. Mais à Asbestos, une grève cruelle paralyse la ville entière et presque toute la famille Comeau. Il y a peu de temps, le curé Chamberland a fait une collecte d'argent, de vêtements et de vivres pour les faire parvenir aux grévistes, tel que recommandé par la plupart des évêques de la province de Québec. Le premier ministre Duplessis, lui, préfère envoyer la police provinciale pour mater ces ouvriers. Pour Carole, ce geste du bas clergé est peut-être un signe que l'autorité patriarcale de Duplessis commence à ne plus faire l'unanimité.

Madame Comeau a longuement discuté avec Céline des actes commis par leurs deux jeunes. Elles ont jugé qu'il vaut mieux prier pour eux et pardonner, bien que leurs paroles prêtent souvent à la condamnation. Combien de fois Céline a-t-elle averti Carole qu'à jouer avec le feu on finit par se brûler les doigts? Et combien de discours Romuald a-t-il entendus sur la pureté des jeunes filles qu'il faut coûte que coûte préserver avant le mariage?

La mère de Romuald a créé de l'espace dans sa cuisine, afin que Carole y installe sa vaisselle, ses ustensiles et ses appareils ménagers. Elle ignore que sa future belle-fille ne possède rien de tout cela. Alors qu'elle avait quatorze ans, sa mère lui avait fait cadeau d'un grille-pain que Carole s'était empressée de vendre afin de s'acheter plusieurs livres, geste qui avait provoqué la colère de Céline. Carole n'a jamais rêvé devant son trousseau, comme Simone et Renée avaient l'habitude de le faire. Ce trousseau, au contenu bien discret, recèle principalement des couvertures et des tricots, cadeaux de Céline. La veille de leurs mariages, Simone et Renée avaient tout ce qu'il faut pour bien cuisiner et nettoyer. Mais Carole ne sait pas préparer les repas, ni tricoter ou laver le plancher. Madame Comeau jure de passer le plus d'heures possible pour aider la jeune mariée dans cet apprentissage, alors que Céline se justifie de cette carence en indiquant qu'elle a toujours voulu enseigner ces tâches ménagères à sa fille, mais Carole se sauvait vers ses bouquins.

Romuald n'est pas en visite pour rien. Il veut mesurer les tablettes de la bibliothèque de Carole, afin de préparer des plans d'aménagement pour la future maison. Carole lui signale qu'il serait plus sage de laisser les livres là où ils sont, mais il lui répond qu'il la prendra telle qu'elle est, ce qui signifie que les volumes font partie du tout. Carole est flattée par ce compliment étrange.

« Allons au Cinéma de Paris! Ça va nous changer les idées!
— Oh oui!
— Après, on se prendra par la main pour se promener dans la rue Saint-Maurice, comme tous les amoureux ravis par un beau film d'amour. »

En arrivant devant la salle de cinéma, Carole et Romuald rient en voyant le titre : *Le Mariage de Chiffon*. Sans se le dire, ne voulant pas entendre parler de mariage, ils ignorent le film et poursuivent leur route, faisant une halte au *Petit Train* où, malheureusement, Maurice et sa femme Micheline sont de service et ne songent qu'à leur parler du grand jour. Dans l'autobus, le couple entend deux adolescentes jaser de mariage. Les vitrines de la rue des Forges leur rappellent cet idéal, ainsi qu'une chansonnette entendue au juke-box du restaurant Christo. Au bout de cette semaine, Carole et Romuald seront unis devant Dieu. Et pourtant, rien ne semble énerver Carole, qui enseigne aux enfants comme d'habitude, alors que Romuald alterne entre son usine et le chantier de la coopérative. Ce n'est que le mercredi qu'ils sentent une certaine nervosité, provoquée par tous ces gens qui les approchent, l'air étonné, enquêtant discrètement sur les raisons de tant d'empressement.

Mais plus personne ne pose de questions quand arrive le vendredi, comme une délivrance pour le cœur de Carole, comme un aboutissement des plus beaux rêves de Romuald. La cérémonie sera modeste et, comme dans toute conclusion d'un beau conte de fées, le soleil printanier est au rendez-vous. Neveux, nièces, cousins et cousines Tremblay sont présents, ainsi que quelques parents d'Asbestos, trop peu au goût de madame Comeau. Romuald comprend qu'ils n'ont pas d'argent pour voyager, quand ils sont au cœur d'une grève cruelle que toute la province de Québec surveille et qui ne comprend pas l'obstination des patrons et réalise que leur premier ministre Duplessis cherche à neutraliser ces pauvres mineurs.

Carole porte une rose à sa canne, initiative de Roméo afin de la calmer et la faire sourire. Avant d'enfiler sa robe, Carole a une étrange réaction de culpabilité catholique en se disant que la blancheur virginale de la robe, symbole de la pureté de la jeune fille, n'est pas trop de circonstance. Romuald est ébloui par la splendeur du vêtement, mais porte tout de suite son regard vers la rose. Il offre un clin d'œil à Roméo, prouvant ainsi qu'il connaît plutôt bien son futur beau-père. Aux bras de son Roméo, la petite princesse boiteuse sème l'émotion dans l'église, alors qu'elle s'apprête à devenir reine. Romuald fait naître quelques murmures, concernant surtout sa carrure athlétique mal à l'aise dans son veston noir qu'il a pourtant acheté comme un « presque neuf » grâce à une petite annonce du journal.

« Ma... ma petite fille! Je te p... perds!

— Allons donc, maman. L'émotion fait resurgir ta manie de bégayer?

— Je ppp perds un gros morceau, ma Carole! »

Pendant que madame Comeau perd aussi un enfant, les photographes amateurs s'en donnent à cœur joie sur le perron de l'église. On n'a jamais vu un couple aussi romantique.

« Te voilà madame Romuald Comeau! C'est beau!
— Non, Renée. Je suis madame Carole Tremblay-Comeau. Et je ne me prénomme pas Romuald.
— Hein? Patate! C'est bien toi et tes idées de folle! »

La noce a lieu chez Roméo, qui aurait bien aimé organiser une fête gigantesque. Mais la simplicité, surgie de l'urgence de la situation, plaît aux jeunes mariés. Les amis de Sainte-Marguerite semblent plus bruyants que tous les Tremblay et Comeau réunis. Pendant le repas, ils réclament sans cesse de voir les amoureux s'embrasser. Quelle fête! Des amis à tous les étages, des gens heureux dans chaque coin de la maison. Avant le départ pour la gare, prévu pour dix heures, comme le veut la tradition, il y a une grappe de jeunes filles au salon, les mains jointes, sautillant sur place, attendant que Carole leur lance le bouquet de la mariée. Selon la croyance populaire, celle qui l'attrapera sera la prochaine à convoler en justes noces. Carole, fleurs en mains, s'apprête à honorer cette coutume, quand, à la grande surprise des adolescentes, elle dépose le bouquet sur une chaise. À la place, elle prend son soulier gauche et le lance aux célibataires étonnées, tout en leur disant : « Celle à qui ce soulier ira parfaitement sera la prochaine à épouser un homme bon, doux et honnête, avec qui elle pourra partager un bonheur tranquille, mais éternel. »

Avril et mai 1949
La persécutée

Tout est si précipité! Le temps de se rendre à Montréal et il faut déjà songer à retourner à Trois-Rivières, car Romuald devra entreprendre une autre nuit de travail dimanche soir. Le jeune couple a peu sorti de sa chambre d'hôtel, se créant ainsi une île déserte pour explorer librement leur amour. Carole, le lundi, se lève de très bonne heure. Elle n'a pas eu le temps, il va de soi, de préparer les leçons de ses élèves. En regardant ses livres, elle se demande ce qu'elle fait chez ses parents! Carole, la veille, ne voulait pas coucher chez Romuald pendant son absence. Elle réalise que la plupart de ses effets ont été déménagés. Céline prépare le déjeuner de sa fille en tremblotant, comme si c'était le dernier. Ses cahiers et ses livres en bandoulière, comme à chaque matin, Carole se rend à l'école en autobus. Incertaine de sa stratégie pédagogique, elle entre à la salle de repos des enseignantes pour peaufiner le tout. Une consœur prépare le café, sans l'avoir saluée.

« Ça n'a pas été bien long, le voyage de noces.
— Non.
— Et la nuit de noces? Un enchantement?
— Oui.
— Vous avez l'expérience, hein... »

Carole produit un son d'impatience en jetant un regard de feu à cette femme. C'est ainsi depuis deux années. Carole ne s'est fait aucune amie parmi les enseignantes laïques. Elles la regardent toujours de haut, ne lui parlent pas, n'apprécient guère que cette boiteuse snob soit la préférée de sœur Angèle. Carole n'a pas besoin d'une telle allusion. Déjà que la vie n'est pas très rose à l'école, depuis que sœur Angèle a sauté aux mêmes conclusions que tout le monde quand, il y a deux semaines, la jeune institutrice a annoncé son mariage et demandé deux journées de congé. Alors, Carole lui a dit la vérité, en toute confiance. Depuis ce jour-là, elle sent que sa directrice ne l'aime plus beaucoup et s'est transformée en ce qu'elle est réellement : une religieuse d'un clergé très conservateur. Elle n'accepte pas la faute de Carole, craint que son mauvais exemple grandisse dans l'esprit des écolières. Certaines ne disent-elles pas, bien naïvement, que lorsqu'elles seront grandes, elles épouseront un garçon comme Romuald et seront pareilles à Cendrillon-la-patte? Carole, cherchant une protection contre la probable décision de la commission scolaire, n'a trouvé que le regard très glacial de sœur Angèle, des mots sévères répétant sans cesse qu'elle doit avant tout faire son devoir de directrice d'une école catholique.

D'ailleurs, à la fin de la récréation, sœur Angèle indique à Carole qu'elle est convoquée par ces messieurs de la commission scolaire, dès le lendemain matin. Carole continue à enseigner sans trop penser à ce rendez-vous, si ce n'est que vers la fin de l'après-midi, lorsqu'elle se demande avec horreur s'il ne s'agit pas de sa dernière journée de travail. Carole ramasse ses livres et ses notes, fait un peu de rangement dans la classe, quand, soudain, la petite Lucienne la rappelle à une réalité qu'elle a complètement oubliée : la fillette l'attend pour retourner à la maison, où, espère-t-elle, Carole lui préparera son souper. Madame Comeau et Pierrette étant à leur usine, Romuald ayant dormi tout l'après-midi, Carole n'a jamais songé qu'elle doit travailler à un repas. Heureusement, Romuald a pelé des pommes de terre et lui indique qu'il y a de la viande dans la glacière.

« Tu as bien travaillé, beau prince?
— Plus ou moins. Et toi?
— Pas du tout. »

Romuald et Carole éclatent de rire, tombant dans le lit aux couvertures défaites, s'embrassant et désirant retrouver leur île de la chambre d'hôtel de Montréal. Mais ils cessent leurs baisers en même temps, se demandant quand ils pourront à nouveau... lui qui travaille de nuit et elle le matin. Carole va passer ses premières nuits de jeune mariée dans un lit déserté par son homme.

« Ne pourrais-tu pas te faire engager par un entrepreneur en construction? Avec ton expérience sur les chantiers de la coopérative, tu pourrais intéresser un patron. Le curé Chamberland te donnera sûrement une lettre de recommandation. Tu travaillerais à des heures plus normales et je serais dans tes bras chaque soir.

— La construction, c'est trop saisonnier, Carole. Et quand tout aura été bâti, qu'est-ce que je vais faire? L'usine, ce n'est pas drôle, mais c'est de l'ouvrage assuré pour le reste de mes jours. Mais je vais faire une demande à mon syndicat pour qu'on me mette enfin sur le roulement des trois horaires. Il serait à peu près temps. Bon! Tu me fais à souper, ma belle petite épouse d'amour?

— Je ne sais pas...

— Je vais t'aider. »

Pierrette et sa mère reviennent de leur travail, surprises de voir des légumes et de la viande dans leurs assiettes, elles qui ont pris l'habitude de souper plus tardivement. Madame Comeau se sent un peu mal à l'aise de voir Carole à table, près de son fils. Cette cohabitation ne durera pas longtemps, mais, tout comme Pierrette, madame Comeau se sent de trop dans le nid d'amour du couple. Lucienne s'en fiche, se vantant auprès des autres fillettes du quartier d'habiter maintenant avec Cendrillon. Le cœur un peu vide, Carole fait ses corrections et prépare ses leçons du lendemain après-midi. Elle s'ennuie du calme de son bureau chez Roméo. Des enfants crient dans la cour, des camions passent dans la rue et la radio du propriétaire se fait trop entendre à son goût. « Je veux m'en aller chez moi! » se dit-elle de façon gamine. C'est plutôt Roméo et Céline qui arrivent, avec quelques caisses de livres et des vêtements d'été.

« Comment te sens-tu, ma ppp... pauvre petite fille?

— Pas du tout mariée, si tu veux le savoir, maman. Et je

me sens étrangère dans cette maison. Où est mon bureau, ma bibliothèque et ma peinture de Voltaire? »

Carole demeure seule à la maison, tentant de s'habituer à son nouveau logis. Madame Comeau est étonnée de la voir faire le lit d'une seule main, son autre s'appuyant sur sa canne. L'opération lui semble pénible et longue. Elle remarque aussi que Carole n'a pas disposé les draps de façon égale. Il est certain qu'une jeune femme, ayant perdu tout son temps à lire, n'a pas les aptitudes pour faire une bonne ménagère. Au souper, de peur de l'attrister, madame Comeau s'est bien gardée de dire à Carole que la viande était mal cuite. La femme demeure sur la galerie avant, alors que Carole s'installe à l'arrière, avec un énorme bouquin entre les mains. En allant se servir un verre d'eau, madame Comeau remarque que Carole est très peu vêtue pour cette fin d'avril. Ce n'est sûrement pas bon pour le bébé. Elle ne se résout pas à lui en parler. Elle le signalera à Romuald.

Le nouveau marié est dans la lune, au chantier, entend mal les ordres de son contremaître, et ne fait pas attention aux blagues grivoises dont certains de ces camarades l'inondent. La plupart concernent ce mariage hâtif et l'allusion en découlant. Un peu gêné, Romuald rit jaune lorsqu'un ami le repousse d'un léger coup de poing sur l'épaule et lui dit : « Cré chanceux! » Entre hommes, ces choses se disent, sans qu'ils emploient les vrais mots.

« Tu n'es pas venue au chantier?

— Non. J'avais des choses à voir dans la maison. En fait, je devrais dire que je voulais voir la maison. Puis, j'ai lu une cinquantaine de pages de Kafka. Il n'y a rien de mieux pour aérer l'esprit.

— Oui, oui... Maman est encore dehors?

— Je crois.

— Eh bien, dans ce cas, je claquerais bien un bon somme avant d'aller travailler.

— Avec cette fatigue? Tu n'as pas le temps de dormir, Romuald. Ce somme ne te préparerait pas trop bien à passer la nuit debout dans le bruit et la chaleur de ton usine.

— Toi? Tu n'as pas le goût d'un petit somme, pendant que ma mère est encore sur la galerie?

— Non.

— Tu ne veux vraiment pas claquer un bon somme avec moi?

— Ah! je vois...

— Petite Cendrillon d'amour!

— Beau prince en chocolat! »

Carole n'a pas parlé de son rendez-vous du matin à la commission scolaire, de peur d'inquiéter Romuald. Mais elle passe une partie de la nuit à y réfléchir, révisant dans son esprit tous les bons arguments en sa faveur, se doutant, cependant, qu'ils vont fondre aussi rapidement qu'une neige de printemps. Carole est à l'heure, habillée très proprement. Derrière le large bureau artificiellement embarrassé de papiers et d'enveloppes ouvertes, le gros commissaire déballe un cigare qu'il lèche bruyamment avant de le planter dans son bec. Il l'allume avec un briquet puant l'essence et crée un épais nuage nauséabond qui fait tousser Carole.

« Madame Comeau, je...

— Tremblay-Comeau.

— Quoi?

— Je m'appelle Carole Tremblay-Comeau.

— Vous vous êtes pas mariée, comme ça?

— Oui, vendredi dernier.

— C'est que... En tout cas... J'ai lu, avec les aut' commissaires, le *rapport* que sœur Angèle a *faite* sur vous et qui dit que vous avez *faite* la classe *en famille* devant les enfants, avant que vous soyez mariée encore et que c'est pour ça que vous vous êtes mariée vite.

— Ce n'est pas exactement ainsi. En toute confiance, j'ai avoué à la sœur directrice que j'attendais un enfant de l'homme que j'aime et que j'allais épouser en juin prochain. Nous avons décidé d'avancer la date de la cérémonie par convention sociale, et non pas pour masquer mon état, qui ne me fait pas honte du tout, car il n'est pas la conséquence d'une aventure sans lendemain, mais la manifestation d'un amour sincère. Voilà précisément ce que j'ai confié à sœur Angèle.

— C'est la même affaire que je viens de vous dire. Vous étiez *en balloune* devant les enfants avant d'être mariée.

— Je ne me suis pas mariée obligée, monsieur le commissaire. J'aime cet homme depuis deux années et nos familles avaient approuvé nos relations et donné avec enthousiasme leur accord pour notre mariage.

— C't' un mauvais exemple pour les enfants. Un grave péché. Même pour une femme mariée, être *en famille* devant une classe, c'est pas correct. Et vous, en *plusse*, vous étiez pas mariée quand vous l'avez *faite*. On est une commission scolaire catholique qui travaille avec des frères et des sœurs et ça, c'est inacceptable dans la province de Québec.

— Il y a bien longtemps que je suis d'accord avec cette idée.

— Ça veut dire que les commissaires *pis moé*, à la réunion d'hier, on a décidé que vous alliez arrêter de travailler *tu'* suite, avant que le scandale soit encore plus gros.

— Mais puisque je suis maintenant mariée! Ces fillettes passent leur temps à voir des femmes enceintes dans leur quartier. Et mon état paraîtra à peine à la fin de l'année scolaire. Je porterai des robes amples.

— Mais ces femmes-là, que vous dites, c'est pas des maîtresses d'école! Les maîtresses doivent toujours être dans l'exemplaire. C'est ben fâchant que vous pouvez pas finir l'année, parce qu'on a juste des bons *rapports* sur vous, madame Comeau. Mais c'est comme ça qu' ça marche, dans la province de Québec. Si plus tard, vous voulez faire du remplacement, il faudra remplir *une* autre formulaire *d'application*. Mais pour *astheur*, c'est mieux de vous remplacer jusqu'à la fin de l'année. On va quand même vous donner deux semaines de paye. On a l'cœur à la bonne place.

— Comme c'est généreux de votre part. Et cette décision est effective à quelle date?

— Pardon?

— Ça marche à partir de quand?

— *Tu'* suite.

— C'est ainsi que tout fonctionne dans la province de

Québec, la plus pauvre, la moins instruite et la plus exploitée du Canada.

— On est puni par où on fait le péché. C'est ben dommage, parce que vous étiez une si bonne maîtresse.

— Punie? Péché? Je suis deux personnes, monsieur le commissaire! Je suis une intellectuelle et l'amoureuse d'un ouvrier aux valeurs simples et directes, comme son langage. Et la première personne que je suis vous dit que vous êtes un lémurien paléolithique et la seconde personne vous dit que vous êtes un hostie de cave!

— Madame Comeau! Là, vous venez de vous *barrer* à vie de la commission scolaire! Vous ne travaillerez plus jamais dans aucune de nos écoles! Et nulle part dans la Mauricie! Sortez *d'icitte*!

— C'est ainsi que l'on parle et que l'on pense, dans la province de Québec! Et dans Sainte-Marguerite, on aime bien parler de caves! »

Carole, furieuse, sort en trombe, ne tenant pas compte des papiers de résignation qu'elle doit signer. Elle marche si rapidement que sa jambe droite dépasse la gauche, ignorant la canne, si bien qu'elle tombe sur le pavé. Le choc fait jaillir des larmes profondes qui lui semblent infinies. En se relevant, dix minutes plus tard, elle rit un peu en pensant qu'elle vient de réserver son premier blasphème à ce parvenu ignorant, sans y avoir réfléchi; elle a réagi comme les amis de Romuald. Elle sort de son sac à main un mouchoir pour éponger ses yeux. Elle attend l'autobus en continuant à pleurer. Elle a le goût de s'en aller au *Petit Train* pour que son frère Maurice lui dise un mot de consolation un peu bêta qui lui fera du bien. En chemin, Carole se rend compte qu'elle a maintenant un mari, qu'il est à la maison à cette heure. Carole descend de l'autobus pour sauter dans un taxi, dont le conducteur doit sûrement se demander la nature de la souffrance de cette pauvre petite infirme qui braille tant. Romuald sursaute d'effroi quand il est réveillé par les larmes et l'étreinte de Carole. Il devine tout de suite ce qui s'est passé, puisqu'elle n'est pas à l'école. L'explication rapide de Carole l'abasourdit tout de même.

« Allons voir le curé Chamberland. Il a le bras long, notre petit curé.

— À quoi bon? C'est un prêtre, Romuald.

— Les prêtres ne sont pas tous pareils, Carole. Le nôtre, tu le sais, accomplit des miracles.

— Oh! Romuald! Je t'en prie!

— Ce n'est pas juste, ce qui t'arrive! Et le curé Chamberland comprend la justice. Il sait tout le bien que tu as apporté aux petites filles de la paroisse.

— Non, laisse tomber cette idée. Dors. Tu as travaillé toute la nuit.

— Comment veux-tu que je retrouve le sommeil, maintenant? Et pourquoi te mets-tu à rire, tout à coup? Qu'est-ce que j'ai dit de drôle?

— Tu sais ce que j'ai dit au commissaire, Romuald? »

Carole approche sa bouche de l'oreille de son mari pour lui susurrer le vilain terme, qui, après trente secondes, fait éclater Romuald d'un rire confus. Il imagine la scène de sa petite Cendrillon terrassant ce gros méchant loup.

« Je vais dormir près de toi, Romuald. Près de ta chaleur.

— Fais-moi vraiment plaisir, Carole.

— Quoi donc?

— Va voir le curé Chamberland.

— Après ton repos. Je te le promets. Même si je sais que c'est une perte de temps. »

Le petit prêtre ne peut rater une aussi belle occasion de faire un peu de morale à l'institutrice déchue. Tout y passe : la désobéissance aux commandements de Dieu, les règles sociales de l'Église, le péché, le mauvais exemple. Carole l'écoute, bras croisés, en le regardant droit dans les yeux.

« Avez-vous terminé?

— Ça se termine par une confession.

— Je l'ai déjà faite, vous le savez. Et après? Qu'est-ce qui se passe?

— Je vais me rendre à la commission scolaire pour que

vous puissiez au moins terminer l'année. J'irai voir notre évêque, s'il le faut. Je pense avant tout à l'instruction de nos enfants. Ce n'est pas bien de les abandonner à sept semaines des derniers examens.

— Vous m'étonnerez toujours, monsieur le curé.

— Et vous aussi. Que vous veniez me voir pour me confier votre état d'âme prouve que même les brebis égarées ont besoin de leur pasteur, madame Comeau.

— Madame Tremblay-Comeau.

— Là, vous m'enchantez un peu moins...

— Et de plus, c'est une idée de Romuald.

— Vous ne m'enchantez plus du tout... »

Après le souper, Carole reçoit la visite inattendue d'une jeune fille qui contient mal sa joie. Cette inconnue vient d'être appelée comme remplaçante jusqu'à la fin de l'année scolaire. Elle veut savoir où Carole en est rendue dans les leçons, quelle approche elle privilégie. Elle aimerait obtenir des renseignements sur le comportement des écolières.

« Je ne suis pas une béhavioriste.

— Ah...

— Les récompenses ne sont bonnes que pour les petits chiens qui arrivent à se tenir sur deux pattes, tout en bougeant la queue. Ces enfants sont des êtres humains et elles doivent découvrir elles-mêmes les récompenses morales suite à leurs efforts.

— Oui, oui...

— Ça veut dire que je ne donne pas de friandises et surtout pas d'images saintes, et que je ne colle pas de petits anges ou des étoiles dans leurs cahiers.

— Ah bon! Oui! Je comprends! Mais pourquoi? »

Carole soupire en regardant cette fille, à peine sortie de l'École normale, trop remplie de bonnes intentions et la tête encore encombrée des leçons sans envergure, ni techniques psychologiques modernes que les religieuses lui ont enseignées au cours des derniers mois. Elle a dix-sept ou dix-neuf ans, enseignera de façon traditionnelle, puis se mariera, remplacée par une autre diplômée de l'École normale, la tête encore pleine des leçons sans envergure... Une roue sans fin. Carole explique les leçons une à une. Puis, en regardant de près le dossier de chacune des élèves, elle se met à pleurer, réalisant cruellement qu'on lui a enlevé ses enfants.

Le lendemain, elle se rend à l'école pour chercher ses effets. Elle ne salue pas ses consœurs, ignore le bureau de sœur Angèle. Carole est pressée de sortir. Mais elle s'arrête près de la porte, retourne doucement sur ses pas, s'assure que personne ne l'aperçoit et va jusqu'à sa salle de classe pour regarder discrètement par la fenêtre. Aussitôt, une fillette l'aperçoit et hurle aux autres que leur vraie maîtresse est là. Elle se précipite vers la porte, suivie des trente autres, alors que la jeune remplaçante s'égosille à tenter de les remettre à l'ordre. Carole décide d'entrer pour faire ses adieux.

« Mes enfants, mademoiselle Huguette Dionne va me remplacer jusqu'à la fin de l'année. Elle est très compétente et gentille, et vous me feriez vraiment du chagrin si j'apprenais que vous ne l'écoutez pas en classe. Elle et moi avons à cœur votre succès scolaire et nous savons que chacune d'entre vous est très travaillante et désire réussir. À la fin de l'année, devant vos succès, je serai très fière de vous, tout comme mademoiselle Dionne, notre directrice, monsieur le curé Chamberland et vos bons parents. Je dois m'en aller parce que je vais avoir un petit bébé et qu'une loi interdit aux futures mamans d'enseigner aux fillettes. Plus tard, vous serez toutes des femmes intelligentes qui exerceront un métier ou qui seront mariées à de bons garçons. À votre tour, vous deviendrez aussi mamans et vous désirerez prendre soin de vos bébés, comme je veux faire avec le mien. Vous savez que les futures mères qui attendent des bébés sont souvent malades et... (Carole, hésitante, avale un sanglot, ne sachant plus quoi dire.) Peut-être que plus tard, il y aura plus de justice pour les femmes, que le monde sera meilleur et que vous aurez des bébés tout en pouvant travailler. Vos nourrissons pourront alors devenir des enfants dans un monde plus libre. C'est ce que je souhaite à toutes et, pour cela, il faut travailler fort dès aujourd'hui et obéir à mademoiselle Dionne. Elle sera contente de vous autant que je le suis. »

La majorité des élèves ne comprennent pas toujours ce que Carole raconte. Elles sont habituées de parfois l'entendre « parler pour ne rien dire », selon l'expression consacrée par leurs parents. Mais les petites aiment sa voix et Carole espère que, plus tard, certaines d'entre elles auront un écho lointain se révélant alors plus clairement à leur intelligence. Mademoiselle Dionne, de son côté, semble un peu effrayée par ce que Carole vient de dire. Elle vient de passer un avant-midi infernal à essayer de calmer ces cœurs inquiets de l'absence de leur vraie enseignante. Quand Carole s'éloigne, une petite fille se met à pleurer, se jette contre elle en criant : « T'en va pas, Cendrillon-la-patte! » Il n'en faut pas plus pour que Carole se retire en pleurant autant qu'elle. De retour à la maison, elle constate que Romuald dort. Elle y demeure peu de temps, va aussitôt bavarder avec Maurice au *Petit Train*. Sa sœur Renée s'y trouve avec sa fille Lucie. Maurice lui a raconté les malheurs de Carole.

« On dit que les femmes sont faites pour souffrir.

— Ce n'est pas vrai, Renée!

— Patate que je le sais que c'est faux! Mais personne ne nous croit quand on le dit. Nous sommes dans un monde d'hommes, Carole. Un monde d'hommes où nous, les femmes, sommes les décorations. Qu'est-ce que pourra faire le curé Chamberland pour toi?

— Rien, je sais. Mais j'aurai quand même eu la satisfaction de lui avoir parlé. Il a été plus réceptif, lui un homme, que sœur Angèle, une femme comme moi. »

Carole flâne au centre-ville, la gorge nouée, s'ennuyant, trouvant que tout est laid. Quand elle voit une jeune maman avec son enfant, elle lui sourit, comme à l'espoir de ce qu'elle sera dans quelques mois. Carole oublie encore qu'elle doit préparer le souper. Romuald se demande comment il fera pour lui dire qu'il faudrait au moins qu'elle apprenne quelques recettes de base. Et ce n'est sûrement pas le temps idéal pour aborder cette question. Carole dépose un plein chaudron d'eau sur le poêle, pèle maladroitement des pommes de terre. Romuald lui enlève gentiment le couteau des mains pour prendre la relève et éviter le gaspillage.

« Tu te souviens de Ti-Jean Valiquette? Il est entré bien saoul à l'usine, hier. On l'a jeté sous la douche, mais ça n'a rien donné. Il a été ivre une partie de la nuit. Comme on a ri de lui! Même les contremaîtres trouvaient ça drôle!

— Il va être congédié?

— Non, pas pour si peu. C'est un bon ouvrier. Puis, c'était la première fois que ça lui arrivait.

— Moi aussi, c'est la première fois que je suis enceinte sans être mariée, et moi aussi j'étais une bonne ouvrière de l'enseignement, et on me congédie comme une malpropre, alors que tes amis et toi, tes patrons et tes contremaîtres, pardonnez à ton Ti-Jean, tout en riant de sa mésaventure.

— Allons donc, Cendrillon... Je ne faisais que te raconter une anecdote de l'usine.

— Mais elle est bien représentative de notre monde! Et prépare-le tout seul, ton souper, je m'en vais manger chez maman!

— Mais, Carole! »

Les hommes sont si solidaires. Le soir, au chantier, Carole les entend rire et chanter, se raconter des blagues, se donner de virils coups de coude. Leurs épouses arrivent avec des sandwichs et des gobelets de café, puis repartent aussitôt. Certaines font un détour pour saluer Carole, lui disant que « c'est ben de valeur ce qui vous arrive! » sans chercher à la consoler, à la toucher ou à comprendre. Cette nuit, à l'usine, les hommes se remémoreront le mauvais coup de Ti-Jean Valiquette pour en rire à nouveau, avant de reprendre leur travail, comme si rien ne s'était passé. Avant son départ, Romuald prend le sac de victuailles préparé par sa mère. Après le souper, madame Comeau a parlé avec Carole à propos de ce que son fils aime emporter comme casse-croûte, insistant sur le fait que ce n'est pas difficile à préparer, qu'elle lui montrera comment faire et qu'elle ne sera pas toujours là pour y voir.

Lundi, Carole affirmait à sa mère qu'elle ne se sentait pas mariée. Cinq jours plus tard, elle a l'impression de l'être depuis dix ans. C'est pourquoi elle ne pense pas à fêter le premier anniversaire d'une semaine de son union car, de plus, elle doit s'occuper de son cercle littéraire. Dieu merci, Carole pourra quand même continuer à enseigner, grâce à cette activité. Mais il ne se présente que quatre femmes sur la quinzaine d'habituées. Carole se demande ce qui se passe, mais personne n'ose lui expliquer.

« Moi, je m'en fiche, monsieur le curé. Mais c'est dommage, car nous progressions. Ce sont elles qui se punissent en démissionnant du cercle parce que je me suis soi-disant mariée obligée.

— Donc, vous ne vous en fichez pas.

— Faites donc un sermon sur la justice, l'intolérance et le pardon! Je perdrais mon temps à leur parler. Les femmes n'écoutent que les hommes et leur curé!

— Soyez un peu moins agressive, s'il vous plaît.

— Vous voulez que je m'écrase dans mon coin pour préparer des sandwichs parfaits à Romuald?

— S'il vous plaît...

— Je m'excuse, monsieur le curé. Tiens! Je viens de m'écraser moi-même... »

Le petit prêtre sourit laconiquement. Quand Carole baisse les paupières, il la regarde plus librement. Bien que son âme de prêtre sente que son devoir est de l'aider à voir clair entre le bien et le mal, la paix et les tourments, bref entre Dieu et le diable, le curé Chamberland, dans sa peau de simple être humain, la trouve attendrissante, comme un bel oiseau prisonnier d'une cage.

Pendant que Carole passe une partie de ses nuits à lire, dans l'espoir d'être toujours endormie à chaque retour de Romuald, le curé Chamberland travaille à la cause de Carole. En haut lieu, il dit avec raison et passion jusqu'à quel point la jeune femme est une institutrice hors pair, avec un cœur immense plein d'amour pour les enfants. Carole ne serait pas contente d'apprendre qu'il invente publiquement son regret profond face à son péché, croyant qu'un tel aveu pourrait influencer les sommités imperturbables. Son évêque lui reproche, comme s'il était un jeune vicaire, de protéger une pécheresse qui propage le pire exemple dans l'esprit des fillettes.

« Il n'y a rien à faire, madame Comeau. La décision est irrévocable. Il faut les comprendre. Ils ne peuvent se permettre une faiblesse qui ouvrirait la porte à des situations qui pourraient devenir très néfastes pour nos fidèles et leurs enfants.

— Tout est si immuable... C'est ainsi qu'est née la grande Révolution française, monsieur le curé. L'immobilisme, l'injustice, l'abus des grands aux dépens des petits. Une Révolution qui a changé ce monde effroyable qui prévalait depuis des siècles, avec ses cruels aristocrates, dont le clergé qui...

— Ah non! Pas de leçon d'histoire! Et je vous rappelle qu'il y avait le bas clergé, près du peuple, et le haut clergé, dont les égarements, je le reconnais, n'avaient pas... Mais qu'est-ce que vous me faites raconter? J'ai essayé, madame Comeau. J'ai...

— Tremblay-Comeau.

— Carole, j'ai essayé!

— Je vous crois. Et je vous remercie.

— Pour ce qui est du cercle littéraire, laissez-moi l'affaire entre les mains. Je suis le patron, cette fois! Et il n'est pas dit qu'une si belle œuvre va dépérir à cause de la situation.

— Même si je n'ai pas le droit de lire Zola.

— Seigneur, ayez pitié et protégez-moi du péché de la colère... »

Carole va chaque jour à l'école Sainte-Marguerite pour regarder, à travers le grillage, les enfants jouer dans la cour de récréation. Elle a alors l'impression que le grillage est celui de sa propre prison et que le vrai monde, cet univers si beau, se trouve de l'autre côté, près des sourires des petits pas gambadant partout, de ces êtres magnifiques qui rient, crient, sautent à la corde, ou jouent à la marelle. Parfois, certaines s'aventurent près de la clôture, mais les enseignantes ont vite fait de les éloigner. Elles obéissent, mais n'en font qu'à leur tête, venant le soir cogner à la porte de Carole pour offrir leurs services et faire les commissions ou pour demander des conseils en arithmétique. Le samedi, trois fillettes arrivent, seau et chiffons en mains, pour laver ses fenêtres, disant qu'elle ne doit pas se fatiguer à faire le ménage à cause du petit bébé dans son ventre.

Malgré les beaux sermons du curé Chamberland, le cercle littéraire ne reprend pas forme. Le petit prêtre n'a d'autre choix que de nommer la vieille fille bibliothécaire à sa tête, pour une reprise cet automne. Mais les quatre plus fidèles lectrices de Carole la visitent sans cesse, pour avoir des recommandations de lecture, et elles l'invitent à passer chez elles pour en discuter. Ces femmes, ces quelques enfants, ce nouveau monde qui s'offre à Carole, ce bébé qu'elle sent si bien en elle, même s'il est encore infime, lui prouvent que tout n'est pas si sombre, qu'il y a un peu de grisaille dans la grande noirceur de la province de Québec de monsieur Duplessis. Le temps passera et tout le monde oubliera et pardonnera, quand Martin ou Yvette aura fêté son premier anniversaire. Alors, Carole sera de nouveau enseignante à l'école Sainte-Marguerite. Elle se le jure chaque soir, mais n'y croit plus le lendemain.

Mai à décembre 1949
Les souffrances de Cendrillon

Afin d'oublier ses soucis, Carole s'enferme dans la librairie de Roméo. Quand elle sait que son père est parti pour une journée entière, elle s'empresse d'enlever l'écriteau indiquant que le local est à louer. Peut-être changera-t-il d'idée, quand il verra jusqu'à quel point Carole veut faire fructifier l'horrible petit commerce sans envergure. Mais Roméo n'est pas dupe des sentiments et des ambitions souvent contradictoires et fugitifs de sa fille. Carole lit plus de livres qu'elle n'en vend. Mais quand une cliente entre pour chercher conseil, la boiteuse s'illumine en faisant quelques suggestions enthousiastes, mais la femme la ramène à la triste réalité de désirer un « beau roman d'amour qui fait pleurer à la fin ». Sur le rayon des livres pratiques, Carole trouve ce que la plupart des Canadiens français désirent surtout : comment bien bricoler et de quelle façon cuisiner adéquatement. Carole feuillette avec mépris le premier, quand elle est attirée par le dessin d'un petit meuble de rangement de jouets. Elle copie le texte, reproduit les dessins, se disant que Romuald sera sans aucun doute capable de fabriquer un tel objet. Quant au manuel de cuisine, Carole bourdonne autour pendant quelques jours avant d'oser l'ouvrir, après avoir vérifié que personne ne la voit. Un vrai bon repas nutritif ferait du bien à Romuald. Elle ne voudrait pas le voir faire de l'embonpoint, comme ses amis de trente ans. À l'image de tous les ouvriers, Romuald mange avant tout en quantité, sans songer à la qualité. Et puis, connaître comme il faut les calories sera essentiel pour le sain développement d'un enfant. Carole se dit alors que cuisiner n'est pas si difficile, que c'est aussi simple qu'une expérience de chimie.

« Qu'est-ce que c'est, Cendrillon?

— Une catastrophe chimique...

— Du riz? Ça ne remplit pas son homme, du riz. Regarde les Chinois, ils sont...

— Non mais c'est excellent pour la santé. Quand il est cuit. Alors, celui-là, je t'assure, beau prince, que c'est une catastrophe chimique...

— Veux-tu que je t'achète un beau livre de recettes?

— Je te l'interdis! »

Les lectrices de Sainte-Marguerite visitent Carole à la librairie, non pas pour discuter ou faire des achats, mais bien pour enquêter, car elles comprennent mal ce désir de leur amie de travailler, elle qui est maintenant mariée et en attente d'un bébé. Elles craignent qu'un surmenage ne nuise au futur enfant. Mais Carole s'est créé une petite routine peu fatigante qui l'éloigne de l'immense chaleur régnant en mauvais maître au deuxième étage de la maison. Romuald et les siens sont habitués à la température de ces logements. Quand ils viennent de passer des heures au cœur du soleil de l'usine, leurs logis leur apparaissent alors bien frais. Mais Carole a toujours détesté la saison estivale et profitait souvent du sous-sol de la grande maison de Roméo pour se tenir au frais. Elle sent que l'été 1949 sera le pire de tous. Or, dans la librairie, il y a au moins des ventilateurs.

Dans l'intimité de sa boutique, Carole frotte son ventre en parlant au bébé, en lui chantant des mélodies anciennes, celles-là mêmes que Céline lui fredonnait quand elle était enfant. Après les lectures psychologiques appropriées, elle sait que les bébés entendent et ressentent tout. Le calme de la librairie ne peut que faire du bien à l'embryon et à sa mère. Roméo passe à cinq heures pour regarder le contenu de son tiroir-caisse et repart avec Carole. Elle rentre chez elle, en sachant que Romuald ou sa mère aura préparé le repas.

Le soir, elle va au chantier, mais il lui semble que la magie de l'an dernier n'existe plus. Les hommes se montrent toujours aussi sympathiques, mais les femmes n'arrêtent pas de lui exprimer leur froideur. Carole sent aussi la protection curieuse du curé Chamberland, qui ne cesse de s'informer de sa santé, de lui donner des conseils paternels sur les valeurs primordiales à inculquer à un enfant. Romuald travaille et son cœur bat à chaque coup de marteau. Peut-être que cette maison sera la sienne. Alors, il l'imagine peuplée de rejetons. Il leur aménagera une cour accueillante, avec une balançoire et un carré de sable, où tous les gamins de Sainte-Marguerite viendront jouer. À l'intérieur, Carole aura une bibliothèque, dont il a déjà dessiné les plans. Peut-être même que dans deux ans, il adaptera une partie du sous-sol, où Carole sera au frais, comme elle aime, près d'un bureau confortable, où elle pourra écrire et faire ses lectures, loin du bruit de la rue et des cris des enfants. « Tout sera beau, magnifique! » répète-t-il souvent. Depuis peu, il a cessé graduellement de travailler de nuit, alternant entre trois horaires, ce qui lui donne enfin l'impression d'être marié, de passer plus de temps près de Carole.

Les nouvelles maisons sont de même dimension que celles de l'an dernier. Carole ne sera donc pas dépaysée, mais aura enfin l'avantage du premier étage, plus frais, et surtout moins pénible à monter. Carole croit toujours que ces maisons sont très ordinaires, mais elle sait maintenant que leur apparence ou leur confort a peu d'importance, que le cœur qui bat entre ces murs est plus grand que tout. Ces pensées qui l'ont fait chavirer, le printemps et l'été derniers, refont surface à chaque instant partagé avec Romuald. Il parle sans cesse du miracle de sa maison, de son destin féerique d'avoir rencontré Carole et le curé Chamberland.

Les soirs où elle n'est pas au chantier, Carole fait de la lecture sur une des deux galeries. À l'arrière, elle ne peut s'empêcher d'écouter la simplicité du bon voisinage ouvrier, et à l'avant, le va-et-vient des gens dans la rue devient un spectacle que tout le monde observe. Carole trouvait un peu idiote l'idée de madame Comeau de surveiller les vêtements des femmes, jusqu'à ce qu'elle-même rie en douce en voyant madame Gladu avec une robe verte ornée d'immenses fleurs rouges. Les enfants, eux, ont leurs cours, les rues, la grande côte Sainte-Marguerite, prétexte à mille culbutes et aventures. Leurs jeux bruyants sèment une joie de vivre communicative que Carole n'a pas connue dans son quartier natal, même si plusieurs ouvriers habitaient près de la maison de Roméo. Chaque coin de la ville a sa propre vie, ses habitudes, son folklore.

Il arrive à Carole d'aller lire au parc paroissial, dans le but de s'enivrer des cris des petits, qui jouent librement ou sont menés par des adolescents de l'O.T.J. Sa lecture est toujours légère, car Carole souhaite être interrompue par un enfant qui voudrait se faire raconter une belle histoire du lutin Roméo, comme l'été dernier. Parfois, des jeunes épouses se pavanent en poussant un landau, dans le seul but d'attirer le regard des autres femmes qui finissent par se pencher pour dire que leur bébé est beau. Carole ne se prive pas de le faire, avouant fièrement qu'elle aussi « participe à l'essor démographique trifluvien ». Elle cherche à parler de l'accouchement, mais ce sujet tabou fait s'enfuir les nouvelles mamans, qui répondent que la nature sait bien faire son œuvre.

Renée vient d'avoir un garçon, baptisé Robert, et la dynamique sœur de Carole n'a pas mâché ses mots en entendant la question : « Ça a fait mal en patate! Pire que la première fois! » Voilà la perspective qui effraie le plus Carole. Mais Renée oublie son mal quand elle rend visite à Carole, en compagnie de la petite Lucie, de la jeune adolescente Bérangère, de son mari Roland et du bébé. Romuald est content de recevoir ceux qui sont maintenant sa belle-famille. Pendant que Lucie joue près des jupons de sa mère et que Bérangère regarde les livres de Carole, Romuald et Roland, il va de soi, vont discuter de sport et de politique au salon. Carole prend délicatement le bébé, au cœur du songe de ce jour prochain où un petit être semblable, cadeau de son amour et de sa passion, l'enchantera tout autant. Du moins, jusqu'à ce qu'il se mette à pleurer.

« Pourquoi ne lui donnes-tu pas le sein?
— Patate, Carole! Ce sont des méthodes de nos grands-mères! Et c'est bien trop malcommode! Une bouteille, une tétine, voilà l'ère du modernisme!
— On croirait entendre grand-père Joseph! Moi, je lui donnerai le sein.
— Et ton mari va toujours rôder autour de toi. Ils sont si vicieux, ces patates de cochons. »

En août, alors que la chaleur accable Carole, son mari reçoit deux cousins d'Asbestos, curieux de rencontrer l'oiseau rare que Romuald leur décrit dans ses lettres. Carole tente d'être une bonne hôtesse, et désire que ces jeunes mineurs lui parlent de la grève réprimée sauvagement par Duplessis et la compagnie, et qui a causé un grand émoi partout dans la province. Carole prétend que le pays ne pourra plus jamais être le même, à la lumière du demi-million de dollars donné généreusement par toute la population, avec l'aide du bas clergé.

« Tu te rends compte? La compagnie a engagé les briseurs de grève de Duplessis! On est obligés de travailler avec ces enfants de chienne! Duplessis déteste les ouvriers! Souviens-toi de ça, cousin! » Romuald regarde furtivement Carole et son air de signifier : « Je te l'avais dit! » Carole pose cent questions à ces deux hommes, étonnés de constater que la jeune épouse s'intéresse tant à la politique et aux syndicats.

« J'aurai un enfant et je veux qu'il grandisse dans un monde meilleur. Et un monde meilleur, c'est celui où il n'y aura pas de Duplessis.

— Et où les prêtres retroussent leurs manches pour bâtir des maisons, comme ici!

— Et où les enseignantes laïques ont le droit d'exercer leur métier, même quand elles sont enceintes. »

Carole a aimé cette visite, qui lui a fait oublier ses récentes souffrances et le fait qu'au cours des deux dernières années, à la même époque, elle s'apprêtait à accueillir ses écolières. Maintenant, il n'y a plus de Cendrillon-la-patte à l'école Sainte-Marguerite. Elle est remplacée par mademoiselle Huguette. Les nouvelles seront enchantées par cette toute jeune institutrice, et seules les « anciennes » se souviendront de la petite boiteuse qui parlait drôlement et leur racontait des histoires. Carole les regarde passer sur les trottoirs, nostalgique de leurs cris et même de leurs larmes.

À l'intérieur, madame Comeau et Pierrette préparent leur déménagement prochain, se disant, avec une pointe de douce méchanceté, qu'elles ont bien hâte d'habiter au-dessus de Romuald et de Carole, car celle-ci ne sait rien faire dans une maison. Elles en ont plein le dos de s'occuper du ménage et de préparer les repas à la place de celle qui est, en principe, la maîtresse de maison. Il y a une semaine, la coopérative a attribué les maisons aux soixante nouveaux propriétaires. Carole est contente que la sienne ne soit pas sur le coin d'une rue, endroit toujours dangereux pour les enfants. Romuald, les yeux exorbités, a avalé des sanglots sans fin, les mains molles au bout de son corps tendu, a regardé amoureusement en soupirant sans cesse : « Ma maison! » Il est tombé à genoux pour tout de suite prier. Tant d'émotion a fait pleurer Carole. Depuis, chaque matin, elle marche péniblement vers la rue Pelletier, regarde étrangement ce cube qui sera pour longtemps son foyer.

Elle imagine Yvette et Martin y apprenant à marcher, grandissant au rythme de l'amour de ses parents, puis s'apprêtant, à leur tour, à suivre le chemin des écoliers. Carole rêve à ce petit nid d'amour, à la première nuit qu'elle y passera seule avec Romuald, enfin comme de vrais jeunes mariés. « J'en prendrai soin, se dit-elle. Ce sera toujours propre, accueillant, chaleureux. Il y fera bon vivre. Je la décorerai. Sur le mur du salon, il y aura une photographie de Maurice Richard et ma peinture de Voltaire. »

Toute la famille Tremblay aide pour le déménagement. Carole demeure assise dans la cuisine, dirigeant les opérations. Romuald et Roland suent à grosses gouttes en montant le poêle et la glacière, alors que François, comme un Hercule, les fait rire en transportant seul le divan. Renée et Simone nettoient les tablettes, pourtant fraîchement peintes. Roméo et Céline portent des caisses de menus objets. À chaque voyage, l'un et l'autre sourient à Carole. À la fin de cette rude soirée de travail, Romuald veut retenir tous ces gens généreux. Il est si content de les recevoir dans sa maison, sa vraie maison. Mais eux comprennent bien que le jeune couple a tant attendu avant de se retrouver enfin seul. Romuald s'assoit face à Carole, hoche la tête, murmure trois fois : « C'est incroyable! » Puis, il se redresse promptement.

« Nous voilà chez nous, Cendrillon. Mais ce n'est pas une

raison pour s'asseoir. Je ne veux plus m'asseoir. Cette maison et toutes les autres m'ont appris que la vie n'est pas faite pour s'asseoir.

— C'est si joli, ce que tu dis là, mon prince.

— Tu me crois?

— Bien sûr. Allons vite nous coucher. Ainsi, tu ne seras pas sur une chaise. Il faut inaugurer de délicieuse façon. »

Le matin, Carole casse des œufs d'une seule main, avant de les déposer dans une poêle, où une trop grande quantité de beurre brunit en pétillant. La fumée sort du grille-pain et le café ressemble à de l'eau chaude brunie. Avalant un éclat de coquille, Romuald sourit à Carole pour ce premier repas dans sa maison. Il affirme qu'il ne l'oubliera jamais. Carole lui avait promis ce solide petit déjeuner d'ouvrier, pour bien préparer son homme à sa journée de travail.

Romuald parti, Carole retourne se coucher, pour rêver éveillée en caressant les draps empreints de l'odeur de leur amour. Elle entend madame Comeau s'activer au second étage, ce qui fait penser à Carole qu'il y a toutes ces boîtes à vider. Céline lui a promis de passer ce matin pour l'aider. Carole est pressée d'en finir, car elle a beaucoup de passionnantes lectures en perspective. Que peut-elle faire de plus? Le local de la librairie de Roméo a été loué, il y a deux semaines, à un vendeur de tabac et de revues. Il n'y a rien d'autre à faire que de lire et d'attendre la venue de l'enfant.

Le bébé se manifeste. D'abord intriguée et émerveillée par ces coups de pied, Carole sent maintenant que ce petit être l'agresse, lui fait mal. Elle est prise de fatigue tout le temps, craint de faire un effort et marche misérablement. En aidant sa mère du mieux qu'elle le peut, Carole fait un faux pas et tombe, hurle de douleur et braille comme une gamine qui vient de s'écorcher un genou sur le trottoir. Céline la transporte vers son lit et lui éponge le front. Carole croit qu'elle n'a plus d'équilibre, que sa jambe gauche ne peut supporter le poids du bébé, installé dans ce bassin fragile. Le médecin, trois jours plus tard, lui dit que tout ceci est le fruit de son imagination. Carole ne l'écoute pas, et se crée sa propre thérapie en essayant de bouger le moins possible.

« Patate, tu t'inventes des histoires, ma sœur. Moi, à sept mois, je dansais le boogie woogie au salon.

— Tes jambes sont normales, Renée.

— Bon! Ça y est! Encore les gros complexes d'infériorité!

— Ce n'est pas vrai! C'est lourd! Je mange mal! Je dors mal! J'ai chaud! Je vomis! J'urine sans cesse! Tous mes membres me font souffrir! Je suis abominable à voir! Mon ventre est zébré d'épouvantables grosses veines répugnantes!

— Tu as oublié les diarrhées.

— Oui! Surtout la nuit!

— Des milliards de femmes ont porté des enfants et il faut que ma sœur soit la première grande exception. Je vais prendre une photo et l'envoyer dans les journaux. Ils vont aimer ça en patate.

— J'ai la peau sensible! Porter des vêtements m'irrite le ventre et les seins! On dirait que mes dents vont tomber et j'ai des piquements dans les yeux!

— Bla bla bla! Allez! Debout! On va danser!

— Je n'aurai plus jamais d'enfant! C'est insupportable et je ne suis pas faite pour ça!

— Et le saint martyr Glenn Miller pointa du doigt en disant à l'informe infirme : lève-toi et danse, patate! »

De retour de son travail, chaque jour, Romuald fait le ménage et la cuisine, puis monte ses chemises au second étage pour demander à sa mère de les repriser. Il change les couvertures que Carole porte sur ses pieds, s'assure que les coussins sont confortables. Quand il entend sa tendre moitié se lever, il se précipite vers elle pour lui demander ce qu'elle désire. Il la transporte dans ses bras jusqu'à la salle de bain à chaque fois que la nature réclame cette visite. Mais Carole refuse qu'il la lave, car elle ne veut pas montrer son corps boursouflé. Pourtant, Romuald ne se confesse pas qu'il voudrait voir tout le temps le ventre de Carole, pour le caresser, l'admirer en rêvant à son contenu.

« Je veux des fraises.

— Ah! le coup des fraises au mois d'octobre! Les gars

m'en ont parlé. C'est un grand classique, Carole. Tu ne pourrais pas trouver quelque chose de plus original?
— Je veux des fraises, Romuald!
— J'y vais tout de suite, Cendrillon. Ne bouge pas! Ne te fatigue pas! »

Romuald l'accompagne chez le médecin et quand le brave homme lui assure que Carole vit une grossesse normale, il a le goût de l'empoigner par la peau du cou pour le traiter de menteur. Il déclare à Carole qu'il vaudrait mieux changer de médecin, que celui-ci est un incompétent. « Il prétend que toutes tes souffrances sont normales! C'est lui qui n'est pas normal! » Le jeune marié grimace en voyant son épouse se déplacer si péniblement. Il n'écoute que son cœur et la surprend en lui apportant un fauteuil roulant.

« Je l'ai loué. Ça va te reposer Tu pourras aller chercher tes livres pendant mon absence. Tu pourras répondre au téléphone sans te fatiguer, faire tout ce qu'il faut sans t'éreinter.
— Tu es bien bon, Romuald. Mais je me sens un peu ridicule.
— Il ne faut pas que tu souffres, Cendrillon. Quand tu as mal, l'enfant et moi avons tout autant mal. Essaie. Il n'y a pas de honte. »

Quelle bonne idée! Après une première journée embarrassante, Carole ne quitte son fauteuil roulant que pour aller à la toilette. Elle roule à la perfection, réussit même à passer la vadrouille et à préparer les repas. Ceci est, par contre, une moins bonne idée, car Romuald doit partager la diète que Carole s'impose, principalement composée de légumes crus. Il s'ennuie de la friture de sa mère.

« Maintenant, c'est plein de bon sens, madame Comeau.
— Tremblay-Comeau. Merci de votre gentillesse, monsieur le curé.
— Là, vous avez l'air d'une vraie infirme.
— Êtes-vous venu ici pour vous payer ma tête?

— Au cœur d'une si misérable souffrance, une femme n'a-t-elle pas besoin de l'appui d'un homme de Dieu?

— Je sais avant tout que je peux me passer de vos sarcasmes enfantins.

— Vous n'avez vraiment aucun sens de l'humour, madame Comeau.

— Tremblay-Comeau! »

Romuald lui assure que le curé Chamberland demande souvent des nouvelles du bébé. Elle ne voit pas pourquoi le petit prêtre s'intéresserait tant à « l'enfant conçu dans le péché » jusqu'à ce que le prêtre lui tende une boîte bien emballée, disant qu'il n'a pu résister. Le curé sort rapidement sa pipe, alors qu'elle se demande quel Belzébuth à ressorts peut cacher ce cadeau surprise. Sans doute le premier missel du bébé. Mais Carole y trouve une amusante baleine de caoutchouc, qui flotte et projette son jet d'eau quand on lui pèse sur le ventre.

« J'étais au 5-10-15 de la rue Saint-Maurice et je n'ai pas pu m'empêcher de penser à vous en voyant ce jouet. Et c'est un jouet neutre, qui est aussi bon pour un garçon que pour une fille.

— Je suis très étonnée et confuse, monsieur le curé. C'est un peu gênant d'accepter ce joli cadeau.

— Mais non! J'adore les enfants! Plus il y a d'enfants, plus le Christ est content. Et celui qui naîtra d'un bon garçon comme Romuald et d'une entêtée comme vous sera tout un numéro.

— Si je ne me retenais pas, je vous embrasserais.

— Allez! C'est mon désir! Mais il faut se lever comme une grande fille, pour donner son petit bec sucré à son curé d'amour. »

Il croit que Carole va rester immobile dans sa chaise et protester, mais, à sa grande surprise, Carole roule chercher sa canne, afin de se lever. Elle le fait péniblement, en se tenant les reins. Le curé semble estomaqué. « J'ai subi deux opérations urgentes, après mon accident. J'ai eu le bassin fracturé à trois endroits et mon fémur gauche est soutenu par une tige métallique. Les spécialistes ont accompli un tour de force et c'est un grand triomphe de la science médicale que je puisse marcher avec une canne », dit-elle, avant de reprendre place dans son fauteuil.

« Je m'excuse de ma moquerie, madame Comeau.

— Tremblay-Comeau. Je suis capable de marcher, monsieur le curé, mais cela devient vite douloureux et je me fatigue rapidement. Le fauteuil roulant me permet d'atténuer ma douleur. C'est une attention très délicate de la part de Romuald, à laquelle mon médecin n'a même pas songé, croyant, comme tout le monde, que je joue la comédie.

— Je vais prier pour vous, pour que tout se passe bien.

— Romuald a déjà dépensé une fortune en lampions. Je vous remercie de vos largesses, monsieur le curé. »

La neige recouvre le sol de Sainte-Marguerite, alors que Romuald s'active dans la maison. Sous le regard attendri de Carole, il a préparé la chambre de l'enfant. Patiemment, il noircit les jours du calendrier le rapprochant de décembre. Carole ne se cache pas pour lui avouer qu'elle est terrorisée par l'idée d'accoucher, mais c'est dans le plus grand secret qu'elle invoque le Divin pour que le moment venu n'arrive pas pendant une absence de Romuald.

Au début du mois fatidique, Carole a un élancement du bas du ventre qui lui raidit le cou. Elle se demande si le temps n'est pas arrivé, jusqu'à ce que la douleur cesse. Elle se souvient de ses lectures théoriques et des descriptions de sa sœur Renée. Puis le phénomène se reproduit avec plus d'insistance, ne laissant aucun doute dans son esprit. Elle téléphone en vain à son père, à ses beaux-frères François et Roland. Il ne lui reste qu'une possibilité : « Monsieur le curé! À l'aide! »

Aidée par le curé Chamberland et son vicaire, Carole descend les quelques marches en grimaçant de douleur et d'effroi. Alors que le vicaire lui tient maladroitement les mains, Carole est énervée par le curé Chamberland qui conduit de façon tendue et chiale contre les feux de circulation et les autres automobilistes. Il se demande pourquoi Carole a eu « cette idée de folle » d'accoucher à l'hôpital, au lieu de le faire chez elle, comme tout le monde. Après avoir laissé Carole à l'hôpital Saint-Joseph, le curé se rend tout de suite aux bureaux du journal *Le Nouvelliste* pour chercher Roméo. Les deux vont à l'usine pour cueillir Romuald, alors que le vicaire, soudé au volant de l'automobile, prie pour que son curé apaise sa colère contre tout ce qui retarde leur course dans les rues glissantes.

« Ils lui font mal! Ils ne savent rien, les médecins d'aujourd'hui!

— Mais non, Romuald. Ils sont très compétents.

— Mais ils ne connaissent pas Carole comme moi, monsieur Tremblay!

— Reste calme, Romuald.

— Et si tout à coup elle meurt? Ça peut arriver!

— Tranquille, Romuald. Tranquille.

— On voit bien que vous n'êtes pas dans ma peau!

— Je l'ai été cinq fois, Romuald. Tout doux, mon garçon. »

Quatre heures plus tard, Romuald s'est affaissé de fatigue, alors que Roméo a du mal à se faire calmer par Céline, Simone et Renée. « Quatre heures! Ce n'est pas normal! Ce n'est pas normal! » La tête d'enterrement du médecin se présentant dans la salle d'attente enfumée n'a rien de rassurant. « Ce fut difficile, mais la mère et l'enfant vont bien. Remerciez le bon Dieu. C'est un garçon. » Ce n'est que le lendemain que Romuald peut voir son fils et son adorée. Bébé Martin est minuscule, rappelant à Roméo la petitesse de Carole. La nouvelle maman est plus pâle que ses draps, perdue dans son grand lit, jurant en un soupir que plus jamais elle n'aura d'autre enfant, aveu que Romuald refuse d'entendre.

« Il est si beau, Cendrillon! Il est si petit!

— S'il t'était passé par où il m'est passé, tu dirais comme moi qu'il est gros comme un éléphant. Et il a décidé de prendre une pause-café dix minutes après son départ! Ça, je te jure que je vais lui en parler quand il sera majeur!

— Carole, je t'en prie...

— Excuse-moi.

— Je t'aime, Cendrillon.

— Moi aussi, beau prince. C'est si merveilleux de savoir que cet éléphant est né de notre bel amour. »

Roméo et Céline regardent le bébé avec tendresse, bien que l'épouse comprenne mal les larmes de son mari. Après tout, suite à l'arrivée des autres petits-enfants, il n'a pas démontré une telle émotion. Mais Roméo sait que cette fois, ce sera différent. Sa Carole! Sa petite intellectuelle! Sa plus jolie fille! Rien ne pourra être pareil! Bouquet entre les mains, la pipe à la bouche, le curé Chamberland tapote l'épaule de Roméo en souriant paternellement.

Alors que tout Sainte-Marguerite visite la jeune maman et qu'on oublie les méchancetés et les calomnies devant le visage de Martin, Roméo montre à tout le monde la photographie du trio et distribue les cigares, comme s'il venait de devenir lui-même papa pour la première fois. Quand il prend Martin dans ses bras, on le dirait prêt à éclater en sanglots. Chaque midi, il téléphone pour savoir si tout va bien. Puis, il la visite presque tout le temps, après le souper. Ce soir-là, il surprend sa fille dans le plus beau tableau du monde : Romuald tient la main gauche de Carole, pendant que Martin tète le sein.

« Je dois le dire, Carole... Excuse-moi, mais je dois le dire.

— Quoi donc, papa?

— Je dois te dire ce que je viens de voir en entrant ici.

— Une magnifique peinture signée Jeanne Tremblay.

— Oui, Carole. Je te jure que Jeanne t'aurait fait poser et aurait célébré, grâce à son immense talent, le bonheur et l'amour qu'il y a sur vos visages.

— Je suis contente de cet aveu, papa, car tu le dis sainement. Je suis certaine que tante Jeanne aurait fait un superbe tableau. »

On cogne à la porte. Roméo croit que Carole va sursauter et se cacher, mais elle ne fait que caresser les cheveux duveteux de Martin, avec sa main libre laissée par Romuald, qui va accueillir le visiteur. « Monsieur le curé? Quelle surprise! » dit-il à voix haute, comme pour sonner l'alarme afin que Carole se couvre. Mais elle continue à donner la tétée à son bébé, image qui surprend quelques secondes le prêtre. Puis il sourit brièvement, sans doute plus par gêne que par ravissement.

« N'est-ce pas un beau tableau, monsieur le curé?
— Oui, monsieur Tremblay. Un tableau de nos familles ancestrales. Il y a l'attachement des jeunes mariés, le travail de l'homme et de la femme, la maison construite par l'homme avec l'aide de ses voisins et parents, puis l'enfant qui naît, nourri par le lait maternel. Oui, monsieur Tremblay, c'est bien beau.
— Nous sommes si près de Noël. Ceci ne vous fait-il pas penser à Joseph et Marie, avec l'enfant Jésus?
— Peut-être, peut-être... »

Le prêtre toussote, invite Romuald à la cuisine pour lui indiquer la date de la prochaine réunion des membres de la coopérative. Il lui rappelle de ne pas oublier d'apporter son bilan financier de nouveau propriétaire. Le curé Chamberland s'attarde, touche les murs, pose des questions sur le chauffage, se sert un verre d'eau, s'informe des voisins, de la parenté d'Asbestos. Il s'apprête à partir par la porte arrière, quand Romuald l'arrête de la main et lui demande de bénir sa famille. Au salon, Carole a caché ce sein que le prêtre ne veut pas voir et, à genoux, près de Romuald, Martin dans ses bras, écoute la bénédiction du curé Chamberland, alors que, derrière, Roméo voit une autre peinture signée Jeanne T. Le petit prêtre, si pressé de partir il y a quelques minutes, semble maintenant vouloir s'installer. Il regarde l'arbre de Noël et les décorations, se rappelle une anecdote de son enfance, quand il est interrompu par Carole, qui lui tend le bébé. Romuald est amusé par les grimaces et les paroles enfantines que le bon curé lui offre en cadeau, jusqu'à ce que l'enfant se mette à pleurer. « Il retient de sa mère », déclare le prêtre, amusé par sa blague. Il remet son chapeau et vide le contenu de sa pipe dans un cendrier, pressé soudainement de partir.

Carole berce Martin en chantant une comptine. Martin pleure davantage, sous le regard inquiet de Romuald. Mais Carole reste calme, car, comme une bonne enseignante, elle est persuadée que cet enfant n'aura pas sa peau et que ses méthodes disciplinaires peuvent très bien s'appliquer dans son nouveau rôle. Les enfants pleurent souvent sans raison, il n'y a pas lieu de s'inquiéter pour si peu, se dit-elle souvent. Mais Roméo, après cinq minutes, montre autant d'inquiétude que son gendre. « Laisse-le à son grand-père. Tu vas voir que je n'ai rien oublié. Je t'ai tant bercée, Carole. » Elle tend cette machine à larmes à Roméo, puis se lève pour aller préparer le café. De son coin, Carole entend, à sa grande surprise, Martin cesser ses jérémiades. De retour au salon, elle voit avec tendresse Roméo avec le petit entre les bras. Les deux se regardent dans les yeux.

« Tu lui racontes des histoires, Carole?
— Je lui lis du Voltaire.
— Tu blagues, j'espère.
— Bien sûr! Je lui lis du Roméo Tremblay.
— C'est vrai?
— C'est aussi charmant que Cendrillon.
— Et il aime ça?
— Il en raffole, ce coquin. Il est très bon critique.
— Maintenant qu'il a l'auteur devant lui, qu'est-ce que je pourrais bien lui raconter? Qu'est-ce que tu veux entendre, Martin? Peut-être veut-il savoir d'où il vient. Il doit se sentir seul au monde, entouré de tous ces adultes. Il était si bien dans le ventre de sa mère. Tout baignait dans l'huile! C'était le confort total, sans neige, ni soleil, sans pluie, ni vent. Et gratuit, de plus! Il se nourrissait sans mal, dormait très bien et faisait sa petite gymnastique qui émerveillait ses parents. Et par quelle violence la nature l'a-t-elle expulsé de ce paradis!
— J'en sais quelque chose!
— Et maintenant, rien n'est plus pareil! Il y a le froid de l'hiver, comme il y aura la chaleur de l'été. Et quand tu lui fais prendre son bain, tu crois que c'est agréable pour lui? Quand tu lui donnes à manger, sans lui présenter le menu? Et tous les

guilis de ses tantes et les areuh de ses oncles? Il n'y comprend rien, ce pauvre Martin! Et il doit trouver tous ces adultes bien idiots de tant grimacer devant lui. Non, vraiment, ce n'est pas rose, la vie à l'extérieur. Sa seule consolation, en venant au monde, a été son inscription instantanée à la Grande Confrérie des Bébés. C'est une association très saine et hautement morale, où tous les bébés se retrouvent pour discuter de leurs problèmes, sucer leurs pouces, ou faire un concours du plus gros tas. Ça, c'est la vraie vie de bébé! Ce sont des sujets que les bébés comprennent tellement bien! Ton grand-père Roméo, petit Martin, a aussi fait partie de la Grande Confrérie des Bébés, tout comme ma petite sœur Jeanne et mon géant de frère Adrien. Même ta maman Carole en a fait partie, mais elle ne s'en souvient pas. Tu connais le règlement, n'est-ce pas? Aussitôt qu'un bébé prononce son premier mot, il est exclu à vie de la Grande Confrérie des Bébés et il en perd automatiquement tout souvenir. Mais comment puis-je m'en rappeler, moi qui suis ton grand-papa tout plissé? Suis-je un vieux bébé? Non, pas du tout. Je vais te dire pourquoi je m'en souviens, pourquoi je suis le seul adulte qui puisse t'en parler. D'abord, la Grande Confrérie des Bébés accueille tous les enfants naissants, et leurs parents, bien sûr, ignorent ceci. Oh! il le sait! Regarde-le me sourire, Carole! Ce petit Martin d'amour est au courant de tout! À son âge, il a probablement assisté à une douzaine de réunions. Est-ce que c'est comme à mon époque, petit Martin? Oui! Bien sûr! C'est toujours la nuit, n'est-ce pas? Certes! La nuit, quand les papas et les mamans croient que les bébés dorment, une magnifique petite fée bébé se glisse près des berceaux et, d'un coup de cil magique, fait pousser des ailes aux nourrissons. Alors, gaiement, ils s'envolent tous vers le local de la Grande Confrérie des Bébés, là-haut, sur le plus lointain nuage que même l'œil des parents ne peut voir, même s'il est argenté. Et alors, c'est la fête que tu connais, Martin. Est-ce qu'il y a encore des conférences sur les grands problèmes des bébés? Oui? Dans mon temps, j'avais été très impressionné par un bébé savant, nous parlant du rude problème des seins des mamans qui... enfin! je ne t'en parlerai pas, car j'imagine que ce drame a été réglé depuis, surtout avec la popularité du biberon en verre. Et puis, cette fois où une érudite fille bébé nous avait donné des bons trucs pour que les grands nous chantent nos airs favoris, avant le coucher. Je te raconterai cela une autre fois. Quand les réunions se terminent, les bébés réintègrent leurs corps et, tristes, se mettent à pleurer. Les mamans croient alors que vous avez faim ou chaud, que vous percez vos dents. Quelles naïves! Vous pleurez, évidemment, parce que vous avez hâte à la prochaine réunion de la Grande Confrérie des Bébés! Oh! je m'éloigne de mon sujet, petit Martin. Tu veux savoir pourquoi je suis le seul vieux à me souvenir de ces instants merveilleux, sur notre nuage argenté? Vois-tu, j'étais un bébé très ordinaire, pas très actif dans la Grande Confrérie, je dois avouer, même si j'aimais mettre mon grain de sel dans les discussions sur les méthodes pour pleurer. Mais à chaque nuit, j'avais tellement hâte que la jolie fée bébé vienne me faire pousser des ailes, afin que je puisse voler près d'elle vers tu sais où. Je crois bien que j'étais amoureux de la petite fée! Comme elle était belle, avec ses jolis cheveux noirs, ses grands yeux scintillants comme des billes! Je volais toujours près d'elle, pour mieux l'admirer. Cette nuit-là, la petite fée m'a fait l'honneur d'être le premier bébé à l'accompagner. Nous venions tout juste de partir quand, soudain, un grand vent impoli nous a surpris et nous a fait tomber sur la terre, près de la rivière Saint-Maurice. Je m'en étais bien sorti, mais les ailes de la pauvre petite fée étaient brisées, si bien qu'elle ne pouvait plus s'envoler pour aller chercher les autres bébés de Trois-Rivières! Comme elle était triste, elle qui pleurait comme un véritable bébé. Que faire pour l'aider, quand on est si petit? Pendant qu'elle continuait à pleurer, près d'un grand chêne, je cherchais une solution sans la trouver! Et je ne voyais personne pour m'aider! Du moins, jusqu'à ce que je rencontre... Qui pouvais-je rencontrer, en pleine nuit? Bien sûr, monseigneur le hibou! À vrai dire, il n'était pas très content de voir deux bébés braillards envahir son coin de forêt. « Monseigneur le hibou, pardonnez notre intrusion dans votre belle forêt, mais voyez cette pauvre petite fée bébé aux ailes brisées, qui ne peut s'envoler vers le grand nuage argenté de la Grande Confrérie des Bébés. Et dans leurs chaumières, tous ces bébés attendent notre arrivée! Que faire, monseigneur le hibou, vous qui possédez toute la sagesse de ce boisé? » Le hibou, furieux, m'a sommé de me taire! Ce qui, évidemment, m'a fait pleurer encore plus. Le seul moyen de se débarrasser de moi et de la petite fée, afin de retrouver le calme de son royaume, était de nous aider. Alors, monseigneur le hibou m'a révélé le plus grand secret du monde des hiboux : l'existence d'un arbre à fil d'ailes! Un seul arbre dans tout l'univers! Alors, en compagnie du hibou, je m'étais envolé au fond de la forêt enchantée. Ah! ce voyage! Comme j'en garde un bon souvenir! Tout était si beau, de là-haut! Les lumières, les lacs, les cours d'eau! Si jolis! Tu sais très bien, petit Martin, comme le paysage est magnifique quand on a des ailes! Mais la nuit prochaine, fais un détour vers la forêt enchantée des hiboux, tu verras comme le coup d'œil en vaut la peine! Bon! Revenons à mon histoire! Monseigneur le hibou m'a aidé à transporter une bobine de fil d'ailes, que monsieur l'arbre a bien voulu nous donner en retour d'une chanson. Nous voilà à nouveau sur le bord du Saint-Maurice et, avec des aiguilles de sapin, j'ai réparé les pauvres ailes brisées de notre amie le bébé fée. Et, en peu de temps, nous avons pu nous envoler, sous le regard heureux de monseigneur le hibou, si fier d'avoir pu nous donner un coup de main, et bien content de retrouver le calme de sa forêt. Nous avons eu juste le temps pour faire pousser des ailes à tous les bébés de Trois-Rivières et de participer à une autre nuit merveilleuse sur le grand nuage argenté de la Grande Confrérie des Bébés. Reconnaissante, la jolie fée a désiré me récompenser avec de la purée au bonheur, une tétine en or, des couches en dentelle et d'autres trésors de cette nature, mais je lui ai dit que la seule vraie récompense qui ferait battre mon cœur serait le souvenir éternel de ses beaux yeux de billes, de ses merveilleux cheveux noirs. Et la bonne fée bébé, après m'avoir embrassé, a donné un coup de cil pour que mon souhait devienne réalité. Et, depuis, chaque nuit, avant de m'endormir comme un bébé, je vais voir par ma fenêtre et je peux apercevoir, avec envie, tous ces bébés s'envolant vers le nuage argenté, guidés par la plus jolie petite fée bébé que l'on puisse imaginer. Voilà pourquoi je me souviens de tout, mon petit Martin! Mais, je t'en prie, garde le secret! La nuit prochaine, quand à ton tour tu t'envoleras pour la réunion de la Grande Confrérie des Bébés, ne dis à personne que ton grand-père Roméo connaît tout de vos activités! Ce sera un secret entre nous, jusqu'au moment où tu diras maman et papa, et que tu deviendras, comme tous les bébés, juste un enfant de plus.»

Carole et Romuald se tiennent les mains, souriants, heureux, étonnés et charmés par l'histoire racontée si doucement par Roméo, si tendrement que Martin, pourtant éveillé, semblait réellement l'écouter, bougeant ses petits pieds à certains passages. Carole se lève, embrasse son père pour le remercier, et lui demande s'il s'agit d'une des nouvelles histoires qu'il est en train d'écrire, pour son projet de faire publier un livre de contes pour enfants.

«Quelles histoires?

— Celle que tu viens de nous raconter, par exemple.

— Je ne t'ai rien raconté, ma fille. Je parlais à Martin. Ah! ce récit! Tu l'as entendu? Non, il ne fait pas partie des contes que je prépare pour un livre. Je viens juste de raconter une vérité, c'est tout. Je ne raconterai jamais d'histoires à Martin. Juste la vérité, toujours la vérité.»

Au milieu de la nuit, prise d'insomnie, Carole va regarder dormir Martin. Est-il vraiment présent? Romuald, réveillé par les pas de son amoureuse, regarde par la fenêtre de la chambre de son fils. Carole s'approche, guide son doigt vers le ciel, disant que Martin est quelque part là-haut, sur un nuage argenté qu'ils ne peuvent apercevoir, qu'il a un plaisir fou avec tous les autres bébés de Trois-Rivières.

«Qui a besoin de l'histoire de Cendrillon, quand on a Roméo Tremblay?

— Surtout pas Martin, beau prince.

— La vie sera belle, mon amour.

— Nous vivrons heureux et aurons sans doute beaucoup d'enfants.

— C'est vrai, Carole? Tu disais...

— Je n'ai jamais rien dit, Romuald. Tu n'as rien entendu. Nous aurons beaucoup d'enfants, parce que tu le mérites autant que moi, que Martin le mérite aussi.

— Sans oublier ton père.

— Surtout pas. Et puis, n'y a-t-il pas toujours la promesse de beaucoup d'enfants, à la fin des plus beaux contes ? »

DEUXIÈME PARTIE

ROMÉO ET LE MANGEUR DE COMMUNISTES

Août 1955
Tous les jours doivent être des jours d'Expo

Voilà plusieurs jours que mes camarades et moi pataugeons dans la boue, subissons de lourdes pluies violentes et d'effrayantes bourrasques. Nous sommes transis de froid, affamés et surtout effrayés. Oui! Effrayés! De cette peur indescriptible qui, sans cesse, nous torture l'estomac et nous serre la gorge, de cette crainte qui fait sursauter pour tout et pour rien. Malgré ces conditions inhumaines, mes camarades et moi n'avons en tête que les ordres à suivre, ne portons dans nos cœurs que la noblesse de notre tâche. Les armes à la main, le casque bien vissé sur nos têtes fiévreuses, la baïonnette sur le qui-vive, nous avançons prudemment dans cette jungle sans fin, sachant qu'à tout moment un Allemand pourrait surgir et nous faire trépasser avec un sadisme inqualifiable. Oh! comme cette guerre est cruelle! Elle m'a arraché à ma famille, à ma ville, à ma province, à mon pays! Malgré ces intolérables douleurs, je suis fier de participer à notre cause juste afin de libérer ces pauvres peuples des menaces de l'oppresseur boche.

Soudain, un coup de feu isolé tranche la nuit froide et je vois Richard, mon meilleur ami, se tenir l'épaule, puis s'effondrer avant de rouler dans les hautes herbes. Mes camarades et moi devons demeurer calmes, ne pas signaler notre présence, malgré notre douleur de voir un des nôtres crouler sous cette balle nazie. Je garde ma main gelée sur ma mitraillette chaude et des larmes silencieuses coulent sur mes joues, car j'entends Richard râler sa souffrance, à quelques pas de moi. Il n'est pas mort. Dieu soit loué! Mais si ses gémissements persistent, il attirera les Boches vers nous. Il faut tenter quelque chose! Faire une sortie! Mais comment? On sent l'ennemi si près de nous, sans jamais pourtant le voir. Peut-être sommes-nous à portée de sa mire! Je regarde mes camarades d'un œil interrogateur et je vois qu'ils pensent comme moi. Puis, à notre grande stupéfaction, nous voyons Richard bouger, se traîner vers nous, s'accrochant aux branches, souffrant un terrible calvaire à chacun de ses efforts surhumains. Quel courage! Il parvient jusqu'à nous. Mes camarades lui portent secours. La balle a transpercé son épaule et le sang coule encore. Il oublie sa douleur et reprend place près de nous, conscient de son magnifique devoir de soldat.

Nous ne pouvons plus demeurer dans ce boisé! Il nous faut rejoindre nos alliés! Mais sont-ils prisonniers des ennemis? Tués? Nous rampons dans la boue, l'arme à la main, le regard perçant, à l'affût de chaque bruit suspect. Richard, à bout de force, s'évanouit et je dois le transporter sur mon dos. Nous devons arrêter et lui faire un bandage. Puis, une ombre passe à toute vitesse près de nous! Un ennemi solitaire! Sans doute celui qui a visé Richard. Junior s'apprête à le tirer, mais je lui fais signe de ne pas commettre une telle bêtise qui alerterait les Allemands. Nous sommes en territoire ennemi, il ne faut pas l'oublier! Combien sont-ils? Dix mille? Trente mille contre quatre? Les heures passent. Nous aimerions tant pouvoir nous assoupir et nous reposer! Nous avons tellement faim! Mais notre situation critique nous empêche de rêver au confort de la caserne.

Soudain, venant d'on ne sait où, un cri de femme parvient jusqu'à nos oreilles! Une femme! Pauvre paysanne! Seule en plein territoire ennemi! Que vont lui faire les Allemands? Nous n'osons pas y penser! Notre devoir de soldats et d'hommes est de lui porter secours. Junior fait un pas en ce sens, quand Daniel l'arrête promptement. «C'est peut-être une ruse pour nous faire sortir de notre trou!» Oui! Il a raison... Et pourtant, ce cri! Cette voix de femme! Si insistante! Elle est au désespoir! Il faut lui venir en aide! Ce cri! Ce cri! Je l'entends trop bien, cette voix de pauvre femme : «Martin! Viens souper!»

«À ta place, j'irais tout de suite. Elle va peut-être se fâcher.

— T'as raison, Richard. C'est dommage. On avait une bonne guerre.

— De toute façon, si ta mère t'appelle en premier, les nôtres ne tarderont pas à le faire. C'est bon pour la bande à Gladu aussi.

— On continuera demain. Elle n'est pas finie, cette guerre! Moi, je vous le jure!

— Peut-être qu'on pourrait la continuer après souper?

— Je ne sais pas si je vais pouvoir. Je vais le demander à maman et si je peux, je te téléphone.

— O.K.! Salut, Martin!

— Salut, Richard! Salut, Junior! Salut, Daniel! »

Je franchis quarante clôtures, traverse cent rues, enjambe huit ponts et, en trois minutes, je suis à notre maison de la rue Pelletier, accueilli par ma mère tapant du pied et m'indiquant d'un doigt autoritaire l'état poussiéreux de mes culottes.

« C'est parce qu'on était en guerre, maman. Et une guerre, c'est sale.

— Et tes mains? Montre tes mains.

— Ce sont des mains de soldat, maman, et...

— Va tout de suite te décrasser avant de passer à table! Et la prochaine fois, tu obéis immédiatement quand je t'appelle! »

Ma mère a préparé du ragoût avec des patates, des carottes, du chou et du maudit navet. Tous ces légumes nagent dans un bouillon épais et brun, se cognent contre des gros morceaux d'oignons. Cela valait bien la peine de risquer ma vie à descendre les collines de la rue Sainte-Marguerite à la vue des Allemands pour me retrouver devant un ragoût avec du navet.

« Mange, Martin. Regarde ta petite sœur. Elle mange.

— Yvette est un bébé et elle mange de la purée. Pas du ragoût plein de navet.

— Oh! mon petit garçon veut du bon pablum lui aussi?

— Je n'ai pas faim, maman.

— Mange ou on ne t'emmènera pas à l'Expo. »

Du chantage! Ma propre mère collabore avec les ennemis qui lui ont enseigné les techniques de chantage! Furieux, je plante violemment ma fourchette dans un bout de navet que je délaisse aussitôt, à la recherche d'une patate. Je ferme les yeux, je mâche, j'avale, je meurs. Yvette me dit « Pllxxwt » tout en bougeant ses petits pieds. Dans une minute, elle va avoir le bec entouré de purée, prête à tout vomir en souriant. Elle est drôle, ma petite sœur. Au début, j'aurais préféré avoir un bébé frère afin de jouer, comme je le fais avec Marcel. Trois autres frères de plus et j'aurais pu avoir mon équipe de hockey. À ce frère, j'aurais enseigné les vrais jeux : la guerre, les cow-boys, les camions, la bicyclette et les courses en torpédo. Une fille, ça ne joue qu'à des jeux de fille : à la maman, à la cuisine, à la poupée, à la missionnaire. Ce genre de niaiserie. Et puis, la mère de Daniel a eu un bébé fille l'an passé et ça crie tout le temps, ça pleure à n'en plus finir. Une vraie fille, quoi. Mais Yvette n'est pas comme ça. Elle ne pleure presque pas et a une drôle de tête avec des cheveux soyeux et des grands yeux. Elle fait des risettes tout le temps. Dans deux ans, elle pourra s'amuser avec Marcel et moi. Quand on joue à la guerre, c'est utile d'avoir une infirmière. Tiens! Elle vomit sa purée! Et voilà! Le tour est joué! Et avec le sourire, comme je l'ai prévu! Pendant que maman la débarbouille, j'en profite pour m'emparer de deux bouts de navets et les cacher dans mes poches. Yvette, témoin de ma brillante stratégie, se met à rire. Pourvu qu'elle ne me trahisse pas quand elle saura parler... Marcel s'apprête à le dire à maman, quand je le menace du poing.

« C'est quand l'Expo, maman?
— Bientôt.
— Et c'est quand, bientôt?
— Dans deux jours.
— Est-ce qu'on va voir le cirque? Et les clowns? Et les chevaux? Et la grande roue? Et les affaires qui font zong zong?
— Ce sont les manèges du village forain, Martin. Le village forain. Pas les affaires qui font zong zong. »

Elle est ainsi, ma maman. Elle nous reprend tout le temps

quand on parle comme du vrai monde. Ma mère s'exprime si bien que, parfois, la sœur de l'école des filles de Sainte-Marguerite lui téléphone pour faire la classe quand des maîtresses sont malades. Puis elle lit chaque jour des bouquins énormes de un million de pages. C'est là qu'elle apprend des mots bizarres comme « village forain ». Quand je vais commencer l'école, cet automne, j'apprendrai à lire et à connaître tous les mots et je prouverai à maman qu'un zong zong, c'est rien d'autre qu'un zong zong. Comme ma mère veut que je sois très instruit, elle a commencé à m'enseigner les alphabets, comme ceux qu'on voit dans la soupe : A B C D X Y Z. Par exemple, je sais tous les mots qui commencent par A : animal, ami, amour, Arthur, ameçon. Ensuite, j'apprendrai les mots du B.

Je ne peux pas reprendre la guerre après souper, même avec la permission de maman. Celle de Junior a refusé la reprise des hostilités, sous prétexte que son fils s'était trop sali cet après-midi. Mais elles ne comprendront jamais rien à la stratégie militaire, ces mères! Et de plus, Gladu et sa bande refusent de jouer à nouveau les Allemands, accusant, entre autres, Richard d'être ressuscité alors que, selon eux, il était bel et bien mort.

« Non! Il n'était pas mort! Juste blessé!
— T'es malade, Martin Comeau? Je l'ai visé! Bang! Et il est tombé! S'il est tombé, c'est qu'il était mort! Pourquoi il s'est levé deux minutes après, ce crotté?
— Il était blessé.
— Et en plus, le prochain coup, c'est à nous de faire les Canadiens.
— Non! La guerre n'est pas finie! C'est encore nous, les Canadiens!
— Comeau, c'est la guerre! La vraie! Comeau crotte de chien!
— Quand tu voudras, Gladu!
— N'importe quand! Mais pas la semaine prochaine, à cause de l'Expo... »

Maudit Gladu sale. Lui et sa bande qui ne veulent jamais

rien entendre au bon sens! Il n'y a jamais moyen d'aller jouer chez lui et il faut toujours qu'il soit dans nos cours. Quand je serai grand, je jure de demeurer un Comeau. Jamais je ne serai un Gladu. La guerre suspendue, me voilà avec Richard et Daniel, parcourant les trottoirs de la rue Pelletier, pour vérifier si tout se passe bien. Richard a une belle étoile de policier. Il grogne, se pointe du doigt et dit, de sa voix la plus grave : « C'est moi la police pas de cuisses de la rue Pelletier! » Comme il est drôle quand il parle comme ça! Quand le soleil semble se coucher, nous filons sagement vers nos maisons, ayant en tête les menaces de nos parents : « Si tu rentres à la noirceur, tu n'iras pas à l'Expo. » Ce chantage! Ils n'en finiront donc jamais de nous martyriser?

Ça ne me fait rien de me coucher de bonne heure, car je pourrai rêver à l'Expo plus longtemps. Il n'y a rien de mieux au monde. De partout dans l'univers, tous les enfants accourent vers l'Expo de Trois-Rivières. L'an passé, j'y ai même vu un petit Chinois de la sainte enfance. Me voilà dans mon pyjama bleu, les oreilles propres et le cœur pur, givré du baiser sur mon front donné par maman. Je prends Coco, mon singe de peluche, et lui confie que je vais maintenant rêver. Coco est mon meilleur ami parmi mes jouets. Il est tout en belle peluche noire, sauf ses mains et ses pieds qui sont en plastique jaune. C'est mon grand-père Roméo qui m'en a fait cadeau autrefois, m'assurant que Coco était un singe magique à qui je pouvais tout dire, car il comprend très bien le langage des humains.

Je suis le Lone Ranger galopant sur mon cheval de bois à la poursuite des hors-la-loi communistes. Mon cheval est si rapide que le vent a du mal à le suivre. Je suis le plus grand aventurier du monde et de la rue Pelletier. Aucune manœuvre dangereuse ne m'est étrangère. Les missions périlleuses ne me font pas sourciller. Je suis aussi un champion conducteur automobile et je le prouve à nouveau en faisant quarante-huit tours de piste en vingt secondes. Pour me reposer de ces exploits extraordinaires, je vais faire un tour à l'Expo, où je monte dans la grande roue, un Coca-Cola entre les mains. Je peux voir Trois-Rivières comme un colibri : tout est si beau et petit. Soudain, une panne électrique m'immobilise à la position maximale! Je n'ai pas peur. Mais ce n'est pas le cas d'une fillette, sur le siège derrière moi. Comme elle pleure, la malheureuse petite enfant! L'électricité ne revient pas, la réparation tarde à s'effectuer. De mon poste, je peux voir la foule effrayée s'agglutiner à nos pieds. Je l'entends murmurer : « Oh! la petite fille pleure! » Mon devoir est de secourir la pauvre enfant. Je quitte mon siège et marche en équilibre sur un barreau de fer, à huit cents pieds de terre. Les gens, en bas, semblent effrayés par mon audace. Pourquoi donc? C'est si simple! Me voilà près de la petite fille. Je lui demande de se tenir fermement à mon cou. À mon contact chaleureux, elle cesse de pleurer. Je descends tout le long de la grande roue, comme un Tarzan se servant des tiges de fer comme lianes. Je ne comprends pas pourquoi tous ces gens crient à chacune de mes manœuvres. Enfin sur terre, je donne la fillette à sa maman en pleurs, en disant : « Et voilà! Le tour est joué! » Les témoins applaudissent, mais je hausse les épaules en souriant brièvement, décidant, à leur grand étonnement, de remonter vers mon siège. Trois-Rivières est si belle à voir quand on est un colibri.

« Martin! Martin! Réveille-toi! Il est huit heures. Tu paresses?

— Oh! bonjour, papa...

— Tu rêvais, mon grand homme? »

Mon père est le meilleur papa du monde. Son nom d'homme est Romuald, mais son nom de papa est « papa ». Il est costaud, champion dans tous les sports, le plus grand ouvrier de la C.I.P., menuisier hors pair, connaissant tout, et très bon en chiffres, surtout quatre à minuit, minuit à huit, et huit à quatre. Daniel m'a déjà proposé d'échanger son père, deux de ses oncles, sa sœur et quatre cousines contre mon papa. J'ai refusé, bien sûr.

« Maman m'a dit que tu t'étais enfin décidé à manger tous tes navets hier soir au souper.

— Oui.

— C'est très bien. Les navets, ça fait grandir. J'en ai

mangé beaucoup à ton âge et vois comme je suis grand. Lève-toi! J'ai une surprise pour toi, après le déjeuner. »

Quand papa me parle d'une surprise, il ne veut jamais dire des bonbons, du chocolat ou un nouveau jouet. C'est bien mieux! Sa surprise est toujours une visite chez mon grand-père Roméo. Mes parents prétendent que je suis trop petit pour me rendre seul chez grand-père, bien que je connaisse le chemin par cœur.

« On va faire un tour chez ton grand-père Tremblay avec maman, Marcel et ta petite sœur Yvette.
— C'est vrai? Quelle surprise! »

Qu'est-ce que je vous disais? Les trucs de papa, on finit toujours par les connaître. Mais je ne peux masquer ma joie sincère : une semaine sans une visite chez grand-père Roméo, c'est invivable. Je le sais, car c'est arrivé ce printemps; j'ai été si malade que mon père a été obligé de faire venir tous les plus grands médecins du monde. Après m'avoir examiné, ces hommes savants à barbichettes blanches avaient dit à mon papa : « Monsieur Comeau, ce garçon doit voir son grand-père Tremblay au moins une fois par semaine, sinon... »
C'est d'autant plus intéressant de voir grand-père Roméo aujourd'hui que nous devons passer près du terrain de l'Expo pour nous rendre à sa maison. Des hommes sont en train de construire les manèges, les cabines de jeux d'adresse, le chapiteau du cirque et les vaches. Quand je serai grand, j'exercerai le plus beau métier du monde : constructeur d'Expo. Voici le chemin que je connais trop bien : rue Pelletier, rue Sainte-Marguerite, côte à deux fesses, boulevard des Forges et du Carmel, descendre le long escalier, et en route vers la maison en bonbons de grand-père Roméo, dans la paroisse Saint-Sacrement. Un jour, je déjouerai tout le monde, comme le brave que je suis, et je me rendrai seul, tel un vrai homme, vers le domicile de grand-père Roméo. En haut de la côte à deux fesses, je me tords le cou en apercevant la grande roue.

« Quand? Quand? Quand?

— Dimanche, mon grand homme.

— Mais ça ouvre demain!

— Nous irons dimanche, en famille. Et si t'es sage, tu t'y rendras avec ta mère et tes amis, à la journée des enfants. »

Encore le truc du chantage! Mais je connais un moyen pour visiter l'Expo dès demain : le demander à grand-père Roméo. Je suis son favori. Et je le mérite! Je suis bien honoré de porter le nom de Comeau, mais au fond de moi, je sais que je suis un Tremblay, comme grand-père et ma maman. Grand-père Roméo est assez vieux pour sa fonction de grand-père, bien qu'il ne ressemble pas au grand-papa classique : il a toutes ses dents, il ne fume pas la pipe, il a tous ses cheveux et est maigre comme un bâton de Popsicle. Son épouse Céline, qui est aussi ma grand-mère, ressemble plus à une vraie grand-maman : elle est mal habillée, porte des lunettes, cuisine des sucreries et écoute le chapelet à la radio tous les soirs. Elle est assez sévère et se fâche parfois. Grand-père Roméo est doux, débordant d'imagination et a une belle voix profonde. Il a laissé en héritage à ma mère son goût des mots et des belles histoires. Personne ne connaît de plus beaux contes que grand-père Roméo. Pas même tante Lucille de la radio! Ses histoires, il les invente. Elles ne sont pas dans des livres, sauf dans celui qu'il a publié. Mais quand je saurai lire, je n'irai pas voir ce bouquin. À quoi serviraient ces histoires sans la belle voix de grand-père pour les raconter?

Sa maison a des murs en chocolat, les portes sont en réglisse, les fenêtres en sirop et la cheminée en bâton fort. Dans la cour, il y a un arbre à cornets de crème glacée, qui ne mûrit, bien sûr, qu'en hiver. L'été, l'arbre donne les plus délicieux sandwichs au beurre d'arachide. Une fois par semaine, maman et grand-père s'échangent des livres. Papa, lui, vient toujours voir si grand-père a des objets à réparer, car grand-père Roméo est très malhabile avec des outils. Il se rend souvent à notre maison et papa ne rate jamais une occasion de l'inviter à une promenade en automobile ou à une partie de pêche au lac Coo Coo.

« C'est l'Expo demain, grand-père. L'Expo! Là! Juste là, en haut de la côte! Juste, juste en haut! C'est pas loin, hein?

— Non, Martin, ce n'est pas loin. Savais-tu qu'à ton âge, moi aussi j'avais bien hâte d'aller à l'Expo? Surtout quand je m'y rendais avec ma petite sœur Jeanne.

— Est-ce qu'il y avait des affaires qui font zong zong, dans ce temps-là?

— Ah! c'est certain! On avait les plus beaux zong zong de tout Trois-Rivières! »

Et voilà! Le tour est joué! Et maman qui, le bec pointu, me parlait des « manèges du village forain ». Son propre père utilise le vrai, le bon, le seul mot! Triomphant, je regarde maman quelques secondes. Grand-père Roméo me dit que l'Expo a maintenant cinquante ans, chiffre bien près de l'éternité. Il me raconte les visites qu'il y a faites au cours de sa jeunesse et je constate que, depuis toujours, l'Expo procure les mêmes joies essentielles à la santé de tous les enfants de Trois-Rivières.

« J'irai avec toi, si tu le veux bien.

— Si ça ne dérange pas. »

Ma mère intervient, sans qu'on lui demande rien. « Nous y allons dimanche en famille, papa. » Je sursaute, regarde grand-père pour lui faire remarquer que l'Expo ouvre demain, pas dimanche! Mais je suis certain que grand-père Roméo ne me laissera pas tomber.

« Carole, si tu veux, je peux emmener le petit à l'Expo demain, car de toute façon, j'y vais avec Johanne et Robert.

— Pourquoi payer, papa, quand ils vont passer gratuitement à la journée des enfants lundi et que la veille, nous l'aurons visitée en famille? Trois jours de suite, ce serait exagéré pour Martin.

— Mais non, ma fille. Tu te souviens de ta propre enfance? Tu braillais pour y aller! Tu trouvais l'Expo si instructive. Et tes frères et sœurs ont fait pareil. Quel mal à vouloir faire plaisir à mes petits-enfants?

— Bon! D'accord! Mais s'il n'est pas obéissant, tu me le dis!»

Et voilà! Le tour est joué!

Mon cousin Robert et ma cousine Johanne sont les enfants de ma tante Patate. Nous sommes à peu près du même âge. Bien sûr, j'aurais préféré y aller avec Richard, Junior ou Daniel, mais Robert et Johanne feront quand même l'affaire. Je passe un samedi matin épouvantable, car je n'arrive pas à jouer en pensant que grand-père Roméo pourrait changer d'idée. Pour ne pas importuner mes parents, je vais soulager mon impatience sous la galerie pour rêver aux aventures extraordinaires qui m'attendent à l'Expo. Après trois millions d'heures à patienter, grand-père arrive enfin avec son automobile! Mais il me torture en s'attardant chez ma tante Patate, alors que le cousin Robert et sa petite sœur Johanne montrent autant d'exaspération que moi. Nous sommes bien découragés quand grand-père décide d'accepter la tasse de café que sa fille Patate lui offre. Nous en profitons pour sortir dans la cour et discuter sérieusement.

« Ah! moi, là là, ze vais embarquer dans l'affaire qui tourne et qui monte, là là!
— Et moi les chevaux!
— Les vrais ou ceux en bois?
— Les vrais! Puis après, je vais aller trois fois dans les affaires qui font bong! bong!
— Il paraît qu'il y a des vrais chars d'assaut avec des mitraillettes qui font ratatata!
— Oui! Et des affaires, là là, qui font wouche! wouche! en montant dans les airs, là là!
— Et puis moi, je vais aller vite dans le zong zong!
— Oui! Moi aussi! Ze vais embarquer dans le zong zong deux fois, là là!
— Oui! Trois fois, moi, que je vais y aller!»

Johanne danse et miaule en entrant sur le terrain de l'Expo. C'est normal, car elle est une fille. Robert et moi, les

267

hommes, savons garder notre contenance. L'avantage d'avoir grand-père Roméo comme adulte est que nous sommes certains qu'il n'arrêtera pas au pavillon des vaches, comme le font nos parents. Voici un bouffon! Il a un gros nez rouge et de grandes culottes! Il vend des ballons multicolores! Trois ballons, s'il vous plaît! Voilà un manège avec des poneys! Comme ils sont beaux! Johanne veut tout de suite en chevaucher un. Ah! comme c'est attendrissant d'avoir quatre ans et monter avec gêne sur le dos d'un poney! Un cultivateur avec un chapeau de cow-boy siffle « Kss! Kss!» entre ses dents et les petits chevaux tournent dans leur enclos. Après trois minutes, il aide Johanne à descendre.

« Comment tu t'appelles, ma belle petite fille?
— Ze m'appelle Zohanne, monsieur, là là.»

Pendant tout ce temps, j'ai regardé grand-père, l'œil attendri par la scène. Je suis certain que dans sa tête se dessinait une histoire qu'il nous servira plus tard comme le plus appétissant plat de bonbons. Voilà enfin les affaires! Les chars d'assaut! Les automobiles! Les chevaux (de bois)! Les avions! Un train! Une voiture de pompiers avec une vraie clochette de pompier! Vite! Les pompiers, grand-père! Le monsieur nous met des chapeaux pour y entrer, même à Johanne. Grand-père Roméo ne pense même pas à se promener du côté des manèges pour grands, ni de visiter les expositions pour adultes. S'il ne se retenait pas, je suis certain qu'il monterait avec nous dans une cuve qui tourne en faisant vvv! vvv! vvv! De plus, il va nous acheter une barbe à papa, de la crème glacée au chocolat ou un hot-dog, même si nos mères nous recommandent de ne pas nous gaver de ces mets délicieux essentiels à notre croissance. Nous marchons tout l'après-midi et montons dans tout. Nous écoutons la musique joyeuse et parlons avec des amis. Grand-père demeure le témoin silencieux de notre pur bonheur, ne pose pas de question et ne joue pas le rabat-joie.

« Ils n'ont pas mis de zong zong, cette année...
— C'est bien épouvantable, là, là! Ze vais me plaindre!

— Peut-être qu'il est brisé.

— Voyons donc, Robert! Un zong zong, ça ne brise pas! »

Nous sommes cependant des enfants raisonnables : comme grand-père est très vieux, nous ne voulons pas le fatiguer, ni abuser de sa bonté. Quand il va nous reconduire à nos maisons, il assure à nos mères que nous avons été sages, même si notre attitude, selon les convenances des grands, ne correspond peut-être pas à l'idée générale de la sagesse.

Le dimanche, avec papa, maman, Marcel et le bébé Yvette, la visite est plus conventionnelle. Elle est aussi plus lente et je dois faire preuve de beaucoup de patience avant de retrouver les manèges. D'abord, papa va aller voir les vaches. Une à une. Il va aussi parler aux cultivateurs. Ensuite, maman va visiter la bâtisse industrielle et regarder tous les objets ridicules des exposants. Voilà une heure trente de perdue. En se rendant vers les manèges, papa est retardé par un homme de son usine. Il le voit tous les jours, mais il doit quand même perdre dix minutes à jaser. Soudain, maman se rend compte qu'Yvette a mouillé sa couche. Elle doit pousser le carrosse jusqu'à la toilette des femmes pour éponger le dégât. Quinze minutes que je ne reverrai jamais plus. Papa nous explique ensuite sa philosophie que je connais trop bien : « On va faire le tour pour regarder, et ensuite les enfants pourront mieux choisir les manèges. » Trente minutes envolées. Mon petit frère Marcel trépigne d'impatience en pointant tout du doigt. Et voilà Yvette qui nous trahit en se mettant à pleurer. Alors maman la prend dans ses bras et la berce. Dix minutes. Papa essaie de se faire juge de nos goûts. Surtout dans le cas de Marcel, qui n'a que trois ans. « Est-ce bien sécuritaire pour lui? » Il discute de ce problème avec maman. Et puis, enfin, le grand moment arrive. Les avions! J'a-d-o-r-e les avions!

Hier avec grand-père, dans le même temps, j'avais déjà essayé quatre cents manèges! Mais avec mes parents, je n'ai droit qu'à cinq. Après de multiples aventures en avion, en cheval, en train, en petite grande roue et en cuve à vvv! vvv! vvv! nous nous assoyons à une table à pique-nique pour manger. Maman a préparé des sandwichs. Quelle idée saugrenue de manger des sandwichs de la maison, alors qu'il y a plein de restaurants avec des frites et des pommes à la tire! Pendant que papa est parti voir la course de bagnoles de démolition, nous nous promenons encore, surveillés par maman et sans pouvoir monter à nouveau dans les manèges. Maman hausse le ton parce que Marcel proteste contre cette injustice intolérable.

« Le spectacle sera bien beau. Il y aura un numéro avec Alice au pays des merveilles. C'est une belle histoire de Lewis Caroll, les enfants. Puis ensuite, il y aura un voyage en Orient, puis Robin des bois et...
— Robin des bois? Le vrai? Quand? Quand? Quand?
— Martin, c'est très impoli d'interrompre sa maman. »

Après le souper – encore des sandwichs de maison! – papa décide de faire un autre tour de la bâtisse industrielle. Et Yvette se remet à pleurer! « On n'aurait pas dû emmener le bébé, Romuald. On devrait retourner à la maison pour la coucher. » Et manquer le spectacle de Robin des bois? Et ne pas voir les animaux savants? Quelle tragédie! À cause d'Yvette! Je lui en ferai le reproche, plus tard.

Le lundi, c'est la journée des enfants. Enfin, je vais pouvoir m'amuser avec Junior, Richard et Daniel! Une des cousines de Richard s'occupe de nous. En réalité, elle semble plus intéressée à regarder les garçons de son âge, ce qui nous laisse un peu le champ libre. Mais il fait mauvais! On dirait même qu'il va pleuvoir! Quelle catastrophe! De la pluie sur notre Expo et nous voilà serrés comme des sardines à l'entrée de la vacherie, à attendre que cesse ce monstrueux orage!

Trois journées de suite à l'Expo! Je devrais être content, mais dès le mardi, je tente de négocier avec mon père pour aller voir le spectacle de Robin des bois, raté dimanche soir à cause d'Yvette. Il accepte pour mercredi, mais me demande, en attendant, de cirer ses chaussures, laver son auto et d'enlever les mauvaises herbes devant la maison. Le mardi matin, comme tous les gars du quartier Sainte-Marguerite, je vais regarder l'Expo le long de la clôture. En fait, nous ne voyons rien, sinon le haut de la grande roue. Mais nous entendons tout, et les rires et les cris sont suffisants pour nous faire imaginer les plus extraordinaires plaisirs. Puis nous échangeons les vantardises de nos exploits dans les manèges. Sans gesticuler, sans crier, comme de vrais hommes : les bras croisés. Les gars me parlent du grand spectacle de Robin des bois. Il arrive de New York. Ce n'est sûrement pas le vrai, qui, comme chacun le sait, vient plutôt de la forêt de Sherwood. En plus de ce faux Robin, on peut aussi voir un léopard – une sorte de petit lion – des chevaux avec des plumes sur la tête et une cinquantaine de femmes avec des jambes très longues, beaucoup plus longues que celles de nos mères. Ce sont peut-être des femmes comme celles qu'on nous cache sous les tentes mystérieuses de l'Expo et dont l'entrée est interdite aux enfants. J'ai déjà entendu mon père en parler avec le mari de ma tante Patate. On dit qu'il y a des femmes avec des barbes – c'est normal, si elles sont vieilles – des hommes à trois jambes, une madame pesant mille livres, un homme sans bras qui écrit avec ses orteils et des êtres bizarres qui vivent dans des bocaux (des marinades humaines, en somme). Ces femmes avec de très longues jambes doivent aussi travailler sous ces tentes. L'Expo a ceci de bien de rendre tout le monde jeune et heureux. Les vieux de seize ans, par exemple, sont très excités par l'Expo. Ils ont leurs propres manèges qui vont très vite. Ces chanceux ont un zong zong gigantesque et vraiment terrifiant à regarder. Les filles vieilles, quand elles y prennent place, passent leur temps à crier, avant même que le zong zong ne se mette en marche.

Enfin, voici le mercredi soir où je pourrai voir Robin des bois et ces femmes à jambes! Avant d'entrer, mon père me présente un monsieur avec un gros nez qui est une espèce de premier ministre de la province de Québec. Justement l'homme que je voulais voir pour lui parler de la tragédie de l'absence d'un zong zong pour enfants, mais je n'ai pas le temps de lui en causer, parce que mon père se met à faire son important en lui parlant sans cesse. Le monsieur ministre me donne un dix sous, ce qui est une fortune à considérer si je veux retourner à l'Expo une autre fois.

Junior, Daniel, Richard sont dans la même situation tragique que moi, obligés de se contenter de si peu de visites à l'Expo, alors qu'elle est ouverte toute la semaine et qu'elle est si effrontément près de notre quartier. « Qu'est-ce qu'on fait, Martin ? » Mes amis me posent toujours cette question, comme si j'étais le seul à pouvoir prendre une décision. Cette responsabilité est si lourde sur mes épaules ! La réponse est pourtant simple : si on veut retourner à l'Expo, il nous faut gagner de l'argent ! Richard ira dans une autre paroisse pour faire des commissions. Junior va parcourir les parcs de la ville pour chercher des bouteilles vides à vendre. Daniel se rendra au centre-ville pour aider les magasineuses à transporter leurs paquets. Et moi, j'irai demander au curé Chamberland de faire le ménage de la cour de son presbytère. Et bien sûr, nous mettrons tous nos gains en commun, comme les trois mousquetaires et leur chef Zorro !

J'avoue que j'ai l'air piteux en me rendant à la réunion de mes soldats, car le curé Chamberland, pour me récompenser de mon travail, m'a donné une image du Sacré-Cœur, ce qui ne vaut pas bien cher pour entrer à l'Expo. Mais mes amis n'ont pas mieux réussi. Richard a deux sous, trois sucres à la crème et deux bonbons durs. Daniel a gagné trois sous et dix « Merci, mon petit garçon » et finalement Junior n'a ramassé que cinq bouteilles et demie.

« Elle est cassée, ta bouteille, Junior.
— Oui, mais je me suis dit qu'on pourrait avoir un demi-prix. C'est mieux que rien.
— Jette ça, tu vas te couper. »

De nouveau, ils me demandent quoi faire. On continue ! Les vieux disent souvent que c'est avec la persévérance qu'on réussit. Ils sont bizarres, les vieux. Surtout quand la deuxième journée est plus misérable que la première et que j'ai le moral aussi bas que mes amis.

« Tu sais, Martin, mon père dit que son auto est sur la finance. Ça veut dire qu'elle n'est pas payée et que chaque mois, papa donne des sous à la banque, qui lui avait prêté l'argent pour l'acheter. On devrait ouvrir un compte à la banque et faire un emprunt pour aller à l'Expo. On remettrait l'argent plus tard.

— Daniel, je suis certain qu'on n'a pas l'âge pour ça.
— Mais à quatre, on a au moins vingt ans! Ça devrait suffire!
— Eh! c'est une bonne idée!»

Les brillantes idées d'un court instant paraissent souvent moins bonnes après une nuit de sommeil. Dès huit heures du matin, Richard, Daniel et Junior cognent à ma porte, endimanchés et impeccablement coiffés, dans le but d'impressionner le gérant de la banque. Je leur expose mes soudains doutes à propos de cette démarche.

« On est finis. Il reste juste à mourir.
— Pas si vite! Je sais à qui emprunter!»

À grand-père Roméo, bien sûr! Lui va nous prêter l'argent! Lui est humain! Et c'est donc en ce 26 août 1955 que, pour la première fois, je fais ce geste courageux de désobéir à mes parents en me rendant à bicyclette chez grand-père. Pendant que mes trois amis pédalent à s'en couper le souffle et se plaignent de la trop longue distance, moi, je vogue doucement, regardant de gauche à droite, demeurant prudemment près du trottoir. Quand j'approche de la maison de grand-père, elle m'apparaît différente, immense, extraordinaire, parce que pour la première fois, j'y suis parvenu comme un homme. Grand-mère Céline travaille dans son jardin. Tout de suite, elle regarde par-dessus mon épaule, cherche mes parents. Ne les trouvant pas, elle alerte grand-père.

« Tu es venu tout seul?
— Avec mes amis.
— Tes parents le savent?
— Non. Mais c'est pour une urgence, grand-père. Une très grave urgence.
— Pas un malheur à tes parents?
— Non. Mais l'Expo se termine aujourd'hui, et, heu... on a pensé que... heu... t'es fâché, grand-père?
— T'es venu seul comme un homme?
— Oui, grand-père.

— Comme un vrai homme, tu diras à tes parents que tu as désobéi.

— Ben... c'est-à-dire que...

— Tu vas leur dire, Martin?

— Oui, grand-père.

— Bon! Tu veux aller à l'Expo parce que c'est la dernière journée? Je vais t'accompagner avec tes amis, à la seule condition de promettre de dire à vos parents que vous avez désobéi. »

Papa va me tuer, me hacher, me morceler et jeter les bouts restants aux loups. J'ai les yeux pleins de larmes en pédalant. Mes parents semblent m'attendre. J'ai la curieuse impression qu'ils savent déjà ma faute. Grand-père m'a-t-il trahi en leur téléphonant? Mais je tiens ma promesse.

« Demain, j'irai avec toi chez grand-père Tremblay et tu me montreras le chemin que tu as pris. Tu écouteras tous mes conseils en me promettant de les suivre.

— Oui, papa. Tu n'es pas fâché, papa? Tu ne vas pas me découper?

— Tu commences l'école dans une semaine. Tu es maintenant mon vrai petit homme et j'imagine que tu es capable de te rendre à bicyclette chez ton grand-père Tremblay. J'aurais été fâché si tu ne me l'avais pas dit. »

Et en compagnie de mes amis, je me rends à l'Expo avec grand-père Roméo, qui paie tout. Cette visite lui coûte probablement cinq millions de sous, mais je sais que la somme lui importe peu. Il a l'air si heureux de nous voir nous amuser. Puis, le samedi, comme promis, je montre à papa le chemin emprunté. Le dimanche, nous allons tous souper chez grand-père. J'en profite pour lui raconter toutes ces aventures fantastiques à l'Expo, ces moments les plus importants de ma vie.

« Mais il n'y avait pas de machine à zong zong.

— Moi, je sais pourquoi.

— Pourquoi, grand-père?

— De quelle façon fonctionne la machine à zong zong?
— Avec l'électricité.
— Non, petit Martin : grâce à la bibitte à zong zong. Tu ne connais pas l'histoire de la bibitte à zong zong?
— Non.
— Elle débute sur une toute petite étoile, très loin et très haut dans le ciel bleu. Si loin que tu ne peux pas la voir, même avec les plus gros télescopes des savants. Sur cette étoile vivent les bibittes à zong zong, qui elles-mêmes sont plus petites que les plus minuscules enfants de cette étoile. Elles sont drôles, les bibittes à zong zong! Elles ont trois yeux, six pattes et une grande bouche avec de belles dents rouges, comme des petits cœurs sucrés. Elles vivaient heureuses sur leur étoile dans le grand domaine du roi des zong zong, qui s'appelle son altesse le Grand Zing Zing. Un jour, le roi dit à ses sujets qu'il leur faudrait une plus grande étoile. Alors, il fait construire un grand avion en papier pour voyager jusqu'à l'étoile voisine. Pour piloter ce bel avion, le roi choisit Boulou, la plus brave et la plus jolie de toutes les bibittes à zong zong. Alors que tous les siens l'applaudissent et agitent leurs chapeaux aux multiples couleurs, Boulou part à bord de son avion de papier. Boulou est bien content au volant de son aéroplane. Tout va bien jusqu'à ce qu'une tempête de poudre d'étoile le fasse dévier de sa route. Pauvre Boulou! Le voilà maintenant perdu dans le grand ciel, cherchant un moyen de retourner chez lui. Hélas! Les mois passent et notre pauvre petit Boulou est toujours perdu! Comble de malheur, il vient qu'à manquer de gazoline en papier pour mettre dans son avion en papier. Le voilà qui tombe dans le vide! Le pauvre Boulou croit bien son heure venue, mais, soudain, un coup de vent le fait bifurquer vers une grosse étoile inconnue : notre terre! Boum! Boulou tombe sur le terrain du coteau à Trois-Rivières, son bel avion tout démoli! « À l'aide! À l'aide! » crie-t-il, sans que les humains réagissent, car il est si minuscule. Mais un petit chien aux oreilles très fines l'entend. « Que fais-tu là, drôle de petite bibitte? » de lui demander le chien. « Je suis perdu sur ton étoile et mon bel avion est brisé! Je suis égaré et je ne sais pas comment retourner chez moi », lui répond Boulou. Le chien renifle l'avion, puis

regarde Boulou, très triste, ne sachant pas comment l'aider. « Reste ici, si tu veux », de lui conseiller le chien, ajoutant que ses parents finiraient bien par venir le chercher. « C'est beau, sur terre. Il y a des animaux et des petits enfants. Je suis sûr qu'avec ta drôle de tête, les enfants vont t'aimer. » Mais Boulou est si petit! Comment les enfants pourront-ils l'aimer s'ils ne peuvent le voir? « J'ai une idée! » de faire le chien, en bougeant la queue. « Tu vas travailler avec moi et amuser les enfants! Je suis un chien savant! Je travaille pour le grand cirque qui vient ici. Je marche sur deux pattes, je fais tourner des ballons sur le bout de mon nez et je sais japper *À la claire fontaine*. Je vais te trouver du travail dans le cirque et tu pourras amuser les petits enfants en attendant que tes parents viennent te chercher. » C'était il y a très longtemps, petit Martin. Il y a cinquante ans et Trois-Rivières accueillait la toute première Expo. À cette époque, les manèges étaient bien différents. Ils fontionnaient à la vapeur et, souvent, ils brisaient. C'était le cas d'un manège avec de grandes cuves et qui ne voulait plus rouler. Les hommes cherchaient à le réparer, sans pouvoir y arriver. Soudain, le petit chien savant appelle Boulou pour lui dire : « Regarde! Tu es si petit que je suis certain que tu es capable d'entrer dans la machine pour la faire fonctionner. » Vite, Boulou saute dans la machine et, soudainement, à la grande surprise des hommes, les cuves se remettent à tourner, mais tout en faisant un drôle de son : zong! zong! Alors les petits enfants venant à l'Expo regardent la machine en riant de ce bruit. Zong! Zong! Tout de suite les petits disent que ce manège est le plus drôle de tous. Notre Boulou, lui, à l'intérieur de la machine, travaille fort et rit en voyant le bonheur des enfants qui s'amusent dans les cuves. Les hommes de l'Expo constatent tout de suite : « Voilà le manège le plus drôle de notre Expo! On va le garder bien longtemps pour toujours plaire aux enfants. » C'est ainsi que les années ont passé et que tous les enfants de Trois-Rivières accouraient chaque été pour entendre ce drôle de son : zong! zong! Moi-même, quand j'avais ton âge, j'emmenais ma petite sœur Jeanne dans le zong zong. Boulou, travaillant tout ce temps dans la machine, était heureux d'apporter tant de joie aux enfants. Si heureux qu'il a oublié sa lointaine étoile et son vieil avion cassé, jusqu'à ce qu'au début de cet été, ses parents le retrouvent enfin. « On a un bel avion neuf! Vite! Retournons sur notre étoile! » C'est ainsi que Boulou le petit zong zong est retourné chez lui et qu'il n'y a pas eu de zong zong à l'Expo, cette année.

   — Oh! c'est une bien belle histoire, grand-père Roméo. Bien belle, mais bien triste aussi.

   — Une histoire? Mais ce n'est pas une histoire, Martin! C'est la vérité!

   — Pour vrai?

   — Mais oui! Boulou m'a écrit une lettre! Oui! Une vraie lettre! Je vais te la montrer. »

Grand-père se lève, fouille dans ses papiers pour trouver la lettre de Boulou. Comme je ne sais pas lire, il demande à ma maman de m'en faire la lecture. Et c'était écrit : « Cher grand-père Roméo, c'est Boulou le petit zong zong qui t'écrit. C'est bien joli sur mon étoile, mais j'ai été si heureux longtemps dans ma machine et je m'ennuie tant des rires des petits enfants de Trois-Rivières. J'ai demandé la permission à mon papa, ma maman et au roi, et ils veulent bien que je retourne vivre sur la terre dans ma machine. Mais le voyage est si long! Je ne pense pas être capable d'arriver à l'Expo de cette année. Je t'écris pour que tu dises aux enfants que dès l'an prochain, je serai à Trois-Rivières pour rendre les garçons et les filles heureux. Mes salutations! Boulou le petit zong zong. »

Maman sourit, remet le papier à grand-père qui le plie et me le tend. Il met sa main sur mon épaule, me regarde droit dans les yeux en me disant doucement : « Tu vas aller à l'école la semaine prochaine et, bientôt, tu pourras lire cette lettre et tu verras que, l'an prochain, le zong zong sera de retour à l'Expo. Tu te rendras compte ainsi que ton grand-père Roméo ne raconte jamais d'histoires, qu'il dit toujours la vérité, comme me l'a montré mon papa Joseph et comme te l'enseignent ta maman Carole et ton papa Romuald. Tu verras, petit Martin. »

Septembre 1958
À l'école, personne ne veut m'aimer

Je suis loin, si loin, et je me sens impuissant à regarder Junior, gravement blessé, se tenant la jambe, le visage grimaçant, son regard implorant la pitié de Gladu, bras croisés et la face pleine de méchanceté. Quelle cruauté! Quelle bassesse humaine! Daniel arrive près de moi, hors d'haleine, me murmurant qu'il vient d'échapper de justesse au sort immonde que lui réservait un gars de la bande à Gladu. Soudain, Daniel aperçoit Junior et son cœur est transporté par une révolte grondante. « Pauvre Junior! Il faut le délivrer, Martin! » Je le sais! Oh! comme je le sais trop! Mais nous sommes si mal placés! Quelle stratégie utiliser? Gladu et sa bande, aussi répugnants puissent-ils être, ont des yeux de chat et des oreilles de lapin. Rien ne leur échappe!

Je vois Daniel fulminer, perdre le contrôle de son tempérament et je ne peux le retenir : il s'élance, tel un express, pour délivrer Junior! Quelle imprudence! Quelle sottise de sa part! Gladu le cueille avec une facilité animale, l'atteint en plein cou. Et voilà Daniel, mon si grand ami Daniel, victime de la brutalité sans nom de Gladu, souffrant un martyre inqualifiable, gardant sa main sur sa blessure saignante. Et Gladu rit de son coup! Il ose rire! Maudit Gladu sale.

Voici Richard qui revient et, voyant la scène des souffrances de Junior et de Daniel, grogne de sa grosse voix : « Ça ne peut pas se passer comme ça, Martin! » Lui et moi consacrons de longues minutes à élaborer une tactique afin de secourir nos deux pauvres amis et neutraliser Gladu et les siens. Une diversion! Voilà le grand mot savant pour indiquer que Richard devra distraire Gladu pendant que je délivrerai Junior et Daniel de leur fâcheuse position. Richard marche en homme, lance quelques cailloux à la volée. Gladu est sur ses gardes et cherche à savoir d'où proviennent ces projectiles. Soudain, Richard, si courageux, se montre à lui. Vite! C'est le temps pour moi de passer à l'action! Mais, horreur! Richard tombe et Gladu lui saute aux yeux! Oui! Aux yeux! Voilà Richard aveuglé, les mains tenant ses pauvres orbites.

Je suis seul. Seul contre lui, sa bande de mécréants et les pensées si tristes du sort de mes pauvres amis. Gladu a les mains sur les hanches, une gomme à la bouche, l'air triomphalement moqueur. Il ne m'aura pas! Jamais! Je le jure! Et c'est moi qui l'aurai et délivrerai Richard, Daniel et Junior! Soudain, une cloche se fait entendre. Sans doute la police et l'armée venant à mon secours. Le son de la cloche s'approche et Gladu, décontenancé, dépose les armes et se sauve à toutes jambes. Une belle infirmière courageuse s'empresse auprès de mes trois amis.

« En rang, Martin. J'ai sonné deux fois. La récréation est terminée.
— Oui, mademoiselle. »

Gladu me fait une grimace. Il pourra passer le reste de sa vie à se vanter d'être le champion de la tague malade, mais mes amis et moi sommes prêts à le rencontrer n'importe quand pour un tournoi de quatre coins. « Silence dans les rangs! » de claironner mademoiselle Huguette. J'obéis. Pourquoi lui désobéir? Elle est si belle! Quand on lui fait un compliment, elle rougit. « Vous êtes bien belle ce matin, mademoiselle. » Rouge, que je vous dis! Et puis, elle est si parfaite, mademoiselle Huguette. L'an dernier, j'avais eu mademoiselle Montplaisir, qui ne m'a pas apporté beaucoup de plaisirs, puis en deuxième année, comble de malheur, j'avais eu le frère Bovril. C'est toujours plus intéressant une maîtresse qu'un frère. La première année, j'aime mieux ne pas trop m'en souvenir. Ma mère, elle-même une ancienne maîtresse d'école, me parlait avec tant de bien de l'instruction que j'étais pressé de comprendre tout le plaisir qu'elle éprouvait à lire. Alors je suis entré à l'école plein d'enthousiasme et, dès le premier jour, la maîtresse a frappé un gars sur le bout des doigts avec une grosse règle aux extrémités en métal. Tu parles que j'ai eu peur! Comme tous les autres, au cours des trois mois suivants. Je me tenais tranquille, tellement j'étais effrayé. Une fois, je suis tombé dans la lune et la maîtresse m'a donné une taloche derrière la nuque et mes lunettes ont volé sur le plancher en se brisant. Mes parents sont arrivés en courant à l'école, brandissant les poings. Comme ils n'étaient pas les seuls à se plaindre, le premier ministre de la commission scolaire a congédié cette maîtresse Grenier monstrueuse. À sa place, ils ont mis le frère que les plus grands surnommaient « La strappe ». Le reste de l'année scolaire s'est déroulé calmement. Très calmement... Alors, après une année de terreur et deux autres un peu fades, j'ai enfin le goût d'apprendre grâce à mademoiselle Huguette, si belle et si rouge. Un ange! J'aimerais bien l'épouser, si elle veut bien m'attendre.

À l'école, il y a l'arithmétique, la géographie, la bienséance, la flûte à bec, la gymnastique, l'histoire du Canada, le catéchisme et le français. J'aime surtout le français, héritage de ma mère la lectrice et de mon grand-père Roméo, qui a déjà publié des vrais livres pleins de mots. Connaître chaque mot pour comprendre toutes les histoires, il n'y a rien de plus merveilleux! Mais c'est bien plus difficile pour moi d'en inventer des bonnes sans faire des phôtes d'aurtograffe et de participe trépassé.

Et puis, à l'école, il y a les gars! Ah! les gars! J'en connais tellement plus depuis que je vais à l'école. Avant, il n'y avait que ceux de la rue Pelletier. Maintenant, il y a ceux des rues Sainte-Marguerite, Baillargeon, du boulevard Normand et de toutes ces artères. Il y a diverses sortes de gars : le gros Plourde, le grand Therrien et le petit Carignan. Des blonds, des bruns, des noirs, des grandes dents, des lunettes, des picotés, des pâles, des filles, des joufflus, des bums, des morveux, des saints. Des Normand, des Guy, des Jean à profusion. Des Francœur, des Marcotte, des Boileau, mais un seul Len Sawyer, qui n'est même pas un vrai Anglais.

Il y a les frères, les maîtresses, le salut au drapeau, la messe du premier vendredi du mois, le piano de la salle de récréation, le tableau noir qui est vert, la cour, les filles de l'école voisine de qui on va rire. C'est beau, l'école! Mais par-dessus tout, il y a les gars! Ah! si tous les gars du monde décidaient d'être copains et partageaient, main dans la main, le bonheur serait pour demain! Mais parfois, malgré notre sainte religion, le malheur réussit à nous rejoindre même à l'école. Il y a des clans, des bandes. En première année, quand j'ai constaté que Gladu était dans ma classe, je lui ai immédiatement montré mes bonnes intentions en lui présentant la main droite. Il a craché dans la sienne et me l'a tendue. Maudit Gladu sale.

Gladu a un frère plus jeune, qui s'appelle aussi Gladu. Ils habitent la rue de Ramsay, juste derrière la nôtre. C'est la meilleure raison du monde pour être ennemis, même si depuis le début de l'école, les frontières des rues tendent à disparaître. Mais tout notre passé ne peut s'effacer aussi facilement! Grand-père Roméo me dit que ma situation est un peu normale, rappelant qu'à mon âge, il ne pouvait tolérer la présence dans son quartier d'une famille du nom de Trottier. Plus de cinquante ans plus tard, je sens encore sa rage quand il évoque la fois où un Trottier avait volé le carrosse contenant sa petite sœur Jeanne. Comment pourrais-je alors oublier que Gladu m'a poussé dans une flaque de boue, le 5 octobre 1953, à onze heures douze du matin?

Le père de Gladu travaille à la Wayagamack, alors que tous les bons pères de famille normaux, comme le mien, sont des ouvriers de la C.I.P. Juste le nom de Wayagamack me répugne! Gladu, tu pues la Wayagamack! Sa mère est bizarre. Quand on va à leur maison, elle nous interdit d'entrer et nous devons attendre dans le portique. Nous regardons par la fenêtre pour apercevoir un plancher impeccablement ciré, des meubles excessivement propres et des objets étincelants. Madame Gladu a peur que nous salissions tout en entrant dans sa maison. On ne peut même pas jouer dans sa cour, car elle craint qu'on ne la salisse. Si elle prenait autant de soin à élever son plus grand, ce serait parfait! Gladu a sa bande de la rue de Ramsay. Tous des costauds, des pas beaux, des baveux qui capturent des grenouilles pour les faire fumer et exploser. Souvent, ils se postent à l'entrée de la rue et refusent de nous laisser passer, alors que les gens de la rue Pelletier sont accueillants et chaleureux. Le petit frère de Gladu vient d'entrer à l'école en même temps que mon frère Marcel. Dès le premier jour, il lui a donné une jambette. « Maudit Comeau de la rue Pelletier! » Alors me voilà obligé d'être le policier de mon frérot, moi qui ne suis ni musclé ni batailleur. Un de ces matins, la Wayagamack va brûler et toute la famille Gladu va déguerpir du quartier Sainte-Marguerite. Ce jour-là, il y aura des fleurs, de l'allégresse et du Coca-Cola pour tout le monde. Le seul avantage que je trouve à Gladu est que nous n'avons jamais de problème à trouver une équipe ennemie quand vient le temps du hockey et du baseball.

À l'école, l'automne, nous jouons à la tague, aux quatre coins, au yo-yo, mais l'hiver venu, c'est le ballon coup de pied qui devient notre sport national. Il nous arrive aussi de nous agglutiner près des clôtures pour crier des noms aux filles, mais j'ai tendance à oublier ce sport depuis que mademoiselle Huguette est ma maîtresse. Je ne voudrais pas qu'elle me prenne pour un mal élevé, sachant qu'elle ne comprendrait pas qu'insulter les filles est très sain pour un garçon de mon âge. C'est la première année que Richard, Daniel et Junior sont dans la même classe que moi. Comme je suis petit et myope, je suis le premier devant le bureau de mademoiselle Huguette, ce qui me permet de mieux l'aimer. Richard, le chanceux, est installé près d'une fenêtre, et Junior à quatre pupitres du mien. Daniel est placé juste devant Gladu, qui en profite pour l'inonder de bouts d'effaces mâchées. Maudit Gladu sale.

Je ne connais pas de meilleurs gars au monde que mes trois amis. Entre eux et moi, c'est pour la vie. Richard est fort et casse-cou. C'est un aventurier, un homme sans peur, un Tarzan. Il est très drôle et bouge tout le temps. Son père est mort quand il était bébé et sa famille n'est donc pas très riche, devant vivre du salaire de ses deux grandes sœurs qui travaillent à l'usine de textile de la Wabasso. Sa mère fait des ménages. Richard envie souvent mes jouets, mais grâce à lui, j'ai appris qu'on peut s'amuser avec peu. Daniel est grand et maigre. Il a une bouche large et sourit tout le temps. Il est capable de faire bouger ses oreilles par la seule force de ses muscles, truc qui fait hurler de peur les fillettes, mais qui fait rire les gars à gorge déployée. Junior est petit, presque microscopique. Il joue du piano. Chaque soir, à sept heures, il est obligé de suivre sa leçon de piano, pendant que nous l'attendons pour nos aventures. Toutes les mères du quartier sont passées par sa maison pour l'entendre. À chaque Noël, à la séance de l'école, Junior est obligé de faire son numéro de pianiste devant les parents. L'an dernier, son spectacle avait été coupé parce qu'il y avait des sandwichs dans son piano. Ne pouvant enfoncer les touches, il avait cessé tout de suite, salué la foule avant de retourner à sa place. Sa démonstration avait eu un succès monstre et Junior était devenu le premier musicien du monde à faire un triomphe sans jouer une seule note. Puis Junior est très savant, à l'école. Il nous fait pisser de rire quand il récite le verbe vomir au subjonctif plus-que-parfait.

Tous les quatre, nous nous complétons à merveille. Richard et Daniel nous protègent, Junior et moi, et en retour, nous les aidons à mieux organiser leur vie. Je suis leur chef. Je n'ai jamais demandé à l'être, mais notre amitié les a toujours poussés à me considérer comme le décideur. Pour jouer, ils se rencontrent chez moi et me demandent en chœur : « À quoi on joue, Martin? » Souvent, ils ont une idée bien précise de ce qu'ils veulent faire, mais ils ont quand même ce besoin de tout me demander. Les jeux ne manquent pas sur le grand échiquier trifluvien. Chaque rue, chaque parc, chaque lieu est une occasion de jeu. Nous avons tous des terrains que nous transformons en jungle, en champ de bataille, en désert, en continent inconnu et dangereux. Nous avons nos véhicules pour nous déplacer : nos bicyclettes et nos torpédos. Nous possédons des armes, des camions, des automobiles, des outils, des boîtes, des pots de verre, nos animaux. Nous disposons de mitaines de baseball, de bâtons de hockey, de ballons pour le coup de pied. Nous avons notre O.T.J. et les grands événements internationaux de Trois-Rivières comme l'Expo, les concerts au parc Champlain et les parades de la Saint-Jean-Baptiste. Il faut vraiment être crétin pour s'ennuyer! Mes journées sont tellement pleines! J'ai appris une bonne chose de maman : elle écrit tout ce qu'elle doit faire dans une journée. J'ai, moi aussi, un calepin où chaque jeu est élaboré. C'est sous ma gouverne que s'organisent tous les importants tournois sportifs du quartier.

J'aime jouer à la cachette. Je suis né pour jouer à la cachette. La vie est une perpétuelle cachette. Depuis ma jeunesse, j'ai toujours adoré me faufiler dans des endroits inaccessibles où je me sens tranquille, en paix, pouvant lire mes Mickey à la lueur d'une lampe de poche ou me lancer dans une grande conversation de singe en peluche avec Coco. J'aime particulièrement les dessous de lits et de galeries, ainsi que le fond des placards. Je connais un gars, Daniel – pas mon ami, un autre Daniel – dont le père a un magasin avec un sous-sol servant d'entrepôt. Parfois, il nous invite à jouer à la cachette dans ce lieu. C'est fantastique! Ceux qui doivent se cacher ont cinq minutes pour le faire. Après, les gars ferment la lumière et tout devient d'une noirceur opaque, mystérieusement douce. Ceux qui nous cherchent ont droit à une toute petite lampe de poche. C'est vraiment palpitant! Une fois, Daniel a mis une heure pour me trouver. Il avait coincé mes amis depuis longtemps et ils commençaient à croire que j'étais mort. Je m'étais écrasé dans le coin le plus reculé et avais mis six boîtes devant moi. Quand ils rôdaient près de mon trou, je retenais ma respiration pour ne pas me faire entendre. Les gars auraient dû remarquer que je ne me cache jamais dans les hauteurs. Ils me cherchaient quand même le nez dans les airs alors que j'étais à leurs pieds. Depuis cette partie historique, nous jouons de moins en moins à la cachette, car les gars savent que je gagne tout le temps, ce qui devient ennuyeux pour eux.

Grand-père Roméo a une maison extraordinaire pour la cachette : deux étages, un sous-sol, un garage. Quand j'y joue avec mon cousin Robert et sa sœur Johanne, c'est toujours un immense plaisir, sauf la fois où ma mère m'avait grondé parce que j'avais souillé mes vêtements en me cachant sous quatre couches de pommes de terre, dans la chambre froide de grand-mère Céline. Grand-maman aussi était en colère. Elle est toujours drôle quand elle est fâchée, car elle se met à bégayer. C'est pourquoi j'aime jouer des tours à ma grand-mère Céline. Elle est si comique quand elle bégaie! Le meilleur tour que je lui ai joué s'est produit quand j'avais dévissé légèrement l'ampoule de son Sacré-Cœur lumineux qu'elle avait installé fièrement dans son salon, sur le téléviseur. Quand arrive la soirée, grand-mère Céline est toujours contente de brancher son Sacré-Cœur. Cette fois-là, le cœur avait tendance à sans cesse s'allumer et s'éteindre. Grand-mère le bougeait dans tous les sens, se demandant ce qui lui arrivait. Mais mon petit rire m'avait trahi : elle s'était retournée pour me traiter de vvv vvv vaurrr vaurien. Comme c'était drôle!

Ah! les tours! C'est un art! Particulièrement si vous avez un adulte comme victime. Il faut connaître son sujet, au risque de recevoir une raclée. Comme la fois où j'avais mis du sucre dans la salière en sachant que papa sale beaucoup sa soupe. Jamais plus... Mais quand ma mère prend en note un numéro de téléphone et qu'à son insu je change les 0 en 8 et les 1 en 7, maman peut apprécier ce genre d'humour. Mais je n'oserais pas lui jouer un tour concernant ses livres. Le mieux, avec les tours, est de se les faire entre gars. Quand il y a une colère, elle ne dure jamais bien longtemps et souvent les amis finissent par rire du tour dont ils ont été victimes, surtout quand ils décident de l'appliquer à un autre gars. L'école est le meilleur endroit pour jouer des tours. En trois années, j'ai été témoin des grands classiques, qui, à défaut d'être originaux, sont toujours efficaces : la flaque d'eau sur la chaise de la maîtresse, la grenouille dans le tiroir de son bureau, les craies cachées. Mais quand je vois Gladu mettre une punaise sur la chaise de mademoiselle Huguette, je ne suis pas d'accord! Je veux le dire à mademoiselle, mais Gladu menace de me couper le cou, tout en brandissant son poing noir.

Voilà mademoiselle Huguette. Elle entre. Elle est contente. Elle nous souhaite une bonne journée. Comme elle est belle! Elle marche doucement, s'installant devant le tableau. Je voudrais tant l'avertir, lui faire des signes! Elle se retourne, va vers son bureau, approche de la chaise, se penche, se penche, se penche et je me bouche les yeux! Elle se relève en criant! J'ai honte! Honte pour les gars qui trouvent ce tour drôle. L'objet meurtrier entre ses doigts, mademoiselle Huguette réclame l'auteur de ce méfait. Mon cœur parle et ma bouche s'écrie : « C'est Gladu, mademoiselle! » Mais je ne trouve aucun appui chez les autres, si bien que nous sommes tous en retenue de récréation. Quelle cruauté! Nous copions des pages de grammaire alors que nous entendons les cris des gars jouant dans la cour. Quelle sensation désagréable d'être en classe à cette heure. Mademoiselle Huguette, toujours fâchée, garde les bras croisés. Parfois, elle me regarde d'un œil accusateur, comme si je pouvais être son présumé assassin. La cloche sonne en cette fin de terrible avant-midi, signifiant surtout le cri de guerre de Gladu : « Comeau, t'es un homme mort! » Il n'attend même pas d'être dans la cour pour me tuer. Il me frappe tout de suite et vise mes lunettes, comme le lâche qu'il est. Je me défends comme je peux. Mademoiselle Huguette arrive pour nous séparer.

« C'est pas moi! C'est lui, mademoiselle!
— Non, c'est lui! Pas moi, mademoiselle!
— Cessez ces jérémiades tout de suite! Serrez-vous la main comme deux bons enfants.
— Serrer la main à lui? À lui? Mais, mademoiselle! Je vous aime tant et je voulais vous défendre contre lui! Je ne pensais qu'à vos fesses, mademoiselle! »

Je ne sais pas pourquoi j'ai dit une telle chose... Toujours est-il que pendant que Gladu est dans la cour à aiguiser son canif vengeur, je passe l'heure du dîner dans le petit coin de la salle de récréation, surveillé par un jeune frère au regard reptilien. À quatre heures, Gladu m'arrache le sac d'école du dos en jetant tout son contenu au vent. « Ça y est! C'est la guerre! » Richard, Junior et Daniel se lèvent comme un seul gars pour m'appuyer.

« Oui! C'est vrai! Il le mérite! Quand commence-t-elle, cette guerre?
— Tout de suite!
— Tout de suite? Mais je vais manquer Bobino à la télé.
— Après souper, alors.
— Après souper? Mais je dois étudier. Mon père m'a dit que si je n'avais pas 75 % en calcul, il allait écrire au père Noël pour lui dire que...
— À sept heures et demie, ça te va?
— Sept heures et demie? O.K.! Et ça va être toute une vraie guerre, je te jure, Martin! »

Nous voilà sur le trottoir de la rue de Ramsay, bien équipés de nos arcs, de nos flèches, de nos tire-pois et de nos pistolets de l'Ouest. Pas de trace de Gladu! Il se cache déjà, le lâche, sachant quel horrible sort l'attend. Maudit Gladu sale. Nous nous rendons à son quartier général, mais comme d'habitude, nous devons demeurer dans le portique.

« C'est pour jouer, madame Gladu.
— Non. Pas ce soir. Il a des devoirs.
— Bon...
— À quoi vouliez-vous jouer?
— À la guerre.
— La guerre est remise à demain. »

Les adultes ne comprennent jamais rien à l'art militaire! Oh! et tant pis! Je vais me coucher et Coco et moi pourrons préparer un bon plan d'attaque. Coco s'efforce de me donner de bons conseils, mais je me mets soudainement à rêver à mademoiselle Huguette. J'imagine que nous sommes mariés et qu'elle me cuisine de bonnes galettes à la mélasse avant d'aller à l'école. À son retour, elle joue avec moi et me prépare de la soupe à la guimauve. Je me réveille au son d'un autre beau rêve : la voix de grand-père Roméo. Que fait-il ici en pleine semaine et à sept heures du matin? Je danse vite autour de lui, imité par Marcel et Yvette (mais mon petit frère Jean-Jacques ne danse pas, car il est encore bébé. Mais je sais qu'il nous regarde faire et nous envie).

« Ton grand-père vient garder Yvette et Jean-Jacques pour l'avant-midi, pendant que ton père va dormir.
— Ah bon! Tu vas faire du remplacement à l'école des filles?
— Non, à celle des garçons.
— Hein? Dans mon école?
— Et dans ta classe, mon grand homme. La maman de mademoiselle Huguette est décédée hier soir et elle prend trois jours de congé pour se rendre aux funérailles à Shawinigan.
— Dans ma classe? Pas dans ma vraie classe?

— Oui. On m'a téléphoné hier et j'ai...

— T'as pas le droit, maman! C'est à l'école des filles que tu remplaces! Pas dans celle des gars! T'es une maîtresse de remplacement pour filles! Et surtout pas dans ma classe! Les gars vont rire de moi!

— En voilà une histoire! Je croyais que ça te ferait plaisir.

— Tu es ma maman. Pas ma maîtresse! »

Je sors du plus doux rêve pour me retrouver dans le pire cauchemar! Ma mère dans ma classe! À poser des questions aux gars! Et si tout à coup Gladu l'attaque? Ou que les gars pensent que je suis son chouchou? Ou pire encore : qu'elle me punisse devant tous les autres! Je n'avais jamais songé qu'une telle chose pouvait m'arriver! Depuis le temps que je la connais, maman a toujours travaillé avec des filles. Elle ne sait pas ce qu'est un gars! Tous les gars vont dire que la maîtresse est ma mère! C'est humiliant! Je vais être la risée du quartier.

« Je n'y vais pas. Je suis malade. Je reste avec grand-père.

— Martin, cesse ces enfantillages.

— Gladu va rire de moi!

— Oh! ton ami le petit Gladu est dans ta classe? Il est si drôle, ce garçon!

— Maman! J'ai honte pour toi! »

Marcel est content de se rendre à l'école avec maman. Il n'y a plus de jeunesse! Il est trop petit, il ne peut comprendre la gravité du problème. Je marche vite. Je prends de l'avance. En entrant dans la salle de classe, ma mère nous attend, souriante. Je rampe jusqu'à mon pupitre. « Bonjour, les enfants! Je suis madame Carole Tremblay-Comeau et je vais remplacer votre institutrice pour les trois prochains jours. Je suis aussi la maman de votre ami Martin. » Je sens immédiatement dans mon dos tous les regards des gars. Je fonds sur ma chaise, en ayant le goût de crier que ce n'est pas vrai. Maman commence la leçon de français exactement là où mademoiselle Huguette a laissé hier, ce qui prouve que les maîtresses d'écoles sont des personnes très savantes, même si celle-ci est ma mère. Elle nous enseigne comme à des filles, nous parle comme à des filles. Les gars sont très sages, rendus curieux par sa présence étrangère. Habituellement, quand on a une remplaçante, on se fait bien du plaisir. Enfin la cloche de la récréation se fait entendre!

Pendant que les gars jouent, je reste éloigné, près de la clôture, grognant à chaque fois qu'un gars essaie de m'approcher. Je vois ma mère qui surveille les gars, me jette un coup d'œil de temps à autre. Puis elle agite sa cloche. Certains tardent à lui obéir. Moi, je rentre immédiatement dans le rang et Gladu me crie : « Ouah! Comeau écoute sa maman! » Je vais le! Non... pas devant ma mère... Maudit Gladu sale. L'après-midi, elle nous donne une dictée étrange qui n'est même pas dans notre livre de français. Elle l'a probablement trouvée dans un de ses bouquins, car il y avait un paquet de mots difficiles. À la fin de la journée, les gars chuchotent entre eux que ma mère est sévère dans ses dictées. « Rentre à la maison avec ton petit frère. Je dois rencontrer le frère directeur », me dit-elle, devant tous les gars. Je fais un long détour qui fatigue Marcel. Je ne veux pas rencontrer d'autres camarades. Mais, peine perdue, je croise le grand Therrien qui me dit : « Elle est belle, ta mère. » L'insulte! Ce grand flanc mou qui ose déshonorer ma mère! Un autre, sur l'heure du dîner, m'a dit que maman est fine. Comment pourrais-je endurer tant de moqueries pendant trois jours? Après le souper, maman s'installe à un bout de la table pour corriger, et moi, à l'autre extrémité, j'ai un mal fou à me concentrer pour faire les devoirs qu'elle m'a donnés. Et si tout à coup ma propre mère me met un zéro? Je la vois faire des petits signes agacés, barbouillant de rouge nos copies de dictée.

« Pourquoi t'as pas pris un texte de notre livre de français pour faire notre dictée?

— Parce que ce livre n'est pas bon.

— Hein?

— Il y a même un texte où on dit que les Iroquois mangent les petits enfants.

— Mais c'est vrai! On nous l'a appris dans l'histoire du Canada!

— Martin, ne crois pas ces sornettes archaïques.

— Mais c'est un vrai livre d'école bénit par le curé Chamberland.

— Fais tes devoirs et on en parlera après.

— Combien j'ai eu pour ma dictée? Et Junior? Et Richard? Tu ne vas pas mettre des zéro à mes meilleurs amis! »

Papa arrive et sourit en écoutant les remarques de maman. J'en ai entendu parler par des vieilles de seize ans qui étaient ses élèves dans l'ancien temps; ma mère ne faisait jamais rien comme tout le monde et se servait d'autres livres pour préparer ses leçons. Papa lui donne un bec. Moi, je me demande si je pourrais lui donner un bec en sachant qu'elle va me mettre quatre sur dix pour sa dictée idiote qui n'est même pas dans notre livre. La deuxième journée commence par d'autres insultes : « Elle parle bien ta mère, Martin » ou « C'est une bonne maîtresse ta mère, Martin. » Vite, je vais me cacher! Mais voilà Richard qui approche.

« Ta mère devrait être notre maîtresse tout le temps parce qu'elle est bien meilleure que mademoiselle Huguette.

— Richard! Tu n'es plus mon ami pour avoir dit ça!

— Hein? Pourquoi?

— Tu n'es plus mon ami! Je ne joue plus avec toi! Va-t'en! »

La vase déborde de la coupe le lendemain après-midi quand maman me pose une question et que je suis incapable d'y répondre. « T'auras pas de dessert, Martin. » Les gars éclatent de rire et me pointent du doigt! Elle-même a un petit sourire moqueur en posant la même question à Gladu, qui donne la bonne réponse. Elle lui dit : « Bravo! Tu es un bon garçon! » Et voilà! Le tour est joué! Je n'ai plus de mère! Je suis orphelin!

« Qu'est-ce que t'as à bouder?

— Junior, ça va mal. Je n'ai plus de mère, Richard n'est plus mon ami et si tu ne me laisses pas tranquille, tu ne seras plus mon ami aussi!

— En tout cas! Si je ne suis plus ton ami, tu vas me remettre mon camion à ciment avant! Ça fait une semaine que tu l'as! »

Je me cache dans le coffre de cèdre du salon. Il n'y a plus de monde. Il n'y a plus rien. Tout est noir et triste. Même Coco se moque de moi. Ma vie est finie. Je vais écrire à Jésus pour qu'il me trouve une autre mère, une autre école et un nouveau quartier.

Le lendemain, mademoiselle Huguette est enfin de retour. Pauvre elle! La voilà maintenant orpheline, tout comme moi. J'aimerais lui donner des fleurs pour la consoler, mais il n'y a pas de pissenlits sur les pelouses, en septembre. À la récréation, je lui dessine un beau bouquet, en écrivant : « Je vous offre mes plus sincères félicitations pour votre mère, mademoiselle Huguette. » Je suis certain que ça la consolera. Mais je suis bien gêné de le lui donner. Elle semble si triste depuis ce matin. Sur l'heure du dîner, je suis prêt à lui offrir mon dessin, quand je me rends compte qu'un peu de bleu sur mes fleurs serait du meilleur effet. À quatre heures, je l'attends à la porte de l'école. Trente minutes plus tard, elle sort enfin, mais un homme inconnu s'approche, l'embrasse et lui prend les mains. Mon cœur se brise! Elle en aime un autre! Et tous les beaux projets que j'ai préparés pour elle? Et il a une moustache, de plus!

« Tiens! Bonjour, Martin. Tu veux me demander quelque chose?

— Heu... heu... non, mademoiselle Huguette...

— Étudie fort en fin de semaine, Martin. »

C'est tout ce que je suis pour elle : un élève! Un parmi tant d'autres! J'ai la gorge nouée et je traîne mon boulet jusqu'à la maison, alors que fanent les fleurs de mon dessin. Je n'ai plus le goût de rien, surtout quand ma mère décide de m'inonder de conseils de maîtresse d'école. Le samedi, il pleut. Je suis bien content. Cette température correspond à mon humeur. Marcel me demande de jouer au tic tac toc sur les dalles noires et blanches du prélart de la cuisine. Non! Je construis une ville en mini-brix en empêchant Yvette d'approcher. Qu'on me laisse seul! Dimanche, mon père et mon ancienne mère décident de se rendre souper chez grand-père Roméo. Quand j'avoue à mon papa que je n'ai pas le goût d'y aller, il me croit malade. S'il savait, le pauvre, que j'ai commencé à faire ma valise en y mettant l'essentiel pour ma survie : ma brosse à dents, des sous-vêtements, des bas, mon chandail des Canadiens et trois tablettes de chocolat. Oui! Je partirai! Plus rien ne me retient à Sainte-Marguerite où ma mère se paie ma tête, où mes amis me laissent tomber et où mademoiselle Huguette refuse mon amour! Je voguerai sur les flots de la mer du Saint-Laurent et j'irai à l'aventure dans des pays lointains, affrontant les lions, les serpents et les communistes.

Oh! mais peut-être qu'avant de partir, ce serait poli de rendre une dernière visite à grand-père Roméo qui a été si bon pour moi au cours de ma misérable existence. Après, j'irai chez les autres orphelins et les déshérités des amours brisées. Chez grand-père, il n'y a même pas Robert ou ma cousine Johanne ou ceux de mon âge. Il n'y a que les grands fatigants de mon oncle Maurice, avec leur gelée dans les cheveux et leur allure criarde. Et grand-père Roméo blague avec eux au lieu de s'occuper de moi.

Vite, je me trouve un placard, celui de la chambre de grand-père. Il y range ses habits, ses chemises, ses souliers vernis. Tout le placard porte son odeur. C'est le plus confortable de la maison. Il est spacieux, très haut, avec un plancher pas trop dur pour les fesses. Je m'y installe tranquille, essaie de ne penser à rien, mais soudain l'image du moustachu me hante. Peut-être qu'en ce moment même, il est en train d'embrasser mademoiselle Huguette avec sa moustache. J'entends les rires des grands fatigants. Vont-ils cesser? Ils me cassent les oreilles! J'ai l'impression qu'ils essaient de faire danser grand-père au son de leurs disques d'Elvis Pressé. Tout pour rire de lui, évidemment! Quand je serai grand, jamais je ne serai aussi bêta qu'eux. Pendant que tout le monde s'amuse à les entendre, personne ne pense que je suis disparu du salon. Si j'étais mort, ils ne s'en rendraient même pas compte. Je m'en fiche. Je pense à ma fuite. Peut-être que j'aurais dû mettre une tuque, dans ma valise... Et mon livre de Mickey. Soudain, j'entends les pas de grand-père Roméo s'approchant du placard. Je me blottis, retiens mon souffle, alors qu'il fouille à la recherche d'un vêtement. Mais, hélas! je suis pris au piège.

« Mais qu'est-ce que tu fais là, Martin?
— Rien, grand-père. Je ne fais rien de mal. Je suis tranquille.
— On ne se cache pas sans raison. »

D'une main, il dégage le linge me camouflant la tête, se penche, me regarde dans les yeux, puis, à ma grande surprise, s'assoit face à moi en disant : « C'est vrai qu'on est bien, ici. » Il pousse quelques pantoufles et des vieilles bottes et s'installe à l'autre bout du placard. Nous n'entendons que nos respirations.

« Tu me sembles bien triste, Martin.
— Je n'ai plus d'amis et ma maman a ri de moi en classe devant tous les gars. Puis ma maîtresse d'école ne m'aime pas.
— C'est vrai?
— Oui.
— Tu me fais penser à un champignon dont j'ai bien entendu parler.
— Un champignon?
— Oui. En fait, il y avait deux champignons. L'un était magique et l'autre était triste. Tu ressembles au champignon triste.
— Où les as-tu rencontrés?
— Cette histoire m'a été racontée par un ange. Mon ange gardien.
— Hein? Tu parles aux anges, grand-père?
— Oui. Tout le temps. Surtout à mon ange gardien. Tout le monde parle à son ange gardien. Pas toi?
— Ben, oui, parfois...
— Il me racontait cette histoire qui se déroulait tout juste avant l'arrivée d'Adam et Ève, dans le Paradis terrestre. Oh! tout juste trois jours avant. Le bon Dieu avait bien préparé

son paradis pour les accueillir. Toute la terre était très belle, avec des plantes chantantes, des fleurs gaies et de l'herbe chatouilleuse. Mais il y avait une différence avec notre terre d'aujourd'hui : tout était vert.

— Tout vert?

— Oui, tout. Même les oiseaux, les chats et les chiens. Tout, sauf un champignon, qui était gris. Tu comprends, petit Martin, que dans un paradis aussi vert, être gris rendait notre champignon bien triste. Il était si triste qu'il ne sortait plus jamais de sa maison de champignon, sachant que les autres plantes et les animaux de la création ne l'aimeraient pas à cause de sa couleur grise qui briserait l'harmonie de la nature. Mais un jour, il s'est senti fatigué d'être toujours caché dans sa maison et il a décidé de sortir pour voir de près cette verdure qu'il apercevait de sa fenêtre. Comme c'était beau! Comme tout sentait bon! Et ce vert magnifique partout! Mais comme le champignon gris l'avait imaginé, les autres plantes se sont scandalisées de sa présence. Et les oiseaux verts sifflaient : « Va-t'en, champignon gris! Tu ne vois donc pas que tu es trop laid pour vivre hors de ta maison? » Et les chiens verts lui aboyaient les pires insultes sur sa couleur de champignon. Alors, notre champignon s'est senti encore plus triste. Les arbres verts, les fleurs vertes, les chats verts, tous se sont mis à sa poursuite. Et notre champignon courait, courait! Même le vent vert le chassait! Et lui courait! Il a tant couru qu'il a perdu son souffle et s'est affaissé contre une pierre verte en pleurant. Ah! comme il versait de chaudes larmes grises! Et puis, tout à coup, il a vu arriver au-dessus de lui un gros nuage vert, grondant et menaçant. Notre pauvre champignon croyait bien que son heure était venue. Mais tu sais ce qu'il y avait sur le nuage? Un autre champignon!

— Vert?

— Non. Gris, lui aussi. Mais ce champignon était magique! Il a dit au champignon triste de ne jamais fuir, de ne jamais avoir peur et de ne pas avoir honte de sa couleur. « Oui, mais les plantes vertes et les créatures vertes ne veulent pas de moi. Je voudrais bien les aimer, et pourtant ils me détestent, même si je ne leur ai rien fait! » Alors, le champignon magique a réfléchi quelques secondes à ce grave problème. Puis il a sorti de sa poche – car les champignons ont des poches, petit Martin – une flûte enchantée et lui a dit, tout en la lui donnant : « Avec cette flûte, tu peux accomplir ce qu'aucun être de la création ne peut faire en ce Paradis terrestre. En soufflant dans la flûte, toutes les étoiles du grand ciel vert vont descendre pour danser autour de toi. Alors les plantes et les créatures vont vite se rendre compte que toi aussi, même si tu es gris, tu peux apporter le bonheur et la joie. » Tout content, notre champignon gris s'est emparé de la flûte et a marché vers sa maison. « Va-t'en, horrible champignon gris! » de lui ordonner une mouche verte. « Regardez! Regardez! Je suis revenu pour vous apporter la danse des étoiles! » Notre champignon s'est mis à jouer un air et, aussitôt, toutes les étoiles du grand ciel du bon Dieu sont descendues pour danser autour de lui. Les plantes et les créatures étaient émerveillées par tant de splendeur! Et ces étoiles étaient rouges, jaunes, bleues, orangées, blanches. De toutes les couleurs! Quelle surprise! Les plantes et les êtres verts venaient de constater que même les autres couleurs pouvaient être chatoyantes et en harmonie avec la nature. Alors le champignon gris n'est plus retourné se cacher dans sa maison, et, tous les jours, il jouait de la flûte enchantée pour faire descendre au Paradis les plus jolies étoiles du grand ciel. Cette histoire est comme la vie, petit Martin. Quand tu es triste, il faut sortir de sa cachette et prouver à tout le monde que tu es aussi un trésor de toutes les couleurs. Oui, c'est ce qu'il m'a raconté, mon ange gardien. Tu descends avec moi? Grand-maman Céline a préparé du bon sucre à la crème. »

Octobre 1957
Quand la famille reçoit
de la visite de Hollywood

« Capitaine Martin, l'ennemi est en vue, à quelques milles de notre navire », de s'écrier un brave matelot. Je descends rapidement sur le pont, prends mes jumelles et surveille le destroyer communiste qui cause tant de mal aux baleines et émeut l'opinion internationale par ses gestes insensés. Je sais qu'ils ne veulent pas négocier. C'est pourquoi le président du Canada, le premier ministre de Trois-Rivières et mon père ont fait appel à moi pour mater ces vilains. Sans raison, les communistes ont décidé de tuer toutes les baleines de l'océan Pacifique. Leur œuvre de destruction est presque complète : il ne reste qu'une baleine dans cette mer. Si je ne les arrête pas tout de suite, ils s'attaqueront ensuite aux baleines de l'Atlantique, puis à celles du fleuve Saint-Laurent et mêmes à celles de la rivière Saint-Maurice, tout près de chez moi. Je sens sur moi les regards inquiets et questionneurs de mon équipage. Tous attendent ma stratégie ultime qui empêchera les communistes de s'en prendre à la baleine. Le Pacifique est houleux. Il n'a pas fait très beau depuis ce dernier mois. La mer peut être si cruelle! Le navire communiste nous envoie des signes : « Allez-vous-en! » Nous leur répondons : « C'est vous autres qui avez commencé en premier! Déguerpissez! »

« Capitaine Martin! Capitaine Martin! Regardez! Là! La baleine fait surface! » Quelle imprudente bête! Et cette inconsciente se dirige tout droit vers le navire communiste! J'ordonne quelques coups de canon pour l'effrayer et l'éloigner du danger. Rien à faire! Cette imbécile nage gaiement vers son trépas. Vite, j'opère une manœuvre à droite! Pleins gaz, braves matelots! L'ennemi, se rendant compte de mon plan, accélère en notre direction. Le mouvement furieux de nos navires, conjuré à cette mer déchaînée, fait palpiter nos cœurs.

Au milieu de notre trajectoire se trouve la baleine. J'ordonne à mes braves de descendre aux barques et d'entourer le mammifère. Les communistes n'oseront pas tirer sur des matelots, de peur de provoquer une autre guerre mondiale. La tension est forte! Mais une vague fait chavirer notre barque! Dix hommes à la mer! Je plonge rapidement pour tous les sauver!

Je remonte, puis surveille chaque mouvement des communistes. Voilà douze heures que nous nous regardons ainsi, nos canons pointant ceux de l'ennemi. La mer devient furieuse et, soudain, la baleine reprend sa route vers le destroyer des communistes. Je prends mon mégaphone et lui crie : « Petite! Petite! Viens par ici! Pas par là! » Rien à faire! C'est probablement une baleine sourde. Aussitôt les canons communistes la pointent et j'ordonne à mes hommes un coup d'avertissement près de leurs flancs. Je tente un rapprochement, mais l'ennemi nous riposte avec une salve impolie qui passe près de nous couler vers les profondeurs. Quelle rude guerre des nerfs! Quelle pression insoutenable!

« Martin! Sors du bain! Ça fait une demi-heure que tu y trempes! Le bain, c'est fait pour se laver, pas pour jouer avec tes bateaux et la baleine en plastique de ta petite sœur! Enlève ces jouets de l'eau, sèche-toi en vitesse! La visite va arriver!

— Deux minutes, maman! Le combat est capital!

— Tout de suite, Martin! »

Deux fois par année, ma maman organise une soirée réunissant ses frères et sœurs, avec leurs maris et épouses, mais sans leurs enfants. C'est très très ennuyeux pour moi. Je suis obligé de faire le bibelot. Ma tante Simone va inévitablement me dire que j'ai grandi, elle qui m'a pourtant vu il y a une semaine. Je n'ai que deux oncles et deux tantes (il y avait un troisième oncle, mais il est mort à la fin de la guerre). D'autres familles en ont bien davantage, comme chez Daniel, qui en a dix-neuf. Tous ces vieux s'installent au salon et parlent, rient, se racontent des histoires, chantent, dansent, jouent aux cartes et font toutes ces choses qui m'ennuient. Mon oncle Maurice est le plus vieux des quatre. Il parle fort, un peu le contraire de ma tante Simone. Mon oncle Christian est le plus jeune et le plus drôle. Il fabrique des gâteaux, le plus beau métier du monde. Mais ma préférée est ma tante Patate. Son vrai nom est Renée, mais son mari la surnomme « Caractère ». Pour moi, elle est ma tante Patate, car elle passe son temps à dire ce mot, en y ajoutant d'autres éléments. Patate au beurre, patate frite, patate complète, patate brûlée. Elle arrive toujours à ces réunions avec des vieux disques lourds et cassants, parle sans cesse de vedettes de cinéma. Elle aime danser et est d'un sans-gêne communicatif. Puis, elle boit de la bière à la bouteille et fume des cigarettes filtres sur lesquelles s'impriment les empreintes digitales rouges de ses lèvres. Quand je lui montre mes jouets, ma tante Patate est toujours intéressée et ne se gêne pas pour s'asseoir sur le plancher et faire rouler mes petites autos en plastique. Souvent, je me demande si ma mère est vraiment la sœur de ma tante Patate, tellement elles sont différentes. Ma tante Patate est la maman de Robert et Johanne, les seuls cousins à peu près de mon âge. Les autres sont tous trop vieux ou trop jeunes. J'ai quatorze cousins et cousines. Ce n'est rien en comparaison des quarante-huit de Daniel. Le seul avantage que je vois à leur visite est que maman me permet de me coucher plus tard, ce qui me donne l'occasion de regarder le hockey à la télévision, en compagnie des autres hommes, avec une bonne bière d'épinette entre les mains, alors que leurs femmes jacassent dans la cuisine.

D'autres fois, nous allons chez ma tante Patate ou chez l'oncle Maurice. Puis nous nous rendons à Asbestos visiter la famille de mon père. Les familles servent à cela : les visites. Nous, les enfants, devons suivre sans nous plaindre. Je ne sais pas si plus tard je traînerai de force mes enfants chez mon frère Marcel ou chez ma sœur Yvette. Quand la visite part, il y a un épais nuage de fumée de cigarette flottant près du plafond, ce qui est un peu étrange, car maman ne fume pas et papa très peu. Ça me picote les yeux. On sent encore le nuage trois jours après leur départ. Alors, notre maison reprend son calme habituel.

Ce calme, je ne le retrouve pas dans les maisons de mes

amis. On dirait que maman nous élève dans le silence et que nous, les petits, avons subi son influence sans nous en rendre compte. Jamais ma mère ne nous ordonne le silence quand nous jouons. Nous savons d'instinct que c'est la règle de la maison. Quand Richard vient chez moi, il murmure comme dans une église, croyant que ma mère n'aime pas entendre parler fort. Dans les autres maisons, tout s'enveloppe des pleurnichements des enfants, accompagnés par le son de la radio ou de la télévision. Ma mère n'écoute jamais la radio et nous devons obéir à des horaires très stricts pour regarder la télé. Papa ne surveille que les sports et maman que les émissions ennuyeuses où des hommes drôlement habillés chantent avec des grosses voix et où des femmes jouent de la musique endormante assises devant des grands pianos.

Maman lit. Elle se débarrasse du ménage et des repas en un rien de temps et se met à faire de la lecture, entourée d'un silence absolu, parfois brisé par le bruit d'une automobile criarde passant à toute vitesse dans une rue voisine. Alors maman, insatisfaite d'avoir été ainsi dérangée, lève les yeux vers le plafond en soupirant. Quand j'étais enfant, j'étais très impressionné par les tablettes de livres installées tout le long du passage, à la hauteur du plafond. Ma mère avait demandé à papa de les mettre si haut de peur que nous les confondions avec des cahiers à colorier ou pour fabriquer des avions avec leurs pages. Depuis, Marcel, Yvette et moi avons appris à respecter les livres. Ce sont les jouets de maman. On n'y touche pas, tout comme elle ne s'embarrasse pas des nôtres. Il y a des livres partout! Dans le salon, dans sa chambre, dans les placards, le long du couloir et aussi dans le garage de papa et dans le sous-sol. Non contente de les avoir tous lus, maman va en emprunter d'autres à la bibliothèque municipale ou à celle de Sainte-Marguerite. Une fois par mois, elle va à la salle paroissiale pour lire des histoires à d'autres femmes. Puis elles en parlent en mangeant des biscuits et en buvant du thé.

En 1955, avant mon entrée à l'école, j'avais bien hâte de savoir lire pour connaître tous les secrets des livres de maman. Six mois plus tard, j'ai regardé certains de ces bouquins. Épouvantable! À n'y rien comprendre! Avec des mots plus longs que les phrases. Et pas de dessins dedans! Pourtant, maman aussi a de beaux livres. Parfois, elle m'en fait la lecture. Ce sont des récits des vieux pays, avec des princesses, des rois et des animaux. De bien belles histoires, mais moins intéressantes que celles de grand-père Roméo. Il y a des contes pour toute heure du jour et pour chaque circonstance. Certains pour émerveiller, d'autres pour effrayer. Quand je sens que ma mère n'est pas trop absorbée par ses lectures bizarres, je lui demande de me raconter une histoire. Mais quand elle attend un nouveau bébé, comme actuellement, c'est plutôt elle qui vient me chercher pour m'offrir une fable. J'aime le son de sa voix. Elle est douce et harmonieuse. Je mets ma tête contre son gros ventre pour entendre sa voix résonner dans mes oreilles. Elle lit doucement, en appuyant sur les intonations. Maman a hérité de ce don de raconteuse de son papa Roméo.

« Est-ce que ton bébé entend les histoires que tu me racontes?
— Bien sûr, mon grand homme. Les bébés ressentent tout. »

J'espère que ce bébé sera une fille. Je ne voudrais pas d'un autre frère pour partager ma chambre, déjà occupée par Marcel. Puis Yvette veut aussi une sœur pour jouer à ses jeux de fille. C'est avec cet espoir que papa a commencé à dessiner des plans pour aménager la chambre d'Yvette. J'aime bien quand il y a un bébé neuf dans la maison, même si ça crie en pleine nuit. Les bébés sont drôles. Ils bougent les jambes, font des risettes et n'ont pas de cheveux. Quand ils grandissent, ils mangent des objets de plastique en s'assoyant sur le plancher et, soudain, on les voit forcer et se rendre heureux d'avoir le derrière bien au chaud dans leur couche pleine de caca. Ils adorent cette sensation. Ils forcent, forcent, forcent et hop! Et voilà! Le tour est joué! Alors, ils ont un large sourire de béatitude. Ensuite, ils marchent partout en fouillant sans cesse. Un peu plus tard, ils se mettent à parler et personne ne comprend rien à leur langage, sinon leurs parents. Papa et maman ne veulent pas avoir de chien ou de chat. À la place, maman a des bébés, qui sont aussi drôles que des animaux domestiques. Ils peuvent même rapporter la balle qu'on leur lance, aussi bien que le plus fidèle des chiens.

« Est-ce que je suis toujours ton petit bébé, maman?
— Mon grand petit bébé.
— Alors, chante-moi cette chanson une autre fois, et le nouveau bébé va la savoir par cœur quand il naîtra. »

Yvette, Marcel et moi savons que si maman nous lit beaucoup d'histoires, elle ne nous chante qu'une seule chanson. Je dépose à nouveau mon oreille sur son ventre pour savoir si le bébé est attentif. *C'est la poulette grise, qui a pondu dans l'église. Elle a pondu un petit coco, pour Martin qui va faire dodiche. Elle a pondu un petit coco, pour Martin qui va faire dodo. Dodiche dodo.* C'est la plus belle chanson du monde. Et utile, de plus! Maman n'a qu'à remplacer mon prénom par celui d'Yvette et elle obtient une chanson différente. À la fin, le bébé donne un coup de pied. Ah! il a du rythme et a chanté en même temps que maman. Comme c'est instructif quand ma mère est grosse.

Dans notre parenté, il y a un bébé neuf qui s'appelle Sylvie. C'est Bérangère qui l'a eu, l'an dernier. Avec ma tante Patate, Bérangère est ma visite favorite. Elle est la fille de ma grande-tante Jeanne, une sœur de grand-père Roméo décédée il y a une douzaine d'années et que grand-père continue à beaucoup aimer. Bérangère a vingt-trois ans et c'est la plus belle femme de la famille. Plus belle que maman, si on peut imaginer une telle chose. Elle parle comme les Françaises des films, ce qui m'impressionne beaucoup. Quand elle s'est mariée, j'ai été très jaloux de son nouvel époux. J'aurais tout fait pour être à sa place, d'autant plus que je sais que Bérangère est profondément amoureuse de moi, puisqu'elle me le dit tout le temps. Elle avait un grand choix entre les cousins et les cousines, et c'est moi seul qui ai gagné son cœur. Elle est aussi ma marraine. Bérangère se déplace souvent dans le seul but de me voir. Elle m'apporte des cadeaux et me surnomme depuis longtemps « mon petit amoureux ». C'est étrange, mais lorsque nous nous rendons en nombre visiter grand-père Roméo, on dirait que Bérangère ne fait pas partie de notre famille. Par son langage et sa beauté, Bérangère apparaît un peu distante. Quand sa mère Jeanne est morte, c'est ma tante Patate qui l'a élevée, de préférence à grand-père Roméo qui a du mal à la regarder longtemps, parce qu'elle lui rappelle Jeanne. J'ai vu plusieurs photographies de cette grande-tante Jeanne et il est vrai qu'elle était vraiment belle, tout comme Bérangère. Souvent, dans ses histoires, grand-père prononce le nom de Jeanne et sa voix devient tremblante.

Tout ceci est bien triste pour grand-père Roméo. Si maman prend plaisir à réunir ses frères et sœurs, grand-papa ne peut en faire autant, étant le seul survivant de sa famille. Oh! presque! Il a une sœur qui est religieuse, mais les nonnes ne sont pas du vrai monde, comme chacun le sait. Quand je vois cette grande-tante Louise, elle me demande toujours si je sais mon catéchisme. Comme je lui réponds par l'affirmative, elle m'ordonne tout de go de réciter le numéro 137, et comme je ne le sais pas, elle me gronde d'un majeur menaçant, avec sur son visage froid un sourire comme seules les sœurs peuvent en faire. Grand-père Roméo avait aussi deux frères. Quand nous allons chez lui, il y a des photographies d'eux au salon. Le petit garçon, Roger, avait sept ans et a l'air très vieux. Il est mort d'une maladie espagnole en 1918. L'autre frère de grand-père, Adrien, porte un uniforme militaire sur la photo. Il me semble bien pâle. Il est mort pendant la guerre. Pas celle de Hitler, l'autre, quand les Allemands portaient des suces pointues sur leurs casques. À côté d'eux, la grande tante Jeanne a l'air vraiment plus belle.

C'est l'intérêt des grands-parents. Ils ont plein de vieilles photographies très drôles et ils peuvent en parler pendant des heures. Quand papa me prend en photo, j'essaie de ne pas avoir l'air trop idiot, de peur qu'un lointain descendant ne se moque de moi dans soixante ans. Avec des photographies, on peut retracer l'histoire de toute la famille. Derrière les personnes croquées sur le vif, il y a aussi la Trois-Rivières d'autrefois, avec les anciennes automobiles, des chevaux dans les rues, des édifices depuis longtemps disparus. Grand-père Roméo a un bel album où je peux voir maman et ma tante Patate quand elles étaient petites. Je peux aussi connaître mon arrière-grand-père Joseph, avec sa chaîne de montre dans la poche de son habit, ses yeux pochés, sa chevelure décoiffée, une main solide contre une automobile. On dirait qu'il a le goût de dévorer le photographe.

Nous avons l'habitude de visiter grand-père Roméo chaque dimanche, sauf pendant le temps où ma mère attend un bébé. Papa espace alors ces visites, pour ne pas fatiguer maman. Quand nous nous y rendons, j'ai pu observer un rituel se répétant à chaque fois et qui, après avoir consulté mes amis, semble le même dans toutes les familles. D'abord, grand-père fait comme si notre visite est une surprise, même si nous l'avons averti par téléphone la veille. Souriant, il ouvre les bras et fait : « Entrez! Entrez! Ne restez pas dehors! » Grand-maman Céline est derrière, les bras tendus, prête à recueillir nos vêtements et à les mettre en tas sur un lit, même s'il y a un placard au salon. Ensuite, grand-père répète : « Entrez! Entrez! » même si nous sommes déjà en dedans. De la main, il nous indique le salon. Grand-mère revient avec un plat de nourriture : du sucre à la crème, des beignets, des chips ou des guimauves. Après, grand-père se tourne vers mon papa pour lui demander des nouvelles de l'usine. Grand-mère regarde maman enceinte jusqu'aux yeux en disant : « Ma pauvre petite fille! » Nous, les enfants, restons tranquilles, regardant, pour une millième fois, le décor inchangé du salon.

Il y a un large sofa avec des bouts de dentelle sur les appuie-coudes. Deux fois sur trois, ils tombent quand nous y déposons les bras. Sur les murs, il y a les photos religieuses de grand-mère et aussi une belle peinture, œuvre de la grande-tante Jeanne. J'aime bien l'antique appareil de radio, aussi gros qu'une télé. Il a deux petits boutons, un cadran et un haut-parleur qui ressemble à une bouche à quatre dents. Sur le téléviseur règne le Sacré-Cœur lumineux de grand-maman Céline.

Soudain, les grands-parents se rendent compte que nous nous ennuyons. Grand-mère court chercher sa boîte de jouets qu'elle installe au milieu du salon. Ce sont de vieux jouets, qui ont probablement appartenu à nos parents. C'est pourquoi nous apportons parfois nos propres jouets. Ainsi, aujourd'hui, j'ai emmené Coco, toujours très content de rencontrer Fido, le chien de peluche de ma cousine Johanne.

Après quinze minutes au salon, grand-maman invite ma mère à la cuisine. Les hommes restent au salon pour fumer et parler de politique. Nous les laissons pour jouer dans le passage. À cinq heures, nous soupons. Grand-mère Céline a cuisiné un immense choix d'aliments, toujours en trop grande quantité. Nous devinons que grand-père Roméo va passer la semaine suivante à manger des restes. Après le repas, nous retournons au salon, mais les femmes demeurent à la cuisine. À notre départ, grand-père Roméo nous dit toujours : « Vous reviendrez! » tandis que grand-maman Céline fait : « Attention à la route, là! » C'est toujours ainsi, mais je ne m'en lasse pas. J'aime l'odeur de cette maison, les photographies sur les murs et les histoires que grand-père aura eu le temps de me raconter. Dans l'auto, papa confie toujours à ma mère : « Ils vont bien, hein », et maman lui répond : « Oui, ils vont bien. »

Quand maman visite ses sœurs, c'est un autre rituel. Mes oncles et tantes demeurent tous dans un coin différent de Trois-Rivières et ces rondes me permettent d'explorer un autre quartier, de rencontrer des gars différents. Pour la première fois, il y a deux semaines, nous avons visité Bérangère. Son maudit mari et elle demeurent dans un de ces logements modernes aux larges fenêtres, dans le quartier Normandville, tout au nord de Trois-Rivières. Bérangère n'a pas de boîte de jouets pour nous. Il n'y a pas de vieilles photographies sur les murs, bien qu'il y ait aussi une peinture de la grande-tante Jeanne. Cet endroit me semble tout nu. Je devine que c'est ainsi quand vous êtes nouveau marié : vous commencez à zéro et, avec les années, vous accumulez des objets qui deviennent vieux pour fasciner les petits-enfants. Bérangère ne cuisine pas très bien, un peu comme ma mère. À notre visite, on a commandé du chinois au lieu de manger du canadien. Bérangère a quand même pris un grand soin à plaire à mes parents. Avant de partir, elle m'a embrassé sur le front en me disant encore : « Mon petit amoureux. » J'imagine que ce doit être un péché de faire un tel aveu devant son mari, mais je lui pardonne, car j'aime tellement l'entendre confier cette grande vérité. Dans l'auto, papa a dit à ma mère : « Elle va bien, hein », mais cette fois, maman a spécifié : « Ils font un beau couple. » Moi, j'ai gardé le silence, me demandant si je devais me confesser au curé Chamberland d'être amoureux d'une fille mariée et qui, de plus, est de ma famille. Réfléchissant à la question pendant quelques jours, ma mère note mon inquiétude et s'informe de mon tourment. Je lui avoue mon amour pour Bérangère. « Mais c'est très bien, mon grand homme! » Elle ne me croit pas. Pourquoi les grands ne croient jamais les sentiments véritables des enfants? Maman ricane et me serre contre elle. Je m'imprègne de son odeur. Papa sent la barbe et maman sent la maman. J'ai déjà reniflé la mère de Junior et elle ne sent pas la maman. Elle se dégage de mon emprise, me donne une tape sur les fesses en me disant d'aller jouer, car elle a de la lecture à faire. En dehors de la maison, je m'épivarde et parle fort. Mais à l'intérieur, nous jouons à des jeux tranquilles. Marcel construit des châteaux avec ses cubes alphabétiques, Yvette berce ses poupées et je dessine des plans de ville, joue avec mes petites autos de plastique ou avec mes mini-brix. Il est très rare qu'on s'amuse les trois ensemble.

Elle est ainsi, notre maison. Parfois, quand je vais chez mes amis, je suis effrayé par tout le vacarme qui y règne. Chez Junior, par exemple, on peut jouer aux cow-boys et aux Indiens sans que sa mère s'offusque. Il est vrai qu'elle-même fait du bruit en chantant à tue-tête les airs de la radio. Elle fait le ménage en déplaçant violemment tous les meubles. Maman, de son côté, fait le sien sur le bout des doigts, de peur de se salir. Elle déteste ces tâches et c'est pourquoi mon père s'occupe des travaux exigeants, comme laver les fenêtres ou cirer le plancher. Une fois par semaine, maman vient enquêter dans ma chambre, pour vérifier si tout est propre et rangé. Si elle trouve une poussière, elle me tend un chiffon. Tout brille, chez moi. Rien n'est laissé à la saleté. Mais nous y collaborons tous. Ma mère prétend que c'est préférable pour l'unité de la famille et pour développer notre sens des responsabilités, deux belles excuses pour masquer son horreur de faire le ménage.

Maman est elle-même très rangée. Papa ne cherche jamais ses clefs, car ma mère les met au même endroit à tous les jours. J'ai un tiroir pour mes bas et mes sous-vêtements, un deuxième pour mes gilets et j'ai avantage à ce qu'elle ne trouve pas une paire de bas parmi les gilets. Elle tient cette manie du bon ordre de grand-père Roméo, mais ma tante Patate dit que l'arrière-grand-père Joseph était encore plus méticuleux. Comme si tout n'était pas assez propre, quand une visite s'annonce, maman pousse sur le bouton d'alarme et nous devenons ses soldats disciplinés du grand nettoyage. À la fin, tout sent la rose des champs. Chez grand-père Roméo, lors de nos visites du dimanche, ça sent le muguet. En semaine, quand je m'y rends à bicyclette, ça ne sent jamais la fleur. Vers la fin de ce mois d'octobre, maman reçoit un coup de téléphone inquiétant de grand-père. Par la brièveté de ses réponses, la façon coulante qu'elle raccroche et la tête découragée qu'elle a, je pense qu'un grand malheur est arrivé à grand-papa.

« Grand-père Roméo est malade, maman?
— Non. Il va recevoir de la visite. La plus étrange visite que l'on puisse imaginer.
— Qui donc? »

Maman me prend sur ses genoux, comme à l'époque où j'étais bébé, pour m'expliquer l'origine de cette visite mystérieuse. Adrien, le frère de grand-père, mort à la guerre de l'ancien temps, s'était marié avec une fille de Saint-Jean, mais grand-père ne l'a presque pas connue puisqu'ils sont déménagés dans l'Ouest canadien, là où vivent les chevaux sauvages, les Indiens et Buffalo Bill. Là-bas, le grand-oncle Adrien et cette femme ont eu un bébé fille du nom de Denise. Grand-père Roméo n'a jamais vu ce bébé. Après la mort d'Adrien, la maman s'est remariée avec un Anglais de l'Ouest et n'avait plus de raisons de revenir dans la province de Québec. Le bébé Denise a grandi et a épousé un Américain en 1933 et a eu à son tour un petit garçon. Ce sont ces deux personnes qui viennent d'écrire à grand-père Roméo pour annoncer leur visite. Imaginez! Ce sont les deux seuls descendants immédiats du frère de grand-père Roméo! Ils n'ont jamais écrit. Mais cette femme Denise et son garçon désirent rencontrer le frère de son véritable papa qu'elle n'a jamais réellement connu. Maman dit qu'elle a mis deux années à retracer l'adresse de grand-père.

« C'est une belle histoire. Et ce sont des Américains?
— Oui. Ils habitent à Hollywood, où ils ont un restaurant.
— À Hollywood? Le vrai de vrai Hollywood?
— Oui.
— Mais c'est là qu'habitent Robin des Bois, Rin Tin Tin, Roy Rogers, Tarzan et Mickey la souris! Oh! j'ai bien hâte de voir cette visite! Peut-être que le petit garçon de cette Denise connaît Labotte et Costello!
— Le petit garçon a vingt et un ans, Martin.
— Ça ne fait rien! Vite! C'est quand?
— Samedi. Et tu as besoin d'être sage. Il faut que tu comprennes que ce sera un grand moment dans la vie de ton grand-père Tremblay, qui aimait tant son frère Adrien.
— Je ne dérangerai pas grand-père. Mais le garçon, je vais pouvoir lui parler? Peut-être qu'il a déjà rencontré Trigger qui habite aussi à Hollywood! Et Fernandel!
— Fernandel, c'est en France qu'il habite. »

Elle n'y connaît rien, ma mère! Les gars et moi, on sait tout des héros des films de Hollywood qu'on va voir à la salle paroissiale ou au cinéma de poussière Rialto de la rue des Forges. Le soir, ma tante Patate arrive avec son mari. Elle va me comprendre, car elle aime tant Hollywood! Mais, à ma grande déception, tante Patate a l'air sérieuse comme un pape femme. Mon oncle Maurice vient à son tour, sans nous avertir, sans nous laisser le temps de faire le ménage. Comme ils ont tous une tête d'enterrement, je sors annoncer la grande nouvelle à mes amis. Nous décidons immédiatement de jouer à Hollywood en organisant un film pour le bon plaisir des parents de Junior, applaudissant nos déguisements et notre séquence d'action.

« Est-ce que je pourrais emprunter ton costume de cowboy, Daniel? Ça pourrait impressionner ce cousin de Hollywood.
— Moi, je veux bien, mais il faudrait le demander à ma mère. Et puis, si tu le brises, hein...
— Je vais y faire bien attention.

— Laisse-moi quelque chose en gage.

— D'accord. Qu'est-ce que tu veux?

— Ton singe. »

Coco proteste avec véhémence, me qualifiant de traître et de sans cœur, même si je lui assure qu'il sera de retour dans deux jours, que Daniel prendra soin de lui. Mais Coco me dit que lui aussi voulait rencontrer le cousin de Hollywood, au cas où Tarzan aurait besoin d'un nouveau Cheetah pour ses films. En ce bas monde, les petits garçons ont toujours le dessus sur les singes en peluche. Mais je suis très déçu quand maman refuse obstinément que j'étrenne le beau costume de cow-boy de Daniel, insistant pour que je porte mon habit de premier communiant. Je ne boude pas longtemps, bien que j'aie indiqué ce coup bas de maman dans mon calepin.

Nous voici face à la maison de grand-père Roméo. Comme il y a du monde! Tous les Tremblay sont là! On jurerait un réveillon du temps des fêtes! Et tous sont habillés comme pour la messe de minuit. « Entrez! Entrez! » de faire grand-père. À l'intérieur, je me retrouve au cœur d'un grand calme effrayant. Tout le monde regarde le téléphone. Les gens de Hollywood ont dit qu'ils allaient appeler, dès leur entrée à la gare. Moi qui croyais qu'ils arriveraient en limousine, comme des vraies vedettes. Soudain, la sonnerie se fait entendre! On retient notre souffle. Je crois même voir grand-père trembler en parlant en anglais. En raccrochant, il rougit en disant : « Ils sont là! » On applaudit! Je ne sais pas pourquoi, mais on applaudit quand même.

« Je veux y aller! Je veux y aller, grand-père! » que je lui pleurniche, imitant un petit bébé qui fait pitié. Il me regarde, puis me fait signe d'avancer. Et voilà! Le tour est joué! « Et Bérangère aussi! Sa maman a dû lui parler de son oncle Adrien! » Et revoilà! Le tour est à nouveau joué! Comme Bérangère est belle! Je ne l'ai jamais vue aussi charmante! Elle a mis sa plus jolie robe, ses grandes jambes et du parfum derrière les oreilles. Elle me sourit. Je suis au Paradis! En arrivant face à la gare, je sens grand-père Roméo très nerveux. Nous voyons sur le quai une grosse femme mal habillée avec à ses côtés un grand maigrichon avec une guitare et des

309

cheveux pleins de graisse. Grand-père les étreint. Il embrasse trois fois la femme. Elle aussi a l'air contente. Elle dit quelques mots dans ce qui est censé être du français. Elle présente son garçon, qui porte le nom le plus bizarre jamais entendu : John Smith, ce qui veut dire Ti-Jean Tremblay, dans notre langue. Les deux s'émerveillent quelques secondes devant *Le Petit Train*, le restaurant que mon oncle Maurice administre, juste en face de la gare et qui avait été bâti par l'arrière-grand-père Joseph et où le grand-oncle Adrien avait vécu en compagnie de grand-père Roméo quand ils étaient jeunes, il y a des siècles. Grand-papa parle anglais à la femme et je me sens soudainement l'ennemi du grand à la guitare, qui regarde Bérangère de façon malpropre. Le long du trajet de retour, j'apprends vite à ne pas aimer cette éléphante avec son cochon à guitare.

De retour à la maison, mon oncle Maurice remplace grand-père en disant : « Entrez! Entrez! » à cette visite étrangère. Tout le monde les accueille comme roi et reine, les regardant comme des idoles de Hollywood. Moi, j'attaque un plat de croustilles en me demandant si Coco s'ennuie de moi, perdu chez Daniel. Nonchalamment, je regarde parfois la parenté s'extasier pour ces deux exotiques. Les grandes cousines, entre autres, joignent les mains devant la tête du blond. Je vois même ma cousine Lucie sautiller comme une balle de ping-pong, confondant cet Anglais avec quelqu'un d'important comme Maurice Richard ou Bobino. Soudain, j'aperçois mes cousins Charles et Robert agir aussi tristement que Lucie.

« Qu'est-ce qu'il a ce gars, Robert?
— Une guitare, Martin! T'as vu sa belle guitare?
— Il vient de loin. Il ne pouvait quand même pas traîner son piano.
— Peut-être qu'il va en jouer. »

La grosse madame essaie de parler en français. Elle hésite trente secondes avant chaque mot, applaudie par tous les Tremblay. Les maris de mes tantes Simone et Patate lui jasent en anglais, servant d'interprètes à ceux et celles qui veulent lui poser des questions. Je n'ai absolument rien à dire à ces gens, surtout à ce blond qui regarde encore Bérangère de mauvaise manière.

« Tu viens jouer, Robert?
— Non! Il y a la visite, Martin. Regarde sa belle guitare... »

La cousine Rose joue avec ma sœur Yvette. Voulant me mêler à leurs rires, elles m'indiquent du doigt la sortie : « On ne joue pas avec les gars! » Je me promène dans la maison, les mains dans les poches, sifflant un air, cherchant à me désennuyer. Soudain, le brouhaha cesse. Je retourne au salon pour constater que les étrangers regardent les vieilles photographies de l'album de grand-père Roméo. La grosse se met même à pleurer, sans doute en voyant des photos de son vrai père. Un peu plus tard, ils tapent dans les mains quand le blond se met à jouer de sa guitare comme Elvis Pressé. Comme c'est mauvais, ces chansons criardes! Ça ne vaut pas *La poulette grise*! Et les grandes cousines de sautiller encore plus. Y a plus de jeunesse. Et même grand-père est amusé par toute cette vulgarité. Y a plus de vieillesse. Après, c'est au tour de la séance de photographie, avec toutes les combinaisons possibles : grand-père avec la grosse, la grosse avec mes tantes, le blond avec grand-mère, la grosse avec le blond et grand-père, le blond avec Bérangère. Le blond avec Bérangère? Il la tient par la taille! Devant tout le monde! Même devant moi, qui suis son seul amour!

« Martin, va te faire photographier avec la visite.
— Ah non, papa! Jamais de la vie!
— Ça va faire plaisir à ton grand-père. »

Au souper, ces gens-là mangent notre nourriture en souriant comme des idiots. Le blond fait des clins d'œil aux cousines qui ricanent comme des souris. La grosse semble possédée par la tourtière de grand-mère Céline. Elle en mange trois parts à la fois. Elle peut bien être grosse. Soudain, elle m'aperçoit, me pointe du doigt et pose une question à grand-père. Je crois comprendre qu'il lui raconte ma biographie : je suis Martin Comeau, le fils de Romuald Comeau et de Carole

Tremblay, laquelle est la fille de Roméo Tremblay, lequel est le frère d'Adrien Tremblay, qui est le père de la grosse. Après le souper, ils parlent à nouveau. Je suis certain que dans une heure, quelqu'un va se mettre à hurler une chanson à répondre. Et voilà! Le tour est joué! C'est l'oncle Maurice qui s'y prête, accompagné par la guitare du blond. J'en profite pour courir me cacher sous la montagne de manteaux du lit de grand-mère. Je suis bien là-dessous. Le son des cris et des rires est étouffé. Après trente minutes, j'en sors pour visiter le petit coin et regarde furtivement au salon, où le blond chante encore, alors que Bérangère le regarde et frappe dans ses mains. Vite, je retourne sous ma montagne. Quel ennui! Il n'y a personne avec qui jouer, même si tous les cousins et cousines sont là. Les petits enfants commencent à brailler, alors que leurs parents refusent de partir. Ils les couchent de gauche à droite, entre deux tas de manteaux. Je vois Bérangère qui installe son bébé Sylvie dans un tiroir de la commode.

« Est-ce que tu l'aimes ce garçon blond, Bérangère?
— Bien sûr, Martin.
— Et moi, alors?
— Toi? Tu es mon seul petit amoureux, tu le sais très bien. »

Son aveu me console. Mais je reste quand même dans la chambre, au milieu des bébés. Je m'installe dans mon coin, entre le mur et la table de chevet de grand-père. Celui-ci me surprend un peu plus tard.

« Qu'est-ce que tu fais caché là?
— Je m'ennuie.
— Avec toute la famille réunie? Allons donc! Viens rire! John va nous jouer de sa guitare!
— Et tu ne m'as même pas raconté une histoire, comme les autres fois.
— Je n'ai pas le temps. Descends avec moi rejoindre ton papa et ta maman. »

Il n'a pas le temps? Quelle honte! Me voilà abandonné par mon propre grand-père que j'aime tant! Ils sont restés trois jours, ces visiteurs! Grand-père leur a fait découvrir Trois-Rivières et la région, les invitant au restaurant, les traitant aux petits oignons. Ils sont même venus chez moi, le lundi soir. Maman parlait en anglais avec la grosse et Yvette regardait la guitare de ce loustic. Il paraît qu'il est un chanteur donnant des spectacles à Hollywood. J'aurais préféré qu'il ressemble à Tarzan, mais il me fait surtout penser à Frankenstein. Enfin partis. Grand-père Roméo ne s'en trouve que plus morose, alors que j'ai retrouvé ma bonne humeur, sachant ce monstre blond éloigné de Bérangère. Le dimanche suivant, à notre visite habituelle, grand-père semble encore attristé par leur départ. Je le vois essuyer le coin de ses yeux en regardant une autre fois la photographie de son frère Adrien. Grand-père m'a si souvent consolé, je sens soudainement que mon tour est venu de le réconforter.

« Et il n'a même pas raconté une histoire de Hollywood. C'est bizarre, non? Il demeure à Hollywood, d'où viennent toutes les histoires.

— À Hollywood? Mais les plus belles histoires du monde naissent ici, mon petit Martin! Pas à Hollywood! Comme celle du géant et du petit lièvre.

— Je ne la connais pas, celle-là.

— Tu ne la connais pas? Pourquoi je ne te l'aurais pas racontée? C'est la plus belle et ma favorite. Et elle se déroulait à Trois-Rivières. Pas à Hollywood.

— Il y avait des géants à Trois-Rivières?

— Un seul géant. Le plus grand, le plus brave, le plus rusé. Je l'ai bien connu quand j'avais ton âge.

— C'est vrai?

— Bien sûr. Je me suis même rendu à la chasse en sa compagnie.

— À la chasse au lièvre?

— Tu as deviné, petit Martin. Le géant partait à la chasse avec son sac rempli de collets pour tendre et capturer des lièvres. Et comme ce géant était bien grand, il devait manger tous ses lièvres pour satisfaire son immense appétit. Comme

313

il était grand! Grand comme la plus haute des maisons! Quand il faisait un pas, les petits garçons devaient en faire trente pour le rejoindre. Il s'élançait vers les bois en chantant. Mais à la lisière de la forêt, il cessait de fredonner pour ne pas que les lièvres l'entendent. Les lièvres savaient que le géant voulait les capturer. Mais comme ce sont des bêtes un peu étourdies et que notre géant était très rusé, elles finissaient toujours par quand même tomber dans ses collets. Un beau jour, le grand roi des lièvres convoque tous ses amis pour leur dire que cette situation est intolérable! « Pourquoi vos frères et vos sœurs tombent toujours dans les collets de ce géant? Prenez garde à vous!» Alors, les lièvres obéissent à leur roi et promettent de faire attention. Mais comme ils étaient bêtes! Le jour suivant, voilà dix autres lièvres transformés en civets! Même le roi des lièvres, qui se croyait si sage et prudent, s'est fait prendre à son tour! Un petit lièvre, devenu orphelin, se dit que si ses amis tombent toujours dans les collets du géant, peut-être qu'il pourrait à son tour faire basculer le géant dans un piège. Dans ce but, il se rend voir la fée des bois. Tu la connais, la fée des bois? Je t'en ai déjà parlé. C'était une petite fille aux cheveux noirs, qui riait toujours et qui faisait de beaux dessins. « Que faire, jolie fée? » lui demande le petit lièvre. « Je ne veux pas le manger en civet, ce géant! Tu le sais, jolie fée, que les lièvres ne mangent que de l'herbe et des carottes!» La fée réfléchit, se demande qu'est-ce qui pourrait bien attirer ce géant vers un piège et lui donner une leçon. Tiens! Elle trouve! D'un coup de baguette, elle transforme tous les lièvres de la forêt en lièvres à hoquet. Le lendemain, ils attendent impatiemment l'arrivée du géant avec sa chanson et ses collets. « Holà! monsieur le géant! Tu crois les lièvres si bêtes pour tomber toujours dans tes collets? Sache que maintenant, tous les lièvres de cette forêt sont des lièvres à hoquet! Si tu en manges un seul, tu auras le hoquet jusqu'à ton éternité!» Le géant rit de la menace, pose ses collets et aussitôt un lièvre, deux lièvres, trois lièvres, quatre, cinq, dix se font capturer. Fier de sa chasse, il s'en retourne à Trois-Rivières, suivi par le petit lièvre qui lui répète sans cesse : « Je t'ai averti, monsieur le géant! Je t'ai averti!» Que crois-tu qu'il est arrivé? Eh oui! petit Martin! Le géant gourmand mange à lui seul les dix lièvres et se voit pris d'un hoquet immense! Hic! Hic! Hic! Et comme il est bien grand, a une grande bouche et une grosse voix, à chaque fois qu'il fait Hic! la terre de Trois-Rivières tremble! Personne n'est trop content! Dans les maisons, les pots de fleurs sur les tables passent près de tomber et de se casser à chaque fois que le géant hoquette. Dans les magasins, toutes les marchandises risquent de se briser à chaque Hic! du géant. Seul notre petit lièvre rit de joie dans sa forêt, le dos contre un arbre et croquant une belle carotte. Puis, monsieur le maire de Trois-Rivières tend le doigt vers le géant en disant : « Va-t'en d'ici! Géant de malheur! Avec ton gros hoquet, tu vas briser toutes les maisons de ma ville. » Et tous les gens de Trois-Rivières lui disent de vite s'en aller. Le cœur en peine, notre géant part en exil. Mais partout où il s'installe, la terre tremble à chacun de ses hoquets et les paysans le chassent à leur tour. Après une année, désemparé, le géant revient à Trois-Rivières et pleure à genoux devant le petit lièvre. « Qu'est-ce que je dois faire, petit lièvre? Je n'ai plus d'amis. Personne ne veut de moi à cause de ce hoquet! Aide-moi, petit lièvre! Délivre-moi de ce triste sort! » Oh! il n'en sait trop rien, le brave petit lièvre. Bien sûr, il n'ignore pas que ce géant a un trop grand appétit, mais de sentir ces grosses larmes tomber comme de la pluie sur le sol rend notre lièvre bien triste pour le pauvre géant. « Viens avec moi, monsieur le géant! Allons voir la jolie fée des bois! » Hic! Hic! Hic! Ah! qu'il est malheureux, notre géant... « Bonne fée, regarde ce pauvre géant! Personne ne veut de lui et ses grosses larmes vont finir par inonder Trois-Rivières s'il n'est pas délivré de son enchantement. Que faire, jolie fée? » La fée regarde le géant en réfléchissant. Après lui avoir fait promettre de ne plus jamais tendre de collets aux lièvres de la forêt, d'un seul coup de baguette magique, elle met fin à son malheur. Comme il est content! Si heureux qu'il prend le petit lièvre entre ses gros bras et s'empresse de l'embrasser. Fatigué, il se couche près d'un arbre pour se reposer de son hoquet de malheur. Le petit lièvre se blottit contre lui. La jolie fée, trouvant cette scène enchanteresse, donne un autre coup de baguette magique et part continuer son travail de fée. Au matin, quand le géant se réveille, il a à ses côtés la plus jolie fille géante que l'on puisse imaginer. Ah! pris au piège à son tour, le géant! C'était, bien sûr, le petit lièvre transformé en belle géante par la bonne fée de la forêt. Et tous deux, heureux, partirent vers le pays de l'ouest, vers le pays des géants... Oh oui! Je l'ai si bien connu, ce géant, mon petit Martin!

— Je te crois, grand-père.

— Et je l'aimais beaucoup. Oui, beaucoup.»

Des larmes coulent sur ses joues. Il se lève et marche vers la cuisine. Je me demande soudain pourquoi tant de tristesse pour une belle histoire se terminant si bien. Ce n'est que deux jours plus tard que je me rends compte que ce géant que grand-père a connu s'appelait peut-être Adrien... Peut-être...

Novembre 1962
J'ai faim!

Quelle journée épouvantable! Rien n'a fonctionné comme il faut à l'usine. Et comme si je n'avais pas assez de la bêtise du contremaître, je me suis coincé un doigt dans une porte. En sortant, j'avais une contravention dans le pare-brise de mon automobile et le boulevard Normand était bloqué. En descendant de mon véhicule, je mets les deux pieds dans une flaque de boue. Quelle journée à oublier!

Heureusement qu'en entrant à la maison, les enfants sont sages devant leurs cahiers d'école. Mon épouse m'accueille avec un baiser et s'empresse de me donner mes pantoufles, mon journal et ma pipe. Ah! la douceur du foyer! Exactement ce dont j'avais besoin pour oublier mes malheurs des heures précédentes. Ma femme me mijote un de ces petits plats dont elle seule a le secret. Hmmm! Humez-moi cette odeur! Arôme sweet arôme! Les enfants ne se font pas prier quand maman nous crie de venir souper. Nous nous installons devant cette table impeccablement mise, avec les couteaux et les fourchettes aux bons endroits. Chaque jour, je remercie le bon Dieu de m'avoir fait épouser une femme aussi dépareillée.

Elle nous sert d'abord une soupe au poulet. Ah! cette soupe! La meilleure en ville! Ma femme tient sa recette miracle de sa mère, laquelle en avait hérité de sa grand-mère, etc. Les enfants se régalent. Je félicite mon épouse par un beau sourire. Une femme sait apprécier un geste si délicat. Les enfants la remercient poliment pour cette entrée royale. Voilà le plat de résistance : un pâté chinois! Un vrai de vrai! Avec des pommes de terre juste à point, des petits pois sautés au beurre, du blé d'Inde tendre, des tomates juteuses! Et cette platée de légumes, juste sous nos yeux! Tous des aliments sains du jardin cultivé amoureusement par ma femme. Des radis – comme j'aime les radis – des concombres, des céleris! Nous n'avons d'autre choix que d'en demander encore. Puis arrive le dessert, couronnement divin d'un repas si majestueux! Ma femme est championne en dessert et tous les enfants du quartier envient les miens d'avoir une maman si douée pour préparer les plus délicieuses sucreries. Aujourd'hui, elle nous offre des...

« Les enfants! Venez souper!
— On vient de manger, maman!
— Quoi?
— Regarde! Je joue au papa et à la maman avec Yvette et on vient de se payer un de ces repas qui...
— Martin! Yvette! À table! Et vite! »

Je soupire. Yvette enlève ses poupées de ses chaises jouets, mais n'a pas le temps de ranger sa vaisselle, car maman la menace de la priver de dessert si elle n'obéit pas tout de suite. Papa a l'air d'humeur massacrante. Je m'installe sans dire un mot aux côtés d'Yvette et de mes frères Marcel et Jean-Jacques. Le bébé Mireille est dans sa chaise haute, bougeant ses petites pattes comme des toupies.

« Ah non! Pas du navet! Tu sais que je déteste le navet, maman!
— Martin! Mange ce que ta mère t'a préparé et je ne veux plus t'entendre!
— Bien, papa... »

Il ne peut me déjouer, mon père, depuis ces onze années que je le connais : il n'aime pas plus que moi le ragoût aux navets de maman. L'été, quand je vois sa moue mal déguisée devant un plat préparé par maman, je reste à la maison, car je sais qu'il va m'inviter à faire un tour d'auto en direction de la plus proche roulotte à patates frites pour dévorer un gros hamburger débordant de ketchup chaud. Ce n'est pourtant pas ma grand-mère Céline qui n'a pas montré à ma maman comment bien cuisiner. Quel cordon bleu de toutes les couleurs que ma grand-maman! Mais il faut croire que l'art du chaudron ne devait pas intéresser ma mère quand elle était jeune. Aujourd'hui, c'est nous qui payons pour son étourderie. Au début de leur mariage – c'est papa qui me l'a dit – à chaque Noël, mon père offrait à maman un livre de recettes de cuisine, jusqu'à ce qu'elle se sente insultée. Alors elle s'est mise à les acheter elle-même. Je ne sais pas en quelle année elle s'est procuré ce livre sur l'équilibre des calories dans la nutrition des enfants, mais depuis ce jour maudit, nous devons nous gaver de légumes épouvantables et de poissons dégoûtants. Une fois, elle avait préparé une soupe aux poissons et Yvette, en voyant un poisson flotter dans un épais bouillon rouge sang et la regarder avec ses grands yeux de poisson, s'était mise à hurler de peur et elle avait fait des cauchemars deux nuits de suite. Chez mes amis, ce n'est pas comme ça. Par exemple, chez Richard, sa mère est une déesse de la poêle à frire. Il est en santé, mon Richard! Et fort! Pas maigre et feluette comme moi! Et la mère de Junior, quelle experte en hot-dogs! Même la mère de Gladu est très forte! Parfois, dans le portique, elle nous offre ses biscuits à la mélasse. Vous en parler serait déjà un péché de gourmandise!

« Puis, mon grand homme? C'était bon?
— Oui, maman, c'était bien bon. Merci beaucoup.
— Petit menteur. »

Aujourd'hui, c'est jour de marché. Habituellement, les pères normaux demeurent dans le stationnement en attendant leurs femmes, mais le mien ne se fait pas prier pour pousser le panier de maman, y allant de quelques suggestions qui ne font pas partie de la liste rigoureusement préparée par ma mère. Quand je suis sage, je peux les accompagner. J'aime les épiceries. Ça sent toujours bon. On a une épicerie dans notre rue, tenue par monsieur Neault, sans oublier le marché Lavérendrye. Mais depuis que les grands marchés modernes se sont établis dans les rues Royale et Fusey, papa préfère ces grandes surfaces où il ne manque jamais de rien et où nous avons un plus grand choix. Puis tourner les coins des rangées au volant d'un panier est aussi excitant que de conduire les autos tamponneuses de l'Expo. Avec un peu de chance, on peut faire un face à face avec le panier d'une grosse ménagère.

« Oh! je veux ça! Achète-le! J'en ai besoin, maman!
— Martin, tu avais promis d'être tranquille.
— Mais ça va être bon, maman! »

Si vous croyez qu'en me laissant le libre choix d'emplir le panier selon mes convenances, je le couvrirais de guimauves et de chocolat, vous vous trompez! Je ne suis plus un enfant! Juste un peu de bonbons pour Yvette, Marcel et Jean-Jacques, puis le reste avec de la bonne nourriture : de la soupe aux choux, du riz, du poulet, des frites et des céréales éducatives (avec lesquelles on peut écrire). Je pousse avec dextérité. Je suis le roi du panier. Je zigzague entre les chauffards, j'évite les flâneuses hypnotisées à tâter des tomates, je tourne sur deux roues, j'applique les freins rapidement au premier signe du doigt de mon père. Je me range le long des légumes.

« Pouah! Pas des épinards!
— Popeye en mange, lui. Et il est fort.
— Je savais que t'étais pour dire ça! Le truc de Popeye, tous les parents le disent! Et tu ne saurais même pas comment les faire frire!
— Martin! Sois poli envers ta mère ou tu ne reviens plus! »

C'est vrai! Elle achète toutes sortes d'aliments qui finissent par l'embêter! Ce n'est pas le cas de ses maudits navets... Je soupire, pousse une prière de bonne foi : « Petit Jésus, faites que ma mère soit raisonnable et achète au moins des bonbons. » Et comme Jésus, selon la bible de grand-père Roméo, était un grand consommateur de sucreries, il exhausse ma dévotion et me laisse libre devant l'étalage de bonbons. Et voilà! Le tour est joué!

« Un cordon en suçons! Un vrai cordon!
— Martin, est-ce que tu prends les suçons, les tablettes de chocolat, les jujubes, les bâtons forts ou les biscuits aux raisins?

— Tu oublies les guimauves.

— Je te donne cinq secondes pour te décider. Et pense aussi à tes frères et à ta sœur.

— Je choisis le cordon. Mais prends-en deux. Un pour moi, et l'autre pour Marcel, Yvette et Jean-Jacques. »

Il y a une longue filée de paniers devant la caisse enregistreuse, ce qui me donne du temps pour regarder leur contenu. La caissière est jolie et dactylographie les prix sur des gros boutons qui font shlonk! shlonk! à chaque coup. Je me demande si elle nous juge d'après les aliments qu'on achète... Maman s'impatiente de la lenteur de la filée. Elle dit à papa qu'elle préfère le marché Lavérendrye, car elle peut connaître les vendeurs, jaser avec son boucher et prendre plus son temps. Elle prétend que tout la presse dans les grands marchés modernes. « C'est impersonnel » assure-t-elle. « C'est moins cher » de philosopher papa. Moi, je trouve qu'il y a plus de bonbons, ce qui est une raison plus rationnelle que leurs considérations.

De retour à la maison, maman place ses achats à toute vitesse et retourne lire. Papa brasse rapidement un Quick pour récompenser Marcel d'avoir gardé Yvette, Jean-Jacques et le bébé Mireille. Après sa lecture, maman prépare le lunch de papa pour demain matin. Elle tartine deux sandwichs au fromage, enveloppe un céleri et un radis dans du papier aluminium, vérifie si la salière est pleine, hésite entre une banane et une pomme, puis dépose le tout sur la serviette recouvrant le fond de la boîte à lunch. Ensuite, elle la met dans le frigo. Demain matin, elle remplira le thermos de café. Les vrais hommes ont tous des boîtes à lunch. Le matin, en me rendant à l'école, je les vois attendant l'autobus, leurs boîtes à leurs pieds. Quand papa revient de l'usine, il dépose la sienne sur le comptoir, près de l'évier, pour que maman la lave après souper. Je m'empresse de la saisir et de me mettre la tête dedans. Il n'y a pas au monde une meilleure odeur que celle d'une boîte à lunch d'ouvrier. Habituellement, le fruit qui y a été déposé la veille prédomine sur les autres odeurs, tout en se mêlant dans un parfum de fraîcheur revigorant.

Quand papa travaille le matin, c'est lui qui prépare le

déjeuner. Les œufs pètent, le bacon rouspète, les rôties brûlent – il les aime ainsi – le jus sourit en bulles orangées descendant gaiement dans nos verres froids. Parfois, il fait cuire une saucisse ou des minces tranches de patates. Papa est un expert en œufs. Moi, j'aime que leur jaune soit mou afin d'y tremper ma rôtie. Marcel les préfère durs, Jean-Jacques les veut durs d'un côté et mous de l'autre. Et Yvette n'aime pas les œufs, sous prétexte que ce sont des bébés poules. Papa nous les cuisine exactement comme nous les désirons. Avec maman, il y a toujours le risque de voir nos œufs ressembler à de la gélatine. Quand papa ne travaille pas le matin, c'est ma mère qui nous prépare le déjeuner. Et c'est beaucoup beaucoup moins drôle. Du pamplemousse! Elle nous fait manger du pamplemousse le lundi matin! Et elle garde les Corn Flakes pour le samedi. La saine alimentation pour la croissance de l'enfant, nous chante-t-elle à nouveau. En général, trente minutes plus tard, nous avons faim, ce qui n'est pas très sain pour la croissance des enfants.

Je ne demeure pas tellement loin de l'école et c'est pourquoi je vais à la maison sur l'heure du dîner, alors que je pourrais utiliser ce précieux temps à faire quelque chose de constructif, comme jouer avec les gars. Mais il arrive, de temps à autre, selon les occupations de maman, que j'apporte un lunch à l'école. Malheureusement, je n'ai pas de boîte à lunch et je dois me contenter d'un vulgaire sac de papier brun. Habituellement, il s'agit du même menu que celui de mon père. Ce n'est pas trop grave, car les gars ont l'habitude de s'échanger des sandwichs ou d'autres aliments. Richard a les meilleurs sandwichs de tout Sainte-Marguerite. Les gars se précipitent vers lui sur l'heure du dîner pour négocier une entente. L'hiver, il lui arrive souvent de vendre ses sandwichs dans le but d'économiser pour s'acheter un bâton de hockey. Je l'ai déjà vu vendre une bouchée de sandwich cinq sous. Évidemment, quand il se débarrasse ainsi de son lunch, il vient quêter un peu du mien. Il y a des chanceux qui ont des tablettes de chocolat pour compléter leur dîner. Marcel, Jean-Jacques et moi, le plus souvent, devons nous contenter de fruits : des pommes trop molles, des oranges trop juteuses, des bananes trop noircies et des raisins écrasés contre notre thermos de soupe.

« Yerk! Qu'est-ce que c'est censé être?
— Un sandwich au poulet.
— Il sent le petit pied!
— Ce n'est pas de ma faute.
— On dirait une tonne de mayonnaise avec des petits bouts de poulet.
— C'est de la faute à ma mère.
— Je vais envoyer ma mère voir la tienne.
— C'est une bonne idée, mais je pense que ça l'insulterait. »

Et puis, ce serait une perte de temps. La plupart des femmes ont visité ma mère à ce sujet, car une rumeur de quartier veut que la petite madame Comeau cuisine comme une pécheresse. On ne peut pas dire que maman les a accueillies à bras ouverts... Parfois, je me dis que ma sœur Yvette, sept ans, fait mieux la cuisine que ma mère. Elle pèle les pommes de terre à la perfection, lave soigneusement les légumes, crème les gâteaux, sait faire mijoter une soupe. Il n'y a pas de doute qu'Yvette deviendra une vraie femme complète.

Quand Rosaire Beaumier, le marchand de légumes, passe par notre rue, Yvette accompagne toujours maman pour se faire juge de la fraîcheur de la marchandise proposée. Je les suis pour regarder le cheval, qui porte un chapeau. Des chevaux dans les rues, il y en a de moins en moins. Surtout avec des chapeaux. Petit, je prenais plaisir à entendre les clochettes du cheval du laitier approchant de notre maison. Aujourd'hui, le laitier arrive en camion, ne sonne même pas à la porte, dépose sa pinte quand maman a mis la carte voulue à la fenêtre du salon. Peut-être que dans deux ans, il n'y aura plus de marchands ambulants. Effrayé par ce pressentiment, je profite de chacune de ses visites pour me délecter des gestes lents du gros monsieur Rosaire et de ses mensonges de vendeur. J'aime aussi l'ambiance autour de sa charrette. Les mères jacassent sur la cherté des prix, disent toujours que c'est moins coûteux dans une épicerie. « Mais une épicerie ne vient pas à votre porte, madame! Et puis mes légumes sont plus frais. Ils viennent de chez un cultivateur, pas de l'entrepôt d'un marchand de gros. » Mais monsieur Rosaire ne rajoute pas que ses visites plaisent aux enfants. Et de toute façon, quoi qu'elles disent, les femmes vont acheter quand même. Pendant que monsieur Rosaire discute d'un côté, nous les petits, de l'autre, volons pieusement un raisin, tout en n'osant pas toucher aux pommes de peur de les voir dégringoler sur l'asphalte. C'est arrivé à Gladu. Son père lui avait donné toute une de ces taloches... Bien fait! Maudit Gladu sale. J'aime la vieille balance de monsieur Rosaire. Il y dépose les fruits, bouge le poids délicatement en fermant l'œil droit, puis calcule rapidement le prix voulu. Il enveloppe les légumes dans du papier brun, sourit en annonçant la journée de sa prochaine visite.

« Ça va être la dernière fois, madame Comeau. L'hiver s'en vient et la jument se fait un peu vieille pour le trajet dans la neige. Mais si vous voulez des bons fruits et légumes, téléphonez-moi et j'irai vous les livrer dans mon auto.
— Merci, monsieur Beaumier.
— Peut-être même que la semaine prochaine sera ma dernière avec la jument. J'ai vu de bonnes occasions pour un camion. »

« Hue! » crie-t-il, pour faire trotter cinq maisons plus loin la vieille pouliche à chapeau. Ma mère demeure dans la rue, sa main droite sur nos têtes. Je la regarde en lui disant que ce serait triste de voir monsieur Rosaire au volant d'un camion.

« S'il est beau, son camion?
— Yvette, tu es trop jeune. Tu ne comprends pas.
— Oh! vous alors, les deux vieux! »

Grand-père Roméo m'a appris à regarder les choses et les gens, à prendre des photographies de tout dans ma mémoire. Ma mère tient cela de lui. Grand-père peut nous évoquer des personnes et des événements très lointains en un quart de seconde et rendre son récit bien vivant et joli. Il a été très triste quand on a démoli le vieux marché à poissons, l'été dernier. Pas tellement moi. Un marché consacré aux poissons! Mais grand-père m'a décrit les gens qu'il y a connus, leurs habitudes, leur langage et tout devenait beau. Il m'a aussi raconté les après-midi au marché aux denrées de la rue des Forges, celui qui est vieux et sent la crotte en été et le jus de botte en hiver. À démolir aussi, j'imagine. Mais avec les mots de grand-père Roméo, cet endroit devient resplendissant, surtout quand il me raconte cette histoire si drôle à propos d'une tête de cochon plantée sur un baril!

Quand ma mère était enfant, son papa Roméo l'a emmenée souvent voir un vieux bateau transportant des pommes jusqu'au port de Trois-Rivières. Il lui racontait son histoire avec tant de sentiments qu'il a laissé à maman le plus beau conte dont elle se sert parfois pour nous endormir. Quand elle nous parle de ce bateau de pommes, ce sont les mots de grand-père Roméo que j'entends. Mon arrière-arrière-grand-père s'appelait Isidore et, à son époque, il se rendait au port de Trois-Rivières pour voir arriver ce bateau de pommes. Plus tard, il y emmena son fils Joseph, le papa de grand-père Roméo. Et celui-ci a emmené ma mère et tous ses enfants. Mais le bateau de pommes est disparu depuis longtemps et il ne m'en reste que l'histoire racontée par ma mère. Peut-être que moi aussi, quand je serai papa, je raconterai à mes enfants ce bateau de pommes ou le cheval à chapeau de monsieur Rosaire. Un bateau de pommes! Vous imaginez? À son bord, il y avait un très beau et courageux garçon de mon âge, guettant les dangers de la navigation du fleuve Saint-Laurent, car les pommes devaient se rendre coûte que coûte à Trois-Rivières où les gars et les filles se faisaient une ronde à la pensée d'admirer et de goûter tous ces fruits. À cette époque, il n'y avait pas de père Noël. Juste un bateau plein de pommes. Soudain, le garçon voit apparaître le dragon des mers, sortant de l'eau sa tête hideuse et crachant son jet de feu, prêt à manger toutes les pommes, l'équipage et le bateau, privant ainsi tous les petits enfants de Trois-Rivières de leur père Noël. Le garçon très beau et courageux sort sa longue épée étincelante et, sautant sur la crête des vagues, combat le dragon pendant cent heures. Après sa victoire sur le monstre, il retourne sur le bateau se reposer en croquant une pomme. Mais, hélas! voici les pirates du Saint-Laurent désirant voler le bateau de pommes pour le vendre aux communistes! Notre garçon n'écoute que son courage et, derrière ses douze canons, combat le capitaine Red, avec son nez crochu, son bandeau sur les yeux, son sabre entre les dents et son perroquet vert sur l'épaule. Après cette autre victoire, le bateau de pommes arrive enfin à Trois-Rivières – je ne vous ai pas parlé de la tempête tropicale qu'il a dû affronter? – et s'installe près des grands cargos. Les rois, les princes et les saints de Trois-Rivières applaudissent son arrivée, et les petites filles offrent des fleurs en récitant un compliment. Et tout le monde se régale de jolies pommes. C'est une belle histoire! Grand-père Roméo me l'a racontée souvent. Ma mère a mangé de ces pommes. On a même une photographie pour le prouver. Et elle raconte à ma petite sœur Yvette cette même histoire. Au matin, il y aura une pomme dans son sac à lunch, pour réaliser le beau rêve qu'Yvette aura fait suite à cette fable.

Grand-père Roméo en connaît des milliers d'histoires semblables! Juste des choses qui sont arrivées à Trois-Rivières et qu'il a vécues. Comme l'ouverture du restaurant *Le Petit Train*. Grand-père était là et c'est même lui qui avait trouvé le nom de ce restaurant, aujourd'hui sous la responsabilité de mon oncle Maurice. Je sens une grande fierté de savoir que je fais partie des descendants de Joseph Tremblay, fondateur du *Petit Train*, le restaurant le plus ancien de Trois-Rivières. Il est situé près de la gare, d'où l'origine de son nom. C'est en septembre 1908 que mon arrière-grand-père Joseph l'a inauguré. Ma grande-tante Louise – du temps où elle était une vraie personne, avant de devenir religieuse – s'en est longtemps occupée. Ma tante Patate aussi y a travaillé pendant un bon bout de temps, avec sa sœur Simone. Maintenant, ce sont les enfants de l'oncle Maurice qui aident leur père au *Petit Train*. Ce n'est pas le plus beau, ni le plus neuf des restaurants, mais les Trifluviens, par tradition, y sont attachés, surtout à cause de la réputation internationale de ses frites. Quand la reine d'Angleterre est venue nous visiter à la Saint-Jean, il y a trois ans, elle a dit : « Ça c'est de la frite royale! » Elles sont meilleures que celles de toutes les roulottes du Canada. C'est le premier ministre John Diefenburger qui l'a affirmé à ses députés, et avec un tel nom, il ne peut pas se tromper.

Imaginez une frite, extraite de la meilleure pomme de terre des grands champs de la Mauricie, cajolée et complimentée, découpée au huitième de pouce près, lavée avec soin, manipulée avec délicatesse, qui baigne dans de l'huile fraîche tout juste le temps requis et chronométré, et qui aboutit dans une assiette, croustillante, odorante, tendre, accompagnée d'un sel fin, d'un vinaigre onctueux et d'un ketchup maison épicé à point. Et en portion généreuse! Ah! si je me mettais à vous parler des hot-dogs du *Petit Train*... Mais juste d'y songer me donne faim. Et soudain je pense aux tartes, aux gâteaux, aux biscuits du *Petit Train* : tous faits à la maison, selon une tradition familiale. Grand-père Roméo est fier de la qualité de la frite perpétuée par l'oncle Maurice. « Elle goûte exactement comme celle de 1908 », dit-il, les larmes aux yeux. Cette frite qui a fait les délices de générations entières de Trifluviens! Et puis, à la porte du *Petit Train*, il y a un train en néon qui fait tchou! tchou! tchou! en trois couleurs. Ce n'est pas à dédaigner!

La frite, c'est ce qu'il y a de mieux au monde. C'est la frite qui fait de grands peuples, comme les Belges ou les Français. Les communistes russes ne font pas de frites. Nous, les gamins, sommes les meilleurs juges de la frite. D'ailleurs, même si *Le Petit Train* est supérieur à tous les restaurants du monde entier, nous savons reconnaître des qualités aux frites des autres comptoirs. Dans Sainte-Marguerite, nous ne manquons pas de restaurants à frites, portant tous des noms prestigieux comme *Chez Jos*, *Chez Marcel* ou *Restaurant Guillemette*. C'est chez ce dernier que nous allons chercher le pain tranché pour nos mères, des bonbons pour nos frères et sœurs, ainsi que pour vendre nos bouteilles vides. Avec notre fortune ainsi gagnée, Richard, Marcel, Junior et moi commandons un frite de *Chez Jos*. Nous les prenons une à une, les croquons, les mâchons doucement, sans gourmandise, comme des vrais professionnels de la dégustation. Nos mères ne font pas souvent de frites, sous prétexte que ce n'est pas nourrissant ou que c'est dangereux pour les incendies. Mais quand l'événement nous tombe dessus, chaque frite devient un régal. Enfin, c'est sûrement le cas chez mes trois amis, car les frites de ma mère... Pour l'exotisme, nous nous rendons parfois, surtout le dimanche, chez *Paris Bar-B-Q*, près du rond-point. Avec un tel nom, nous sommes bien heureux de déguster du poulet de la vieille France, comme nos aïeux devaient en manger (je dis ça sans preuve, car il n'en est pas question dans notre livre de l'histoire du Canada). Bref, pour les restaurants, à Trois-Rivières, c'est la frite qui règne.

Mais encore mieux que nos lunchs, les repas de nos mères ou les divins palais de la frite, pour manger, il n'y a rien de mieux qu'une grand-maman. Toute vraie grand-mère qui se respecte est née pour préparer les repas. Quand elles étaient jeunes, elles cuisinaient déjà comme des grands-mères. Il n'y avait pas de livres de recettes, d'émissions à la radio ou à la télévision dans leur temps; elles apprenaient leurs secrets culinaires de leurs propres mères. Et ma grand-mère Céline est la meilleure aux chaudrons! Quand elle montera au ciel, je suis certain que la première chose qu'elle dira à saint Pierre sera : « Voulez-vous de mon sucre à la crème? J'en ai préparé avant de mourir. » Et saint Pierre ne refusera pas!

« Du chocolat! Une vraie boîte de chocolats! Vite! Ouvre-la!

— Martin! Ne touche pas! C'est pour donner en cadeau à ta grand-mère Tremblay.

— Hein?

— C'est son anniversaire de naissance dimanche et cette boîte de chocolats est son cadeau. Si tu y touches, tes fesses vont le regretter pendant dix ans.

— Ça veut dire que je suis obligé d'attendre jusqu'à dimanche pour manger ces chocolats?

— Ce n'est pas pour toi. C'est pour ta grand-mère. »

Comme si papa était assez naïf pour penser que grand-mère Céline va déguster tous ces beaux chocolats! C'est évident qu'avant d'en toucher un seul, elle en offrira à tout le monde. Et j'ai deux jours pour penser à ceux que je choisirai. À Pâques, grand-mère Céline prépare des œufs à la coque en couleur qu'elle dépose dans des petits paniers garnis de salade. À la Sainte-Catherine, nous allons nous poudrer les mains de farine pour travailler à sa tire blonde aux reflets argentés.

L'été, elle prépare sa propre crème glacée, bien meilleure que celle du comptoir du rond-point. Grand-mère Céline peut tout cuisiner! C'est une sainte!

« Entrez! Entrez! » de dire grand-père. Derrière, grand-mère Céline tend les bras et nous y déposons nos manteaux. Puis, elle revient avec son plat de friandises : des biscuits en forme de chien. « Belle-maman – je ne sais pas pourquoi mon père appelle grand-mère Céline ainsi – voici un cadeau pour votre anniversaire de naissance, de la part de Carole et moi et de nos enfants. » Grand-mère joint les mains en disant qu'il ne fallait pas. Mais oui, il fallait. « Oh! des beaux chocolats! » Je sais. Elle embrasse papa, puis offre les chocolats à tout le monde. Et voilà! Le tour est joué! Chanceux, nous sommes les premiers arrivés, ce qui laissera moins de chocolat pour les autres. Elle s'interroge devant le choix, demandant à mon père lesquels ne sont pas trop durs.

« Regardez, belle-maman, cette feuille indique tout ce que les chocolats contiennent. Caramel, amandes, gelée à la cerise.

— C'est une bonne idée, Romuald. »

Poli, je demande à grand-mère si je peux prendre un autre chocolat. Cette boîte est une pure merveille du génie humain. Ce n'est pas du chocolat ordinaire : c'est du chocolat professionnel. D'abord, la boîte est d'un grand chic, avec ses teintes de rouge et de noir, son ruban doré, les compartiments de chocolat épousant parfaitement la forme de chacun d'entre eux. Le guide – très ingénieux, en effet – nous permet de nous régaler juste en lisant les noms. Je prends, il va de soi, celui avec une cerise à l'intérieur. Le chef-d'œuvre baigne dans son jus sous une carapace chocolatée imprégnée d'un arôme cerisier. Je croque. Je laisse fondre dans ma bouche, je ferme les yeux et je suis au Paradis! Je sais maintenant que ce n'est pas une pomme qu'Ève a tendue à Adam.

« Martin! Remets ce chocolat que tu viens de prendre dans la boîte de ta grand-mère!

— Hein? Moi?

— Remets tout de suite!

— Mais c'est pas pour moi! C'est pour Coco! C'est un chocolat à saveur de banane et...

— Martin! Je ne le répéterai pas trois fois! »

Comme grand-mère Céline sait que tous ses enfants vont venir avec les leurs, elle a préparé des friandises supplémentaires. Pour les adultes, elle a fait mijoter leurs mets favoris : de la soupe aux choux, des tourtières, de la sauce aux œufs et du riz à l'espagnole. À quatre heures, je me cache contre le ronronnement du réfrigérateur et regarde mes tantes Simone et Patate aider grand-maman Céline. Ma mère devrait être avec elles, à prendre des notes, au lieu de flâner dans la bibliothèque de grand-père Roméo. Je me laisse envoûter par l'odeur de la soupe aux choux. « Maman, comment faites-vous pour si bien réussir votre sauce aux œufs? » de demander tante Simone. Grand-mère Céline lève le petit doigt avant de répondre : « Ah! mais c'est mon secret, ma petite fille! » Rien à faire! Elle ne le dira pas. Et même si les communistes arrivaient pour lui voler sa recette, je suis certain que même sous leur torture, grand-mère Céline ne dirait rien.

« Patate! Martin! Mais qu'est-ce que tu fais caché là?

— Rien, ma tante. Je vous regarde faire.

— Ouste! Va jouer avec tes cousins! Pas d'homme dans la cuisine, espèce de petite patate ratatinée! »

Mes cousins Robert et Charles ne m'intéressent plus tellement depuis ce jour de 1957 où ils avaient rencontré ce blond de Hollywood avec sa guitare. Grand-père Roméo leur a acheté des guitares et, depuis ce temps, ils ne pensent à rien d'autre. Charles fait même partie d'un orchestre. Je n'ai plus tellement de cousins de mon âge, sauf Clément, qui est ennuyeux, et Johanne, qui est une fille. Et comment penser à m'amuser quand la soupe aux choux de grand-mère me guette? À moins de jouer à la cuisine avec Yvette. Mais ma petite sœur est trop occupée à s'amuser avec les cousines de son âge. Je me promène dans la maison, grignotant un peu pour calmer mon impatience.

« Mais qu'est-ce qu'il a aujourd'hui, mon petit amoureux?

— J'ai faim, tante Bérangère!

— Tu as faim? Ta maman ne te donne donc jamais à manger?

— Je préfère ne pas répondre à cette question. »

La situation est grave! Critique! C'est une question de survie! Mourir pour la patrie, d'accord! Mais le faire le ventre vide, ça, jamais! Je sais que les lignes ennemies sont bien surveillées, que leurs soldats ont des tigres, des éléphants, des canons, des sabres et des fusils à eau. Avec mon épée dans la main droite, je rampe vers leur campement, guettant les serpents venimeux et les tarentules poilues et empoisonnées. Me voici au bord de leur campement. Ils sont nombreux, très bien armés. Mais je les observe, note tous leurs déplacements réguliers, coordonnés. Je calcule que j'aurai vingt secondes pour courir vers leur tente de ravitaillement et chaparder la nourriture qui me tombera sous la main. Vite! Je marche, je cours, je m'envole et vole ce que mon ventre me réclame de toute urgence. Ils ne m'ont pas vu! Je fais attention, marche dans les hautes herbes pour ne pas laisser de traces. Me voici enfin près des miens, mon céleri entre les dents.

« En effet, je vois que tu as faim.

— J'ai obtenu ce céleri au péril de ma vie, tante Bérangère.

— Il fallait le demander. Il ne reste plus de croustilles au salon? Je vais t'en chercher, mon pauvre grand petit amoureux. »

Voici enfin le moment solennel : la soupe aux choux de grand-mère! Quand une soupe n'a pas trop de bouillon, c'est une bénédiction. Et il n'y a pas de navet dedans! Du chou, des oignons, des petites carottes, du piment. En la portant à ma bouche, c'est l'Éden que je goûte. J'émiette quelques biscuits soda, saupoudre allègrement de poivre avec juste ce qu'il faut de sel. Et un autre bol, s'il vous plaît, grand-maman! Et voici le riz à l'espagnole! Fumant et hurlant de bon goût! J'en mets un petit tas dans un coin de mon assiette, laissant de l'espace pour la tourtière et la sauce aux œufs. Il est tendre! Il est piquant! Il est rouge! Je noie la pointe de tourtière dans du ketchup et décore la sauce aux œufs de miettes de pain. Comme elle est belle, cette sauce aux œufs! Onctueuse! Veloutée! Avec des morceaux d'œufs flottant sur l'onde de ce fleuve blanc dans lequel je vois tourbillonner des oignons et du céleri. Je couronne cette assiette princière de cinq radis et d'une grosse poignée d'olives farcies. Et je passe à l'attaque! Je n'en peux plus! Il m'en faut davantage! Que choisir? La sauce aux œufs : quelle question idiote! Me voilà repu, plein, rassasié, balloune! Mais grand-mère Céline me mitraille : le dessert! Un Gâteau Au Chocolat! Avec de la crème glacée maison, le tout apothéosé de cerises : deux vertes et cinq rouges! Je donne à grand-maman Céline son salaire bien mérité : « Merci, grand-mère. C'était bien bon. » Et dire que demain je devrai retourner aux ragoûts aux navets de ma mère...

Si je n'étais pas un garçon sage, je crois bien que j'aurais fait un grand sourire au péché de gourmandise. Mais je suis raisonnable. Je me repose au salon avec mon père, les cousins et les oncles, pendant que les femmes lavent la vaisselle. Mon oncle Maurice, aussi satisfait qu'un seigneur, sort de son enveloppe un gros cigare qu'il lèche goulûment avec sa langue de berger allemand. Dix minutes plus tard, sans raison, je me sens mal... Vite! Enlevez-vous de ma trajectoire! Le spoutnik Martin Comeau a besoin du petit coin! En moins de deux, je vois flotter dans la cuve les pépites de chocolat du gâteau au milieu de la sauce aux œufs. Il y a même du chou. Trouvant cette vision effroyable, je vomis à nouveau et, cette fois, c'est le riz à l'espagnole qui se mêle à ce maelström d'enfer culinaire.

« Te voilà bien puni! Tu as trop mangé!

— Non, maman, c'est le cigare de mon oncle Maurice qui m'a rendu malade.

— Tu as passé l'après-midi à manger des croustilles, à boire du cola et à avaler le chocolat de la boîte de ta grand-mère, en plus de toutes les doubles portions que tu as englouties au souper. Je t'ai laissé faire. Je savais que tu allais être malade. Tire une leçon de ta gourmandise.

— Ça tourne, maman...

— Et tu veux que je te soigne comme mon petit bébé de onze ans?

— Douze le mois prochain...»

La fumée de ce cigare me fait chavirer la tête. De plus, je sens dans mon gosier monter le bœuf haché des tourtières. Pire que tout, j'ai l'impression qu'il subsiste un peu de la salade aux patates que ma mère m'a obligé à manger la veille. Accuser la sauce aux œufs de grand-mère Céline est une pensée lâche de la part de maman, une façon de se défendre! C'est de la faute du cigare et de sa salade aux patates si je suis malade! Mais pour l'instant, je crois que je vais m'étendre un peu...

« Tu es malade, Martin?

— Non, ça va mieux, grand-père Roméo. Ça va mieux.

— Tu as trop mangé. Et peut-être que la sauce aux œufs n'était pas assez chaude.

— Grand-père, s'il te plaît, ne dis plus sauce aux œufs devant moi...

— Il faut manger raisonnablement, Martin, même si c'est bon. Sinon, il peut arriver des malheurs terrifiants... Vraiment terrifiants... Dans ma jeunesse, j'ai connu un garçon de ton âge qu'on surnommait Bouboule. Et ce n'était pas pour rien! Oh! comme c'est terrifiant, quand j'y repense...

— Qu'est-ce qui lui est arrivé?

— Il mangeait tout le temps! Si bien que s'il était un peu rond, on ne peut pas vraiment dire qu'il grossissait. Alors, il se disait qu'il pouvait tout le temps consommer, vu que ça ne le faisait pas grossir. Il avalait tout, Bouboule! Même le foin des chevaux!

— Pouah!

— Il terrorisait le quartier! Les voisins disaient que si Bouboule n'arrêtait pas de manger, il allait exploser! Le bon Dieu, dans son beau ciel, se demandait bien de quelle façon il pourrait faire réaliser à ce Bouboule les dangers de sa gourmandise. Il a demandé conseil à ses anges, et le grand ange gardien des jardins et des troupeaux lui a dit : « Laissez-

333

le-moi, bon Dieu, et vous verrez que Bouboule aura sa leçon. » Le bon Dieu, parfois, a besoin du conseil de ses anges. Voilà donc notre ange sur la terre, apparaissant dans toute sa magnificence à Bouboule. Il lui offre une caisse d'oranges, en lui recommandant de ne pas manger la dernière, sinon il lui arriverait un terrible malheur. Tu devines trop bien ce que Bouboule a fait...

— Il a tout mangé, même la dernière orange.

— Bien sûr! Mais il ne s'est rien passé, du moins jusqu'à ce que Bouboule s'installe dans la caisse. Aussitôt, elle s'envole comme une fusée! Bouboule s'accroche aux rebords de la caisse, terrifié par ce qui lui arrive. Derrière lui, il voit la terre devenir aussi petite qu'un raisin. Et Bouboule voyage dans l'espace, pleurant sur son sort, inquiet de ne pas avoir apporté à manger pour ce voyage. Il a ainsi vogué entre les étoiles pendant bien longtemps, jusqu'à ce qu'il voie la lune s'approcher de lui. « Chic! La lune est en fromage! Je vais pouvoir enfin manger!» Mais la lune, contrairement à ce que tout le monde pense, n'est pas en fromage mais bien en cretons. De vastes champs de cretons! Avec des fleuves d'ail et des arbres à la sève de moutarde. Oh! notre Bouboule se croit au paradis, car les cretons sont son plat favori! Alors, il se lance au sol et se met à tout brouter! Après trois heures, il se sent un peu lourd, pense à se reposer, mais l'odeur des cretons n'en finit plus de l'enivrer! Mange! Mange! Mange des cretons, mon Bouboule! Et pendant tout ce temps, sur la terre, les gens regardent dans le ciel en se demandant pourquoi la lune rapetisse de soir en soir... Bouboule mange la lune! Après deux semaines, il commence à se sentir un peu à l'étroit, mais se dit que ce n'est pas trop grave, parce qu'il a amplement de provisions. Mais deux mois plus tard, il ne reste plus qu'un tout petit quartier de lune auquel est accroché notre Bouboule, les pieds dans le vide. Et comme il est bien lourd après avoir tant avalé de cretons, il a une grande difficulté à se garder ainsi suspendu. Les heures, les jours, les semaines passent et sur la terre tombent les grosses larmes sucrées de Bouboule. Comme il se sent seul! Il comprend maintenant sa punition d'avoir été trop gourmand en mangeant la dernière orange de la caisse. « Petit Jésus, pardonnez-moi! »

C'est ce que l'ange et le bon Dieu voulaient entendre! Aussitôt le grand ange apparaît près de Bouboule avec dans ses bras le plus beau repas que l'on puisse imaginer, avec un grand plat de sauce aux œufs. Que va-t-il faire? Il a perdu tant de poids en restant si longtemps accroché à son bout de lune. Tu as deviné que le grand ange le met à l'épreuve, pour savoir si Bouboule a eu vraiment sa leçon. « Je n'en veux pas! Je veux retourner chez moi sur la terre!» Alors l'ange, d'un grand geste d'ange, redonne naissance à la lune et offre à Bouboule une nouvelle boîte d'oranges pour rejoindre ses parents. Sa mère, le voyant, lui demande où il était passé. « Je suis allé sur la lune, maman!» Pardi! En voilà une histoire! La maman rit de lui, tout comme son père, ses frères et sœurs. Et Bouboule se promène dans Trois-Rivières et raconte son aventure. Et tout le monde se moque de lui. Et personne ne comprend pourquoi, à partir de ce jour, Bouboule se met à manger raisonnablement.

— C'est bien joli ton histoire, grand-père Roméo, mais je n'y crois pas tellement.

— Tu ne crois plus à mes histoires?

— Oh oui! Mais celle-là est un peu exagérée.

— Viens voir, Martin... »

Grand-père pousse les rideaux et me montre ce quart de lune brillant dans le grand ciel. « Regarde... regarde comme il faut au bout de la lune... » J'observe, pour ne pas trop lui déplaire. Il n'y a rien au bout de la lune. Mais cette nuit-là, mes parents affolés accourent dans ma chambre, m'épongeant le front, me ramenant sur terre suite à ce cauchemar où j'étais seul sur cette lune... de sauce aux œufs!

Décembre 1955
Le petit Jésus ou le père Noël?

« Capitaine Comeau, cette mission est très secrète! Vous ne devez en parler à personne, sauf à votre papa et à votre maman. Si jamais vous êtes capturé, vous ne devrez en aucun cas divulguer les motifs de cette mission! Au nom du roi de la province de Québec, je vous souhaite bonne chance et que le petit Jésus soit avec vous! » Je salue le général et pars tout de suite, fier d'avoir comme ordre de délivrer le père Noël, enlevé par les communistes afin que les enfants canadiens n'aient pas de jouets à Noël. J'attelle mes chevaux magiques à ma torpédo et nous nous envolons vers la Russie, qui est un peu au nord de Shawinigan, en tournant à gauche.

Avant d'atterrir, je prends la précaution de me déguiser en plaçant une fausse moustache sous mon nez, car comme chacun le sait, les Russes ont tous des moustaches, même les enfants. Me voici parmi les communistes. Comme ils sont laids! Ils ont tous des dents jaunes et crochues, des bosses dans le dos et des gales dans leurs mains. Mon déguisement fait merveille. Personne ne note ma présence. « Où est Moscou? » que je demande à une vieille femme au visage verdâtre. Avec ses doigts crevassés, elle m'indique l'ouest, tout en croquant dans une crotte de cheval durcie, la nourriture principale des communistes. Pauvre femme! Si elle connaissait les bienfaits de la religion catholique, elle ne vivrait pas dans cette infecte misère.

Je marche dans la plaine désertique où il y a un espion derrière chaque arbre. Parfois, j'arrête dans un restaurant pour me ravitailler, mais, hélas! ces pauvres gens n'ont même pas de Coca-Cola et de tablettes de chocolat. Me voici près de Moscou. Je vérifie si mon tire-pois n'a pas été trop abîmé pendant le long voyage. Je regarde si l'eau de mon pistolet n'a pas gelé. Je marche jusqu'au palais du contremaître en chef des communistes. Je grimpe aux fenêtres des quatre cents étages pour atteindre la prison. Grâce à mon filtre du sommeil, je neutralise deux cent cinquante gardes armés de canons, puis je me dirige vers la cellule où ces lâches ont enfermé le père Noël.

Pauvre père Noël! Il a l'air si triste! On ne le nourrit qu'au pain sec, à l'eau et aux navets. Sans doute a-t-il été maltraité, torturé, chatouillé sous les pieds. Sa grosse poche de jouets semble vide. « Ah! te voici enfin, Martin! Je savais que tu ne m'abandonnerais pas!» Ému, je me blottis contre lui en suçant mon pouce. Mais pas trop longtemps! Il faut organiser notre fuite avant que les communistes ne fassent appel à du renfort. Nous coulons le long des couloirs, nous nous faufilons parmi les files de soldats médusés par notre camouflage de couleur mur. Soudain, alors que nous arrivons près du garage où est stationné le chariot du père Noël, trois mille communistes armés se dressent devant nous! Courageusement, après un combat de deux minutes, j'arrive à bout de ces ennemis.

« Vite! Vite, père Noël! Il ne nous reste que trois heures pour nous rendre chez Fortin à Trois-Rivières!» Les rennes de mon grand ami s'envolent aussitôt et nous chantons des airs de Noël tout le long du trajet. Nous devons faire un détour par le pôle Nord pour chercher les jouets. « Martin, tous les enfants du Canada et du monde entier te doivent une fière chandelle de Noël. » Je n'ai fait que mon devoir, comme d'habitude, et pourtant je sens une fierté particulière à avoir rempli cette mission périlleuse.

« Martin, mon grand homme? Qu'est-ce que tu fais sous le lit?

— Rien, maman. Rien.

— Tu vas être sale pour la parade du père Noël. Tu sais qu'il n'aime pas les enfants qui ont des culottes tachées. Sors de là, il faut partir. Le père Noël ne t'attendra pas. Il a beaucoup d'enfants à rencontrer.

— C'est grâce à moi s'il est là! Il peut bien attendre deux minutes.

— Oui, oui, bien sûr. Allez! Dépêche!»

La parade du père Noël organisée par le grand magasin Fortin est l'événement le plus extraordinaire de la terre. Le père Noël pourrait faire cette parade dans des grandes villes comme Montréal, Paris, New York ou Asbestos, mais c'est bel et bien Trois-Rivières qu'il a choisi pour nous accueillir lui-même dans son royaume des jouets de chez Fortin.

Mon frère Marcel, beaucoup plus jeune que moi, croit que le père Noël peut être partout à la fois, comme le bon Dieu. Je le lui laisse croire, car cela fait partie de la douce naïveté de ses trois ans. Quand il aura mon âge, il comprendra que le père Noël est à la tête d'une grande organisation de distribution de jouets et qu'il a sous ses ordres de nombreux employés déguisés en père Noël pour travailler dans les magasins. Ainsi, à Trois-Rivières, le père Noël de chez Loranger est un employé du vrai, qui règne chez Fortin. Papa me l'a affirmé, grand-père Roméo aussi et le père Noël lui-même m'a confirmé ce fait.

Pour fêter son arrivée chez Fortin, le père Noël se prête de bonne grâce à une parade dans les rues de Trois-Rivières. Pour l'occasion, les fanfares mastiquent leurs trompettes, les majorettes aiguisent leurs bâtons et des tas d'adultes se déguisent pour faire croire qu'ils sont Roy Rogers ou Mickey la souris. Cette année, on nous promet Davy Croquette, ce qui excite beaucoup mon frère. Tout le monde sait que le vrai Davy Croquette habite à Hollywood et que celui que nous verrons à la parade n'est qu'un faux, déguisé comme le vrai. Mais Marcel est content à l'idée de voir le véritable Davy Croquette. Ah! la tendresse de l'enfance... Cette année, nous irons à la parade avec grand-père Roméo, avec ma tante Patate et ses enfants Robert et Johanne. C'est d'ailleurs à leur maison que nous nous rendons, avant de cueillir grand-père chez lui. Ma cousine Johanne est bien nerveuse à l'idée de voir le père Noël, se remémorant avec nostalgie la parade de l'an dernier.

« Et puis, là là, il y avait un chevreuil avec un nez rouge, là là, et puis un bonhomme de neige vivant, là là.
— Ce n'est pas un chevreuil. C'est un renne.
— Ze te dis que c'était un vrai chevreuil, là là! Et puis, là

là, après, le père Noël est arrivé, là là! Et puis, il m'a salué en disant *Oh! oh! oh! La belle petite Zohanne!* Et puis, là là, quand ze l'ai vu chez Fortin, il se souvenait encore de moi, là là.

— Le père Noël connaît tous les enfants, Johanne.

— Et puis, là là, après, il a lancé des sacs de bonbons, là là, et z'en ai attrapé deux, là là! Et il y avait des zuzubes zaunes dans le sac, là là!»

J'ai l'air un peu calme, en comparaison avec Johanne et Robert, mais en réalité, je suis bien nerveux. Je sais contrôler mes émotions. Et l'habitude fait qu'avec le temps, on peut se donner un peu de contenance, même face aux grands événements de l'histoire de Trois-Rivières. Le père Noël est l'homme le plus important du monde. Il est aussi très savant, connaissant toutes les langues, se souvenant des noms de chaque enfant et pouvant fabriquer tous les jouets inimaginables. Bien sûr, ces jouets, on peut les voir sur les rayons des magasins, mais ceux-ci les commandent du grand atelier du père Noël, au pôle Nord. Quand les enfants sont sages, comme moi, le père Noël apporte ce qu'on lui demande. Quand ils sont turbulents, comme Gladu, il donne quand même des jouets, mais pas ceux voulus. À tout coup, ça fonctionne. Les autres années, j'ai fait des demandes raisonnables au père Noël et il a satisfait mes exigences. Un vrai professionnel, ce père Noël. Cette année, maintenant que je sais écrire, je lui ai envoyé une lettre et comme j'irai quand même le voir dans son royaume des jouets de chez Fortin, je vais lui demander exactement la même chose que dans ma lettre. Ainsi, il n'y aura pas de risque d'erreur.

Oh! les erreurs peuvent se produire, même chez le père Noël! Par exemple, l'an dernier, Junior avait demandé un gant de baseball et il s'est retrouvé avec un bâton de hockey. Le père Noël s'était trompé de sport. Avec toutes ces lettres, on doit faire preuve d'un peu de compréhension si le père Noël fait une petite erreur. Cette année, je lui demande une station-service à deux étages, avec un ascenseur, deux pompes à essence et des grandes vitrines. Je lui ai fait une description détaillée en me basant sur une photographie prise dans un grand catalogue. En plus de cette station-service, je lui demande la paix sur la terre. Le père Noël adore quand on demande la paix sur la terre. C'est un grand sentimental.

« Moi, là là, ze vais lui demander de la vaisselle, celle qui est bleue, là là, avec des fleurs rouges dedans, là là.

— C'est très bien, Johanne.

— Puis en plus, là là, ze vais lui demander du linge pour mes poupées, et puis, là là, un fer à repasser, puis après, là là, ze vais lui demander une toupie rouge qui...

— Johanne! Tu demandes un seul cadeau au père Noël! Le supplément, tes parents vont l'acheter.

— C'est vrai, ça?

— Oui.

— Oh là là... »

Il y a une belle neige fine tombant sur ma ville. Une température idéale pour accueillir notre ami habillé en rouge. Voici les majorettes, en vert et blanc, suivies d'un char avec des gros bonshommes de neige entourés de ballons multicolores. Voilà Goglu le bouffon, avec des cannes sucrées géantes sur son char, puis des policiers à gros nez, Fifine la girafe et une immense poupée Chérie avec sa robe orangée. Après les brigadiers d'école, voici le lapin Serpolet et enfin Davy Croquette – Marcel passe près de s'évanouir – puis Peter Pan, un bouffon en habit bariolé et les cadets de Shawinigan. Voilà Patapouf! Avec Porcinet le cochon, le Petit Poucet (avec ses bottes des sept milles), Simplet, Mickey la souris, Bambi et d'autres brigadiers. Il y a aussi la philharmonie de l'école de La Salle qui joue de la belle musique de fanfare. Voici une autre girafe – elles sont très à la mode cette année – puis un char avec une princesse et son château. Bonjour, Jumbo l'éléphant! Et enfin le père Noël! Johanne crie en sautillant, alors que grand-papa Roméo grimpe Marcel sur ses épaules.

« Oh! oh! oh! » dit-il. Le père Noël s'exprime ainsi quand il est content. Il nous envoie la main en riant de plus en plus. Il me semble en pleine forme! Ses belles joues rouges, sa longue barbe, son nez rond, ses petits yeux. Dans ma lettre, je lui ai demandé de prendre soin de sa santé, car selon maman, lorsqu'on est corpulent, il y a du danger pour une crise du cœur. Autour de lui, des lutins pigent des sacs de bonbons dans des grosses poches et les lancent aux enfants sages. Je tends les mains! En vain! Je n'attrape rien! Je cours au devant, puis aperçois un sac par terre. Vite! Je m'y précipite! Mais un pied l'écrase et une main le ramasse.

« Gladu! Qu'est-ce que tu fais là? C'est mon sac de bonbons! Je l'ai vu avant toi!

— Non, espèce de Comeau crotte de cheval.

— T'as pas affaire ici! C'est une parade juste pour les enfants sages!

— T'es donc niaiseux, Comeau! Tu crois encore à ces affaires-là? Le père Noël, c'est pour les bébés! Mais les bonbons, c'est pour moi! Débarrasse le plancher, plein de crottes de gorille!»

Comment le père Noël peut-il tolérer un tel énergumène pendant sa parade? Maudit Gladu sale. Oh! je sais bien que le père Noël aime tous les enfants, mais Gladu est un monstre. Ce n'est pas la même chose! Essayant de retrouver mes parents et grand-père Roméo, je croise Daniel avec son père. Il en a long à dire sur la parade. Nous nous retrouverons ce soir chez lui pour échanger nos impressions en compagnie de Junior et de Richard. Près du magasin Fortin, le père Noël fait un dernier discours, rappelant aux enfants la nécessité d'être sages s'ils veulent obtenir la bonne livraison le soir du 25 décembre. Tu parles que je le sais! Mais je suis toujours sage! C'est si simple avec le père Noël : tu es sage et hop! tu as un cadeau! Et voilà! Le tour est joué!

« Puis? Tu as aimé la parade, Martin? C'était beau?

— C'était le plus beau jour de ma vie, grand-père.

— Je dirai au père Noël que tu as été content de sa parade.

— Tu le connais personnellement?

— Oui, très bien.

— Est-ce que tu lui écris des lettres?

— Bien sûr. Au nom de mes petits-enfants qui ne savent pas encore écrire, comme Johanne. »

Grand-père Roméo prend la cousine Johanne dans ses bras. Elle paraît très émue par le moment fantastique qu'elle vient de vivre. Pour fêter la fin de la parade, grand-papa nous invite tous à manger des frites au *Petit Train*. Mon oncle Maurice est content de nous voir dans son restaurant et il sourit en nous entendant parler. Ses propres enfants ne croient plus au père Noël, ce qui est une véritable déchéance humaine. Grand-père Roméo, lui, croit toujours au père Noël. Comment pourrait-il en être autrement? Nous venons de le voir, non?

Le père Noël, comme toutes les grandes vedettes, doit répondre à sa popularité en signifiant sa présence sous toutes sortes de formes. Ainsi a-t-il tourné un film à Hollywood où la petite fille de la responsable d'un grand magasin ne croit pas en lui et, à la fin, il y a un monsieur juge qui prouve que le père Noël existe et la fillette a comme cadeau la maison qu'elle avait demandée. Le père Noël a aussi enregistré des disques et on peut voir sa photographie partout. Au *Petit Train*, il y a un beau dessin de lui avec une bouteille de Coca-Cola entre les mains. Au mois de janvier, si mon oncle Maurice ne garde pas ce beau dessin, je le lui demanderai comme souvenir. On peut aussi voir ses photographies dans toutes les vitrines des magasins de la rue des Forges. Il y a aussi beaucoup de dessins de lui sur les cartes de Noël. Il y a juste à l'école où on semble le mépriser. À la place, ils parlent du petit Jésus. Oh! c'est certain que Jésus aussi est important, surtout à la messe de Noël. Mais Jésus ne descend pas dans les cheminées, lui! Et avec la grosseur du père Noël, c'est un miracle bien plus important que de changer de l'eau en bière d'épinette!

« Qu'est-ce que tu lui as demandé, Richard?

— Un chandail des Canadiens avec le numéro 9.

— Tu vas l'avoir. C'est un cadeau populaire. L'atelier du père Noël doit être plein de chandails comme celui-là.

— Tu as entendu parler du grand Therrien? L'an dernier, il avait aussi demandé un chandail des Canadiens, et le grand Therrien s'est retrouvé avec un gilet du Toronto. Depuis ce temps-là, ce niaiseux de grand Therrien encourage Toronto!

Quand je vais aller voir le père Noël chez Fortin, je vais lui demander poliment qu'il ne fasse pas la même erreur. »

Daniel, incapable de bien décrire ce qu'il a demandé au père Noël, nous apporte le grand catalogue pour pointer du doigt le jouet. Ah! il lui a réclamé une affaire qui fait zing!

« Un zingneux.
— C'est ça! Un zingneux! »

Nous en profitons pour nous délecter des images extraordinaires de ce livre magnifique, le plus important de tous les temps. Nous commentons avec enthousiasme chaque image de jouet, oubliant de demander à Junior ce qu'il désire pour Noël.

« Une petite sœur. Je vais demander une petite sœur au père Noël.
— Pour quoi faire? Tu as déjà un frère.
— Justement, ça ferait changement.
— À ta place, je ne lui demanderais pas ça.
— Pourquoi?
— Il va te répondre qu'il faut le demander au petit Jésus. Il dit toujours ça. Tu comprends, les bébés, les chiens, les chats, ça étouffe dans une poche. Puis ça fait pipi et caca sur les jouets qui sont dans le fond de la poche. Et en descendant avec sa poche dans la cheminée avec un bébé, il pourrait y avoir un accident et tu aurais une sœur brisée.
— Tu es certain, Martin? »

En attendant de pouvoir visiter le père Noël au royaume des jouets de chez Fortin, nous devons continuer notre vie, en faisant bien attention de demeurer sages. On reprendra nos mauvais coups au mois de janvier. Munis de nos pelles, nous offrons nos services pour nettoyer l'entrée de la veuve Thivierge. C'est certain qu'un geste de grand cœur comme celui-là va impressionner le père Noël. Et nous poussons notre bonté jusqu'à refuser les sous que la veuve nous offre pour notre travail.

À l'école, à la récréation, les gars ne parlent que de la parade du père Noël et de leurs futurs cadeaux, sauf Gladu qui nous traite de bébés, disant qu'il aura les cadeaux qu'il veut sans parler au père Noël. Pourtant, quand nous passons devant sa maison de la rue de Ramsay, il y a un père Noël accroché dans la fenêtre. Et un père Noël lumineux, de plus.

« C'est une décoration. Pareil comme les boules et les lumières dans le sapin. Il est beau, hein?
— Comment peux-tu dire que ton père Noël lumineux est beau sans croire à lui?
— Mes boules de Noël aussi sont belles et ça veut pas dire qu'elles vont m'apporter des cadeaux, espèce de Comeau crotte d'éléphant.»

Je n'insiste pas, sachant trop bien le triste sort qui l'attend : la prison, les travaux forcés, les galères et probablement l'enfer éternel, sans séjour au purgatoire. Ne pas oublier aussi sa halte chez les communistes de Russie. Comme je dois être vraiment bon pour plaire à qui-vous-savez, je ne pense même pas que Gladu est un maudit Gladu sale. Je me rends plutôt à l'église pour prier le petit Jésus et lui demander que le père Noël n'attrape pas un rhume. Je l'implore aussi de dire au père Noël de ne pas oublier que c'est bel et bien une station-service que je veux comme cadeau. En me retournant, je vois le curé Chamberland avec son bedeau. Il me sourit, content de savoir que je suis un bon catholique.

« Vous préparez la crèche, monsieur le curé?
— Oui, mon petit Martin. Monseigneur m'a envoyé un nouveau Jésus. Tu vas voir comme il va être beau dans sa crèche près de Marie et Joseph.
— Un nouveau Jésus? Je ne savais pas qu'il pouvait y avoir de nouveaux Jésus.
— Bien sûr, Martin. Tu veux le voir?
— Oh oui, monsieur le curé!»

Le curé Chamberland est le meilleur prêtre de Trois-Rivières. Les enfants l'aiment beaucoup parce qu'il n'est pas tellement plus grand que nous. Parfois, il joue au hockey avec les gars. Il marche très rapidement et fume la pipe. Même s'il ne sourit pas beaucoup, on le trouve quand même attachant, sauf quand on sort du confessionnal à la messe du premier vendredi de chaque mois. Dans ce temps-là, on prie surtout pour que ce soit son vicaire qui travaille au confessionnal. Le curé Chamberland me tend un beau Jésus de plâtre, avec des cheveux frisés. Jésus est le seul bébé que je connais qui a autant de cheveux. Monsieur le curé le regarde avec autant de tendresse que j'examine les dessins du père Noël. Les adultes sont ainsi : ils croient davantage au petit Jésus, car en grandissant, ils n'ont plus réellement besoin de jouets en cadeau.

« Monsieur le curé, quand vous étiez un enfant, est-ce que vous croyiez au père Noël?
— Il n'y en avait pas, mon petit Martin.
— Hein? Pas de père Noël?
— Il y avait saint Nicolas. Mais on croyait surtout au petit Jésus, comme des vrais catholiques.
— Pourtant... L'an dernier, mon grand-père, qui est aussi vieux que vous, m'a raconté la fois où, à dix ans, il avait travaillé au pôle Nord dans l'usine de jouets du père Noël pour remplacer un lutin qui avait la rougeole. »

Je ne sais pas pourquoi monsieur le curé rit de mon observation. Mais je demeure poli. Je rentre chez moi avec une auréole au-dessus de ma tête, en état de grâce et prêt à tout pour avoir ma station-service. Le long du trajet, je vois quelques décorations de Noël qui commencent à embellir notre quartier : guirlandes colorées, lumières scintillantes, bonshommes de neige en carton et pères Noël de bonne humeur. Chez moi, mes parents attendent toujours la dernière seconde pour faire l'arbre de Noël. Jadis, quand j'étais plus naïf, je croyais que l'arbre apparaissait par magie le soir du 24. Depuis l'an dernier, je sais que papa installe l'arbre à la dernière minute pour entretenir cette illusion de merveilleux chez mon frère Marcel. Maintenant que je suis grand et responsable, je peux aider mon père dans cette tâche. À part l'arbre tardif, papa met des lumières autour des fenêtres et de la galerie. Maman installe aussi des petites décorations partout dans la maison. Rien de très beau, ni de flamboyant, malheureusement. « Noël, c'est dans le cœur qu'on le vit, pas dans une kermesse de lumières », de dire maman. La belle affaire!

Grand-père Roméo, lui, met toute la gomme! Sa maison se transforme en une immense décoration extérieure, tandis que grand-mère Céline remplit l'intérieur de figurines joyeuses qu'elle fabrique elle-même. Mais le plus important, pour eux, demeure la crèche. Elle occupe la plus grande partie du salon et grand-père est obligé d'enlever deux fauteuils pour lui faire de la place. Nous, ses petits-enfants, sommes invités à chaque année à la construire, pendant que grand-mère nous regarde et que grand-papa dirige les opérations. Il faut d'abord extraire ces décorations du grenier. Quand je sors les personnages de leurs boîtes, il monte à mon nez cette bonne odeur de grenier. Mes cousines Johanne et Lucie prennent avec délicatesse le bœuf, l'âne, Marie et Joseph, tous en bois. Johanne les dépoussière et Lucie les caresse avec un chiffon humide. Elles gardent pour la fin le petit Jésus, minuscule, fragile et précieux. De leur côté, les garçons vident les boîtes de leur paille et les transportent au salon, où les cousins plus âgés ont dégagé le coin. Ces boîtes deviendront des montagnes. Sous les ordres de grand-père Roméo, nous les disposons en étages, alors que d'autres cousins s'apprêtent à étendre du papier froissé imitant la roche du pays de Nazareth. Les filles arrivent avec la crèche, inspectée par grand-mère. Elles la déposent – la crèche, pas grand-mère – sur la plus haute boîte. Le cousin Charles et son frère Émile placent un cordon de lumières, selon les plans déterminés par grand-père Roméo. Je retourne à la cuisine vérifier si Johanne a bien changé la couche de Jésus.

« Quand ze serai grande, là là, ze vais me marier et avoir un petit bébé qui va s'appeler Zésus, là là.

— Il va drôlement se faire agacer par les gars de son école.

— C'est pas vrai! Moi, ze te dis, là là, que Zésus, c'est le plus beau nom pour un bébé garçon, là là! O.K. là? Regarde comme il est beau, là là. »

C'est un vieux Jésus. Le curé Chamberland a beau être fier de son Jésus neuf, moi je trouve celui de grand-père Roméo bien plus beau. Il m'a raconté que c'est Joseph, son propre papa, qui l'a fabriqué avec patience et amour, sculptant les traits de son visage, les plis de sa couche, les détails de son petit corps, incluant le petit 8 dans son nombril. Grand-père dit que c'est un Jésus de 1897 et il sera encore de ce monde quand le Jésus du curé sera tout craquelé. Avec Lucie, Johanne apporte les personnages comme dans une procession, interdisant aux garçons de les toucher. Elles les déposent délicatement dans la crèche. Puis, nous disposons des branches de sapin, de la farine pour remplacer la neige, et des cheveux d'ange pour imiter les nuages. Le travail enfin terminé, grand-mère Céline installe au mur une belle toile de la Nativité, œuvre de ma grande-tante Jeanne, puis nous demande de nous agenouiller pour une prière. Ensuite, nous mettons les lumières en fonction après avoir éteint celles du salon. Les adultes peuvent à ce moment nous applaudir. Et nous restons là, béats, silencieux, à regarder Marie, Joseph, les animaux et le petit Jésus. Elle est belle, notre crèche! En fait, c'est la même que ma maman regardait quand elle était une petite fille.

Ce sont des événements comme celui-là qui rendent Noël plus beau chez grand-père Roméo. Il va m'acheter un tout petit cadeau, mais il saura le rendre extraordinaire. Il nous racontera une histoire où Jésus et le père Noël ont en commun la paix, la bonté, l'amour et toutes ces choses semblables. Il n'y aura pas de danses, de cris, de chansons à répondre ou de parties de cartes pour les adultes. Ceci, grand-père le réserve pour le premier de l'an. Grand-mère aura préparé un souper et, après, nous parlerons gentiment. Grand-père Roméo me dira de jaser avec les grands cousins, ceux que j'ai l'habitude d'ignorer. Et eux s'informeront du travail de leurs pères. Puis grand-père réchauffera tous ses petits-enfants dans ses bras. Et tout sera calme, à la lumière de la belle crèche que nous avons érigée. Ce genre de Noël, où ma mère a grandi, se reflète chez nous. Mais c'est toujours plus beau chez grand-père. À la maison, nous échangerons des cadeaux et je jouerai vite avec ma station-service. Marcel sera pressé de prendre un bain pour y faire flotter ses navires. On fera un peu plus de bruit que chez grand-père Roméo, mais tout en demeurant calmes. Peut-être que papa chantera. Il connaît beaucoup de chansons de Noël, comme : *Oh! quand j'entends chanter Noël, j'aime à revoir la joie de l'enfant. Le sapin croustillant, la neige en argent, Noël, mon gros rêve en blanc,* etc. Chez Daniel, l'an dernier, un de ses oncles était ivre et il a fait pleurer tout le monde. Un autre adulte avait mis le pied sur son automobile neuve en lui jappant : « Tu peux pas t'enlever de dans les jambes!» Des horreurs semblables, j'en ai entendu parler souvent. Comme la fois où un des oncles de Junior était tombé dans l'arbre de Noël sans renverser sa bouteille de bière. J'aime mieux le calme de chez moi ou de chez grand-père. Le samedi, j'aide papa à installer ses vieilles lumières autour de la galerie. Je lui tends les fils et il les épingle. Ensuite, je tiens l'échelle solidement quand il décore le deuxième étage de la maison. Fier, il me prend par les épaules en disant : « C'est beau, n'est-ce pas?» Peu après, il branche et hurle un gros mot. Un très gros mot! Rien ne s'allume! Pourtant, on avait vérifié... Alors, il faut une à une dévisser chaque lumière pour trouver la fautive qui corrompt ses compagnes. C'est amusant! Mais ce n'est pas l'avis de papa...

« Je l'ai! Je l'ai, papa! C'est moi qui l'ai eue!
— Lance-la au bout de tes bras!»

Je suis sûr que papa me met à l'épreuve : se débarrasser ainsi de la lumière brûlée ne serait pas très sage. Quelqu'un pourrait marcher dessus et se blesser, un chien pourrait l'avaler, ce serait salir la rue. Il faut être sage. Le père Noël serait mécontent de savoir que j'ai fait un tel geste. Je la cache dans ma poche. Mon père fait comme s'il ne s'était rien passé. « C'est beau, n'est-ce pas?» Elles sont entièrement jaunes. Stupidement jaunes. Les autres maisons ont des lumières de toutes les couleurs, mais nous sommes jaunes. À l'intérieur, maman a lavé les fenêtres et, ce soir, nous y installerons les autres décorations. Nous travaillons au son des disques de Noël, même s'il faut se lever à toutes les deux minutes pour changer le disque de côté. J'installe mon bas de Noël en compagnie de Marcel. Nos parents y déposeront des fruits et des bonbons en nous faisant croire que c'est une offrande du père Noël. Comme si le père Noël avait du temps à perdre avec des futilités semblables, alors qu'il a tant de livraisons de jouets à faire!

« Aie! Comeau! J'ai vu les décorations de ta maison. Elles sont pas mal jaunes, tes lumières. Et elles ne scintillent même pas.

— Jaune, c'est une très bonne couleur afin que le père Noël voie ma maison comme il faut dans le ciel.

— Ton père est un séraphin! Tous les pères qui travaillent à la C.I.P. sont des séraphins qui ont des lumières avec une couleur et tous les pères qui travaillent à la Wayagamack sont généreux et ont des lumières de toutes les couleurs. Espèce de Comeau crotte de girafe.

— Gladu, ne me pousse pas à bout!»

Je lui fonce dessus! Il tombe sur son derrière! Mais, évidemment, il se relève, me bouscule, me donne un lavage et met de la neige dans mes culottes. Maudit Gladu sale. Je demeure planté sur le trottoir, comme un idiot enneigé, alors qu'il s'éloigne en riant. Mais qu'est-ce que je viens de faire? Quelle sottise! Je viens d'être agressif envers Gladu au lieu de lui pardonner sa bêtise. C'est certain que je n'aurai pas ma station-service après une telle bourde... Il ne me reste qu'un recours : l'église. Je pousse la lourde porte, j'enlève la neige de mes bottes, ôte ma tuque, mouille mes doigts dans l'eau bénite, renifle les lampions – ça sent si bon! – avance vers la crèche, m'agenouille et demande pardon à Jésus. Pendant le douzième *Notre Père*, je sens la neige fondre dans mon pantalon. Ce n'est pas grave. Je suis puni. Après une heure de prières, je me sens un peu mieux. Je regarde la belle crèche du curé Chamberland et souris à son Jésus neuf.

Comme ce devait être moche de venir au monde dans une étable, sans électricité, ni toilette ni réfrigérateur et sans téléviseur. Et moi, le bœuf, j'aime son odeur en tourtière, pas en chair et en bœuf. Elles sont si belles, ces figurines, elles ont l'air si véritables! Voilà Marie qui se lève, étire les bras et se gratte les hanches. Elle marche un peu, cogne l'épaule de

Joseph, qui, surprit, fait virevolter sa tête de gauche à droite, à la recherche de ses outils de menuisier. Marie regarde le bœuf d'un air insatisfait, aurait sans doute préféré qu'il soit une vache pour avoir du lait frais à donner à Jésus, qui ne cesse de pleurer en gigotant ses pattes. Soudain, ils m'aperçoivent et me font des signes, puisque je ne peux entendre leurs voix semblables à des miaulements de chatons naissants. Puis la porte de l'église claque et ils s'empressent de reprendre leurs places. Je fais un dernier signe de croix, certain d'avoir obtenu le pardon du petit Jésus. Mais pour en être bien sûr, j'offre une dernière prière avant de me coucher. Juste au cas.

Bien au chaud, je demande à Coco de me raconter à nouveau sa naissance et son séjour dans la grande usine du père Noël, au pôle Nord. Coco est un cadeau de Noël, le premier de toute ma vie. Il me l'a racontée cent fois, cette histoire où tous les lutins travaillent sans cesse en chantant *Vive le vent* pendant que le père Noël surveille à la loupe chaque nouveau jouet. Là-bas, Coco était entreposé avec un million de singes en peluche comme lui. Une vraie grande famille! Le soir du 24, le père Noël a mis Coco dans sa poche avant d'entreprendre son voyage jusqu'à Trois-Rivières. « Ça ballottait, dans cette poche », de me dire Coco en riant. Il me confirme aussi que le père Noël est aussi gentil qu'on le dit, mais que les lutins avaient tendance à jouer des tours, comme la fois où ils avaient mis à Coco des pieds de poupée. Coco me rassure en me disant que le pôle Nord est bien chauffé. J'ai si peur que le père Noël n'attrape une pneumonie, un de ces soirs. Coco me donne des bons conseils pour ma visite au père Noël dans le royaume des jouets de Fortin, samedi prochain. Il prétend que mon héros a le sens de l'humour et qu'une petite blague ne fait pas de tort, même si elle concerne son corps. « Parle-lui de sa bédaine. Il la trouve drôle », de me confier Coco. Cette semaine d'attente sera longue, d'autant plus que Richard, le chanceux, a pu parler au père Noël dès hier. Il lui a même donné un petit sac de bonbons avec une flûte en plastique qui fait soin, soin, soin en s'allongeant le museau.

« C'est aujourd'hui samedi, maman?

— Mais non, Marcel. Aujourd'hui, c'est mercredi. Tu vois bien que ton frère s'en va à l'école.

— Martin! Ne va pas à l'école et ce sera samedi! »

J'ai fait comme Marcel, il n'y a pas longtemps. Les journées paraissaient interminables, même avec nos jouets et la neige dans la cour. Je préfère me rendre à l'école, d'autant plus que les frères et les maîtresses nous ont préparé plein d'examens. Cela nous empêche de trop penser à ce grand jour où nous irons voir le père Noël chez Fortin. Mais ce samedi enfin arrivé, je viens près de perdre ma contenance parce qu'un coup de téléphone inattendu retarde ma mère, qui se met à parler sans cesse alors que Marcel et moi attendons, prisonniers de nos manteaux d'hiver et de nos grosses bottes. Déjà que prendre l'autobus ne nous plaît guère, maman exige que papa garde le bébé Yvette au lieu de l'emmener avec nous, ce qui nous condamne au transport public au lieu de l'automobile de papa. Dans l'autobus, il y a plein de gars et de filles du quartier, accompagnés par leurs parents, se rendant aussi chez Fortin. Mes yeux retracent vite l'insultante présence de Gladu et de son petit frère.

« Es-tu malade, Comeau crotte de rat? Moi, m'asseoir sur le père Noël? Tu ne vois pas que c'est pour accompagner mon frère?

— Il n'y a pas de honte à croire à ce qui est vrai.

— Je m'en vais là pour mon frère! Et si jamais tu dis ça aux gars de l'école, t'es un homme mort, Comeau! Tu comprends? Mort! M-O-R! »

En entrant chez Fortin, maman est soudainement aimantée par des chapeaux traînant dans la vitrine d'un comptoir. Elle les regarde un à un et se met à parler à la vendeuse. Je crispe les poings en fermant les yeux, puis pense à Jésus. Ne pas se fâcher! Ne surtout pas se fâcher! Et elle ne l'a même pas acheté, son maudit chapeau! Nous reprenons notre route quand, horreur! voilà ma tante Simone qui arrive! Comme je suis malchanceux! Comme je suis malchanceux! Maman jase avec elle sans pouvoir s'arrêter. Elles se sont pourtant vues il y a trois jours! Ne pas se fâcher! Ne pas se fâcher! Patience! De la patience, il en faut beaucoup, surtout quand on nous installe au bout d'une file de deux cents milles de long. Sans les chapeaux et ma tante Simone, nous serions déjà près du début. Les autres enfants connaissent le mot d'ordre : être sages. Ce n'est pas le moment de s'exciter quand, dans moins d'une heure, nous serons sur les genoux de l'homme le plus important du monde. Nos mères, elles, voudraient bien nous voir défaillir. Ça fait plus d'un mois qu'elles usent de chantage, disant pour tout et pour rien : « Si tu n'es pas sage, le père Noël ne t'apportera pas de cadeaux. » Elles sont à l'extérieur du cordon d'attente, à nous envoyer la main comme des idiotes, à faire des grimaces et à prendre des photographies ou à tourner des films avec leurs ciné-caméras.

La file avance à petits pas. Quel martyre! Surtout quand nous voyons les chanceux et chanceuses retrouver leurs mamans, un beau sourire aux lèvres, des étoiles au fond des yeux, leur sac de bonbons entre les mains. Me voici tout près! Comme il est beau! Mais il me semble qu'il a un peu engraissé depuis l'an dernier... Une fillette, enfin sur ses genoux, se met à pleurer. Une imbécile! Pourquoi avoir peur du père Noël? Et être une fille n'excuse rien. Les mamans trouvent ce drame drôle : « Regarde la petite fille qui pleure parce qu'elle a peur du père Noël! » Quand je serai grand, je jure de ne jamais devenir aussi stupide qu'elles. Marcel titube jusqu'au père Noël. J'écoute et regarde. Marcel semble intimidé. C'est normal, à son âge. Mais il fait sa demande comme un homme. Je suis très fier de lui. C'est enfin mon tour! Ce grand jour!

« Oh! oh! oh! Comment t'appelles-tu, mon petit garçon?
— Martin Comeau, père Noël.
— Martin! Oui, bien sûr! Oh! oh! oh! Je m'en souviens! Comment ça va, mon Martin?
— Ça va beaucoup mieux, père Noël. Mais vous, il me semble que votre belle bedaine est plus grosse. Vous mangez trop, père Noël.
— Oh! oh! oh! »

Et voilà! Le tour est joué! Coco me l'avait bien dit : une bonne blague intelligente à propos de sa bedaine et le père Noël vous trouve tout de suite sympathique. Merci, Coco! Je te dois une banane.

« Vas-tu à l'école, Martin?
— Oui. Je suis en première année B.
— Est-ce que tu étudies fort? »

Ces formalités! Ces formalités!

« Oui, père Noël.
— Est-ce que tu as été sage, cette année?
— Oh oui!
— Et qu'est-ce que tu veux que le père Noël t'apporte?
— Vous le savez, père Noël. Je vous ai écrit une lettre, au pôle Nord.
— Oui! Oui! Bien sûr! Tu m'as demandé un train électrique!
— Non! Je vous ai demandé une station-service à deux étages avec un ascenseur, deux pompes à essence et des grandes vitrines.
— C'est vrai! Je me souviens! Oh! oh! oh! Savais-tu qu'il y a à Shawinigan un petit garçon de ton âge et qui s'appelle aussi Martin Comeau et qui m'a écrit pour avoir un train électrique? Je vais faire attention! La station-service, c'est pour Martin de Trois-Rivières, et le train, c'est pour Martin de Shawinigan. »

Ouf! Un peu plus et je me retrouvais avec un train. Le père Noël et moi en arrivons à une entente scellée par un bisou. Il me donne mon sac de bonbons et accueille la fillette derrière moi. Elle va lui demander une poupée. Toutes les filles veulent des poupées. C'est bien mieux être un gars : il y a plus de choix de jouets. Maman, satisfaite de notre conduite, nous offre une crème glacée aux fraises au grand comptoir-restaurant de Fortin. Souriante, elle sait que nous sommes des enfants sages et que nous mériterons les cadeaux demandés à notre meilleur ami.

Le grand jour approche! Je suis certain de recevoir ma station-service, d'autant plus que j'ai ajouté quelques prières au petit Jésus. Deux jours avant, avec papa, je me rends acheter le sapin de Noël. Moi qui croyais qu'il allait dans les bois, la hache à la ceinture, son fusil sur l'épaule pour se protéger des loups, afin d'abattre le beau sapin roi des forêts que j'aime sa verdure. On l'a plutôt acheté à l'extérieur du marché aux denrées de la rue des Forges. C'est peut-être moins héroïque, mais j'ai bien aimé la confiance de mon père en me permettant de le choisir. Nous l'avons entreposé dans le garage, loin des yeux de Marcel. Dans la soirée, alors que Marcel et le bébé Yvette dorment, nous installons le sapin dans le salon. Je mets des étoiles d'aluminium autour des lumières, pendant que papa solidifie la base du sapin et que maman approche la crèche. Je saupoudre des cheveux d'ange sur les branches et papa me porte au bout de ses bras pour que je plante l'étoile sur la plus haute branche. Puis, nous installons les boules multicolores, rondes, encavées ou en forme de poire.

« Il est très beau! Marcel va être content. Tu as bien travaillé, mon grand homme. Je suis certain que le petit Jésus et le père Noël ont vu que tu as travaillé fort et que tu as été très sage depuis le début de décembre.

— Oh! mais j'ai été sage toute l'année!

— T'es certain?

— Ben... c'est-à-dire que...

— Va te coucher. Tu dois te reposer pour être prêt pour la messe de minuit. Maman va te garder pendant que je vais à la première messe, puis ensuite j'irai à la seconde au retour de maman, et toute la famille ensemble, nous assisterons à la grande messe de minuit.

— Oui, papa. »

Il paraît que la messe de minuit est la plus belle de l'année. Je ne sais trop. Je suis trop impatient de retourner chez moi pour avoir mes cadeaux. Le père Noël vient toujours les porter pendant la messe. Assez bizarrement, chez Junior, qui ne demeure qu'à cinq maisons de chez moi, le père Noël passe quand Junior est dans son bain, à sept heures. Il faudra que je donne une carte de la ville au père Noël. La messe m'endort. Il y a toujours des hommes qui chantent avec des grosses voix effrayantes, et cette église, toujours si sombre le jour, me fait peur d'être tant illuminée, surtout quand le noir du ciel se fait sournoisement voir par les fenêtres. Mon papa aime bien cette messe. Elle le rend nerveux. Depuis deux ans, avant de partir, il oublie toujours ses clefs. Alors, il remonte les trouver, pendant que maman, Marcel, le bébé et moi attendons les pieds dans la neige. Il revient, essoufflé, les faisant sonner, un sourire satisfait sur son visage. Papa tremble d'émotion pendant le sermon du curé Chamberland. Moi, je pense surtout qu'en ce moment précis, le père Noël a peut-être stationné son chariot sur le toit de notre maison et qu'il descend par la cheminée avec sa grosse poche de cadeaux. Oh! petit Jésus! Faites que le père Noël ne se trompe pas! Et n'oubliez pas que je vous ai fait des prières tous les soirs.

Le petit Jésus de plâtre pleure. Marie soupire. Joseph étire les bras. Puis soudain, ils voient toutes les lumières dans l'église, ce qui semble les gêner. Marie cherche sa brosse à cheveux dans sa sacoche et, un court instant, je crois voir Joseph prêt à entonner une chanson à répondre. Papa me donne un coup de coude en murmurant : « À genoux! À genoux! » La messe dure cinquante heures. Mais quand nous sortons, il fait encore noir. C'est ça, la magie de Noël. Vite! Vite! Vite! À la maison! Avant d'entrer, papa jongle avec ses clefs en disant : « On dirait que quelqu'un est venu pendant notre absence et a oublié de fermer la lumière du salon. » C'est le père Noël! C'est le père Noël qui est passé! Mais pourquoi lui reprocher un petit oubli, lui qui a tant à faire?

Ils sont là! Ils sont beaux! Ils sont emballés! Mon cœur bat plus fort en constatant que ma boîte a la même dimension que la station-service. Et voilà! Le tour est joué! Je l'ai! Exactement comme je l'ai décrite dans ma lettre au père Noël et tout comme je le lui ai dit au royaume des jouets de chez Fortin. Pourquoi serais-je étonné? Le père Noël récompense les enfants sages et je suis le champion dans ce domaine. Même Marcel a eu son ensemble de bateaux! Le bébé Yvette, qui ne connaît rien à Noël, a comme présent un toutou en peluche. Je sais qu'elle l'aimera longtemps, tout comme Coco est mon meilleur ami. Plus tard, ce toutou racontera à Yvette sa glorieuse naissance dans l'atelier du père Noël au pôle Nord. Je m'empresse de jouer avec ma station-service, pendant que Marcel se cache la tête dans les boîtes et qu'Yvette veut manger le papier d'emballage. Papa et maman s'embrassent et se donnent des cadeaux. Un livre et une paire de pinces. Pas très émouvants, comme cadeaux, mais les adultes ont aussi droit à leurs jouets pour que Noël resplendisse en leurs cœurs. Puis nous mangeons un peu. J'ai un mal fou à m'endormir, désireux de jouer encore avec ma magnifique station-service. Mais... à quoi bon? Plus vite je serai au lit, le plus tôt je me lèverai pour jouer. En me couchant, j'offre une prière de remerciement au petit Jésus. Je suis certain qu'il a bien conseillé le père Noël. Ces deux-là font une équipe imbattable.

Chez grand-père Roméo, le lendemain, le souper de Noël est extraordinaire! L'après-midi, nous avons regardé notre crèche. Grand-père m'a donné un petit cadeau de rien qui, pourtant, me touche autant que ma station-service. Juste un petit livre d'images avec une histoire, et aussi une pomme. « Maintenant que tu sais lire, tu dois avoir de beaux livres juste pour toi. Et il faut toujours donner des pommes à Noël. » Mais plus que ce cadeau, ce sont ses gestes lents, son odeur, son sourire, c'est tout grand-père Roméo qui est le plus beau présent de Noël.

Mes tantes et mes oncles se mettent soudainement à parler du père Noël, se souvenant des magnifiques étrennes qu'il leur avait apportées dans l'ancien temps. Jamais le père Noël n'avait trahi leurs demandes. Ma tante Patate s'enthousiasme beaucoup en parlant des parades du magasin Fortin quand, tout à coup, mon oncle Maurice fait son rabat-joie en disant qu'il n'y avait pas de parade quand il était petit. Ils regardent grand-père Roméo pour lui demander : « Papa, en quelle année Fortin a-t-il reçu le père Noël pour la première fois dans une parade? » En 1929, dit-il, ajoutant que le père Noël est venu pour la première fois à Trois-Rivières en 1909 au magasin Genest et Cloutier et la deuxième en 1915 au magasin Mineau et Bellemarre. Grand-père Roméo sait tout. Je ne peux pas croire que le père Noël ait ignoré notre ville entre ces deux dates. Mais il semble que ce soit vrai quand mon oncle Maurice dit que ses premiers cadeaux de Noël avaient été des oranges et des pommes. « C'étaient des cadeaux du petit Jésus », précise-t-il. Le petit Jésus, si pauvre, n'offre que des fruits, tandis que le père Noël, plus riche, donne des vrais cadeaux. C'est logique. Mais comment les enfants de ce temps-là pouvaient vivre sans jeux de mécano, sans piste de course en 8? Des pommes! J'en mange à tous les jours, moi, des pommes!

« Il est beau, le petit Jésus, grand-père. Surtout celui de ta crèche. Mais il ne rit pas. Il ne fait pas oh! oh! oh! Mais il est joli quand même. C'est lui qui a rappelé au père Noël de ne pas oublier ma station-service dans sa grande poche.

— C'est très bien de parler au petit Jésus, Martin.

— Deux têtes valent mieux qu'une. Mais, tu comprends, il ne bouge pas, le petit Jésus. Le père Noël est bien plus beau, puis il nous prend sur ses genoux et parade dans les rues.

— Sais-tu où il est né, le petit Jésus?

— À Bethléem, voyons! C'est écrit partout.

— Moi, je connais la vraie histoire de sa naissance, car elle m'a été racontée par l'arrière, arrière, arrière et beaucoup d'arrière petit-fils d'un voisin du quartier Saint-Philippe où j'habitais, à ton âge. Le petit Jésus a passé bien près d'être un orphelin et de venir au monde à Trois-Rivières.

— Hein? À Trois-Rivières?

— Oh oui! Mais il y a très longtemps de cela. Un jour qu'il faisait beau dans son beau ciel, le bon Dieu décide qu'il est temps d'envoyer le bébé Jésus sur la terre à Marie et Joseph. Alors, il installe Jésus sur un gros avion de papier qu'il lance vers la terre. Le petit Jésus trouve le voyage bien drôle, à flotter sur cet avion parmi les belles étoiles multicolores. Mais comme il est un peu jeune et aime jouer, il perd un peu de temps à s'amuser avec les ailes de son avion, si bien qu'au lieu d'atterrir à Bethléem, il le fait à Trois-Rivières! Oui! Ici même! Près du port! Mais il est bien triste, car à tant jouer avec les ailes de papier de son avion, il l'a brisée et il ne peut plus repartir vers Bethléem pour retrouver son papa Joseph et sa maman Marie. Et nous sommes le 23 décembre! Il ne lui reste que deux jours! Un petit garçon, du nom de Marius, et sa petite sœur Jeanette se portent rapidement au secours du petit Jésus. « Si je ne suis pas près de Marie et Joseph le 25, je ne pourrai venir au monde le jour de Noël et tout le monde va être dérangé par mon retard! Surtout les rois mages! Et ils n'aiment pas être retardés, les rois mages! » braille-t-il à Marius et Jeanette. Et le pauvre petit Jésus pleure tant et tant que Marius et Jeanette versent des larmes à leur tour. Soudain, Marius tape du pied et frappe dans le creux de ses mains, disant à sa sœur : « Il faut aider le petit Jésus à se rendre à Bethléem dans deux jours! » Marius se rend tout de suite dans la belle clairière, près des bois au nord de Trois-Rivières, pour rencontrer le renard Boubou, toujours très sage, à qui il raconte cette triste histoire. Boubou lui présente un petit chien qui, en croquant une pomme magique, devient un chien volant. Oui! Un vrai chien avec des ailes! Alors, voilà notre Marius, son sac de pommes et le petit chien, rejoignant Jeanette et Jésus, qui pleurent encore. « Sèche tes larmes, bon petit Jésus, car voici un petit chien qui te conduira vers Marie et Joseph. » Marius tend une pomme magique au toutou qui l'avale aussitôt. Et soudainement, de belles grandes ailes magiques poussent dans les côtes du petit chien! Vite! Vite! Jeanette prend le petit Jésus dans ses bras, tandis que Marius monte sur le dos du chien qui se met à battre des ailes et à monter bien bien haut dans le ciel. Et vite en direction de Bethléem! Qu'il est beau, le monde, vu à dos de chien! Tout paraît si petit aux yeux de Jeanette, qui rit comme une poupée, alors que Jésus chante à Marius *Il sera né le divin enfant, chantez hautbois, résonnez musettes!* Mais soudain! Oups! Les ailes du petit chien se mettent à rétrécir! Marius lui donne tout de suite une autre pomme magique et les ailes repoussent aussitôt! Le voyage se poursuit dans la joie et l'esprit d'entraide du temps des fêtes. Tantôt c'est Marius qui berce Jésus, tantôt c'est Jeanette qui donne les pommes magiques au petit chien. Voici le 24 et nos amis sont encore bien loin de Bethléem. Le petit chien fait des efforts supplémentaires, volant plus rapidement pour arriver avant minuit! Et les pommes magiques deviennent de plus en plus rares! Il n'en reste qu'une! Et nous sommes à une heure de minuit! Marius et

Jeanette prient le bon Dieu pour que le petit chien arrive à temps, lui qui vient de manger la dernière pomme magique et qui voit ses ailes rétrécir. Dépêche-toi, petit chien! Allez! Allez! Ouf! Eh oui! Jeanette et Marius arrivent tout juste à temps pour apporter le petit Jésus à Marie et Joseph. Ils s'agenouillent – même le petit chien – pour remercier le bon Dieu pour cette aventure extraordinaire. Et soudain, le petit chien sent des ailes magnifiques lui pousser dans les flancs! Des ailes gigantesques qui lui permettent de reconduire Marius et Jeanette tout juste à temps pour le dîner de Noël préparé par leur maman. Et c'est ainsi, depuis ce jour, que nous fêtons Noël le 25 décembre et qu'en mémoire de Marius et Jeanette, le petit Jésus a longtemps donné des pommes aux enfants, pour rappeler les pommes magiques du petit chien. Oh! bien sûr qu'il est beau, le père Noël, Martin! Il est beau, bon et généreux! Et je suis content qu'il existe pour qu'il te donne de jolis jouets! Mais chaque année, tu le sais, je t'offre un petit cadeau et une pomme, comme j'en ai donné à ta maman quand elle était petite. Maintenant, tu sais pourquoi. Joyeux Noël, mon petit Martin! »

Janvier 1956
L'hiver est une des meilleures inventions du monde

Je monte. Je monte. Je monte. Depuis dix jours, je ne fais que monter, grimper, gravir. Il ne faut jamais regarder vers le bas, de crainte d'être étourdi par l'ivresse de la profondeur du gouffre. De toute façon, je suis sur un point de non-retour. Quand je descendrai, je devrai le faire par l'autre versant. Cette ascension est physiquement éprouvante. La faim me tenaille et mes minces vivres gèlent au contact de l'air glacial de ces hauteurs. De ma bouche s'enfuient les vapeurs de mon haleine, se transformant immédiatement en glaçons. Quelle souffrance! Mes pieds tordus sont fatigués par cette incessante marche, mes mains combattent à chaque instant pour ne pas se raidir sous la froideur atroce. Mes cils sont de givre, le toupet de mes cheveux est devenu cassant. Mes gants, ma tuque, mes bottes, mes lourds vêtements semblent superflus pour me protéger contre l'ennemi nordique.

Et pourtant! Quelle sensation exaltante! Si le sommet approche trop lentement d'heure en heure, mon cœur sait que je vais l'atteindre et qu'alors j'aurai la tête près du plafond du ciel, que le Divin et moi serons nez à nez pour contempler la grandeur de la nature blanche. Mais voilà qu'une rafale fouette soudainement mon sang durci. Je m'accroche! Je me cache le visage! La bourrasque veut ma mort! Est-ce ma fin? Non! Les éléments destructeurs n'auront jamais ma peau! Je résiste, puise une énergie désespérée du fond de mon courage. Cette épreuve est harassante! Deux heures qui me paraissent des mois! Le démon passé, je ne dois pas demeurer immobile! Vite! Je monte! Je monte! Toujours plus haut, plus loin, plus près du sommet! Mes membres affaiblis par cette épreuve me supplient de leur laisser un répit. Non! Il faut continuer, car bientôt la nuit nous enveloppera.

Je ne peux trouver un endroit où planter ma tente et prendre un repos si mérité. Dois-je à nouveau dormir d'un seul œil, gardant l'autre ouvert pour guetter la sournoiserie du froid pouvant à jamais me paralyser sous la neige? Quelle nuit effroyable! Au matin, je croque dans un biscuit gelé, mastiquant avec peine, quand, soudain, une autre bourrasque hurle sa menace et me gifle avec une violence inouïe, picorant mes yeux, me plantant ses aiguilles dans les flancs! Je n'en peux plus! Je n'en peux plus!

« Dépêche-toi, Martin! Tu retardes tout le monde!
— C'est trop haut, Richard! Je ne peux pas monter plus haut! Et c'est trop froid!
— T'as promis, Martin Comeau! Et tu vas voir qu'après la première fois, tu vas être pressé de remonter.
— C'est si haut...
— Grouille! »

La glissoire de bois du parc Sainte-Marguerite est la plus haute au monde, du moins à Trois-Rivières. Tout le monde vient de loin pour la regarder. Le dimanche, il y a des étrangers de villes très lointaines comme Shawinigan et Nicolet qui arrivent pour l'essayer. Moi, depuis longtemps, je l'observe comme le défi de ma vie. Quand j'y aurai glissé une fois, je serai un vrai homme et plus rien ne me fera peur. Elle est si haute! Au moins un million de pieds! Combien de temps j'ai passé le long de la rue Sainte-Marguerite à regarder les courageux qui s'y risquaient? Ils descendaient à huit cents milles à l'heure en criant. Et d'autres suivaient, puis d'autres. Zoum! Zoum! Zoum! Mais comme j'ai maintenant six ans, il n'y a plus de raison m'empêchant de braver sa hauteur et sa vitesse. Je l'ai promis à Richard. Après tout, même un pas beau comme Gladu l'utilise. Puis c'est très sécuritaire : en bas, il y a douze ambulances, trente infirmières, quatre chirurgiens et deux douzaines de médecins, sans oublier le prêtre, au cas où une descente tournerait mal. Richard et Daniel m'ont souvent parlé du plaisir procuré par un zoum! Je peux les comprendre, car ils sont costauds et forts. Mais moi, je suis maigre et faible, nourri aux navets par ma mère! Mais tant pis! Je monte et je ne peux plus descendre, ne voulant pas passer pour un lâche devant mon ami. À la vie, à la mort!

« Richard, je n'aime pas ça...
— Grouille! T'es donc peureux! On dirait une fille!
— N'exagère pas. »

Je prends place dans la luge derrière Richard. Je ne sais pas si je dois m'agripper aux cordes ou à lui, et je n'ai pas le temps d'y réfléchir que mon ami a déjà donné l'élan nous menant vers un trépas cruel! Maman! En trois secondes, nous descendons à cent milles à l'heure. Deux secondes plus tard, nous doublons cette vitesse. Quatre secondes après, notre luge tourne dans la voie d'échappement, tout en bas. C'est tout? Rien que ça? Attendre au bout d'une filée pendant quinze minutes pour un voyage de neuf secondes?

« C'est vite, hein? C'est amusant, hein?
— Je n'aime pas ça quand même.
— Regarde! Voilà Junior avec Daniel! Ils vont encore plus vite! »

Ils me passent sous le nez à la vitesse d'une jeune puce excitée par la vue d'un dos de chien. Junior, dont c'était aussi l'initiation, ne semble plus vouloir décoller ses mains des cordes de sa traîne sauvage. J'imagine qu'il faudra le ramener à sa mère soudé à ces cordes. Quoi qu'il en soit, Junior règle le cas de notre après-midi à la glissoire géante du parc Sainte-Marguerite : il n'aime pas non plus. Mais comme nous avons nos traînes, il ne faut pas rater la chance de se rendre glisser avec civilité dans la grande côte du coteau.

Cette côte, c'est notre gloire, notre étendard, notre symbole. Chaque vrai quartier a sa côte, mais les gars et les filles des autres paroisses savent reconnaître que la nôtre est dans une classe à part. D'ailleurs, les vrais sportifs de la traîne ne s'y trompent pas : il y a plus de gens qui glissent dans la côte que dans l'abominable monstre du parc. On y voit même des adultes, qu'on tolère avec retenue. Cette côte est énorme. Quand Laviolette a découvert Trois-Rivières, de son navire, il a vu la côte et a claqué des doigts en disant : « Flûte! J'ai oublié ma traîne! » Il est donc descendu pour se fabriquer une traîne avec des arbres, et c'est ainsi qu'est né Trois-Rivières. L'hiver suivant, Champlain et lui glissaient dans la côte. Ces deux grands hommes savaient que des générations entières d'enfants trouveraient les plus merveilleux plaisirs de leur vie grâce à la côte du coteau.

Elle a une partie boisée et une autre toute nue. En été, on peut y jouer à Tarzan, à la guerre, aux cow-boys. On peut s'installer en haut et se laisser rouler jusqu'à ses pieds. On peut aussi faire des culbutes, et quand on est vraiment casse-cou, on la descend à bicyclette ou en torpédo. Mais nous savons que la vocation première de la côte est la glissade hivernale. Le long trajet de la montée active mon envie de la descendre, surtout quand je suis motivé par les cris de plaisir de ceux qui en profitent déjà. Quand je suis enfin à son sommet, j'ai une vue incomparable du quartier Sainte-Marguerite, avec ses maisons ressemblant à des petits cubes et ses rues aussi étroites que des cordons de souliers.

J'ajuste la couverture recouvrant le fond de ma traîne, je mets mes pieds au fond de la devanture, m'agrippe aux cordes pendant que Richard donne le coup de botte nécessaire à notre départ. Comme c'est rapide! Comme c'est grisant! Et hop! Une bosse me fait sursauter! Enfin en bas, j'ai le visage rouge, refroidi par les flocons s'écrasant contre lui lors de la descente. C'est si facile de remonter, de descendre à nouveau, de donner un coup de botte et voilà! Le tour est joué! Des gars glissent sur des bouts de carton, sur leur sac d'école, assis au milieu d'un vieux pneu, sur l'envers de leurs manteaux. Avec ma traîne, je peux descendre couché sur le dos ou sur le ventre, assis par-devant ou par-derrière, mais quand j'essaie de le faire debout, je dégringole après dix pieds et ma traîne dévale seule la côte. Richard est capable de glisser debout. Il a la traîne dans le sang. D'autres gars, comme Gladu, viennent descendre dans le seul but de faire des collisions et de blesser quelqu'un. Maudit Gladu sale. Les après-midi passent toujours trop rapidement à la côte. Mon papa vient me chercher, souriant, prenant la corde de ma traîne alors que je lui raconte mes exploits. Parfois, il vient glisser avec moi et rit comme un grand fou.

Le bout de mes mitaines est gelé, j'ai le fond de culotte mouillé, mon manteau est froissé. Je devine que maman m'en fera le reproche. Je sais alors quoi faire, n'ayant qu'à baisser les paupières et dire mielleusement : « Excuse-moi, maman. » Ma mère, croyant à ma sincérité, me pardonne. Et voilà! Le tour est joué! Je n'ai alors qu'à recommencer le lendemain. Les bottes rôtissent près du calorifère et je prends mon temps pour souper, dans l'espoir qu'elles seront sèches, afin de retourner jouer dans la neige.

L'hiver est une des meilleures inventions du monde et le mois de janvier est le roi de cette saison. Le froid y est vivifiant et les tempêtes fréquentes. Mais les adultes, insatisfaits des grandes chaleurs d'été, du vent d'automne et du n'importe quoi du printemps, deviennent intraitables quand il s'agit du mois de janvier : ils détestent sans mesure! Mon papa, par exemple, a l'habitude de réciter tous les blasphèmes damnés quand vient le temps de déblayer son entrée de garage. À l'école, les frères et les maîtresses se présentent souvent en classe avec une tête en forme de pelle, déposant sèchement leurs livres sur les pupitres en nous disant : « Il fait mauvais, hein? » au lieu de : « Bonjour, mes gentils petits anges ». Nous nous regardons en haussant les épaules, sachant que nous, enfants, saurons profiter allègrement de la dernière belle tempête. C'est beau, une tempête de neige! C'est la nature dans toute sa splendeur! C'est impressionnant! Et quand elle est terminée, nous pouvons nous éblouir les yeux si le soleil frappe ce joli tapis de neige. Avec la tempête de neige arrive le banc de neige. Celui de chez nous est plus haut que moi. Avec un bout de bois, j'y dessine des personnages amusants. J'y grimpe, cale jusqu'au cou, je roule et déboule. J'y remonte et me laisse tomber sur le dos, pour imprimer une parfaite forme d'un Martin de neige. Je regarde au ciel en tirant la langue et les flocons souriants se collent sur mon visage. J'en mange! Elle est si bonne, quand elle est fraîche, que j'y déposerais du ketchup si maman me permettait de sortir la bouteille.

Il arrive à mon père de jouer dans la neige. Il va patiner au parc, glisse dans la côte et, récemment, il m'a construit un magnifique igloo dans notre cour, découpant de parfaits rectangles de neige, les arrosant pour les assembler avec adresse. Cet igloo est aussi beau que ceux habités par les gens du Grand Nord, comme à Shawinigan. Tous les gars du quartier m'envient de posséder un jouet aussi original. Papa est très fier de son chef-d'œuvre et passe beaucoup de temps à le solidifier, à l'entretenir, à le décorer. À l'intérieur, j'ai des chaises en carton et des photographies des joueurs des Canadiens épinglées au mur. Le samedi matin, je m'y enferme pour étudier mes leçons, ce qui fait hurler maman qui craint de me voir abîmer mes livres scolaires. Au début de l'après-midi, Richard, Daniel, Junior et moi nous nous y réunissons pour décider de notre horaire de jeu pour le reste de la journée. Après le souper, papa me prête une lampe de poche et je vais dans mon igloo pour lire mes revues de Mickey. Ce dimanche matin, un peu après la messe, j'ai la surprise d'entendre la voix de grand-père Roméo. Je montre ma tête, comme un chiot sortant de sa niche, pour mieux l'entendre.

« C'est fort ingénieux, Romuald.
— Et très sécuritaire, monsieur Tremblay. Mes blocs sont tous de glace dure et il n'y a pas de danger de les voir tomber sur la tête de Martin. Entrez voir!
— Tu veux que j'entre là-dedans?
— Oui! Oui, grand-père! Viens voir mon palais de glace! »

Grand-papa ricane en se penchant vers mon trou d'entrée. Je lui fais visiter les lieux. Il est impressionné par ma table de billard au sous-sol, par le salon avec téléviseur, charmé par mes meubles Louis XXXII et ma toile de Van Coq, séduit par le lustre gigantesque de la salle de séjour aux draperies brodées d'or.

« Mais c'est bien joli, Martin. Tu dois bien t'amuser avec tes amis dans ce bel igloo.
— Oui. C'est notre salle de réunion. Mieux qu'une cabane dans un arbre.
— Tu as remercié ton papa?
— Tout le temps, grand-père. Tout le temps. »

Comme cette forteresse pourrait attirer des ennemis jaloux, nous décidons de construire à sa porte le plus effrayant bonhomme de neige, qui nous servira de gardien. Richard et Daniel font han! han! han! en roulant une énorme boule qui deviendra la base de notre bonhomme. Avec Junior, je m'occupe de son tronc, tandis que Marcel et ses petits amis fabriquent une tête. La cousine Johanne, de passage, lui invente des yeux, un nez et une bouche, avec d'autres fillettes. Mais ces cruches veulent lui faire un beau sourire et de grands jolis yeux alors qu'il doit, au contraire, avoir l'air méchant. Elles chialent un peu, puis se soumettent à nos ordres. Elles reviennent avec une branche crochue qui fera un nez menaçant, puis avec des roches – où diable ont-elles trouvé des roches en plein mois de janvier? – pour fabriquer un sourire de pierre.

« Ouais! Il a l'air pas mal méchant, comme ça!

— T'es pas drôle, Martin Comeau, là, là! Ce serait bien plus zoli s'il était beau, là là.

— Il doit faire peur à nos ennemis. Tu ne comprends donc rien?

— En tout cas! Mais ze vais lui trouver un foulard, là là, sinon il va attraper une grippe avec toute cette neige, là là.

— Bon! D'accord pour le foulard! »

Avec des seaux d'eau, nous aspergeons notre bonhomme pour le solidifier. Une heure plus tard, avec nos canifs, nous coupons le superflu, pendant que les petites filles lui cherchent un nom. Johanne veut le baptiser Ti-Blanc. Niaiseuse! Il faut un nom menaçant.

« La Main noire! Ça, c'est un bon nom menaçant!

— Mais il n'a pas de bras.

— C'est d'autant plus menaçant! »

Après la création de La Main noire, nous nous réunissons dans l'igloo pour préparer notre horaire du lendemain. Des balles de neige! C'est évident qu'il faut s'armer de balles de neige! On se doute bien qu'un jaloux comme Gladu va vouloir démolir l'igloo. Il vaut mieux entourer La Main noire d'une multitude de balles de neige. Superbe! Quel travail fantastique de mes amis! Ma mère, qui a passé sa fin de semaine à nous regarder besogner, nous récompense en nous donnant un pot de tire. Nous en étendons sur de la neige propre et découpons des rondelles que nous dégustons en riant d'on ne sait trop quoi.

« Ce serait bien d'avoir un chien de garde, en plus de La Main noire.

— Ma mère ne veut pas avoir de chien, parce qu'elle est allergique.

— Je te parle d'un bonhomme de neige chien.

— Hein? T'es capable de faire ça, Junior?

— Moi, non. Mais le grand Therrien peut, lui. »

Je m'endors mal en pensant que malgré La Main noire et nos munitions, l'igloo est peut-être mal protégé. Gladu, ce rat, peut venir au milieu de la nuit et faire fondre la glace, piétiner les balles de neiges et estropier La Main noire. Ça y est! Le voilà! Je le sens! Il a toute sa bande de voyous et saccage notre bien! Je téléphone à l'armée canadienne qui arrive trop tard : mon igloo n'est qu'un amas de ruines. Mais je connais le coupable! Et ce sera la guerre! Pour de vrai!

« Martin! Martin! Qu'est-ce que tu as?

— Hein? Hein? Quoi? Où?

— Tu as encore fait un cauchemar, mon grand homme. Ah! ces cauchemars! Tu en fais beaucoup! Il faudrait en parler au médecin.

— Mon igloo! »

Je me lance vers la cuisine, regarde par la fenêtre et soupire d'aise en voyant l'igloo bien en place. Juste un mauvais rêve. Mais il avait l'air si vrai! J'ai du mal à retrouver mon sommeil, jusqu'à ce que Coco m'endorme avec ses histoires de singe. Au matin, l'igloo resplendit sous le soleil d'hiver, mais j'ai une pensée de panique en constatant que le temps est doux. Et si tout à coup La Main noire se mettait à fondre?

En classe, je n'ai pas la tête à écouter la leçon, surtout en voyant le soleil intensifier sa présence. Du soleil! Au cœur de janvier! C'est interdit par la loi! Junior a parlé au grand Therrien à propos du chien bonhomme de neige. Ce gars-là ne fait jamais rien gratuitement. Il veut qu'on le nourrisse et qu'on lui permette de pouvoir entrer dans l'igloo pour le reste de sa vie. Après le souper, il se met à la tâche. Il roule un cigare de neige pour former le corps du chien. Il enduit de neige des bâtons pour former la queue et les pattes, puis il confectionne un cône qui deviendra la tête. Mon père est intrigué par son habileté. Après une demi-heure, le grand Therrien arrête de travailler et réclame une tablette de chocolat. Puis il continue. Il solidifie ses parties de chien, puis hop! À manger! Il s'en va à huit heures, promettant de terminer le travail le lendemain. Avec un couteau, il dessine des yeux magnifiques, taille les oreilles et la gueule du chien. Il fait même des dents. Après trois jours, nous avons un magnifique bonhomme de neige chien, qui nous a coûté trois tablettes de chocolat, six biscuits, deux verres de limonade et un cornet de crème glacée.

Bientôt, tout le quartier Sainte-Marguerite est dans notre cour pour admirer l'igloo et ses gardes. Papa prend même une photographie! J'autorise quelques touristes à entrer dans l'igloo. Ai-je eu tort? Il y a peut-être des espions, parmi ces gens! Que faire? Si je téléphone aux Nations-Unies, leur armée sera-t-elle là à temps pour protéger mon igloo? Pendant que mes parents discutent de mon deuxième cauchemar en quatre jours, je réfléchis devant mon gruau, étant certain que Gladu s'apprête à anéantir mon igloo. Je me rends à l'école le cœur lourd. Leçons de calcul, de catéchisme, de géographie. Pouah! Pouah! Pouah! Voilà la dictée sur le beau flocon de neige. Pouah! Sur l'heure du dîner, au lieu de manger mon sandwich, je vais flâner le long de la clôture, au fond de la cour. J'entends à peine les cris aigus des petites filles de l'école voisine, qui se lancent maladroitement des balles de neige se désagrégeant avant d'atteindre leur cible. J'en vois trois qui tirent de toutes leurs forces une grosse boule installée en reine sur un traîneau rouge. Derrière moi, des gars ont organisé une partie de ballon coup de pied, tandis que d'autres glissent sur le dos sur un monticule de neige. Toutes ces joies ne m'atteignent pas en sachant que, dans ma cour, les communistes sont peut-être en train de détruire mon igloo. Et si je demandais au curé Chamberland de le bénir? Peut-être qu'alors il serait mieux protégé contre les forces ennemies.

Ce soir, une autre tempête de neige se lève. Papa fait le bouffon pour essayer de me faire croire qu'il aime la tempête et désire me traîner dehors. Comment avoir le goût de jouer, alors que mon igloo est menacé à chaque instant? À sept heures, Daniel arrive avec son chien. Les deux me demandent de sortir pour jouer. Bon. Je peux bien. Papa soupire et me regarde mettre mon premier gilet, mon deuxième, mon troisième, pendant que maman me couvre les pieds de deux paires de bas, de mes bottes, puis enfonce ma tuque jusqu'aux sourcils, me cache la bouche avec un long foulard, installe mon manteau qu'elle attache trop solidement avant de pointer du doigt mes mitaines reposant sur le calorifère. J'ai l'air d'un paquet prêt à être envoyé par la poste au pôle Nord.

Les petits chiens ont en commun avec les enfants le bon sens d'aimer l'hiver, même s'ils ont la chance de sortir sans manteau et bottes. Noiraud, le chien de Daniel, est du genre à sursauter quatre pattes à la fois à chacun de ses aboiements. Nous lui lançons des balles de neige, nous le renversons pour le chatouiller, et lui, excité comme un paratonnerre, fait de grands moulinets avec sa queue. Nous nous lançons Noiraud comme un ballon de football. Dans la grande côte, des gars glissent en hurlant de joie. Le long des rues, des fillettes fabriquent des bonshommes de neige tandis que d'autres promènent leurs poupées dans des traîneaux. Des parties de hockey s'organisent dans chaque rue. Partout les enfants se lancent dans la neige, laissant leurs empreintes folles dans cette fraîcheur. Pendant ce temps, nos parents sont terrés dans leurs maisons, le visage effrayé à leurs fenêtres. Les plus courageux sont déjà sortis pour commencer à pelleter en maugréant sans cesse des gros mots.

« Ah non! Ce n'est pas vrai...

— Eh oui, mon grand homme! Bienvenue dans le monde des hommes! Prends ta pelle et dégage ton entrée.
— Je n'ai pas le temps. »

Je nettoie La Main noire et le chien gardien, puis je me mets à la tâche pour enlever toute cette neige devant le trou d'entrée de mon igloo. Je force comme un condamné quand, soudain, je sens derrière moi une haleine particulière. Gladu! Ça y est! Mes cauchemars se concrétisent!

« C'est ça ta niche, dont tous les gars parlent?
— Ce n'est pas une niche, c'est un igloo.
— Ça ressemble à une niche pour les peureux à lunettes comme toi qui vont se cacher. Mon fort est bien plus beau que ton glou. C'est mon père qui l'a fait. On a même un drapeau dessus. Toi, t'as pas de drapeau sur ton glou. Puis ton bonhomme de neige est même pas beau, espèce de Comeau de crotte de chameau.
— Qu'est-ce que tu veux?
— Si tu me permets d'aller dans ta niche, je te laisserai visiter mon fort. »

Je ne sais pas pourquoi je laisse entrer ce monstre dans ma merveille. Il veut sans doute voler le modèle. Je ne suis même pas méfiant quand il complimente mon intérieur et qu'il me tend sa main répugnante en me lançant de nouveau l'invitation pour entrer dans son fort. C'est vrai qu'il a belle allure, son fort. Un drapeau blanc de la paix flotte sur son pignon. Les palissades sont de blocs de glace et l'ensemble dessine un parfait demi-cercle. Mais aussitôt s'approche-t-on que Gladu et sa bande d'hypocrites nous bombardent de balles de neige, alors que nous sommes désarmés.

« Cette fois c'est vrai, Gladu! C'est la guerre!
— Comeau crotte d'hippopotame!
— Fais tes prières, bandit communiste! »

Alors que nous préparons nos stratégies militaires, nous sommes étonnés de voir nos pères sortir même par temps froid pour construire des bonshommes de neige immenses et des sculptures de glace, sur la devanture des maisons. Il y a un festival à la fin du mois et les responsables demandent aux Trifluviens de décorer leurs domiciles. Il y aura des prix pour les meilleures sculptures. Je vois soudain le père de Gladu dessiner une princesse dans un bloc de glace, alors que mon papa demeure au salon.

« Tu ne participes pas au concours, papa? Le père de Gladu ne se gêne pas, lui.

— J'ai déjà construit l'igloo, Martin.

— Justement, c'est le plus beau du monde! Tu n'as qu'à en faire un autre sur le devant de la maison et tu vas gagner tous les prix. Je vais t'aider. »

Mon père soupire. Il sait que j'ai raison, mais il n'a pas le goût de recommencer. Pendant ce temps, Gladu me nargue tous les jours, même si nous avons décidé de reporter la guerre après le festival. « Mon père construit une belle princesse et ton père ne fait rien, comme tous les paresseux de la C.I.P. » Maudit Gladu sale. J'insiste auprès de papa. Avec un nouvel igloo face à la maison, il sera certain de gagner le championnat, ou tout au moins d'être meilleur que le père de Gladu. Finalement, il prend la décision inattendue de transporter mon igloo de la cour à l'avant. J'ai beau n'avoir que six ans, mais j'ai la masculine certitude que c'est impossible, que quelque chose va clocher. Il dresse des plans, téléphone au mari de ma tante Patate, en parle avec les papas de son usine et même avec grand-père Roméo. Puis, le samedi matin, il se met à la tâche en compagnie d'autres hommes. Avec des planches minces, ils creusent sous l'igloo, y insérant un long morceau de bois. Avec des pelles, ils dessinent délicatement un fossé. Bientôt, la moitié des *monsieur* du quartier sont attirés par toute cette activité, chacun y allant de son conseil d'expert. À l'aide de grosses pelles, ils lèvent l'igloo. Je frissonne de peur et me cache les yeux avec ma tuque. Mais ça fonctionne! Quel héros, tout de même, mon papa! D'ailleurs, les hommes l'applaudissent. Ils se regroupent puis tirent doucement. Lentement, l'igloo débute sa route de déménagement.

Même le curé Chamberland prête son secours à cette tâche délicate. À sa place, je réciterais quelques prières, car j'ai le pressentiment qu'en tournant le coin... Et voilà! Le tour est joué! Marcel se met à pleurer et à hurler. Je l'imite en voyant le spectacle effroyable de l'igloo en cinq cents morceaux. Je rentre dans la maison à toute vitesse, désireux de me coucher jusqu'à la fin des temps.

« Il l'a brisé!

— Ton papa n'a pas voulu faire de mal, mon grand homme.

— Il l'a brisé quand même!

— J'ai bien hâte au printemps qu'on en finisse avec cet igloo.

— Toi aussi, t'es contre moi! »

Papa connaît sa faute, bien que je ne le trouve pas bien diplomate d'essayer de m'amadouer avec sa promesse de m'emmener voir une partie de hockey des Reds au Colisée. Se rendant compte de sa gaffe, il se redresse, frappe le creux de ses mains et claironne : « Je vais t'en faire un autre! Deux fois plus gros! Dix fois plus beau! » Et le voilà déjà à l'extérieur. De la fenêtre du salon, maman, Marcel et moi le regardons découper avec rage des cubes de neige qu'il arrose généreusement. Il travaille comme dix quand, soudain, maman s'inquiète de sa vigueur. « Il force trop. Il va s'enrhumer. » Une heure plus tard, il rentre, exténué, le souffle furieux. Marcel et moi reculons de quatre pas et décidons de filer doux. Voici tes pantoufles, papa. Voici un gilet, papa. Tu as une commission à faire, papa? Le lendemain, avant la messe, il continue de dégager l'emplacement du futur igloo, tout en solidifiant encore les cubes de glace de la veille. Lui, si pieux, qui a l'habitude de ne jamais trop travailler le dimanche! Et dès la fin de la messe, il se remet à la tâche, forçant comme un démon dans un bénitier. Heureusement qu'à trois heures, nous devons nous rendre chez grand-père Roméo pour le souper traditionnel du dimanche. Mais même sur place, on voit que mon père a encore la tête à son igloo. Soudainement, je me demande si j'y tiens réellement. Le premier igloo était un ouvrage de patience et d'amour; le second semble être une question d'orgueil.

Au lieu d'endurer les humeurs de mon père, je décide de jouer dans la cour de la maison de grand-père Roméo. Il a creusé un dédale de sentiers avec deux bonshommes de neige policiers. Marcel est dans son traîneau et je le pousse en essayant d'éviter celui de Johanne et Robert. Après, tous les quatre, nous parcourons quelques rues pour regarder les maisons décorées en vue du festival. On se croirait encore à Noël. Nous saluons des gars qui travaillent à un château de glace immense avec ses cent quarante-trois étages et un pont-levis de huit mille tonnes. Mon igloo fait bien pitié, en comparaison. Mais ce dimanche chez grand-père Roméo ne ralentit pas l'ardeur de mon papa qui, comme prévu par ma mère, attrape un rhume. Les grands sont malades si facilement! Au moindre froid, hop! les voilà prêts pour la valse des pastilles et des tisanes.

Nous, les enfants, sommes à l'épreuve du froid, d'où notre supériorité. Je me souviens d'avoir joué dans la neige par une température de trois cents degrés au-dessous de zéro et la seule à avoir paniqué a été ma mère, du moins jusqu'à ce qu'elle plonge mes mains dans de l'eau froide, croyant que j'étais devenu un glaçon. Mes amis et moi prenons le relais dans la construction de l'igloo, sous la direction de papa, enrubanné de couvertures et cognant sans cesse dans la fenêtre en nous faisant des signes. Comme les blocs de glace sont très lourds, le grand Therrien vient nous aider. L'igloo est prêt à temps pour le début du festival. Il est un peu moins beau que le premier, mais bien supérieur à la princesse stupide du père de Gladu.

Mon père est trop malade pour m'emmener à la grande parade d'ouverture du festival. Grand-père Roméo le remplace, et vient me chercher le samedi matin. Puis nous passons prendre le cousin Robert et la cousine Johanne. « Ça va être beau, là là! Ze suis si contente! » À notre arrivée aux abords de la rue Laviolette, il y a des millions de gens impatients. Les grands se gèlent les pieds, alors que les enfants se lancent dans la neige en attendant l'arrivée des chars allégoriques. Il paraît qu'il fait très froid. Tous les adultes le confirment, alors que les petits sont insensibles à leurs pleurnichages de frileux. L'avantage d'être né à Trois-Rivières est qu'il y a toujours des parades. On en présente constamment. Quand je serai grand, je veux devenir organisateur de parades. Qui peut se lasser d'un tel spectacle? Sûrement pas grand-père Roméo, qui les a toutes vues depuis son enfance et qui assiste à celle-ci même s'il est frigorifié comme un Esquimau. Les voici! Oh! ils sont beaux! Certains chars sont tirés par des chevaux blancs. Sur le premier, des grands ont le sourire crispé par le froid et nous envoient la main avec l'air de dire : « J'ai hâte de rentrer me réchauffer à la maison! » Voici la fanfare! Je me demande s'il est difficile de jouer de la trompette avec des gants... Comme elle est longue et belle, cette parade! Sa grande vedette est Pierrot, la mascotte du carnaval, qui ressemble à un clown sortant d'un congélateur. Nous suivons Pierrot et la parade pendant que grand-père Roméo jase avec d'autres vieux, comparant l'événement avec ceux de leur jeune temps. « En 34, c'était bien », dit-il. Les vieux parlent souvent de 34. Nous rencontrons des gars de tous les quartiers de la ville. Quelle joie partout dans Trois-Rivières pour rendre hommage à l'hiver! Grand-père nous achète des Pierrot en plastique qu'il accroche à la fermeture éclair de nos manteaux. Puis après, il nous paie des frites au *Petit Train* et parle de la parade extraordinaire à mon oncle Maurice. « Aussi bien qu'en 34, Maurice. »

Je passe ma semaine à montrer mon Pierrot à tout le monde, même à ceux qui en ont. Papa a découpé la photographie de Pierrot dans le journal pour me la donner. Mais cette semaine, il travaille le soir et il ne peut m'emmener voir toutes les activités. Ma mère prétend que ces événements sont surtout pour les grands. C'est tout à fait vrai! Le ski, la raquette, les parties de hockey et les soirées de rigodons, c'est juste bon pour les vieux! Pourquoi avoir organisé un festival d'hiver avec un beau Pierrot si les enfants sont mis de côté? Dans le nouvel igloo, Richard, Daniel, Junior et moi élaborons un festival d'hiver idéal et j'écrirai une lettre à Pierrot pour lui suggérer ces modifications, en vue de l'an prochain. Je suis sûr qu'il va comprendre. D'abord, notre condition unanime est qu'il n'y aura pas d'école durant toute cette semaine. Comme premier événement, il y aura une grande parade, un peu comme celle de samedi dernier, sauf qu'on va ajouter cinquante chars allégoriques et qu'on la fera durer toute la journée. Ensuite, nous avons décidé que le père Noël sera le président d'honneur. Je sais! Je sais! Le père Noël est en vacances sur les plages du Sud au mois de janvier et on le comprend très bien avec tout ce travail qu'il a fait en décembre. Mais je suis certain que si je le lui demande personnellement, il va accepter la présidence du festival.

Le samedi, il y aura un concours de bonshommes de neige et de sculptures de glace. Le dimanche, nous ferons un championnat de glissage avec des prix pour plusieurs catégories : meilleure culbute, concours de vitesse, glissement sur le ventre, sur le dos, à deux dans la traîne, avec un papa dans la traîne, cinq dans la traîne, etc. Le lundi, ce sera le tournoi mondial trifluvien de hockey-bottines mettant en compétition toutes les équipes de la ville. En finale, mon équipe gagnera contre celle de Gladu. Le mardi sera notre journée de dessins dans la neige, avec un concours des plus belles traces de tracteurs faites avec des bottes. Mercredi sera réservé aux filles : elles feront n'importe quoi pendant que nous les regarderons en bâillant. Le jeudi sera la journée des déguisements d'hiver et on aura le droit de sonner aux portes pour demander de la crème glacée, comme à l'Halloween. Le jeudi – pour l'occasion, nous inventerons la semaine des deux jeudis – sera la journée de compétition des animaux avec des épreuves prestigieuses : va chercher la balle de neige, courses de chiens contre des chats (sur glace), parade de mode du plus beau chien, etc. Le vendredi verra les gars de chaque quartier essayer d'enterrer leur école sous la neige dans le moins de temps possible. Le samedi sera la journée sportive avec le saut en hauteur par-dessus un banc de neige, le lancer de la boule de neige, la course en bottes dans les rues, etc. Et le dimanche, on fermera Trois-Rivières, car tout le monde ira à Sainte-Anne-de-la-Pérade pour pêcher le petit poisson des chenaux. Voilà! Je crois que c'est raisonnable comme programmation. Oh! nous laisserons aussi les activités pour les adultes, mais elles débuteront juste après neuf heures du soir. Je cherche l'adresse de Pierrot dans l'annuaire téléphonique, mais je ne la trouve pas. Comment lui faire parvenir ma lettre? C'est facile! Il n'y a qu'à demander à grand-père Roméo. Il connaît tout le monde et travaille souvent pour le journal *Le Nouvelliste*, qui montre la photographie de Pierrot tous les jours.

Le jeudi, alors que je suis en classe, un organisateur du festival vient dans le quartier pour voir les décorations. Maman m'a dit qu'il est resté de longues secondes devant notre igloo, le regardant sous tous les angles avant de changer de rue. Pauvre papa... Je suis certain qu'il va pleurer en l'apprenant... Nous, en sortant de l'école, courons tout de suite au parc Sainte-Marguerite où une grande mascarade aura lieu ce soir. Ma mère me déguise en chat, malgré mes protestations. J'ai le visage plein de poudre, des moustaches et une tuque rehaussée d'oreilles de minou. Avec mes patins, j'essaie de ne pas me casser la ciboulette sur l'immense glace. Tous les grands semblent s'amuser de voir mon inexpérience et osent même rire chaque fois que je tombe sur ma queue de chat.

« Petit! Petit! Viens ici!
— Oui, m'sieur.
— Comment t'appelles-tu?
— Martin Comeau, m'sieur.
— Tu as un bien joli costume, Martin. Un des plus beaux de la mascarade.
— C'est ma maman qui l'a fait, m'sieur. »

Quand un adulte qui est juge de concours te fait signe, tu es mieux de parler en bébé pour l'impressionner. Et voilà! Le tour est joué! Je rentre à la maison avec un ruban rouge sur mon manteau. Ces grands ont même pris une photographie de moi qui va paraître dans le journal. Puis ils m'ont permis de rencontrer Pierrot qui m'a remis le ruban et un sac de bonbons. Je n'ai malheureusement pas eu le temps de lui parler de ma lettre. Fier de ma décoration, je sauve l'honneur de la famille Comeau, après l'injuste défaite de mon père et de son igloo. Le lendemain matin, à l'école, tous les gars ont vu ma photo dans le journal et me surnomment « La vedette ». Je suis le roi du festival! Le prince de l'hiver, et tout ça à cause d'un costume que je n'aime pas! Grand-père Roméo a découpé ma photo pour la mettre dans son salon. Comme promis, il a aussi donné à Pierrot ma lettre pour le festival de l'an prochain. Grand-père est un homme de parole et c'est pourquoi je vais l'aider à pelleter ses sentiers de neige dans sa cour.

« Tu n'as jamais froid, Martin?
— Non. Je suis bien habillé. La neige, c'est drôle.
— Les enfants sont à l'épreuve du froid. Ils aiment tous l'hiver et c'est merveilleux.
— Qu'est-ce qu'on ferait sans la neige en hiver? Il n'y aurait pas de côte de neige, pas de bonshommes de neige, pas de festival pour gagner un beau ruban.
— Il n'y a pas toujours eu de neige au mois de janvier, tu sais.
— Hein? Mais oui! Tu m'as parlé souvent des hivers de ton enfance, quand tu faisais la guerre de balles de neige à la famille Trottier et quand tu allais glisser avec ta petite sœur Jeanne.
— Mais c'était bien avant! Il y avait un court printemps et un été de deux semaines. Le reste du temps, c'était le règne d'un automne triste qui n'en finissait plus, avec la terre trop sévère pour être cultivée et des arbres trop maigres pour être admirés. « Comme c'est long, l'automne! » se plaignaient sans cesse les gens de cette lointaine époque. Et ils se sont plaints bien longtemps. Mais le bon Dieu, qui était un sage, se disait que s'il n'y avait qu'une seule saison estivale pour toute l'année, les humains se plaindraient de la trop grande chaleur et qu'ils chialeraient aussi contre le vent du printemps. « On dirait qu'il manque une saison à ma création » se disait-il. Alors, ce jour-là, il fouille dans son grand livre à inventions.
— Le bon Dieu a un grand livre à inventions?
— Bien sûr! Pour tout ce qu'il n'avait pas eu le temps de créer. Le voilà à chercher sous la rubrique *Saisons* et il met le doigt sur le mot *Hiver*. « Ah! quelle bonne idée! Je vais inventer l'hiver tout de suite! Mais à quoi ressemblera l'hiver? Il

faut une saison différente des trois autres. Ni chaude comme l'été, ni incommodante comme le printemps et l'automne. Une saison où tout changera et qui plaira surtout aux enfants. » Il s'enferme dans son grand atelier et travaille très fort à inventer la neige. « Ce sera beau! Tout sera recouvert de blanc et ce froid fera reposer la terre avant les labours. La fonte des neiges enrichira le sol et les humains auront de belles récoltes à la fin de l'été. » Mais la neige, ce n'était pas qu'une petite chose à inventer... Regarde, Martin. Viens voir de près... »

Grand-père tend ma main vers le ciel et guide mon doigt de mitaine, jusqu'à ce qu'un flocon s'y dépose. Il me demande de l'examiner de très près, puis m'explique la splendeur incomparable de ce tout petit flocon. Il ressemble à une étoile féerique, décoré de rondeurs, de carrés, d'angles de toutes sortes. J'écarquille les yeux à trop l'admirer. Je n'avais jamais remarqué tant de merveilles dans ces flocons que je foule impoliment du pied sans m'y attarder.

« C'est beau...

— Tu imagines tout le travail du bon Dieu pour un seul de ces flocons? Il a besogné bien fort dans son grand atelier céleste! Bien fatigué d'avoir travaillé à tant de délicatesse pour un seul flocon, il n'a pas le goût de recommencer des trillions de fois pour tous les flocons de neige d'un hiver. C'est pourquoi le bon Dieu donne à ce premier flocon le pouvoir magique de se reproduire à l'infini aussitôt qu'il touche le sol. Le bon Dieu choisit son plus beau nuage et jette le petit flocon vers la terre. Aussitôt, notre flocon est pris d'une grande peur! « Ahhh! je tombe! Je vais m'écraser et m'abîmer! Ahhh! » crie-t-il. Mais un coup de vent l'empêche de toucher le sol. « Me voilà sauvé! Mais qu'est-ce qui va m'arriver quand il n'y aura plus de vent? Comment remonter jusqu'au ciel? Qu'est-ce que je vais devenir? » Un peureux! Le bon Dieu a inventé un flocon peureux! Le flocon s'accroche au vent en n'arrêtant pas de se plaindre et de pleurer. Et soudain le vent cesse et le petit flocon descend, descend vite vers le sol en criant : « Ahhh! » Il s'en va directement vers un gros chien méchant, qui se met à japper, croyant à un intrus venant voler son maître. Le souffle de l'aboiement repousse le flocon vers le vent. « Je l'ai échappé belle! Ce monstre m'aurait dévoré! Mais qu'est-ce que je vais devenir? Mais qu'est-ce qui va m'arriver? » Un peu plus tard, le vent arrête sa farandole et notre flocon peureux hurle et crie sans cesse en tombant à vive allure vers le toit d'une maison. Mais tout juste à ce moment-là, la cheminée crache sa fumée et pousse le petit flocon vers un courant d'air. « Pauvre de moi! Pauvre de moi! Je ne veux pas tomber et me briser! Qu'est-ce que je vais donc faire? » Les jours passent, et à chaque occasion, notre flocon est sauvé par un hasard. Comme la vache qui a bougé sa queue, un voyageur sifflant une mélodie, une charrette se mettant à dégringoler une pente. Du haut de son nuage, le bon Dieu s'arrache les cheveux – car le bon Dieu a beaucoup de cheveux – en voyant qu'il a créé un tel poltron. Et Dieu a soudain une bonne idée : il faut que le flocon se pose sur quelque chose qui ne l'effraie pas. Et quoi de plus joli en ce monde qu'une belle petite fille? Dieu choisit la plus magnifique d'entre toutes avec ses cheveux noirs, sa petite bouche ronde, ses beaux yeux ressemblant à des billes brillantes et, pour couronner le tout, le plus charmant petit nez retroussé que l'on puisse imaginer! Oh! quelle jolie petite fille! Et sage, aussi! Elle obéissait à ses parents, jouait paisiblement dans son coin à faire de beaux dessins. La plus jolie petite fille! La voilà qui se promène tranquillement dans un sentier avec sa poupée quand soudain elle entend : « Ahhh! » C'était, tu l'auras deviné, notre flocon peureux privé de son vent et descendant à toute allure vers la jolie petite fille. Et cette fois, il n'a pas été sauvé! Le flocon tombe sur le bout du nez retroussé de la fillette. Elle a peur! Tu comprends, elle n'a jamais vu une telle chose froide de sa vie. En sursautant, elle fait tomber le flocon de son nez sur le bout de son petit doigt. Intriguée, elle le regarde avec ses grands yeux vitreux et, le flocon, sentant sur lui ce doux regard, se met à ronronner comme un chaton. La petite fille trouve cette merveille bien belle et se met à courir vers sa maison en criant à son grand frère : « Viens vite voir ce que j'ai trouvé! Viens! » Malheureusement, dans son empressement, la petite fille trébuche et notre flocon, après une culbute, touche le sol et, aussitôt, tout devient blanc et du ciel arrivent tous les frères et sœurs du petit flocon peureux. Ils tombent joyeusement, rassurés par l'idée qu'ils pourraient se poser sur une aussi jolie petite fille. Celle-ci porte un regard ébahi sur ce nouveau paysage froid, mais si magnifique! Le grand frère, arrivant à la course, prend la main de sa sœur et tous deux se roulent dans la neige, rient sans cesse, se lancent des flocons. Et au village, tous les enfants s'empressent de les imiter en chantant gaiement. Mais à l'intérieur des maisons, leurs parents, effrayés, regardent cette nouvelle invention en n'osant pas sortir. Et c'est depuis ce jour, petit Martin, que les enfants aiment l'hiver. Tout ça à cause d'un petit flocon peureux tombé amoureux du regard d'une belle petite fille aux cheveux noirs et au nez retroussé. Depuis, les flocons tombent en chantant sur tous les enfants, dans l'espoir de devenir amoureux des petites filles et de leurs grands frères. »

Février 1960
La légende de la fille gardien de but

Je serais le pire des menteurs de vous dire que je ne suis pas nerveux à l'approche d'un moment aussi crucial. Ce soir, le sort du peuple canadien-français repose sur mes épaules. Je ne peux trahir la confiance de Maurice et, pire que tout, si j'échoue dans ma mission, mon père va me priver de dessert pendant un an.

Il y a les réflecteurs, la foule hurlante, les caméras de la télévision, les microphones de la radio, l'enceinte du grand Forum et je me sens pourtant seul au monde, mon chandail des Canadiens sur les épaules, mes lourdes jambières près de mes patins. Soudain, Toe s'approche et me donne un Coca-Cola en posant paternellement sa grosse main sur mes épaules : « Petit, si Maurice s'est déplacé pour te chercher, ce n'est pas pour rien. Aie confiance. Mais ne nous laisse pas tomber! » Non jamais! Pas un seul Toronto ne marquera contre moi! La coupe Stanley va demeurer dans la province de Québec!

J'attache mes patins, enfile mes jambières, prends mon bâton, mets ma tuque et dis à Jean, à Dickie, à Doug, à Henri et à Boum Boum : « Allons-y, les gars! On va les avoir ces Toronto du diable! » Me voilà approchant de la glace, alors que l'annonceur prend son micro pour hurler : « Ce soir dans les buts des Canadiens, Martin Comeau, de Trois-Rivières! » La foule demeure indifférente. C'est si ingrat de devoir remplacer Jacques, blessé par un énergumène du Toronto. Que pouvaient faire nos Habitants sans leur gardien miracle? Le remplacer par le meilleur! Et Maurice Richard est venu lui-même à Trois-Rivières, dans la rue Pelletier, pour me dire que j'étais l'homme de la situation. J'ai d'abord hésité, car la partie a lieu le mercredi soir et que j'ai un examen d'arithmétique à l'école le jeudi matin. Mais mon papa et Maurice se sont rendus voir le frère directeur pour lui expliquer la situation. « Il passera son examen à quatre heures. Si les Canadiens ont besoin de lui, c'est son devoir de patriote de répondre à la demande du Rocket. Je ferai brûler cinq cierges pour souhaiter bonne chance à votre fils, monsieur Comeau. »

Pendant l'exercice, Boum Boum fracasse son bâton sur les rondelles projetées en ma direction. Elles arrivent à huit cents milles à l'heure et je n'ai qu'à tendre mon gant pour les arrêter. Et voilà! Le tour est joué! À l'autre bout de la patinoire, je vois les Toronto s'échauffer. Comme ils sont laids! Je suis certain qu'il y a des communistes parmi eux. La partie débute! Tout de suite un des atroces s'empare de la rondelle et fonce vers moi, la bave coulant de sa bouche répugnante. Il tente de me déjouer et j'ai deviné sa tactique. Je passe la rondelle à Jean-Guy, qui l'envoie à Maurice qui s'envole, lance et compte! Pas mauvais! J'ai déjà une passe à ma fiche! Soudain, un Toronto donne un coup de couteau à Doug avant de lui enlever la rondelle. Le grand écart et Comeau bloque! Un autre Toronto assomme Dickie et se pointe en ma direction. Je le reconnais. C'est le grand Mahopliche, celui qui n'aide pas les vieilles dames à traverser les rues. Et Comeau bloque miraculeusement! Et voilà Maurice qui déjoue tout le monde, mais le gardien du Toronto ose bloquer son tir obus. Un à zéro pour nous! Troisième période! La foule m'acclame à chacun de mes arrêts! La coupe sera à nous dans cinq secondes! Mais soudain, Mahopliche revient à la charge, lance! et compte...

« Maudit! Martin! Sors de la lune! C'était facile à bloquer!
— Hein? Quoi?
— Regarde qui a marqué! Le petit cousin de Gladu! Il a quatre ans et a lancé si faiblement que même ta sœur aurait pu l'arrêter!
— Excuse, Richard...
— Tu vas nous faire perdre!
— J'ai dit que je m'excuse!
— On s'excuse pas, on fait attention! »

C'est froid, entre deux mottes de neige. Un attaquant comme Richard ne peut pas toujours comprendre la profonde solitude du gardien de but. Mais nous allons gagner cette partie, car Richard et Daniel forment le duo le plus redoutable de la rue Pelletier. Mais qu'est-ce qui se passe là-bas? Gladu fait encore des siennes! Il prétend que son équipe mène 32 à 30 alors que tout le monde sait que nous sommes 32 à 32. J'ai l'honnêteté de marquer tous les buts sur un bout de carton et Gladu refuse de croire à mon intégrité! Maudit Gladu sale. Mais, de toute façon, nos mères nous appellent pour souper, alors...

« J'inscris une nulle au classement.

— C'est pas une nulle, espèce de crotte de singe de Comeau! C'est une victoire! Notre victoire!

— C'est une nulle, Gladu! Ton équipe a un point. C'est mieux que zéro.

— Oui mais c'est deux points que tu nous dois.

— Une nulle! Nulle comme ton équipe!

— Si tu me mets pas mes deux points au classement, je te pète les dents une à une avec mon hockey!

— Tiens! De l'intimidation! Pareil comme les joueurs du Toronto!

— Moi, un Toronto? Répète un peu pour voir, espèce de Comeau plein de crottes de chat! »

Une nulle vaut un point. Je l'inscris au classement, tout comme j'additionne chacun des buts marqués par les athlètes. Gladu devrait cesser de chialer, car il est tout de même le meilleur compteur de la ligue avec 519 buts en 25 joutes. Et j'ai la probité de reconnaître que je suis le quatrième meilleur gardien de la ligue avec ma moyenne de 26 buts accordés par partie. C'est déjà mieux que le petit Daniel Ricard avec sa moyenne de 67... Les autres équipes approuvent la validité de mes statistiques. Drolet, par exemple, tient aussi son propre classement et il est tout à fait semblable au mien. Notre ligue de « hockey-bottines » a six équipes, tout comme dans la vraie Ligue nationale. La seule différence est que nous sommes tous des Canadiens. Les Canadiens de la rue Pelletier, de la rue Sainte-Marguerite, du boulevard Normand, de la rue Guimont, de la rue Père-Daniel et les Gladu sales de la rue de Ramsay. Il y a aussi une autre ligue dans la paroisse, mais c'est une ligue mineure.

Avec le baseball, le jeu de hockey est le meilleur au monde. Il se joue habituellement sur la glace, mais nous le pratiquons dans la rue. D'ailleurs, mes amis et moi avons pensé, quand nous serons grands, organiser une vraie ligue professionnelle de « hockey-bottines ». Ce jeu consiste à pousser une rondelle ou une balle avec l'aide de bâtons – ou avec un balai, quand le bâton est cassé – vers le but adverse. L'autre équipe doit nous empêcher de le faire, soit en nous enlevant la rondelle avec habileté, soit en nous écrasant dans le banc de neige. Une partie débute habituellement un peu après la fin de l'école et se termine quand nos mères nous disent de rentrer souper.

Les grands jouent aussi au hockey. Comme mon papa, champion de l'équipe de la C.I.P. Mais les filles sont vraiment minables à ce sport. Nos mères prétendent qu'il est dangereux de jouer au hockey dans la rue. Mais nos pères, qui ont un jour fait comme nous, sont plus raisonnables, se contentant de dire « Fais attention » sans trop insister. Le véritable danger serait de jouer sur le coin d'une rue. Mais au milieu, on voit facilement arriver les automobiles. À ce moment-là, on s'enlève pour les laisser passer. Parfois, il y a des conducteurs peu civilisés qui font exprès d'écraser les mottes de neige servant à délimiter l'espace de la cage du gardien. Le plus grand risque du « hockey-bottines » se résume à recevoir la rondelle dans le front ou un coup de bâton sur le tibia. Un autre péril consiste à laisser le chien de Daniel en liberté quand nous jouons. Il nous a déjà rongé trois rondelles et enterré deux balles.

L'équipement de hockey est formé de tout ce que nous portons au moment de la joute. Certains d'entre nous ont des chandails des Canadiens avec les numéros 9, 4, 2, 12 et 16 brodés dans le dos. Le grand Therrien a un chandail du Toronto avec le numéro 7 et on le tolère quand même. Le petit Lemire, de la rue Plouffe, a un chandail des Rangers. Il est vraiment bizarre, le petit Lemire. Des gars possèdent aussi des vrais gants de hockey. D'autres ont des protège-pipi, mais on ne sait pas trop bien pourquoi. Les gardiens de but, comme moi, portent une mitaine de baseball et des jambières fabriquées avec du carton et rembourrées de papier journal. L'élément primordial de l'équipement de hockey est le bâton. Le drame absolu est de casser un bâton pendant une partie et d'être obligé d'attendre deux semaines avant d'en avoir un neuf. Dans ce temps-là, on prête un bâton aux attaquants et on laisse le bâton sans palette aux défenseurs. On peut parfois arriver à le réparer en clouant la palette ou en mettant beaucoup beaucoup de ruban adhésif. Mais ça fait des bâtons bien fragiles. Le chic du chic pour un hockeyeur-bottines est de posséder un bâton de gardien. Et j'en ai un! Un cadeau de mon grand-père Roméo. J'en prends un soin énorme et ne laisse pas mes frères Marcel et Jean-Jacques s'en approcher. Je n'ai pas toujours été gardien. Au début de ma carrière, je jouais à l'attaque. Mais les grands défenseurs passaient leur temps à me jeter au sol. Alors, j'ai été muté à la défense, mais de nouveau, ma petitesse me nuisait et tous les adversaires se moquaient de moi après quelques habiles coups de botte. C'est ainsi que je suis devenu gardien. Je suis très bon sur les lancers hauts; je les capte avec ma mitaine des Yankees. Je couvre bien les angles, mais je suis un peu faible quand je suis au milieu des deux mottes. J'ai aussi une grande crainte des lancers bas, surtout quand c'est Gladu qui les fait.

Nous jouons aussi au hockey sur la glace, mais c'est difficile d'organiser une vraie ligue quand la patinoire du parc Sainte-Marguerite est déjà pleine de clubs, sans oublier les filles et les adultes, toujours dans nos jambes. Parfois, certaines cours ont des petites patinoires. C'était le cas chez Francœur, jusqu'à ce que Gladu lui lance une rondelle dans le cou. Depuis, Francœur a pris sa retraite et son père refuse de nous laisser jouer sur sa patinoire qu'il garde pour lui-même et ses trois filles. Quel gaspillage de savoir qu'une patinoire ne serve qu'à des filles! Quand nous jouons en patins, c'est toujours une partie qui ne compte pas au classement. Dans ce cas, je ne suis plus gardien, parce que je me tiens mal en équilibre. Je ne suis pas attaquant non plus, car je patine sur la bottine. Je suis défenseur car, curieusement, je me déplace très bien à reculons.

Parfois, mon père m'emmène au Colisée de Trois-Rivières pour patiner. Ah! comme c'est impressionnant! Il y a l'éclairage, la musique de patineurs et le restaurant de frites. La glace du Colisée est bizarre. C'est de la glace glissante. Il n'y a pas de bosses, ni de neige. Elle me donne l'impression d'être un plus mauvais patineur! Mais ce n'est pas grave! Quand je ferme les yeux, je suis au Forum avec Maurice et Henri! Je n'ai jamais vu mon père à l'œuvre dans sa ligue, car son équipe joue toujours ses parties à onze heures le soir. Mais on dit qu'il a un lancer frappé vraiment terrifiant. Il lance encore plus fort que Gladu.

Il m'énerve, Gladu! Il énerve la terre entière et même les gars de son équipe. Il ne passe jamais la rondelle. Parfois, il s'en empare et déjoue tout le monde jusqu'à mon filet, puis il s'en retourne dans sa zone et revient me déjouer en levant les bras aux nuages et en criant : « Vous avez vu ça? J'ai déjoué tout le monde deux fois! Vous avez vu? » Vendredi dernier, il a laissé filer sa vantardise la plus épouvantable : « Et de quinze! C'est ma quinzième partie avec plus de 20 buts! » Quand il joue sur la vraie glace, il patine plus vite que tout le monde, plaque les adversaires, fait trébucher les petites filles avec son bâton. Chacun dans Sainte-Marguerite sait que Gladu est le bum de la patinoire. Chaque paroisse en a un. Gladu a dans son équipe un très bon attaquant du nom de Lamy, qui n'a jamais la chance de se faire valoir à cause de l'égoïsme de son patron. J'ai offert Carignan en retour de Lamy, et Gladu était d'accord avec la transaction jusqu'à ce que Carignan se mette à brailler et refuse de jouer pour Gladu. C'est un des risques du sport professionnel. Beaucoup de gars traînent leur bâton à l'école pour qu'on puisse jouer le plus rapidement possible après le son de la cloche. Je n'ose pas emporter mon bâton de gardien. Je me le ferais voler à coup sûr. Mais je cours très vite à la maison le chercher pour ne pas retarder le début de la partie.

« Hé! Martin! Où vas-tu?

— Jouer au hockey, maman! À tantôt!

— Un instant, mon grand homme! Avant, tu vas aller me chercher une pinte de lait chez monsieur Neault. Après, tu iras jouer.

— Je n'ai pas le temps! Envoie Yvette!

— Martin! Qu'est-ce que je t'ai dit?

— Oh! m'man! »

Les mères sont les pires ennemies des « hockeyeurs-bottines ». Parfois, il faut interrompre une partie intense parce que la maman d'un tel l'appelle pour faire une commission. Elles ne comprennent jamais rien au sport! Ma mère, par exemple, a voulu me faire porter un casque de football pour protéger mes lunettes des lancers. Quelle idée idiote! Et pour qui je passerais, moi, avec un casque sur la tête? Un peureux? Une moumoune? Je serais la risée de tous les gars du quartier. En passant devant les joueurs avec ma pinte de lait, ils me font signe de me dépêcher. Il y a un mois, ils avaient commencé une partie sans moi, avec Carignan dans les buts. Tu parles qu'on l'a perdue, cette joute! Aujourd'hui, nous affrontons les Canadiens de la rue Sainte-Marguerite, un club assez faible. Mon équipe est formée de Daniel, Richard et Junior à l'attaque, avec Carignan et mon frère Marcel à la défense. Parfois, je peux compter sur Jacob comme réserviste. Comme public, j'ai ma sœur Yvette. Notre attaque est assez bonne, surtout grâce à Richard. Mais mes deux défenseurs laissent à désirer. L'autre équipe a le grand Therrien à la défense. Lui est bon! Lui est fort! Il joue même dans l'équipe de l'O.T.J. de la paroisse!

« Ti-Jean, tu ne me l'échangerais pas, le grand Therrien?

— Ça dépend pour qui.

— Pour qui tu voudras.

— Je prends Richard.

— Ah non! Pas Richard! C'est mon meilleur! Tu ne voudrais pas de Carignan?

— Il n'est pas trop fort. Par contre, ton frère Marcel, je l'aime bien. Il est petit mais mobile. C'est une vedette de demain. Il a du souffle. Donne-moi ton frère, six bouteilles de Kik et deux roulettes de ruban gommé, et je te laisse le grand Therrien.

— D'accord! »

Je réunis l'équipe pour leur annoncer la grande nouvelle mais, à la surprise de tous, Marcel se met à pleurer en courant à la maison. Comme c'est délicat d'être gardien de but, capitaine, instructeur, gérant et propriétaire de l'équipe en même temps!

« Mais qu'est-ce que tu as fait à ton frère, Martin?
— Rien de grave, maman. Je l'ai échangé.
— Quoi? Tu ne veux plus que ton petit frère joue avec toi?
— Bien sûr! Sauf qu'il sera dans une autre équipe. Ti-Jean a une haute opinion de lui et nous avons besoin du grand Therrien à la défense. Comme ça, Marcel va prendre de l'expérience et devenir meilleur et...
— Je ne comprends rien à ce que tu me racontes! Tu as fait pleurer ton frère! Tu vas en entendre parler par ton père! »

De ce côté-là, il n'y aura pas de problème. Mon père comprend le sport. Ce n'est pas le cas de Marcel. Cet idiot pense que je le déteste parce que je l'ai échangé. J'essaie de le convaincre que je l'ai plutôt en estime, que je désire son bon développement comme « hockeyeur-bottines », qu'il doit comprendre la loi du hockey, que pour le bien de l'équipe, il doit... Et voilà! Le tour est joué! Il pleure à nouveau... Il retire ses jouets du coin de notre chambre et ne me parle pas pendant deux jours, refusant de s'amuser avec moi. En vérité, il m'a dit quelques mots : « Je vais te battre! Je vais marquer cent buts contre toi et je vais te viser la face à chaque fois! » Mon frère pousse sa bouderie enfantine jusqu'à notre visite du dimanche chez grand-père Roméo.

« Qu'est-ce qu'ils ont, tes deux garçons, Romuald?
— Rien de grave, monsieur Tremblay. Une petite chicane de frères à propos de leur équipe de hockey. Ça leur passera. »

Grand-père pousse son enquête en me demandant une explication moins vague que celle de mon papa. À ma grande surprise, grand-père est effrayé par mon aveu. Lui aussi ne comprend rien au hockey. C'est son défaut. Comment être un homme et ne pas aimer le hockey? Il n'a jamais joué quand il était enfant. Il sait à peine le nom de Maurice Richard. Mais cette situation a un grand avantage pour moi : chaque fois que grand-père trouve une photographie de joueur de hockey dans une boîte de céréales, il m'en fait cadeau. Il ne se fait pas prier non plus pour me donner des sous afin que j'achète des cartes de hockey. En décembre dernier, il a trouvé, dans une vente de grenier, une pleine boîte de vieilles cartes. Les gars du quartier envient ma chance de posséder toutes les cartes de 1951 en parfait état.

Les cartes de hockey sont la plus grande invention du monde. Elles permettent d'identifier nos amis ou nos ennemis dans le monde du hockey. Par exemple, c'est amusant de dessiner des moustaches aux joueurs du Toronto et de coller les cartes des Canadiens aux murs d'une chambre. Les cartes donnent aussi des renseignements sur la fiche des joueurs, leur position, leur âge, leur lieu de naissance. De plus, les cartes sont à la source de dizaines de jeux. Marcel prend ses Red Wings et je m'empare des Canadiens et nous poussons une bille en guise de rondelle. L'été, nous épinglons les cartes des joueurs du Toronto aux rayons des roues de nos bicyclettes. En roulant, ça fait ra-ta-ta-ta-ta-ta et, dix minutes plus tard, le joueur du Toronto ressemble à un tremblement de terre. Mais je garde précieusement mes cartes favorites dans une boîte à chaussures, tenue loin des mains d'Yvette ou de mon petit frère Jean-Jacques. J'aime m'installer sous le lit et regarder doucement les cartes une à la fois, très lentement, en faisant leur lecture à Coco.

Les cartes de hockey se vendent cinq sous le paquet et contiennent quatre cartes et une gomme à mâcher. Ce n'est pas tellement cher, mais on doit dépenser beaucoup pour avoir une collection annuelle complète, car on dirait que le fabriquant imprime moins de joueurs vedettes. Pour obtenir nos favoris, il faut faire des transactions avec les gars. La première récréation de la journée est un moment idéal pour ces négociations. Les gars sortent leurs cartes de leurs poches et nous pouvons débuter les discussions. Le grand Therrien ne veut que les cartes du Toronto, ce qui nous laisse un grand choix de joueurs. Par exemple, pour avoir mon Tim Horton, il m'a donné un Bobby Hull, un Henri Richard et un Boum Boum. Il y a deux ans, tous les gars se précipitaient vers le petit Moreau qui avait eu une révélation divine et échangeait toute sa collection de cartes contre des images de la sainte enfance. Il m'avait refilé un Jacques Plante 1956 contre une Chinoise. Quelle belle affaire! Tous les gars en ont profité et, aujourd'hui, Moreau s'en mord les pouces, ne désirant plus devenir évangélisateur. Un des grands moments de la vie d'un gars est de regarder un autre déballer un paquet neuf. Sachant le grand plaisir que ce geste procure à tous, l'heureux élu a l'habitude de faire signe à ses camarades pour partager son bonheur. Réunis en rond, nous regardons le gars ouvrir doucement, enfouir la gomme dans sa poche ou dans sa bouche, tourner le paquet et les regarder une à une, en essayant de deviner le nom des joueurs.

« Léo Boivin.
— Pas bien fort...
— Gomme Worsley.
— Oh! celle-là, je ne l'ai pas!
— Al Arbour....
— Le joueur avec des lunettes. Je l'ai trois fois, lui.
— Et Elmer Vasko.
— Lui, il joue cochon! »

« Je viens de gaspiller cinq sous! » de se plaindre le pauvre, parce qu'il n'y a pas de joueur des Canadiens dans son paquet. Mais un autre gars arrive et réclame le Vasko; il collectionne surtout les Chicago, parce qu'ils ont un bel Indien sur leur chandail. Ainsi un achat malchanceux peut se transformer en bonne transaction. J'ai beaucoup de grands souvenirs de ma vie rattachés aux cartes de hockey, surtout quand je peux mettre la main sur des vieilles cartes. De ce point de vue, j'ai eu beaucoup de chance car, dans ma parenté, j'ai plusieurs cousins de quatorze ou quinze ans qui m'ont souvent donné une pleine boîte de vieilles cartes parce qu'ils se mettent à s'intéresser aux filles de préférence au hockey. Quels idiots! J'ai pu ainsi obtenir des doubles de cartes anciennes et les échanger contre des revues de hockey ou des cartes de baseball. J'ai aussi un mauvais souvenir à cause des cartes, bien qu'aujourd'hui il me fasse sourire. J'avais quatre ans et nous étions en visite chez mon oncle Maurice. Or *Le Petit Train* vendait des cartes. J'avais demandé cinq sous à mon papa pour acheter un paquet. À cette époque, j'étais un peu plus naïf et ne collectionnais que les images de gardiens. J'avais ouvert tous les paquets pour chercher les gardiens. Mon oncle et mon père étaient en beau fusil! Et papa avait dû payer tous les paquets. Mon cousin Robert, lui, est bien privilégié, car sa mère, ma tante Patate, lui donne souvent de l'argent pour acheter des cartes, parce qu'elle adore la saveur de la gomme. Robert a donc pu se monter une belle collection et je sens que je pourrai en hériter un jour prochain, car Robert s'intéresse plus à la guitare qu'au hockey. Moi, je resterai fidèle à mes cartes! Toute ma vie! Il n'y a rien de plus beau qu'une carte neuve, bien luisante, aux coins parfaits et tout imprégnée de l'odeur de la gomme. Grand-père Roméo me donne une pièce de cinquante sous pour m'apprendre l'économie. Je suis d'accord avec lui : j'économise dix sous puis achète huit paquets de cartes. Huit! Trente-deux nouvelles cartes! Petit Jésus et douce Marie, faites que les paquets contiennent Terry Chatchuk! Mais! non... Sur ces cartes, il y en a vingt-trois que j'ai déjà. Plus de la moitié des gars de l'école cherchent désespérément Chatchuk.

« L'as-tu enfin, Chatchuk?
— Non.
— Zut! Dis donc, Martin, est-ce que c'est vrai que tu viens de faire l'acquisition du grand Therrien pour ton club? »

C'est la grande nouvelle de ce mardi matin. Les gars crient au scandale, au vol. D'autres rient jaune et je sais pourquoi : le grand Therrien ne fait jamais rien pour rien. Il faut toujours le payer. Mais c'est le sacrifice à faire pour devenir une grande équipe championne. Ce soir, après l'école, il y a une partie importante contre les Canadiens du boulevard Normand (qui jouent dans la rue Comtois, car le boulevard Normand est trop achalandé de camions, d'autobus, d'autos et sa neige est souvent mauvaise). Le grand Therrien arrive à l'heure, avec sur le dos son maudit chandail du Toronto. Qu'est-ce qu'il ne faut pas endurer pour être les meilleurs...

« Moi, j'ai besoin de gomme quand je joue. Comme les vrais joueurs de la Ligue nationale. Je joue mieux en mâchant. Mais j'ai oublié mon paquet. Est-ce que je peux t'emprunter une gomme, Martin? Si j'ai pas de gomme, je ne peux pas jouer. As-tu de la gomme savon? C'est ma préférée. Tu sais, celle qui est mauve.

— D'accord, d'accord.

— Merci. Je te la remettrai. »

Il est toujours ainsi, le grand Therrien. Il « emprunte » et ne remet jamais. Je sais que le reste de la saison va me coûter cher en gommes, en biscuits, en Coca-Cola, en tablettes de chocolat.

« Je voudrais être payé pour jouer pour ton équipe.

— Hein? Payé?

— Pas en argent! Tu vas me prêter tes cartes 1951, mais juste les joueurs du Toronto.

— Oh! un instant! C'est très grave, ce que tu me demandes là!

— C'est juste pour les regarder. Je ne les briserai pas. Je vais faire attention. Puis je vais te les remettre à la fin de la saison.

— Quoi? Te prêter mes cartes de l'Antiquité pour deux mois?

— Je vais te les remettre. Juré. J'ai comme principe de tenir ma parole.

— On en parlera après la partie.

— J'aimerais mieux régler ça avant. »

J'accepte, mais je ne sais pas pourquoi. Oh! le grand Therrien ne brise jamais ce qu'on lui prête, mais, chez lui, les calendriers ont deux fois plus de chiffres que partout ailleurs. Je commence la partie la gorge nouée, en sachant que je vais probablement revoir mes cartes en juillet. Tout de suite, je sens une différence quand un adversaire attaque, flanqué d'un « scèneux » à gauche. Il y a déjà cinq secondes que Carignan est sur son derrière, quand le grand Therrien entraîne les deux adversaires vers le banc de neige, fait sauter leurs bâtons, soutire la rondelle et la passe avec précision à Richard. Ça, c'est un vrai joueur! Un peu plus tard, ils sont trois contre lui. Il s'allonge devant la passe, rebondit aussitôt sur ses jambes et refile la rondelle à Junior. Et quand par malheur un adversaire réussit à le déjouer, il lance croche en sachant que le grand Therrien sera sur son dos dans deux secondes.

« Bravo! Une très bonne période!

— Merci, Martin. Dis donc, est-ce que je pourrais t'emprunter une autre gomme? J'ai avalé la première par erreur. »

Une belle victoire pour mes Canadiens! J'ai connu ma meilleure partie de la saison, n'accordant que 19 buts. C'est certain que le grand Therrien est la raison de mon succès. Il me suit à la maison pour prendre mes cartes et en profite pour « emprunter » à ma mère un carré de sucre à la crème. (Et ce sera tant pis pour son estomac!) Mon frère Marcel arrive quelques secondes plus tard, un sac de bonbons à la main. Quand je lui demande où il a trouvé ces friandises, il me tire la langue. Un peu avant le souper, il finit par m'avouer que Ti-Jean l'a transformé en attaquant et qu'il a connu une partie de onze buts. Tant mieux si l'échange profite aux deux équipes!

Ce soir, croyant faire plaisir à mon Marcel boudeur, je l'invite pour une partie de hockey sur table, mais il refuse aussitôt. Idiot! Je vais jouer contre papa. À cet art, je bats toujours mon père. Ses mains sont trop grosses pour bien manipuler les tiges et je le surpasse facilement, sans compter que mon expérience milite en ma faveur. Avec Junior, Daniel et Richard, je m'occupe d'une ligue de hockey sur table qui fait l'envie de tous les gars du quartier. Nous avons un calendrier, un classement et même un livre des records. Nous jouons depuis plusieurs années et avons développé des techniques bien particulières. Par exemple, Richard lance avec beaucoup de force, capable de faufiler la rondelle dans le plus petit angle. Moi, je suis le champion des buts de défenseur. Quand mon ailier droit passe à mon défenseur et que celui-ci lance avec précision, il n'y a rien à faire pour l'adversaire. Autrefois, nous avions un jeu avec des hockeyeurs fixes et nous utilisions une bille en guise de rondelle. C'était plus rapide mais moins réel. Depuis deux ans, j'ai un beau jeu moderne avec des joueurs se déplaçant dans des coulisses activées par des tiges. Mon jeu a même des lumières rouges et vertes derrière les filets. Je bats encore papa! Pauvre lui! Comme je suis un bon fils, je lui donne des conseils : il bouche mal son angle avec le gardien et le bâton de son défenseur n'est pas bien placé quand je suis à l'attaque. Je suis certain qu'en jouant encore longtemps, dans plusieurs années, je serai le champion du Canada. Je ne vois pas pourquoi le hockey sur table ne deviendrait pas un sport sérieux et reconnu, car il demande autant d'intelligence et d'habileté que le vrai hockey. Je suis sûr que lorsque je serai très très vieux, à quarante ans, je vais encore jouer à ce jeu extraordinaire. Parfois, le samedi, mes oncles viennent à la maison et je consens à leur prêter mon jeu. Ils jouent très mal, mais s'amusent quand même. Mes oncles, comme des hommes normaux, aiment aussi le hockey, surtout Roland, le mari de ma tante Patate. Autrefois, il s'était rendu au vrai Forum avec mon père. Quelle chance! Après la partie, ils avaient visité le vestiaire et demandé des autographes aux joueurs des Canadiens. Ils ont tous accepté! Je garde précieusement ce souvenir et les gars de l'école m'envient, sauf quelques jaloux qui prétendent que ce sont mon père et mon oncle qui ont signé ces noms. Oser traiter mon père de menteur! Quels lâches! Un jour, j'entrerai au Forum par la grande porte d'église!

Mon oncle Roland adore regarder les parties des Canadiens à la télévision. Ces derniers temps, ma mère attendait un bébé et préférait se reposer dans le silence. Alors, elle gardait Yvette et Jean-Jacques, pendant que nous, les hommes, nous nous rendions chez mon oncle Roland pour regarder le hockey à la télévision, une bière à la main. (Une bière d'épinette, évidemment. Et, de toute façon, la vraie bière goûte le pipi de chat.) Quelle sensation extraordinaire de voir Roland sursauter à chaque but, se précipiter vers le téléviseur pour monter le son et mieux entendre l'explication. Et il donne des grands coups de patte dans le dos de mon père en se remémorant un but de l'ancien temps. Après chaque but, il a l'habitude de crier le pointage à sa femme Patate, cachée à la cuisine, parce que, la pauvre, elle ne s'intéresse pas à notre sport national.

Chez moi, ma mère ne tolère pas la télévision à haut volume, d'autant moins qu'avec deux frères et une sœur plus jeunes que moi, il faut toujours garder le son bas pour ne pas les réveiller. Quand j'étais jeune, je combattais le sommeil pour essayer d'entendre la partie. Ça ne fait que deux années que j'ai le droit de regarder les parties avec mon père. Et encore! La première année, je devais me coucher à dix heures, à quelques minutes de la fin de l'affrontement. Quelle cruauté! Mais maintenant, je peux me délecter de toutes les parties avec papa. Mais c'est plus drôle chez mon oncle Roland : on peut crier à chaque bon coup! Maurice Richard est si merveilleux à voir! Mais, c'est bizarre, il me paraissait meilleur quand je ne pouvais le regarder à la télévision... Maurice est un joueur de radio. C'est tout de même fascinant de voir bouger ces personnages de mes cartes de hockey! Et puis, je peux apprendre quelques trucs pour ma propre carrière, comme les sorties de Jacques Plante. Mais mon gardien favori est Chatchuk, surtout depuis que je sais que Plante est un peureux jouant avec un masque de l'Halloween dans la figure.

Le vendredi, je vais affronter mon frère Marcel pour la première fois. Je ne m'en fais pas. Mais lui désire se venger! Papa vient nous voir jouer, en compagnie des journalistes, de la camionnette de la radio, des photographes et des caméras de la télévision. L'évêque de Trois-Rivières bénit nos bâtons et procède à la mise au jeu. Le député n'a pu venir, malgré ma demande. Je saurai m'en souvenir. Il vient de perdre un vote pour l'avenir. Je remercie monsieur le maire et l'échevin du quartier. Marcel, tel un enragé, s'empare de la rondelle et fonce sur moi comme un lion vers Tarzan. Mais le grand Therrien lui bloque le passage et lui enlève le disque. Marcel essaie cinq fois de suite. À sa seule chance, je bloque facilement son lancer mou. Un peu plus tard, il donne un coup de bâton sur mes jambières. Holà! en voilà des manières! Mon équipe mène 15 à 5 après la première période. Pendant que le grand Therrien m'emprunte une gomme, je vois Marcel se faire sermonner par son instructeur Ti-Jean. C'est certain qu'en voulant se venger de moi, Marcel n'agit pas pour le bien de son équipe.

« Pourquoi tu ne laisses pas marquer ton petit frère, Martin?

— C'est une vraie partie de la ligue, papa. Je ne peux pas faire ça.

— Ce n'est pas gentil, mon grand homme. »

La joute reprend de plus belle! Marcel frappe Junior avec sa botte! Il a complètement perdu la tête! Puis il s'empare de la rondelle, ne la passe pas à un joueur mieux placé. À chaque occasion, le grand Therrien le cueille comme un fruit mûr. Vers la fin de la partie, Marcel réussit à me déjouer grâce à une habile manœuvre. Ce sera son seul but de la rencontre. Il en parle toute la fin de semaine. Tant mieux pour sa fierté personnelle, mais son attitude peu sportive me déçoit; ce n'est qu'un petit but dans la défaite écrasante de son équipe. Mais j'imagine qu'avec le temps, mon frère va devenir plus sage et comprendre que l'équipe passe avant tout. Le lundi, pour lui prouver que je ne lui en veux pas, je vais encourager les siens contre les Canadiens de Gladu. Il joue avec un peu plus de naturel et connaît une bonne joute de huit buts, même si Gladu l'a fait trébucher dans le banc de neige trois fois. Maudit Gladu sale.

Ce soir-là, mon cousin Robert me téléphone pour m'inviter à participer à un tournoi mettant aux prises les meilleurs clubs de Trois-Rivières. Il me dit qu'un gars de sa paroisse a une vraie patinoire dans sa cour, avec des bandes, un banc des joueurs et même des lumières pour jouer le soir! Robert me demande de rassembler les six meilleurs joueurs de Sainte-Marguerite. Le père de son ami promet du Coca-Cola et des chips à l'équipe couronnée championne. Dès le lendemain, je me rends chez Robert, qui m'emmène voir la belle patinoire. Un vrai paradis! Je retourne rapidement chez moi pour organiser mon équipe d'étoiles! En fait, je ne vois pas qui je pourrais ajouter à mes propres Canadiens. Comme nous jouerons en patins, je serai le défenseur en compagnie du grand Therrien. Un duo du tonnerre! Je demande à Jean Boileau, des Canadiens de la rue Guimont, de devenir notre gardien pour cette grande occasion. C'est le meilleur du quartier, avec une incroyable moyenne de seulement 18 buts accordés par partie. Bon prince, je demande aussi à Marcel s'il veut se joindre à mon équipe en qualité de réserviste.

« Va chez le bonhomme! Je suis membre de l'équipe de Ti-Jean! Pas de ton club de pas bons!

— Allons donc... Je vais te laisser jouer. Tu pourras alterner avec Junior.

— Ne me parle pas, ancien frère! »

Quel orgueilleux! Tant pis pour lui! Je passe la semaine à penser à ce tournoi, me rendant exercer mon coup de lames à la patinoire de la paroisse avec le grand Therrien. Comme nous serons bons à la défense! Je vais aussi discuter avec Boileau, fou de joie quand je lui promets de lui prêter mon bâton de gardien. Voici enfin le grand jour! Il neige un peu, ce qui n'est pas trop idéal pour jouer sur de la vraie glace, au contraire de la rue. Comme tout bon athlète, je prends un déjeuner solide avant le tournoi : des céréales à l'alphabet et des rôties avec beurre d'arachide.

« Tu t'en vas jouer chez ton cousin Robert, mon grand homme?

— Oui, maman. Sur une vraie patinoire.

— Pourrais-tu emmener Yvette? Elle pourra jouer avec sa cousine Johanne. Ta petite sœur aime bien le patin et notre patinoire n'est pas très sécuritaire le samedi avec tous ces joueurs de hockey.

— C'est qu'on s'en va jouer au hockey, maman.

— Eh bien, Yvette jouera avec toi.

— Mais je ne peux pas, maman!

— Martin, tu es très désobéissant depuis quelque temps! Tu es assez grand pour comprendre que maman est fatiguée avec la venue d'un nouveau bébé et que j'ai besoin d'un peu de silence dans la maison pour me reposer. Yvette s'amusera sur votre patinoire et tu l'emmènes, sinon tu restes ici dans ta chambre. Point à la ligne. »

Marcel me fait une grimace et Yvette un sourire. Je continue à manger avec la crainte d'une indigestion. Qu'est-ce que les gars vont dire quand ils vont me voir arriver avec ma sœur? D'autant plus qu'elle décide d'apporter sa poupée! Est-ce que je sors avec Coco quand je vais jouer au hockey? Nous voilà dans l'autobus avec notre lourd équipement. Les gars passent leur temps à regarder Yvette pour ensuite me dévorer des yeux. Tous sauf Boileau, hypnotisé par mon bâton de gardien. Arrivés sur place, nous avons l'atroce douleur de voir d'autres filles sur la patinoire. Encore des sœurs! Les sœurs sont parfois une mauvaise invention. Elles déblaient la neige, pendant que nous élaborons nos stratégies. Soudain, horreur! Je vois arriver Gladu avec l'équipe de Sainte-Cécile.

« Traître!
— C'est toi qui n'as pas d'allure, Comeau plein de crottes de vache! Tu es censé emmener une équipe des meilleurs de Sainte-Marguerite et tu ne m'as même pas téléphoné, moi qui suis le champion compteur de la ligue depuis six ans!
— On veut toucher à la rondelle, nous!
— Je viens jouer pour l'équipe de mon cousin. On va t'éliminer dès la première partie! Je vais marquer vingt-cinq buts et t'étamper dans la bande cinquante fois, Comeau crotte de putois! »

L'équipe de Saint-François-d'Assise n'avait jamais vu un énergumène comme Gladu, prenant la rondelle et parcourant quatre fois la patinoire à toute vitesse en déjouant tout le monde, avant de terroriser leur gardien par un lancer vicieux. Après son douzième but, Gladu vient faire danser le bout de son bâton au-dessus de ma tête en chantant : « Ma première douzaine de la journée! » Maudit Gladu sale.

« Martin, je m'ennuie. Quand est-ce que je pourrai patiner?

— Va donc jouer à la poupée avec Johanne!

— Je vais le dire à maman que tu me maltraites! »

Après cette partie, on laisse aux filles le droit de déblayer à
nouveau. Pendant ce temps, un gars de Saint-François-d'Assise
veut s'en prendre à Gladu, et le grand Therrien m'emprunte
une gomme en ajoutant que Gladu ne l'impressionne pas.
Alors que l'équipe de Notre-Dame-des-sept-Allégresses af-
fronte celle de Saint-Sacrement, Gladu prépare des balles de
neige qu'il destine aux filles. J'en profite pour partir avec
Yvette et Johanne, pour essayer de les convaincre d'aller jouer
dans la maison, chez ma tante Patate.

« Non! Ze veux patiner, moi aussi, là là!

— Comprends donc que c'est un tournoi de gars!

— C'est une patinoire pour tout le monde, là là! On a le
droit de zouer dessus! Z'ai raison, Yvette?

— Oui! Zohanne a raison! »

À onze heures, je peux enfin participer à ma première
partie, contre le club de l'Immaculée-Conception, formé
de quelques athlètes jouant pour la réputée équipe de l'Aca-
démie de La Salle. De bons sportifs, bien organisés, très
forts, mais qui semblent plutôt étonnés de voir la science
du grand Therrien et la dextérité d'un gardien aussi petit
que Boileau. Mais ce sont des gentlemen! Après leur défaite par un pointage serré de 22 contre 19, ils nous tendent la main et nous félicitent. Sur l'heure du dîner, nous
nous rendons chez ma tante Patate, qui a préparé des frites pour toute mon équipe. « Est-ce que je peux vous emprunter du ketchup, madame? » de demander le grand
Therrien à ma tante.

« Est-ce que je vais pouvoir patiner, Martin?

— On te laisse déblayer entre les parties. T'es pas contente?

— Tu nous fais travailler! Je veux patiner!

— Je l'avais dit à maman que les filles seraient dans nos jambes! Le hockey est un sport pour les gars, pas pour les filles!

— Menteur! C'est facile, ton jeu idiot! Je pourrais te battre n'importe quand! »

Les gars rient de bon cœur devant la candeur de ma petite sœur. Je l'enlace et lui tapote les cheveux, pour ne pas l'attrister. Ce serait poli de laisser aux filles un peu de temps pour patiner. Elles nettoient bien la glace et sont un bon public. On leur accordera un trois minutes. L'après-midi, je dois affronter l'équipe du cousin Robert et de notre hôte. C'est désolant de devoir les battre, mais c'est la loi du sport! Avec nos deux victoires, nous sommes assurés de participer à la grande finale. Hélas! le hasard veut que ce soit contre l'équipe de Gladu. Cette joute débute comme prévu : il s'empare de la rondelle et fait son fanfaron égoïste. Connaissant le talent du grand Therrien, il se lance plutôt de mon côté, commandant à un de ses équipiers de me faire trébucher. Mais mon gardien Boileau fait des prodiges! À ma stupéfaction, le grand Therrien se porte à l'attaque pour empêcher Gladu de cochonner Junior, Daniel et Richard. Quelle partie! Nous sommes 32 à 31 quand, soudain, Gladu stoppe, prend un élan dément et catapulte la rondelle directement dans le ventre de Boileau, qui s'affaisse sous le choc. Le voilà étouffé! Puis, il perd connaissance! Nous entrons à la maison pour chercher de l'aide auprès des adultes.

« Je le savais que tu finirais par blesser quelqu'un avec tes lancers de fou!

— Ben quoi? Il l'a bloquée, non? Pourquoi chiales-tu?

— T'es donc cave!

— Répète un peu pour voir, Comeau crotte de mouton! »

Boileau est hors d'état et ne peut continuer la partie. Son père va venir le chercher. Gladu prétend qu'il a gagné la joute par défaut. Je me propose de remplacer mon gardien blessé, le grand Therrien pouvant prendre la place de deux défenseurs. Mais l'arbitre dit qu'il faut une équipe complète pour continuer. Je regarde les gars des autres clubs, à la recherche d'un gardien. L'arbitre dit que ce serait tricher. Et de toute façon, ces gars-là ne semblent pas intéressés à faire face aux tirs de Gladu.

« Moi, je vais le remplacer, ton gardien.
— Yvette, ne te mêle pas de nos problèmes.
— Je suis venue ici pour patiner et tu ne me laisses pas faire! Si je joue, je vais pouvoir patiner. C'est facile, ton jeu.
— Va donc t'amuser avec ta poupée et Johanne! »

Elle soupire, croise les bras, puis se lance vers le but, ramasse la mitaine et le bâton et s'installe, alors que les gars de l'autre équipe éclatent de rire en voyant cette fillette de sept ans si minuscule entre les deux poteaux.

« Martin, j'ai comme principe qu'on doit lutter jusqu'à la fin et ne jamais perdre par défaut. Avec toi et moi à la défense, aucun joueur n'approchera de ta sœur.
— T'es malade? Si Gladu lance, il va la décapiter!
— Je te dis que non. Est-ce que je peux t'emprunter une gomme? J'ai oublié mon paquet. »

Je n'ai pas le temps de protester que l'arbitre siffle le retour au jeu. Gladu glousse tout fort : « Ouah! Une fille dans les buts! Une chance en or de battre mon record de 42 buts en une partie! » D'ailleurs, à la première occasion, il fait siffler un boulet entre les deux jambes de ma petite sœur immobile. Yvette laisse tomber son bâton et son gant, patine jusqu'à Gladu, le frappe de trois coups de mitaine en disant : « Toi, t'es pas fin! » Tout le monde rit. Et j'ai honte. Tellement honte! Nos attaquants redoublent leurs efforts, mais Gladu soutire la rondelle à Junior et déjoue le grand Therrien qui avale ma gomme. Je me lance à plat ventre pour désespérément tenter d'arrêter Gladu, tout seul devant ma sœur. Il lance haut, ce chien! Mais Yvette tend la main, attrape le caoutchouc et lui tire la langue. Puis elle remet la rondelle sur la glace.

« Yvette, quand tu fais un arrêt, tu gardes la rondelle.

— Pourquoi?

— Ne pose pas une question aussi compliquée et fais ce que je te dis! »

Gladu, se pensant ridiculisé, patine comme un maniaque, tout comme ses équipiers. Les spectateurs scandent le nom d'Yvette pour l'encourager. Voilà quatre arrêts de suite qu'elle fait! Le grand Therrien se lance à l'attaque, bousculant du coude (mais proprement) les adversaires afin de nous faire gagner du temps. Énervés d'avoir été frustrés par les arrêts d'une petite fille, les gars de l'autre équipe se mettent à jouer gauchement et mes hommes profitent de leurs erreurs pour marquer les buts nous permettant d'égaliser. Gladu rage de colère! Il lance encore plus fort! Mais Yvette reste calme et place toujours sa mitaine ou son bâton au bon endroit. Le grand Therrien fait du zèle pour ne laisser approcher personne. Gladu n'arrive pas à le déjouer. Pas une seule fois! Et nous gagnons la partie! Le miracle! Les gars veulent transporter Yvette sur leurs épaules, mais elle se contente de retourner au banc chercher sa poupée en lui disant : « Viens, Caroline. On peut patiner, maintenant. »

« J'ai fait par exprès, tu sais bien. Je suis bien élevé. Je ne voulais pas faire de mal à une fille.

— Se faire battre par une petite fille de sept ans...

— Comeau, crotte de poisson, si tu dis ça aux gars de l'école, t'es un homme mort! Dix fois mort! »

Yvette s'amuse à patiner avec ses copines, ne se rendant pas compte de l'événement extraordinaire qu'elle vient de créer. Mais, de retour à la maison, je tais cette histoire à maman. Yvette n'en parle même pas. Pour elle, ce n'était qu'un jeu. Mais tout ce samedi soir, je prépare mon récit pour grand-père Roméo. Lui qui me raconte de si merveilleuses histoires pleines de magie, ce sera à mon tour de lui en offrir une! La légende de la fille gardien de but : la grande Yvette Comeau! Mais grand-père ne semble pas étonné par ma fable.

« C'est normal, tout ça, Martin.

— Normal?

— Mais oui! Et d'ailleurs, le hockey est un sport qui a été inventé par des filles.

— Mais non! Voyons donc! C'est impossible!

— C'est tout à fait vrai. C'est pourquoi je ne jouais pas au hockey quand j'étais petit. Nos amis qui pratiquaient ce sport, on les traitait de filles. J'ai connu la petite fille qui a inventé ce sport. Elle était alors une très vieille grand-mère. Elle s'appelait Georgette Lavictoire.

— Ah! Ah!

— Tu prends ton grand-père pour un menteur?

— Mais non, grand-père...

— Georgette Lavictoire! Quand elle était petite, elle était la seule fille d'une famille de quatorze garçons et habitait un village où il n'y avait presque pas de fillettes. En fait, il n'y en avait que six. Les frères de Georgette se bagarraient tout le temps. Ils se lançaient des balles de neige, boxaient, se chamaillaient, puis rentraient chez eux en criant à Georgette : « Donne-nous à manger! Se battre, ça creuse l'appétit! » Et après, Georgette ne comptait plus les heures à réparer les fonds de culotte de ces garnements. La petite Georgette peinait tant et tant à la cuisine! Elle était encore meilleure cuisinière que les épouses et les grands-mères! Surtout pour les confiseries! Ses frères, les doigts durcis par leurs coups de poing et les yeux noircis par leurs batailles, arrivaient près d'elle pour ordonner impoliment : « Georgette! Fais-nous des bonbons! Et vite! » Pauvre Georgette! Elle était tellement fatiguée de tant cuisiner! Sa spécialité était la tire et le beignet sans trou. Un jour, elle décide d'affamer ses frères en leur disant qu'elle ne leur servirait à manger que s'ils cessaient de se battre. Fâchée, elle prend ses beignets et sa tire et les lance par la fenêtre dans la neige! Les frères se sont tous regardés, avant de partir chez le voisin pour manger à leur faim et recommencer à se battre le lendemain. Oh! comme elle a pleuré, la pauvre Georgette, sur ce triste comportement de ses frères! Pleuré sans pouvoir s'arrêter! Le matin suivant, en regardant par la fenêtre, elle voit ses beignets gelés et ses bâtons de tire durcis. Elle est si fâchée qu'elle prend un bâton de tire et frappe un beignet, qui vole au loin contre un arbre. « Tiens! tiens! » dit-elle, un doigt sur le bout du menton. Alors, tu devines, petit Martin, que c'est ainsi que Georgette a inventé le jeu de hockey! Avec des bâtons forts, elle a créé des poteaux de buts, elle a fabriqué le filet en réglisse. Elle a tout déblayé un coin de sa cour glacée et l'a arrosée avec de la limonade. Puis elle a invité les cinq autres petites filles du village pour s'amuser à pousser des beignets gelés avec des bâtons de tire. Elles riaient en s'amusant, prenaient du bon air, chantaient, et, quand elles avaient faim, elles croquaient leurs bâtons! Les garçons du village, inquiétés par la joie des petites filles, se demandaient quel plaisir elles pouvaient bien prendre à pousser des beignets gelés. « Ce sont des jeux de filles », se disaient-ils. Peu à peu, les autres fillettes des villages voisins sont arrivées pour jouer avec Georgette et ses amies, si bien qu'elles s'amusaient sainement à se lancer des défis. Les garçons, de plus en plus intrigués, avaient essayé de jouer. Rien à faire! C'était un jeu de filles! Et à la première occasion, ils se battaient entre eux pour prendre le beignet et se donner des coups de bâton de tire. Les années passèrent, et Georgette et ses cinq amies ont continué à jouer, jusqu'à ce qu'elles se marient et aient des bébés. Comme elles devaient rester à la maison pour en prendre soin, elles ont cessé de pratiquer leur jeu. Ce sont les petits garçons de Georgette qui ont été les premiers à pratiquer le jeu inventé par leur maman. Ça les empêchait de se battre. Mais soudain, des jalousies sont nées avec d'autres garçons jouant au hockey. Ils ont recommencé à se battre! Comme les petites filles sont toujours plus sages, elles ont décidé de ne plus jouer au sport de Georgette. Elle m'a raconté cette histoire, madame Georgette. Elle me disait : « Mon petit Roméo, regarde le mal que ces vilains ont fait à mon joli jeu! Plus de limonade sur la glace! Pour remplacer les beignets, ils ont fabriqué des rondelles de caoutchouc dur pour se faire encore plus mal! Et ils ont transformé mes succulents bâtons de tire en bois pour s'en donner des coups! Ah! que c'est bien triste à voir! » Moi, quand j'étais petit, j'ai essayé de jouer au hockey. Je voulais m'amuser, mais les Trottier, les garnements du quartier Saint-Philippe, me bousculaient avec leurs bâtons en disant : « Hé!

Tremblay! Tu joues comme une fille! » C'était vrai! Je voulais m'amuser comme madame Georgette le faisait! Et tu ris, Martin? Si ma petite sœur Jeanne était encore de ce monde, elle te raconterait la fois où elle avait joué contre les garçons du quartier! Meilleure que tous! Comme ta sœur Yvette! Elles ont le hockey dans le sang, les filles! C'est leur invention! Mais comme les garçons bousculent tout le temps, elles préfèrent ne plus jouer. Pourquoi voudrais-tu que je sois surpris qu'Yvette ait été meilleure que tes amis? C'est normal. Tu lui permettras de jouer souvent avec toi, mais de le faire proprement, et tu verras bien rapidement qu'elle va être supérieure à tes amis.

— Peut-être... J'ai d'ailleurs pensé à lui offrir un contrat comme gardien et moi je jouerais tous les jours avec le grand Therrien à la défense.

— Essaie! Tu verras!

— C'était une bien jolie histoire, grand-père Roméo. Merci!

— Comment, une histoire? Mais je te raconte la vérité!

— J'ai adoré ton histoire, grand-père, mais tu sais que j'ai maintenant dix ans et qu'il ne faut plus me prendre pour un bébé. Dix ans, c'est un âge à deux chiffres, ce n'est pas n'importe quoi.

— Mets ton manteau, monsieur l'âge à deux chiffres et je vais te montrer que ton grand-père ne raconte jamais d'histoires, qu'il dit toujours la vérité! Allez! Mets ton manteau! »

Pauvre grand-père Roméo! Je ne veux pas lui faire de chagrin. Pour ne pas le peiner davantage, je lui obéis et le suis tout le long du boulevard du Carmel. Le voilà qu'il entre dans le cimetière. Moi, ça me glace le sang, un endroit pareil! « Allez! Allez! » fait-il de la main. Je marche loin derrière lui et je peux ainsi le voir s'arrêter devant une pierre tombale. Il la désigne du doigt. C'est indiqué : « Georgette Lavictoire. 1815-1905. »

Ah! ben ça alors...

Quand je vais raconter ça aux gars...

Et est-ce que Maurice Richard est au courant?

Mars 1961
Silence! Pas de bruit!
Je suis en ondes...

Tout à coup, des cris stupéfiants retentissent au fond de la plaine et mon cheval se cabre tout en hennissant. Ce sont les Apaches, les Comanches et les Iroquois qui sont sur le sentier de la guerre! Ils foncent tout droit sur Dodge City, où mon frère est prisonnier du shérif malhonnête, de mèche avec le tenancier du saloon où travaillent comme danseuses de pauvres petites orphelines du village. Et Doc Earp, Jesse Kid et Billy the Gladu qui sont à mes trousses! Que faire? Un guet-apens! Voilà la solution!

Je fonce vers l'Ouest! Va vers l'Ouest, jeune homme! Je sais que ce chemin est plus long pour arriver à Dodge City pour prévenir ses habitants de l'attaque indienne, délivrer mon frère du shérif malhonnête, protéger les orphelines, mais j'ai confiance en mon cheval Lassie. C'est le coursier le plus rapide de l'Ouest. Tous les cow-boys me l'envient. Et combien de fois ai-je dû punir des bandits qui voulaient s'emparer de Lassie pour le vendre aux rebelles mexicains? Fonce, Lassie! Fonce! « Ouiouioui » hennit-il. Le bruit de ses fers sur la prairie est assourdissant. Je sens l'effort incessant de Lassie. Ya! ya! ya! Ouiouioui! Et clap! clap! clap! Derrière moi s'élève un nuage de poussière faisant shh! shh! shh! Et les cris des tribus indiennes s'intensifient : wou! wou! wou!

Soudain, je croise Buffalo Richard qui conduit à toute vitesse des wagons de colons vers l'Oklahoma. « Nous sommes poursuivis par des Sioux sanguinaires. Leur chef, Putois Galeux, est en colère contre le tenancier du saloon de Dodge City qui lui a vendu de l'eau de feu de mauvaise qualité. » J'explique rapidement la situation à Buffalo Richard. Il faut prévenir les citoyens innocents de Dodge City! Mais nous sommes encerclés! Nous devons faire face au danger! Les chariots se mettent en course, leurs roues craquent comme le tonnerre. Une roue de wagon tombe. Boum! Vite! Vite, Lassie! Ouiouioui.

Nous approchons de Dodge City. Je n'entends plus le silence de la prairie! Ce bruit infernal! Ce bruit qui me tue! Les quatre tribus indiennes, les coups de feu des trois bandits, le grondement des chariots! Les hennissements des chevaux au galop! Et soudain, par-dessus tous ces bruits, celui d'une trompette! Dieu soit loué! Voilà la cavalerie du général Junior Custer! Ils s'occuperont des Peaux-Rouges. Buffalo Richard décide de régler personnellement le cas du tenancier de saloon, pendant que je délivrerai mon frère de prison. Mais avant, je dois neutraliser les bandits. Lassie continue sa route à toute vitesse quand, soudain, une balle siffle et fait tomber mon beau chapeau blanc dans la poussière! C'était Doc Earp et Jesse Kid, cachés derrière un cactus. Ils me mitraillent! Pan! pan! pan! Ils m'atteignent à l'épaule! Je tombe de Lassie! Nonnonnon.

« Ton heure vient de sonner, serpent! » de faire Doc, en s'approchant de moi, de la démence dans le regard et un cigare puant au coin des lèvres. Il dégaine, mais je suis plus rapide que lui! Adieu, Doc Earp! L'Ouest pourra enfin vivre en paix! Jesse Kid vient pour répliquer et me tirer dans le dos, mais je l'abats comme un chien! Il titube pendant trente minutes avant de s'effondrer dans le sable! Adieu, Jesse Kid! L'Ouest pourra enfin vivre en paix! Je me traîne jusqu'à Lassie. La douleur de ma blessure est intense, mais le désir d'accomplir mon devoir l'est davantage. À Dodge City, je me ferai soigner par le médecin alcoolique, ne désirant qu'une autre chance pour se racheter. Mais soudain, une balle m'atteint à la jambe, une autre au bras gauche et une dernière m'arrache le cuir chevelu. Je tombe en hurlant! Je sens ma dernière heure venue. J'entends les bottes et le rire de Billy the Gladu qui avance pour me loger une balle de son colt dans le crâne. Il me donne un coup d'éperon en plein visage en riant. Maudit Billy the Gladu sale. Je suis fichu! Il approche son arme de ma tête en riant de moi! Il la pointe vers ma bouche en ordonnant : « Ouvre! Ouvre! » Je refuse! Je lutte! « Ouvre! Ouvre! » Jamais! Jamais!

« Ouvre! Mais vas-tu finir par ouvrir, Martin?

— Non, m'man! C'est mauvais!

— Comment veux-tu que je soigne ton rhume si tu refuses d'ouvrir la bouche pour prendre ton sirop? Ouvre grand! Et tout de suite!

— Je meurs... »

Il y a du sirop qui goûte la cerise ou la réglisse et il y a celui qui a la saveur d'un suppositoire. Maman ne me donne même pas de pastilles à la menthe, mais celles ressemblant à des crottes de pigeon et qui sentent l'hôpital. À toutes les dix minutes, elle vient me voir pour m'éponger le front et y déposer un baiser. À ce rythme, elle va attraper mon rhume en criant lapin. Et c'est fatigant, toutes ces visites! Je suis obligé à chaque fois de cacher ma revue de Mickey sous les draps. Elle prétend que lire me donne mal à la tête. Je m'ennuie, moi, à ne rien faire! Et dire que les gars me traitent de chanceux d'avoir manqué deux jours de classe. Ils ne pensent pas que ma mère est une ancienne maîtresse et qu'elle a téléphoné au frère directeur pour savoir quoi me faire apprendre. Et puis, c'est détestable, avoir un rhume! On a le nez bouché et quand il se décide à débloquer, ça coule partout et ça goûte mauvais! Je n'ai même pas le droit de me lever sans la supervision de ma mère.

« Ça n'a aucun bon sens de faire des imprudences semblables, mon grand homme. Jouer au cow-boy dans la neige...

— Richard et moi, on a vu un film au Rialto avec des cow-boys dans la neige et on s'est dit que...

— J'espère que tu en retires une leçon.

— Oui, maman. Je m'ennuie, maman. Est-ce que je peux avoir la radio, s'il te plaît?

— Oui, mais pas trop fort. Maman lit. »

Cette maison est trop silencieuse. J'ai été élevé dans ce climat, mais plus je vieillis, plus j'ai du mal à m'y habituer, surtout après avoir tant joué chez Junior où il y a beaucoup de bruit. Tout ce que j'entends, en après-midi, ce sont les pages des livres de ma mère se tournant à intervalles irréguliers, un lointain camion de la rue voisine, parfois les cloches de l'église ou les pleurs du bébé Mireille et, enfin, mon petit frère Jean-Jacques qui joue sagement aux pieds de maman. (Lesquels pieds sont toujours en pantoufles : le craquement des souliers de femme, c'est trop bruyant au goût de ma mère.)

Pouvoir écouter la radio m'apporte une distraction. Mais en après-midi, les grands qui animent sont si bêtes! La musique est ennuyeuse à cette heure de la journée. Avec un peu de chance, je pourrai entendre Pilou Piloué dans son pays qui a un joli nom. Le soir, la musique de la radio est bien plus drôle. Chez Junior, on peut l'écouter tout en jouant, puis twister et chanter. Parfois, il y a des chansons qui font pa pa pa pa bom bom bom bom ding guedong ding bou moune! Et c'est amusant! Chez moi, on entend peu de musique, sinon ma mère qui écoute de temps à autre des grands disques de musique de violon avec des gros bonshommes qui crient fort. C'est pas de la vraie musique. Mon père a des disques de chansons à répondre et de rigodons, puis un disque que je n'ai pas le droit de toucher et qui a l'air pourtant amusant, à cause du dessin d'un petit cochon sur la pochette. Ma sœur Yvette a un disque d'histoires de tante Lucille, mais ce n'est pas de la musique non plus. Moi, je n'ai qu'un disque, un grand cassant, où des écureuils chantent en anglais une chanson de Noël. Mais il ne m'amuse plus. Ça fait trop bébé.

Je dois dire que cette situation ne me préoccupait pas tellement jadis, mais depuis que mes cousins Robert et Charles jouent de la guitare en ne pensant qu'à la musique, ce genre de bruit m'attire de plus en plus. Charles est plus âgé que moi. Il se rase. Il est donc très vieux. Il ne fait pas deux pas sans sa guitare. Cette maladie l'a pris quand il avait vu, en 1957, le lointain parent du frère décédé de grand-père Roméo, cet Américain blond de Hollywood avec sa belle guitare. Charles fait maintenant partie d'un orchestre, les Jets, qui se produit dans les écoles de grands. Je ne suis pas un musicien pour le juger, mais je crois qu'il joue très bien, mieux que Robert. Mon cousin adore les disques depuis longtemps, ayant été élevé par ses parents Roland et ma tante Patate, qui aiment beaucoup la musique. Chaque fois qu'on les visite, on entend des mélodies partout. Ma tante Patate a plusieurs gros disques cassants et les fait tourner tout le temps en dansant. Elle a aussi des grands disques qui tournent lentement, puis les petits avec des grands trous. Ma cousine Johanne, complètement folle, a un grand disque d'un chanteur plein de cheveux et qui s'appelle Louvain, et elle pleure sans cesse en l'écoutant et en regardant sa photographie. Leur grande sœur Lucie ne jure que par Elvis Pressé. Bref, cette famille nage dans la musique.

Robert a beaucoup de petits disques. Probablement près de deux cents! Il en a plus qu'à la station de radio CHLN, qui fait toujours tourner les mêmes. Robert vénère la musique des disques, mais il sait que je les aime pour une tout autre raison : j'adore les étiquettes! Quand je vais chez lui, je veux surtout regarder les étiquettes. Oublions les ennuyeuses : les toutes noires, les toutes rouges, les toutes bleues. Il y en a à plusieurs couleurs ou d'autres avec des coloris étranges : mauve malade, blanc trop pâle, vert vomi. J'aime beaucoup la mauve. En haut, il y a un bonhomme avec une baguette, et en bas, une demi-lune argentée. La blanche est décorée de lettres rouges très vives qu'on dirait taillées dans l'écorce d'un arbre. La vert vomi est décorée d'une coquille argentée. Il y a aussi la jaune serin, avec tout autour des languettes noires et, quand le disque tourne, les languettes deviennent un cercle noir continu. Mais mon étiquette préférée est celle dont la moitié est rouge et l'autre couleur pêche. Quand le disque est en marche, ça devient étourdissant à regarder, encore plus quand c'est un gros disque cassant, virevoltant encore plus vite.

Robert doit me prendre pour un fou, quand il me voit, la tête dans le tourne-disque pour regarder tourbillonner les étiquettes. Après l'avoir écouté, Robert prend le disque délicatement, sur le bout des ongles, un pouce dans le trou, puis le range précieusement dans sa pochette numérotée. Il prend soin de ses disques autant que moi de mes cartes de hockey. Les enfants de ma tante Patate ont un beau phonographe portatif pour faire jouer leurs disques à grands trous. Jadis, Robert était bien fier de son vieux phono de bois verni, avec radio incorporée et deux boutons en plastique pour régler le son. Mais ce tourne-disque ne pouvait recevoir que les disques cassants. Les aiguilles étaient grosses et il en avait toujours un plein sac, pour les remplacer souvent. Quand il n'y en avait plus, il mettait un clou. C'était moins beau, mais les disques pouvaient se faire entendre quand même. Cousin Robert m'a montré une aiguille de son nouveau phono : elle est toute maigre et petite. On n'arrête pas le progrès! Chez moi, papa a acheté un combiné, il y a deux ans. Cet appareil monstrueux, prenant beaucoup de place dans le salon, était alors de fine pointe, incorporant la radio, le tourne-disque et la télévision. Quand il se l'est procuré, le marchand lui a donné dix disques gratuits, mais ils sont vraiment ennuyeux : de la musique d'orgue, de fanfare, d'Hawaii et d'Espagnols. Je préférerais avoir les petits disques de la radio, mais mon père m'a lancé cet ultimatum : ou c'est les disques, ou c'est les cartes de hockey. J'aime mieux Boum Boum à bom bom bom yip yip yip.

Voilà enfin samedi! Quel drame d'être malade un samedi! Si mon rhume avait débuté le lundi, j'aurais pu manquer cinq jours d'école et avoir quand même mon congé de fin de semaine. Junior et Richard décident de me rendre visite. Ma mère s'assure qu'ils ne s'approchent pas trop de mes microbes.

« Je t'ai emmené un sac de disques. Ça pourra te distraire.
— Je ne sais pas si ma mère va vouloir...
— En tout cas, je te le prête, mais tu me les remettras, car il y en a dans le tas qui sont à ma grande sœur et elle ne le sait pas. Mais elle ne dira rien si elle ne s'en aperçoit pas. J'ai mis *Ou poudopom poudopom bom bom bom*.
— C'est vrai? Pas *Ou poudopom poudopom bom bom bom*? Merci, Richard! Tu es un véritable ami!
— Je sais que c'est ta chanson favorite. »

J'adore *Ou poudopom poudopom bom bom bom*! C'est la meilleure chanson de tous les temps et on l'entend souvent à la radio, le soir. De plus, l'étiquette du disque est cette délicieuse mauve avec le monsieur et sa baguette, et la demi-lune argentée. Dans le tas, Richard m'a aussi mis plusieurs rouge et pêche. Quand maman ouvre la porte de ma chambre, je cache tout de suite le sac sous les couvertures. Richard et Junior s'éloignent, me souhaitant de prendre mon temps pour me rétablir, parole que je traduis par : « Sois pas pressé, car on a un examen d'arithmétique mardi matin. »

Ma mère m'annonce qu'elle s'en va faire le marché avec papa. Elle nous laisse la garde de la maison pendant ce temps. Marcel et Yvette sont assez grands pour s'occuper de Jean-Jacques et de Mireille. Elle me recommande de demeurer sage et de ne pas me lever de mon lit durant cette absence. Ben voyons! Quand la souris n'est pas là, les chats dansent! C'est une tradition familiale ignorée par ma mère : quand elle s'en va, on en profite pour faire du bruit. Yvette met la radio à pleine capacité, Jean-Jacques allume la télé, on donne à Mireille des chaudrons pour taper dessus, Marcel exerce son cri de Tarzan et je me précipite vers le phonographe pour écouter les disques prêtés par Richard. Je danse au son de la musique en compagnie de Coco. Le manège ne dure pas longtemps, mais comme ça fait du bien! Quand maman revient, Yvette colorie, Mireille a un canard – pas un vrai, un jouet – dans la bouche, Marcel feuillette un Tintin, Jean-Jacques joue avec ses mécanos et je suis dans mon lit.

« Martin? Qu'est-ce que c'est?

— Hein? Oh! ça! c'est un disque, maman.

— Et d'où vient-il?

— Ce n'est pas celui que tu as écouté hier? Un de tes disques d'opération? Regarde, il y a un monsieur avec une baguette dessus, comme dans la musique d'opération.

— D'opéra. Pas d'opération. Bon, puisque tu persistes à me mentir si effrontément, je vais jeter ce 45 tours et...

— Ah non! Fais pas ça! »

Je sors de mon sac à trucs mon sourire charmeur et mes beaux yeux doux et je dis la vérité d'une voix repentante et avec un œil humide. Et voilà! Le tour est joué!

« Mon grand homme, tu n'as qu'à le demander. Mais je n'aime pas que tu me désobéisses quand j'ai le dos tourné. Tu n'as pas le droit de toucher au combiné sans notre autorisation. Ce n'est pas un jouet. C'est un règlement de la maison, tu le sais. Tu les connais, les règlements. Ils sont affichés à la cuisine. Mais si tu me le demandes poliment, bien sûr que je te permettrai d'écouter les disques que ton ami Richard t'as prêtés.

— O.K.! On y va!

— Pas aujourd'hui. Tu as désobéi. On verra plus tard. Pour l'instant, je confisque ton sac de disques. »

Quelle horreur d'être jeune, beau et enrhumé et d'avoir une mère sévère. Je reste dans ma chambre pendant qu'Yvette et mes frères vont jouer dans la cour. De ma prison, j'entends leurs rires étouffés se mêler aux pages tournées par ma mère et au lointain sifflement de papa, en train de réparer un grille-pain. Je me demande avant tout si je vais avoir le droit de regarder les petits bonshommes à cinq heures à la télévision, comme me le permet habituellement ma mère, le samedi. Cette journée-là, les plus jeunes peuvent s'amuser grâce à maman Fonfon, tandis que Marcel et moi préférons Walt Disney. Avec un peu de chance, on peut voir un bon Dingo. Je respire! Maman nous autorise cette joie! Marcel et moi pouvons écouter la télévision à un volume normal, mais maman nous interdit de nous asseoir par terre trop près de l'écran. C'est notre fête hebdomadaire. Oh! je sais que mes amis regardent les bonshommes tous les jours, mais nous, les Comeau, pouvons apprécier avec plus de saveur ce seul moment de la semaine. Le reste du temps, ma mère n'endure pas le son du téléviseur et mon père ne l'utilise que pour regarder le hockey ou le baseball. La télévision développe des valeurs d'insouciance chez l'enfant. C'est ce que prétend maman, mais nous, les petits, ne comprenons pas trop bien ce qu'elle veut dire, sinon que la télé fait trop de bruit. Le dimanche, maman nous donne la permission de regarder une émission. Avec l'horaire du journal en main, nous enquêtons auprès de nos amis avant d'arrêter notre choix. *Robin des bois* fait l'unanimité. Mais au bout de la demi-heure, maman ferme l'appareil et le silence si habituel à notre maison revient nous bercer.

Grand-père Roméo est un peu comme ça. Quand nous

allons chez lui, son téléviseur est la plupart du temps fermé. Ce n'est pas le cas chez ma tante Patate où la télé crie, les disques hurlent et Patate rit fort. Mais après une heure dans cette maison, j'ai mal à la tête. Trop c'est trop. « La vie sans télé! Comment peux-tu faire? » de me demander mon ami Daniel. Je dois à nouveau lui expliquer que nous regardons la télévision, mais que ce temps contrôlé devient vite extraordinaire. C'est un peu comme lorsque nos parents nous permettent le cinéma. Bien entendu, pas trop souvent! Mais quand cette chance arrive, tout devient si précieux et merveilleux!

Une sortie au cinéma doit être un événement, un rendez-vous unique. M'y rendre chaque semaine banaliserait cette sortie. Quand mes parents vont au Capitol ou au Cinéma de Paris, ils s'endimanchent. Maman se parfume et papa est rasé de près. Il porte une cravate et ses boutons de manchette, tandis que maman étrenne sa plus jolie robe et ses souliers hauts. Ils partent en amoureux et reviennent tard, bien après la fin du film. Ils ont probablement terminé la soirée dans un beau restaurant chic à manger des frites et des hot-dogs. C'est une grande sortie, un événement. Nous, les enfants, faisons comme eux, une fois toutes les six semaines.

De toutes les salles de cinéma dont nous disposons, le Rialto de Trois-Rivières et le Champlain du Cap-de-la-Madeleine sont les meilleures pour les films que les jeunes aiment. Des films comiques, des westerns, des films de pirates ou d'aventures, le tout précédé par un bon dessin animé. Dans le journal, chaque fin de semaine, il y a des photographies ou des dessins des films à l'affiche. Ce samedi, le Rialto présente Jerry Lewis, l'homme le plus drôle du monde, tandis que le Champlain nous propose *Les Travaux d'Hercule*. En voyant ce titre et le dessin d'un homme très musclé, je demande tout de suite à mes parents la permission. Ils acceptent, parce que j'ai été sage au cours des derniers jours. Comme d'habitude. Yvette aurait préféré Jerry Lewis, mais Marcel et moi lui avons montré le titre du premier film du Champlain : *L'Invincible Spaceman*. Dès cet instant, nous sommes tous d'accord, même si nous ne savons pas exactement ce qu'est un *Spaceman*. Ma mère, qui est très savante, nous dit que c'est un homme de l'espace. Vite! Vite! Au Champlain!

Maman nous habille proprement et se perd en recommandations. Nous avons la somme nécessaire pour entrer dans la salle, prendre l'autobus, en plus d'un petit extra pour des friandises. Comme je suis l'aîné, j'ai la responsabilité de Marcel et d'Yvette. Je tiens la main de ma petite sœur en attendant l'autobus, alors que Marcel jase avec Junior, qui veut bien nous accompagner. Leur conversation résume le film du Rialto qu'ils ont vu le mois dernier. « Le bandit a fait bang! bang! bang! et le méchant est tombé en faisant arrrrgh! arrrrgh! Un bien beau film. » Les films sont comme la télévision, mais en plus long, en plus continu et avec le son beaucoup plus fort. Un film, c'est du bruit avec les sensations qu'il procure. Tout comme les disques. Si Junior veut s'en mettre plein la vue, les Comeau désirent avant tout se remplir les oreilles. En principe, l'invincible homme de l'espace et les travaux d'Hercule ne sont pas des sujets pour les filles, qui ont l'habitude de préférer les drames d'amour ou les comiques. Mais Yvette se fiche bien des histoires. Elle aime avant tout la sortie, l'ambiance de la salle et l'odeur du maïs soufflé.

Le voyage en autobus n'est pas trop long. Papa aurait pu venir nous reconduire, mais maman sait que je suis en âge de prendre des responsabilités, d'autant plus qu'il est impossible de se perdre avec moi, car je connais par cœur toutes les rues, les ayant parcourues des centaines de fois à bicyclette. Il y a tant de gens différents dans les autobus! Tellement que, parfois, il nous passe sous le nez et nous devons attendre le suivant. Il y a des grands, des petits, des gros, des maigres, des vieux et des jeunes. Tous parlent sans cesse, créant un bourdonnement de mots amusant à déchiffrer. Les curés et les religieuses s'assoient toujours sur le premier banc et les jeunes vont au fond, quand il n'y a pas de grands pour nous importuner. Les solitaires vont le plus près possible du chauffeur pour lui poser des questions aussi originales que : « Il fait beau, hein? C'est mieux qu'hier. Mais à la radio, ils ont annoncé de la neige pour demain. L'hiver n'en finit plus. » Pour nous, l'idéal est de s'asseoir près de la porte arrière. Avec un peu de chance, un adulte va nous demander de tirer la corde de la sonnette. Yvette adore tirer la corde et entendre le dring!

dring! Alors, l'autobus freine doucement dans un bruit ressemblant à un pet, pour rugir avant son départ.

« On arrive? On arrive? Je vais pouvoir sonner, Martin?
— Tu sais bien, Yvette, que nous n'avons pas encore traversé le pont.
— C'est proche? Je vais pouvoir sonner? J'aurai le droit? »

Trois-Rivières a une petite sœur du nom de Cap-de-la-Madeleine. Il ne s'y passe jamais rien, sinon pendant la période de la neuvaine de son sanctuaire, au mois d'août. C'est une ville où tout est plus petit qu'à Trois-Rivières : les usines, les magasins, les maisons et les salles de cinéma. Le Champlain est situé près de la sortie du pont Duplessis. J'aime quand l'autobus traverse ce pont car, inévitablement, un adulte va évoquer la fois où le pont était tombé dans la rivière Saint-Maurice, un sale coup des espions communistes. « Terminus! Rue Fusey! » de crier le chauffeur à la belle casquette. (Une bonne fois, je vais écrire au maire du Cap pour lui dire qu'il y a une faute de français dans le nom de cette rue. Dans Tintin, ce mot est bel et bien écrit *Fusée*.) Je prends la main d'Yvette, avant qu'elle ne se précipite dans la circulation. Parfois, je me sens si papa avec ma petite sœur!

« On regarde des deux côtés avant de traverser.
— Je sais.
— Tu sais, mais tu ne le fais pas.
— Il faut avoir une bonne place, Martin! Regarde cette longue file! Et... zut! Il n'y a que des hommes... »

Les gamins attendent impatiemment l'ouverture des portes. La file va jusqu'au coin de la rue la plus proche et se mord la queue après une bifurcation vers le nord. Nous jouons de chance, car aussitôt installés, la file se met à avancer, sous les sifflements et les cris de joie des gars et des filles. En entrant dans le hall illuminé, nous sentons l'extraordinaire odeur de maïs soufflé, mais nous nous dirigeons vite vers la salle pour trouver une bonne place. Nous avons nos billets entre les mains, espérant qu'avec un peu de chance, l'un d'entre nous gagnera les sacs de chips et les bouteilles de Coca-Cola qu'on offre en tirage. Comme ce n'est pas le cas, nous joignons notre « Hou! » de protestation aux quatre cents autres.

Un cri du tonnerre accueille le premier film, celui de l'homme de l'espace. Il a plutôt l'air d'un facteur déguisé pour l'Halloween. Mais qu'importe! Le vilain possède le rayon de la mort! Et même si nous savons qu'à la fin le bon va triompher de ce méchant (et épouser la jolie fille), nous nous trémoussons à chaque passage menaçant. Yvette crie! Elle n'a pas du tout peur, mais les occasions de hurler à pleins poumons, sans que des adultes se retournent pour lui ordonner de se taire, sont si rares! Hercule est fort. Très fort. Plus que Tarzan et Popeye réunis. On lui donne quelques besognes à accomplir : combattre des monstres à quatre têtes, neutraliser des serpents géants en caoutchouc, se battre contre des squelettes vivants. Des choses courantes de la vie, quoi! Nous avons autant de frissons que de rires. Et qui osera nous empêcher de crier ou de huer? Personne! D'ailleurs, ma mère, d'apparence si sage, doit sûrement crier quand elle va voir ses films français au Cinéma de Paris. Après la séance, essoufflés, nous offrons nos critiques à quelques inconnus : « Ouais! C'était pas mal! Surtout quand il a attaqué le dragon! » Nous avons fait un bon choix. Pas celui des films! Celui de la salle Champlain, où nous avons été libres comme dans une cour de récréation. Comme nous n'avons pas dépensé nos sous de surplus, nous pouvons manger un petit quelque chose sur la rue Fusey. Irons-nous au charmant restaurant avec son néon en forme de carrousel? Yvette veut voir le comptoir de crème glacée.

« C'est sûrement fermé, Yvette. Il y a encore de la neige.
— Je ne veux pas manger de crème glacée. Je veux juste le voir. »

Elle a raison. L'édifice est si beau. Ce cube blanc comme de la crème glacée, avec ses petites fenêtres souriantes. Juste à le regarder, nous sentons approcher l'été. J'aime l'hiver, mais pas le mois de mars. J'imagine la file courageuse et impatiente avant d'arriver face au petit carreau pour miauler : « Un cornet, s'il vous plaît. » Et il nous arrive entre les mains, avec son air de postiche, couronné par une blanche queue de cochon. Il y a un comptoir tout pareil au rond-point. Quand je serai grand, je serai goûteur professionnel de crème glacée. De l'autre côté de la rue, il y a un restaurant de frites dont le comptoir ressemble à une orange géante. On dirait un jouet. Mais nous nous dirigeons rapidement vers la chocolaterie et allons dépenser le reste de notre fortune devant un Coca-Cola avec quatre pailles dans le restaurant du carrousel. Yvette nous fait rire quand elle produit des bulles en soufflant dans sa paille. Après, nous attendons sagement l'autobus, parmi les magasineuses bavardes. Voilà un bel après-midi richement passé avant de retourner dans le silence de notre maison.

À notre grande surprise, il y a du bruit et des rires venant de la cuisine. Je sens que ma tante Patate n'est pas trop loin. Elle est avec son mari Roland, le cousin Robert et aussi Johanne, devant un appareil à deux roulettes. Mon père se penche vers un petit carré de plastique et dit, en articulant exagérément : « Bonjour! C'est encore Romuald. Mes fils Martin et Marcel et ma fille Yvette viennent de revenir du cinéma. » Alors, ma tante Patate pèse sur un bouton et les deux roulettes font zwit! zwit! zwit! et on entend un miracle : « Bonjour! C'est encore Romuald. Mes fils Martin et Marcel et ma fille Yvette viennent de revenir du cinéma. »

« Un mameltophone!
— Magnétophone, Yvette. Magnétophone.
— Je veux parler dedans! Je veux parler dedans! »

C'est la cousine Johanne qui montre la bonne façon à Yvette. « Bonzour! Ze suis Zohanne Zingras! » Zwit! zwit! zwit! etc. « Bonjour! Je suis Yvette Comeau et je heu... heu... » et elle éclate de rire. Zwit! Et bis le rire! Je me précipite vers le dictionnaire pour savoir comment écrire magnétophone et même si je ne crois plus au père Noël, il me reste dix mois pour inciter Yvette à en demander un pour le 25 décembre prochain. J'imagine... oh! comme j'imagine des milliers de jeux! Bon stratège, je fais des courbettes au cousin Robert, qui m'invitera sans doute à jouer avec l'appareil chez lui. Le lendemain, le magnétophone est roi et maître chez grand-père Roméo. « Bonjour! Je suis Roméo Tremblay et voici mon épouse Céline. Nous sommes très heureux de parler dans le microphone. » Grand-père rit comme un gamin en s'entendant. Dix minutes plus tard, le voilà en train de chanter, tout en dansant : *Un monsieur attendait, au café du palais, devant un Dubonnet, la femme qu'il aimait. La pendule tournait, et les mouches volaient, et toujours le monsieur attendait.* C'est bien joli, sa chanson, mais ça ne vaut pas *Ou poudopom poudopom bom bom bom*. Au cours de cet après-midi, j'ai l'honneur de participer au premier jeu avec le magnétophone, scrupuleusement manipulé par Robert. En sa compagnie, Yvette, Marcel, Johanne et moi jouons à la radio, installés devant le gros tourne-disque de grand-père. Robert est le technicien, Yvette l'animatrice, je m'occupe des nouvelles du sport et Marcel des informations nationales de Trois-Rivières. Johanne est la responsable des commerciaux. Voilà la plus extraordinaire station de radio de tous les temps! Une vraie de vraie radio destinée aux enfants et que nous appellerons « OCKC : la radio qui casse tout. » Évidemment, les disques de grand-père Roméo ne nous font pas une programmation musicale idéale... Mais nous voulons surtout entendre nos voix sur le ruban. « Ce n'est qu'un exercice! On va faire mieux! Venez chez moi samedi prochain! Et prenez cette semaine pour préparer les meilleurs reportages! » de nous lancer Robert, comme invitation irrésistible.

Mon avenir est assuré! Ma carrière se dessine : je veux devenir celui qui parle dans le micro! OCKC sera réservée aux douze ans et moins. Pourquoi ça ne réussirait pas? C'est une idée nouvelle! Place à la jeunesse! Je passe ma semaine à penser à ce samedi. J'ai du mal à garder le secret, l'avoue à Richard, avec sa promesse de ne pas répéter. Évidemment, le lendemain matin, quinze gars posent leur candidature, et autant de petites filles, car de son côté Yvette n'a pas pu se la fermer non plus. Je n'en peux plus! J'ai tant de projets formidables pour notre station de radio! Je me rends chez le cousin Robert dès le vendredi soir pour en discuter. Il était avec des amis de son quartier, parlant chacun leur tour dans le micro. Il me fait entendre des pets, des rots et des chutes de pisse qu'il a enregistrés, chacun suivi d'un fou rire. Ce n'est peut-être pas le grand chic, mais moi aussi je veux bien roter dans le micro.

« Ça va toujours pour OCKC demain?

— Certain, Martin! J'ai choisi les meilleurs disques! J'espère que t'en as parlé à personne.

— Non, ce sera juste nous cinq.

— À demain, Martin! Puis ma mère va nous préparer des patates frites. »

Nous sommes au rendez-vous à l'heure promise. Yvette et Marcel ont été sérieux en préparant leurs textes. Yvette les a même exercés debout devant le grand miroir à couture de maman, songeant sans doute à sa carrière à la télévision, après ses débuts à la radio. J'ai préparé les meilleures nouvelles du sport, c'est-à-dire des résultats de hockey : « Hier, les Canadiens de la rue Pelletier ont massacré l'équipe de Gladu 82 à 18 dans une partie chaudement disputée devant une foule enthousiaste. Par ailleurs, dans Sainte-Cécile, les Canadiens de la rue Saint-Paul ont fait match nul 51-51 contre les Canadiens de la rue Sainte-Ursule dans une partie interrompue à cause d'un autobus. » Des nouvelles intéressantes dans ce genre-là. Marcel, dans son bulletin d'information, parlera du problème de l'augmentation du prix des bonbons chez les petits épiciers, depuis l'expansion de marchés à grande surface. Je suis très fier de mon frère!

« As-tu préparé des bons commerciaux, Johanne?

— Oh oui! Ze vais t'en dire un, là là! Grande vente de bonbons pas chers au grand magasin Steinburk de la rue Royale, là là. Des chocolats zuteux à cinq sous le paquet, de la réglisse verte à cinq sous le pied et des suçons zaunes à cinq sous la paire, là là. Et puis, là là, des boîtes de pop-corn avec des zouets dedans et qui coûtent zuste dix sous! Allez-y! C'est Zohanne qui vous garantit que c'est moins cher qu'ailleurs, là là. C'est beau, hein? Et puis, là là, z'en ai un autre sur...

— Tu ne peux pas dire un tel commercial devant le micro.

— Pourquoi?

— Parce qu'il entre en contradiction avec l'éditorial de Marcel.

— Comme t'es donc compliqué, là là! Qu'il change sa nouvelle, ton frère, là là! Parce que le magnétostoppe, il est à nous! O.K., là là?

— C'est du chantage!

— Non! Le chantage, c'est Robert qui s'en occupe avec ses disques, là là. »

Parmi les disques sélectionnés par Robert, il n'y a même pas *Ou poudobom poudobom bom bom bom* et Yvette n'est pas contente parce qu'il a ignoré *En guise en guise en guise en guise en guise en guise en guise de parasol*. Puis Robert prétend que je parle trop de hockey. Bref, OCKC connaît des débuts difficiles avant même de commencer. Mais le cas se règle à l'amiable quand ma tante Patate arrive avec un plat de chips et des verres de Fanta. Nous nous y précipitons, car ma mère ne veut pas qu'on prenne trop de ce délicieux nectar. Elle n'en achète même pas. L'hospitalité de ma tante Patate nous rend plus humbles; Johanne a raison en disant que le magnétophone est à eux. Soyons polis, bien élevés, et faisons quelques concessions. Je glisserai un mot sur la compétition de traîne du « pit » de sable du Cap. Après cette collation, nous débutons enfin nos émissions. Robert colle le microphone sur le tourne-disque pour bien enregistrer la musique. Je sens Yvette un peu nerveuse avant sa première intervention. « Bonjour, les filles, bonjour, les garçons, ici Yvette Comeau votre animatrice qui... » Elle est interrompue par Robert, qui pèse sur le bouton arrêtant les bobines.

« Je ne parlais pas assez fort?

— Non, tu parlais bien. Mais ce que tu as dit n'est pas acceptable. Il faut d'abord saluer les gars, puis après les filles.

— Comment? Mais je suis une animatrice! Pas un animateur! Puis c'est plus poli de saluer les dames.

— Recommence.

— C'est de la dictature!

— De la quoi?

— Ah! tu vois qu'elle en connaît, de beaux mots, l'animatrice! »

Yvette répond aux désirs de Robert. On fait tourner une chanson, mais Yvette a un mal fou à lire le titre. Stop! « Fais donc tourner des chansons en français! » se plaint-elle. Tout ceci me rend si angoissé! Une autre chanson et voici un commercial! Cette idiote de Johanne doit recommencer six fois, parce que sa langue fourche et qu'elle rit pour rien. Quel manque de sérieux! Re chanson. Yvette, c'est à ton tour! Chanson. « Et c'est maintenant les nouvelles du sport. Voici mon frère! »

« Non. Dis : voici Martin Comeau.
— Mais c'est mon frère quand même.
— Recommence.
— Il n'est plus mon frère? »

Juste au moment où ma carrière radiophonique s'apprête à débuter, ma tante Patate décide de faire son lavage avec l'aide de son vieux monstre mécanique qui gronde comme un tank et fait vibrer le plancher de notre studio. Nous sommes obligés d'attendre la fin de la brassée. Comme c'est long! Je peux enfin réciter mes nouvelles du sport! Et voilà! Le tour est joué! Mon destin est maintenant tracé. J'espère que Robert me laissera le ruban en souvenir, car, dans dix ans, alors que j'inviterai Jean Béliveau et Mickey Mantle à boire un chocolat chaud chez moi, je leur ferai entendre ce témoignage historique de mes débuts de commentateur sportif. On rira un bon coup. Yvette s'excite un peu mais fait une animatrice hors pair, alors que la cousine Johanne rate à tout coup ses commerciaux imbéciles. Marcel se débrouille assez bien, mais je lui donnerai quelques conseils quand nous serons de retour à la maison. À deux heures, tout est terminé. Nous écoutons notre travail avec satisfaction, tout en grillant des cigarettes Popeye et en prenant une bière d'épinette.

« C'est vraiment fantastique! Si on diffuse une émission comme celle-là chaque jour, tous les gars et les filles de Trois-

Rivières vont courir chez eux après l'école pour l'écouter et on pourra se faire payer.

— Oui! Mais comment faire pour la mettre sur l'onde?

— C'est facile! On va demander à grand-père Roméo de nous aider! Il connaît tout le monde! Il doit avoir des amis à CKTR ou à CHLN.»

Grand-père Roméo sera d'accord. Il a toujours encouragé la jeunesse et sait reconnaître un travail bien fait. Dès demain, je lui en parlerai. Nous rentrons à la maison à la recherche d'autres nouvelles. Yvette va tout de suite retrouver son grand miroir pour exercer sa voix.

« Vous n'avez pas fait trop de bruit chez votre tante Renée?

— Ma tante Patate? Oh non! C'est même elle qui en faisait trop avec sa balayeuse et sa machine à laver.

— Martin, combien de fois je t'ai demandé de ne pas surnommer ta tante de cette façon?»

Grand-père Roméo fait semblant d'être amusé par ma démarche mais, comme je l'ai deviné, il me promet d'en parler avec un de ses amis journalistes à CHLN. Il me demande si je suis intéressé à l'accompagner à la station. Tu parles que oui! Dès la fin de l'école, le lendemain, je me presse de retourner à la maison pour m'habiller proprement. Grand-père m'y attend. Dans l'auto, je me répète secrètement le beau discours poli préparé à l'intention de l'homme de la radio. Grand-père connaît tout le monde, dans ce milieu, puisqu'il a longtemps travaillé au journal *Le Nouvelliste*. Il lui arrive même de publier encore des articles, sans oublier les beaux livres d'histoires qu'il vend dans les librairies. Il a vu naître les grands journaux de Trois-Rivières, les stations de radio et la télévision. Il est en quelque sorte le grand-père de tous ces professionnels des ondes. Nous entrons dans ce palais de la radio. Je suis très impressionné! Mais je garde mon calme. Grand-père Roméo sait où se diriger, comme s'il avait bâti lui-même le lieu. Nous accédons à une salle où j'entends les cliquètements d'une machine curieuse : une machine à écrire qui fonctionne toute seule, tapant les nouvelles à mesure qu'elle les apprend. Je ne savais pas que l'homme invisible travaillait pour CHLN.

« Maurice, je te présente Martin Comeau, un des mes petits-fils, l'aîné de ma fille Carole.
— Bonjour, Martin.
— Martin désire travailler à la radio plus tard. J'ai pensé lui faire visiter la station.
— Oui? C'est une bonne idée. Que veux-tu faire à la radio, Martin? Tourner les disques et annoncer le palmarès?
— Je veux être responsable des nouvelles du sport, monsieur.
— Oh! mais on sent déjà que tu as une très belle diction! »

J'oublie mon discours. J'ai un nœud au fond de la gorge. Cet homme me parle comme à un enfant, ignorant que j'ai déjà ma propre station de radio avec des experts des divers champs d'activités de la région. Mais j'ai bon cœur : lorsqu'il sera un de mes employés, je ne lui tiendrai pas rancune du ton enfantin avec lequel il m'a accueilli, en ce lundi, 27 mars 1961. La salle des nouvelles n'est pas tout à fait ce que j'imaginais. C'est tout petit. Où est la légion de journalistes, avec des chapeaux décorés d'un ticket de presse? Les microphones géants? Mais je dois avouer que je sens mes oreilles devenir très rouges quand on me fait entrer dans la cabine technique où l'animateur fait tourner les chansons sur d'énormes tourne-disques. Je l'entends parler dans le micro puis peser sur un bouton – que de boutons! – pour mettre en marche le 45 tours suivant. Ensuite, on me montre une pièce pleine de disques, précieusement rangés dans des petites cases. Peu après, nous visitons le studio où ils fabriquent les commerciaux. Il y a là un magnétophone cinquante fois plus gros que celui du cousin Robert.

« Tu veux faire un essai? Lire les nouvelles du sport?
— Tout de suite? »

L'homme m'installe devant un immense microphone et me remet un tas de feuilles. Je ne suis vraiment pas préparé à cela! Je suis mort de peur! Et si tout à coup je rate la chance de ma vie? Je sursaute quand j'entends la voix de monsieur Maurice dans mon casque d'écoute. « Quand je te montrerai du doigt, tu commences à lire. D'accord? » Je fais un signe de la tête. Grand-père me regarde d'un air autant amusé qu'inquiet. Non! je ne lui ferai pas honte! L'homme lève le bras et me donne le signal. Je lis. J'ai la voix un peu tremblotante les deux premières secondes, mais le reste va comme sur des roulettes. Et voilà! Le tour est joué! À la fin, monsieur Maurice ne peut s'empêcher de me féliciter chaleureusement. Il s'empresse de téléphoner au président de la station qui arrive en trombe dans sa limousine, avec un contrat dans une main, et un stylo dans l'autre.

« Tu as une belle voix, mon petit. Et tu prononces très bien les noms de joueurs de hockey.
— J'ai toutes leurs cartes. Je suis habitué à leurs noms.
— Voilà ton secret! »

Avant de partir, il me donne un sac de petits disques et tend la main en me disant : « Tu reviendras me voir, Martin. Quand tu voudras. » Dans le fond, il est bien sympathique, ce monsieur Maurice. À la maison, Yvette et Marcel m'attendent avec impatience pour connaître le résultat de ma démarche. Je téléphone rapidement pour dire au cousin Robert que je peux me rendre n'importe quand à CHLN.

« Demain, après l'école, je vais aller chercher le ruban de OCKC, et dès mercredi, j'irai le faire entendre à mon bon ami monsieur Maurice.
— Le ruban? C'est que... comme c'est le seul qu'on a, ma sœur Lucie l'a pris pour enregistrer ses chansons favorites.
— Quoi? Il a été effacé?
— Ce n'est pas de ma faute.
— Il faut recommencer!
— Oh! je ne sais pas, Martin. J'ai aussi besoin du ruban

pour exercer ma guitare. Après tout, c'est pour ça que mon père a acheté le magnétophone.

— Et notre station de radio? »

Je le savais! J'aurais dû m'en douter! Johanne et lui n'ont pas le même sérieux que nous. Ils pensent que ce n'est qu'un jeu! On se passera d'eux et on formera notre propre station de radio! Avec Richard, Daniel et Junior! Je vais acheter mon magnétophone. Yvette, Marcel et moi mettons en commun le contenu de nos tirelires : quatre dollars vingt-deux sous. C'est un début! « On va vendre des bouteilles pour avoir le reste », de dire Yvette, en claquant dans ses mains. Excellente idée! Mais dès le lendemain, je suis un peu découragé après avoir téléphoné à un marchand de magnétophones : deux cents dollars... Ça fait tout un paquet de bouteilles...

Je fais un cauchemar en pensant à notre extraordinaire émission perdue et au moment magnifique que j'ai passé à lire les nouvelles du sport dans un véritable microphone d'une vraie station de radio. Mais dès le mercredi, Marcel m'abandonne, se disant plus intéressé par les séries éliminatoires de la ligue de « hockey-bottines » et Yvette se remet à parler ordinaire en retournant à ses poupées. Me voilà trahi par ma propre famille! Ah! je peux les comprendre : ils sont si jeunes! Mais à mon âge, je dois penser à mon avenir, à ma carrière. Le vendredi, bien habillé, je retourne à CHLN pour rencontrer monsieur Maurice. Mais un grand bonhomme, m'apercevant, me crie : « Que fais-tu là, toi? Qui t'a permis d'entrer? Dehors! Et plus vite que ça! » Quelle humiliation! Quel embarras! Je retourne vite chez moi et passe la soirée sous le lit. J'en sors juste pour me coucher, la tête sous les couvertures. Le samedi matin, je me trouve une grande boîte pour m'y installer, après l'avoir poussée au fond de la penderie. J'étais fin prêt à mourir quand, soudain, mon père me trouve pour m'emmener chez le barbier.

D'habitude, j'aime bien cette visite mensuelle chez le barbier, m'y sentant un vrai homme aux côtés de papa. J'adore entendre les clients chialer contre leurs patrons de l'usine, je me régale des bruits des rasoirs et des ciseaux, je participe aux discussions de hockey, mais aujourd'hui, je ne peux supporter le son de l'appareil radio, installé sur la machine à Coca-Cola! Surtout qu'on y entend l'homme mal élevé qui m'a jeté à la rue comme un malpropre! Fraîchement coiffé, je retourne dans ma boîte, n'en sors que pour souper, devant affronter l'inévitable question de mes parents : « Mais qu'est-ce que tu as aujourd'hui? » À quoi bon leur expliquer? Ils prétendraient que mon drame n'est qu'une bouderie d'enfant.

Le dimanche, nous nous rendons, comme d'habitude, au traditionnel souper chez grand-père Roméo. Toute la famille est là, avec sa symphonie de bruits. Moi qui d'habitude apprécie ce tintamarre, j'ai le goût du silence scrupuleux de notre maison. Je me trouve un bon sac pour y enfouir ma tête. Grand-père Roméo part à ma recherche, devinant mon tourment. Il me dit qu'avec de la patience, j'arriverai à mon but, surtout si j'améliore mon français à l'école.

« Trop jeune? Non, Martin, je ne dis pas que tu es trop jeune. Regarde tes cousins Charles et Robert qui jouent si bien de la guitare. Ils le font depuis 1957 et ils étaient alors encore plus jeunes que toi aujourd'hui. Moi, j'avais onze ans quand j'ai décidé de devenir journaliste. Ton âge! Et je suis sûr que Charles et Robert vont jouer de la guitare longtemps après y avoir beaucoup travaillé. Ce sera leur métier. Et si tu t'exerces très fort dès aujourd'hui, plus tard, tu pourras être animateur à la radio. Mais tu n'es certainement pas trop jeune pour commencer ou même décider de ton avenir.

— Merci, grand-père. Je suis encouragé.

— Alors descends rejoindre les autres. Sors de ce placard.

— J'ai mal à la tête. Il y a trop de bruit.

— Ah! Martin le solitaire! Martin le grand secret! Tu me fais penser à cet homme seul vivant parmi les loups.

— Les loups?

— Mais oui. Il était toujours seul, le pauvre homme, vivant caché de ceux de sa ville. Fatigué parce que les gens le trouvent sans cesse, il décide un beau jour d'habiter dans la forêt, même si on lui a souvent dit qu'elle est infestée de loups dangereux. Il part avec son courage, l'amour de sa solitude et un harmonica. Dans la nuit qui éclaire les bois, notre homme marche avec fermeté, alors qu'au loin, les loups guettent celui qu'ils voient déjà en festin. Mais aussitôt qu'un loup approche, l'homme joue de son harmonica, et la bête, effrayée par tant de bruit, s'enfuit en hurlant comme un petit chien. Le soir venu, notre solitaire bâtit sa maison avec un peu de terre, de grandes branches et des cailloux. Et toujours les loups rôdent. Quand il les sent trop près, notre solitaire s'empare de son harmonica pour jouer un air et les loups s'enfuient en se bouchant les oreilles. Dès le lendemain, le patriarche des loups, le grand Yeux perçants, réunit tous les loups et promet le titre de roi des loups à celui qui lui rapportera cet harmonica de malheur. Mais notre ami veille à son instrument et ne le quitte jamais. Le dos contre un arbre, il joue une mélodie en regardant le contour de la lune embrasser la nuit, créant une lueur qui devient l'amie de sa solitude. Et chaque fois qu'il entend un buisson bouger, il souffle encore plus fort dans son harmonica. Un jeune loup, du nom de Ti-Loup, réfléchit à la question et décide d'user de ruse. Il se précipite aux limites de la ville et croque la première paysanne imprudente. Il n'en garde que la peau pour se revêtir. Voilà notre Ti-Loup ressemblant à la plus jolie fille du canton. C'est ainsi déguisé qu'il s'approche de l'homme à l'harmonica qui, émerveillé par tant de beauté, laisse tomber son instrument attaché à son cou. « Que fais-tu seul dans la nuit, sans compagne et sans amour? » demande le loup déguisé en fille. Notre homme, soudain méfiant en entendant cette voix de loup sortir de la bouche de cette fille, lui répond d'un ton assuré : « Qui crois-tu être pour essayer de rompre ma solitude? D'où viens-tu pour croire que je suis sans amour? La lune, la nuit et le silence sont mes amours. La solitude n'a d'ennemi que l'ennui, et l'ennui n'est pas fait pour un homme courageux. Le jour, je bâtis ma maison, et bientôt, je cultiverai un champ d'harmonicas pour tromper les loups, mes ennemis. » Ti-Loup ne cesse de regarder cet harmonica se balançant au cou du solitaire. Il se dit que si cet homme fait pousser de tels instruments autour de sa maison, il n'y aura bientôt plus de loups dans ce bois. « Tant que j'aurai mon harmonica, il n'y aura pas de loups, d'ombres menaçantes et trop curieuses. » Ti-Loup approche sa main de fille près de l'harmonica, mais l'homme, apercevant soudainement cette longue queue dépassant de sa robe, saisit son harmonica pour se mettre à souffler une gigue endiablée. Il souffle si fort que la nuit devient jour et que, un à un, les hurlements des loups effrayés s'éteignent en autant de soupirs d'agonie. Après la fin de la gigue, le corps de la paysanne se relève, regardant autour, avant d'apercevoir le solitaire. Elle s'approche, si belle, et pose sa douce main sur l'harmonica. Il regarde ses jolis yeux, sa belle bouche, caresse ses longs cheveux. À jamais leur amour chasse la solitude et ils vivent tous deux heureux dans la maison de cailloux, de branches et de terre. Ils ont vécu heureux en ayant beaucoup... de petits harmonicas!

— C'est bien joli, tout ça, grand-père Roméo. Mais pourquoi cette histoire?

— Parce que tu ne viens jamais ici pour le silence, petit Martin. Ici, il y a le bruit, synonyme de la vie! Tu viens ici pour ton histoire afin de rêver et sourire. N'est-ce pas suffisant? »

Avril 1957
Les rois de la route

Je suis prêt. Tout à fait prêt. Je suis passé par le confessionnal, j'ai parlé au curé, rédigé mon testament, fait mes adieux. Ce métier est si cruel qu'il vaut mieux prendre ses précautions, au cas où cette course serait ma dernière. Je devrais pourtant être habitué de vivre avec ce danger, mais j'ai tout de même du mal à m'y faire. Bien sûr, l'adulation des foules est une grande compensation, tout comme les voyages et l'argent gagné. Dix millions de dollars pour ma dernière course! C'est beaucoup d'argent, mais le public ne voit pas tout mon travail de préparation avant chaque compétition. Derrière moi, il y a une équipe complète qui besogne avec dévotion : la secrétaire, mon responsable de la publicité, les entraîneurs, les conseillers et surtout les mécaniciens. Ah! ces magiciens de l'outil! Ces rois du tournevis! Ces princes de la pince! Leur travail est purement extraordinaire. Ils vérifient constamment les freins, la suspension, la pédale d'accélération. Chaque boulon est examiné à la loupe. Il est beau, mon bolide, sous les flashs des photographes! Mais il est plus que beau : il est efficace. Lui et moi ne formons qu'un corps.

Voici enfin le moment du grand départ. Nous nous levons pour entonner l'hymne national. Le coureur communiste, à mes côtés, fait une grimace à mon drapeau. Quelle audace! Il est mon pire ennemi, ce Gladuvostok! Champion de sa Russie païenne, le voilà à Trois-Rivières dans le but de me ravir la couronne de champion du monde. Le président, le premier ministre, le député, le maire, l'échevin et mon père me l'ont dit cent fois : « Martin, ne laisse pas la coupe tomber aux mains de ce rouge. »

Et c'est le départ! Le casque bien enfoncé sur ma tête, les mains gantées, la combinaison couvrant tout mon corps, mon pied botté pèse sur l'accélérateur et me voilà transformé en flèche sur la piste infinie. Je suis calme. Je laisse les débutants s'exciter et prendre l'avance au premier tour. Les pauvres bougres se rendront compte bien vite qu'une course automobile est avant tout une épreuve d'endurance et qu'il faut se servir de son intelligence. Les premiers tours servent à bien examiner les tics des adversaires, à connaître comme il faut les qualités et les défauts de la piste.

Après le centième tour, on commence à séparer les hommes des enfants. Me voilà sur ma lancée! La tension monte! Le moteur vibre! La piste s'enflamme! La foule scande mon nom en agitant des fanions! Les courbes sont dangereuses et apparaissent à la vitesse, oui, à la vitesse de l'éclair! Mais, malgré tout, je garde mon sang-froid et débouche mon thermos de jus d'orange pour me donner les forces nécessaires à mon triomphe. À la fin du deux cent quarante-troisième tour, Gladuvostok me talonne et cherche à me faire perdre contenance en appuyant sur son klaxon, pendant que l'arbitre a le dos tourné. On reconnaît là les tactiques déloyales des communistes. Maudit Gladuvostok sale. Mais je garde les mains à mon volant et les pieds sur la pédale. Je le double, il me double, je le double, etc. C'est une lutte sans fin!

Dans la foule, je vois les femmes à genoux priant pour ma victoire. À chaque tournant, ma sœur Yvette me salue avec ses petits doigts roses. Cette vision fait quintupler mes forces et ma détermination. Le moteur gronde, les pistons deviennent fous. Je sens sur mon casque toute la pression causée par ce mille cinq cents milles à l'heure maintenu par ma mécanique. Soudain, Gladuvostok s'approche de moi et frotte ses roues contre les miennes! Je perds le contrôle! Mes pneus hurlent! Je hurle! La foule aussi! Je percute le trottoir et je m'écrase avec violence dans le champ! J'ai mal! Si mal!

« Tu t'es fait mal, Martin?

— Non, papa. Ça va.

— Mais pourquoi as-tu donné un coup de volant? Tu descendais très bien, pourtant.

— J'ai vu une roche et j'ai eu comme un réflexe.

— Une roche! Avec cette boîte à savon, tu l'aurais avalée, ta roche!

— C'est justement ce que j'ai craint.

— Tu t'es fait mal, mon grand homme. Ne dis pas le contraire. Ne bouge pas, papa va t'aider. »

Mon père tient absolument à faire de moi un champion de la descente en boîte à savon. Voilà deux années que je participe à la grande compétition de la Saint-Jean-Baptiste et que je me classe parmi les moyens. Et même les très moyens. Pour ne pas dire... Chaque fois, papa prétend que c'est de la faute au tacot et passe une partie de l'hiver à m'en construire un neuf, toujours plus beau et soi-disant plus performant. Lui avouer que je suis mort de peur en descendant une côte serait trahir la confiance qu'il met en moi. Et puis, je suis bien heureux, à chaque printemps, d'installer Yvette ou Marcel dans la boîte à savon et de les pousser sur les trottoirs de la rue Pelletier où tous les voisins admirent la beauté du bolide, sa décoration, son ingéniosité. Nous sommes alors très contents du talent de constructeur de notre père. Lui, la fierté de sa vie, c'est un ruban gagné lors d'une compétition à Asbestos, alors qu'il n'avait que huit ans. « Le seul beau souvenir de mon enfance », se presse-t-il de répéter souvent. En construisant une nouvelle voiture chaque hiver, il redevient un enfant et veut que je gagne le second ruban qu'il n'a jamais mérité. Papa est encore un enfant. C'est rassurant de le constater.

Mais s'exercer en avril, alors que la neige est dure le long des rues, je trouve ça un peu tôt, surtout pour une compétition du mois de juin que je vais probablement perdre. Les hommes aiment leurs autos, les sports et leurs épouses et quand ils arrivent à aimer les trois à la fois, ils se sentent davantage mâles. Comme je ne suis qu'un garçon de sept ans, je me contente d'être un tiers d'homme en n'applaudissant que les sports. Pour les femmes, j'ai ma mère, ma sœur, mes tantes et grand-mère Céline. Ça me suffit. Quant aux autos, je ne sais pas quoi en penser. Richard salive quand il voit passer une voiture de l'année dans la rue. Moi, je hausse les épaules en disant : « C'est une auto. » Daniel collectionne les photographies d'automobiles découpées dans les journaux et les magazines. Sa collection est bien belle, mais ne me transporte ni au septième ni au huitième ciel.

Les autos, c'est très bien en jouets ou pour faire une promenade avec mon papa. Ça fait partie de la vie, mais ce n'est pas la vie! Grand-père Roméo pense comme moi et c'est toujours avec amusement qu'il me raconte l'histoire de son père Joseph, un des premiers Trifluviens à avoir acheté une automobile au Moyen Âge, en 1910. Grand-père a même des photographies usées où on voit l'arrière-grand-père Joseph près de sa bagnole, avec la moitié de la population de la ville derrière lui. Grand-père Roméo est vraiment drôle quand il me confie ces souvenirs! Si je ris un peu de cette histoire d'autrefois, je m'étouffe un peu de gêne en voyant que papa a installé au salon trois photographies de lui-même auprès des trois automobiles de sa vie. Si l'arrière-grand-père Joseph avait l'air solennel et sérieux comme un premier communiant, papa ressemble, sur chacun de ces clichés, à un écolier le dernier jour de l'année scolaire. Mon père a une histoire à raconter sur chacune de ces voitures. Il nous présente l'historique de son achat, ses sentiments suite à une première balade, pour ensuite parler sans cesse des caractéristiques mécaniques du trio. Le tout peut durer trois heures. Maman, plus pratique, résume cette saga en trois secondes : « La noire, la blanche, la vert lime. » Je n'ai pas connu la noire, mais j'ai quelques vagues souvenirs de la blanche. Mais la vert lime! Ah! celle-là! Elle me fait penser à un gros cornet de crème glacée à la pistache. Et comme elle est notre auto depuis quatre ans, j'en connais tous les coins et tous les secrets.

Richard et Daniel s'exercent chaque jour à devenir de futurs propriétaires d'automobiles. Quand ils voient une belle auto, ils s'entendent sur la marque, mais jamais sur l'année. C'est une 53. Non, une 54. Une 53, que je te dis. Une fois, la discussion avait tourné au vinaigre et mes deux amis avaient refusé de se voir pendant une semaine. Junior se fiche bien des automobiles, un peu comme moi. Pour certains, nous ne sommes pas de vrais gars. Or, pour ne pas être humiliés de la sorte une seconde fois, Junior et moi avons appris par cœur quelques notions nous faisant paraître normaux dans la cour d'école.

Junior a une belle Chevrolet qu'il a assemblée patiemment en s'enivrant de l'odeur de la colle en tube. Il l'a peinte avec amour et, son chef-d'œuvre terminé, il l'a placée sur une tablette dans sa chambre, aux côtés d'un voilier en bois et d'un char d'assaut en plastique. C'est une décoration, pas un jouet. Pour nous amuser, nous utilisons plutôt des tacots délabrés pour des compétition spectaculaires : le saut de la mort par-dessus un chaudron rempli d'eau, l'accident frontal et la course sans merci vers un mur. Après avoir empiré le sort de ces vieux jouets, nous retournons à un jeu plus paisible : la station-service. Comme dans la vraie vie.

Junior a une vieille station-service avec une seule pompe. Pour ses réparations majeures, il remorque ses voitures chez moi, car j'ai une superbe station-service à deux étages, cadeau du père Noël il y a deux ans. Avec l'aide d'une petite manivelle, je peux faire monter l'auto de Marcel jusqu'au deuxième, tandis que mes employés en réparent une autre au premier. En vitrine, j'ai des conserves d'huile et des pneus. Sans oublier les deux pompes à essence ultramodernes avec des vrais boyaux. J'ai aussi une chambre à air pour gonfler les pneus. Sans oublier ma petite machine à Coca-Cola! Ma mère m'a fabriqué des petits fanions triangulaires, rouges et jaunes, reliés à des poteaux, comme dans les vraies stations-service. Un bijou! Tous les gars du quartier envient ma chance.

J'ai quelques autos jouets, dont un magnifique camion de livraison, cadeau de mon grand-père Roméo. On peut ouvrir les portes et sortir des petits bidons. Je m'en sers aussi pour livrer des cure-dents, des billes et des pinces à cheveux. Mes autos favorites sont en plastique. Elles sont toutes petites et flexibles, avec le nom de la marque écrit sur le coffre arrière. J'en possède au moins cent! Elles se vendent par paquet de vingt-cinq et rien ne me fait plus plaisir que de déballer un nouvel arrivage. Je plonge alors le nez dans le sac pour sentir le plastique frais. Je les dispose en croix, en carré, en rond, en X sur le plancher de ma chambre. Je les stationne militairement sur mon bureau. Je les fais rouler partout et si je décide de les emmener ailleurs, elles ne sont pas embarrassantes; j'en prends une poignée et je les mets dans mes poches. Je les connais par cœur et si jamais Yvette ou Marcel en égarent une, je sais tout de suite laquelle a disparu. J'adore jouer à la ville avec ces petites autos!

Papa me rapporte souvent de son usine de longs bouts de papier, dont il se sert pour couvrir les planchers quand il fait un travail de peinture. Ma mère les utilise quand elle prépare des tartes (c'est-à-dire très rarement). Et moi je prends le reste. J'étends ces grands papiers sur la table de la cuisine et je dessine une ville. Les rues ont la largeur d'une règle. Elles se croisent et se poursuivent. Celles des quartiers modernes sont en U ou en O. Dans les vieilles paroisses, il y a des sens uniques, des feux de circulation. Toutes ces rues ont des noms. Je dessine des maisons à deux ou trois étages, des taudis, des bungalows, des magasins, un bureau de poste, des églises, des écoles, des parcs. Quand mon domaine prend de l'expansion, je colle un autre grand papier, si bien que lorsque je décide de jouer à la ville, l'ensemble des papiers couvre la moitié du plancher de ma chambre. Je fais alors rouler mes autos dans les rues de ma capitale, Martinville. Yvette et Marcel aiment participer à ce jeu, en faisant bien attention de ne pas déchirer le papier. Quand j'ai fini de jouer, je plie soigneusement les papiers que je range dans une boîte cachée sous mon lit. Au début du mois, j'ai commencé à dessiner une ville voisine. Dans cinq ans, j'aurai un comté, puis une province, un pays, un continent.

C'est une activité d'hiver et de mauvais temps. L'été, je joue aussi à la ville, dans la cour de sable de Daniel. Avec nos pelles, nos seaux, nos bouts de bois, je construis des rues, alors que Richard, Junior et Daniel, très habiles, érigent des maisons et des usines. Quand ce travail est terminé, nous faisons rouler nos autos et nos camions dans ce paysage extraordinaire. Quand le fatidique « Daniel, viens souper! » se fait entendre, nous montons au deuxième et nous jouons aux communistes bombardant la ville avec des pierres. Puis, le lendemain, nous en construisons une nouvelle. Mais je n'en suis pas encore aux jeux de la belle saison, bien que, cet hiver, j'aie élaboré quelques plans de villes de sable. Je sais que mes amis ont bien hâte d'essayer leurs nouvelles autos dans ces rues.

Dans le quartier, le printemps est plutôt le temps où les papas sortent aussi leurs jouets. Mon père n'a jamais été capable, comme bien d'autres hommes, d'entreposer son automobile pendant l'hiver. Mais il assiste avec joie au grand céré-monial des draps vite jetés par terre, de la vérification du moteur et de la grande sortie du garage pour fêter le retour du temps clément. L'autre grande nouvelle du quartier est que le père de Gladu vient d'acheter une voiture de l'année. Je ne vois pas pourquoi ceci peut émouvoir papa. Je suis cer-tain que monsieur Gladu a volé cet argent aux veuves et aux orphelins. Papa m'impose d'aller voir ce joyau, croyant faire mon éducation. Il y a une foule dans l'entrée de garage de leur maison. Même le curé Chamberland, pipe à la bouche, regarde cette inauguration, bras croisés, l'air songeur. Le père de Gladu vante sa Dodge Torsion-Aire. Sa femme décrit plu-tôt l'apparence de la voiture : jaune serin, avec des ailes blan-ches. Gladu me montre le petit avion de chrome collé à l'avant, ainsi que ses lumières doubles.

« Quatre yeux. Tu te rends compte? Ça éclaire bien plus.

— Mais ce sont des petits yeux.

— Aussi, il y en a quatre derrière. Deux petits blancs ronds et deux rouges triangulaires. Ça fait huit yeux.

— Je vois.

— Mon père a un bien plus beau char que le tien. »

Si ce monstre pense m'impressionner avec une remarque semblable, il se met les doigts dans ses huit yeux. Le voilà à se vanter auprès de tous les gars de sa rue, déjà vendus à sa cause. En fait, mon seul intérêt face à cette voiture est de la sentir. Il n'y a rien au monde de plus enivrant que l'odeur d'une auto neuve. Papa et moi rentrons à la maison. Il me décrit à nouveau les miracles mécaniques de cette Dodge. Demain matin, quand il entrera dans sa Chevrolet, il se pen-sera minable. Mais il n'est pas question de changer d'auto cette année, car maman attend un bébé.

Ma mère n'aime pas trop les automobiles. Quand elle était jeune fille, un chauffard l'a happée et elle a été gravement blessée. Depuis ce temps, elle marche avec une canne et a peur des autos. Elle n'a jamais conduit de sa vie. Quand elle sort avec papa, maman s'assoit toujours sur le siège arrière. Parfois, pour faire une commission, elle insiste pour prendre l'autobus, même si papa s'offre pour la conduire en Chevrolet. C'est très rare qu'elle accepte une balade du dimanche après-midi, loisir que mon père adore particulièrement. Quand enfin elle consent, c'est la grande fête dans la famille. Souvent, je reste derrière pour lui tenir les mains et la protéger. D'autres fois, je prends mon tour à l'avant, près de papa, voyant venir la route comme lui, l'aidant en lui indiquant la nature des panneaux. La plupart du temps, ils se résument à : « Asbestos : 40 milles » ou « Asbestos : 20 milles », car c'est dans cette ville que nous nous rendons le plus souvent. Mon père y est né et beaucoup de membres de sa parenté y vivent toujours, dont sa mère et ses deux sœurs. Parfois, nous nous rendons aussi à Montréal pour une visite au parc Belmont ou pour assister à une partie de baseball des Royaux.

Cette semaine, je remarque l'attitude de mon père, ron-ronnant sans cesse près de maman, complimentant sa robe au déjeuner, sa coiffure au dîner et couronnant le souper par : « Que t'es donc belle, Cendrillon! » Ce sont les signes avant-coureurs de notre prochaine visite à Asbestos. Depuis tout ce temps, papa prend toujours la même route pour se rendre à sa ville natale. Même si je le connais par cœur, cet itinéraire ne cesse de me faire plaisir. Ma grand-mère Comeau est moins drôle que grand-maman Céline, et mes tantes de là-bas sont moins attrayantes que ma tante Patate ou Bérangère – le seul amour de ma vie – mais ça ne fait pas de mal, un petit voyage à l'étranger.

Nous partons après la première messe. Yvette, Marcel et moi apportons l'essentiel de survie pour un si long parcours : nos livres d'images, quelques autos en plastique, une pou-pée, des cartes de hockey, mon fusil de cow-boy. Quand il est sage, j'emmène Coco. La première étape à franchir est de traverser le fleuve Saint-Laurent. Les adultes parlent sans cesse de faire construire un pont sur le fleuve, mais je n'en vois pas la nécessité. Prendre le traversier est une aventure tellement plus extraordinaire! L'automne dernier, grand-père Roméo m'a présenté le capitaine du Radisson, ce grand traversier qui peut contenir plus de huit mille automobiles. Un vrai ca-pitaine, avec sa casquette et son uniforme! Et il m'a serré la main avant de me dire : « Bonjour, monsieur. » Depuis, le capitaine et moi sommes intimes, bien que je ne l'importune pas à tout bout de champ, comprenant qu'il est très occupé avec son équipage. Le dimanche, il y a tellement de voitures qui veulent traverser qu'il faut attendre longtemps avant d'avoir une place. Les autos roulent avec discipline, se garent à l'endroit indiqué par un monsieur bien habillé. Et mon père bougonne : « Est-ce qu'on va finir par l'avoir, notre pont ? » pendant que mon frère et ma sœur sont aussi heureux que moi par ce voyage en bateau. Avant de partir, le traversier fait entendre son sifflet, ce qui nous impressionne beaucoup.

Mais soudain ! Un navire communiste entoure le Radisson ! Il porte un drapeau de pirate. Nous voilà prisonniers ! Les communistes vont remorquer notre traversier jusqu'à Moscou et nous torturer, nous obliger à renier notre religion, nous faire manger des navets. C'est intolérable ! Je sors de la Chevrolet de papa et monte à toute vitesse parler à mon ami le capitaine. Il est désespéré et pleure en se cachant le visage entre ses mains. « Ne vous en faites pas, capitaine. Je vais vous délivrer », lui dis-je pour le rassurer. Une chance que j'ai apporté mon fusil de cow-boy. Je saute du Radisson jusqu'au navire pirate, me faufile au péril de ma vie jusqu'à la cabine du chef des communistes. « Haut les mains, Rouge ! T'es fait ! » Pris d'une frayeur indescriptible, le vilain tremble et me demande pardon à genoux. J'ai bon cœur. Il a peut-être une femme et des enfants. Je le laisse se sauver à pleine vapeur jusqu'à son horrible pays. Et voilà ! Le tour est joué ! Mais j'ignore les applaudissements incessants des automobilistes du Radisson et retrouve la Chevrolet de papa.

À Sainte-Angèle-de-Laval, de l'autre côté, les autos descendent une à une, alors que mon père s'impatiente à nouveau. J'ai hâte à ce soir pour reprendre le traversier ! Nous voici en route pour Asbestos ! L'été, je finis par connaître toutes les vaches qui nous regardent passer comme si nous étions des trains. Je connais aussi les odeurs, les églises des villages, les belles maisons et les étables délabrées près des poteaux de clôture crochus. À tous les dix milles, on voit nécessairement une grange avec l'inscription *Antiques* ou *Antiquités* peinte en rouge ou en jaune. Selon ses humeurs, papa fait un arrêt à un village pour que maman se dégourdisse les jambes et que nous puissions faire pipi dans la toilette d'une station-service. Puis nous mangeons une pointe de tarte ou un biscuit dans le restaurant du village, sourions aux cultivateurs primitifs et regardons ce paysage neuf et étrange. J'aime bien le village de Sainte-Eulalie, parce que son nom est drôle et que son restaurant offre des frites délicieuses. C'est à la suite de cet arrêt que j'ai droit, par mon privilège d'aîné, de m'asseoir aux côtés de papa pour bien lui lire les panneaux indicateurs. Yvette me remplace à l'arrière pour tenir la main de maman qui, à tout coup, nous fait chanter *Sur la route de Berthier* même si notre destination est Asbestos.

« Cendrillon, avec un quatrième enfant, une *station-wagon*, ce serait approprié, tu ne penses pas?

— Roule, Romuald. Roule.

— Je pourrais faire beaucoup d'heures supplémentaires. Studebaker vient de sortir un magnifique modèle de *station-wagon*, parfait pour une famille comme la nôtre.

— Roule, beau prince. Roule. »

Je sais que papa connaît cette route par cœur, mais je me laisse prendre à son jeu de répondre à ses questions. « On tourne à gauche ou à droite, mon grand homme? » J'ai la carte routière entre les mains. J'aime les routes bleues, rouges, celles si minces qu'un seul petit trait gris pâle suffit à laisser deviner un rang de campagne. J'adore les noms des villages, les parcs coloriés en vert et les cours d'eau fonçant droit dans des montagnes. On peut même y voir les chemins de fer. Souvent, avant de m'endormir, je regarde la carte de la province, préparation idéale pour une longue fugue aux côtés de mon père. J'ai aussi des cartes de villes. Celle d'Asbestos consiste en un trou avec des rues autour. Ce trou représente une mine où des hommes cultivent de la roche. Dans la ville, les rues sont perpendiculaires et pleines de côtes, ce qui en fait un lieu idéal pour des courses de boîtes à savon, mais un véritable cauchemar pour les cyclistes. Après la visite à la parenté, papa vérifie l'huile et l'essence de la Chevrolet. Puis nous reprenons la même route, en voyant le soleil se coucher dans le pare-brise. En approchant de Trois-Rivières, nous apercevons de loin ses lumières. Le traversier nous attend. Puis nous rentrons à la maison. Maman est fourbue, mais mon père a l'air décontracté, comme si tout ce millage lui avait caressé les cheveux.

Quand nous n'allons pas à Asbestos, le dimanche, papa aime bien une petite promenade dans la région, même si maman ne nous accompagne pas souvent. Nous, les petits, ne nous faisons pas prier pour prendre place dans la Chevrolet. En premier lieu, papa visite quelques marchands d'automobiles pour regarder les neuves et les usagées. Puis il roule vers les nouveaux quartiers de Trois-Rivières pour jeter un œil aux maisons. Après, il nous montre les parcs, ou nous roulons jusqu'à Shawinigan pour manger une frite de leur belle roulotte, la plus célèbre de la Mauricie. Ensuite, papa rêve en nous parlant de ses projets en vue de la belle saison : du bon temps sur la plage Saint-Joseph dans la région de Québec, un village pour enfants dans les Cantons de l'Est, un petit tour du côté des îles de Sorel et peut-être même une aventure exotique jusqu'en Gaspésie. Chaque dimanche, mon père a le devoir de sortir de la ville et d'attaquer une route, mains sur son volant, les yeux droit devant. C'est comme sa récompense après une longue semaine enfermé dans son usine.

Le lendemain soir, il va flâner du côté du père de Gladu, espérant, comme tous les hommes du quartier, qu'il lui prêtera sa nouvelle automobile pour l'essayer. Pendant qu'ils discutent, Gladu est dans le garage à taper du marteau sur sa boîte à savon. Elle n'est pas aussi belle que la mienne, mais cet idiot a gagné, l'an dernier, le ruban dont rêve mon père. Gladu a triomphé en trichant, bien entendu.

« Mon père m'en a construit une nouvelle, cet hiver.
— Qu'est-ce que ça donne, si tu ne sais pas conduire?
— Elle est bien plus belle que la tienne.
— Mais la mienne fonctionne, elle.
— Il a dessiné des flammes rouges sur les côtés.
— La mienne fait des flammes rouges. Des vraies, espèce de Comeau crotte de zèbre. »

Je suis sûr que Gladu envie la beauté de mes engins. Sa boîte à savon est rudimentaire et sans éclat. Le lendemain, je l'aurais juré, Gladu ose venir cogner jusqu'à ma porte pour voir ma nouvelle boîte à savon. « Ouin. Pas pire », de faire ce menteur. Il me demande de l'essayer. Pourquoi est-ce que j'accepte? Il va me l'abîmer! Voler nos plans! Nous voilà sur le trottoir, coincés entre deux vieilles mottes de neige qui refusent de fondre. Je le pousse et il crie « Vroom! Vroom! Vroom! » comme un bébé. Puis, soudain, il fonce directement dans un tas de neige.

« Fais attention! Tu vas la briser!
— Pas très forts, les freins.
— T'as fait exprès!
— J'ai pas fait exprès!
— T'as fait exprès!
— Non! C'est pas vrai! C'est de la faute à tes freins! Essaie, tu vas voir! »

Maudit Gladu sale. Il me pousse comme un déchaîné, puis je pèse sur les freins et... c'est vrai! Les freins ne sont pas trop robustes. Gladu, qui se prétend champion des outils, s'offre pour les réparer. Je sais ce qu'il veut faire : tout briser pour que je me casse les os. Je me contente de signaler à mon père que les freins ne sont pas trop fiables.

Marcel et Yvette se fichent des freins. Ils désirent principalement que je les pousse tout le long de la rue Pelletier pour montrer aux voisins la beauté de notre bolide. Je le fais le mercredi, le jeudi et, dès le vendredi, le chaud soleil a anéanti les derniers tas de neige des trottoirs. Voici enfin venu le temps de songer à sortir ma bicyclette et ma torpédo. Comme les pneus de ma deux roues sont à plat et que papa veut graisser la chaîne, je sors ma torpédo dès le samedi matin. Toujours un grand moment de l'année!

La torpédo, dont le nom latin est « barouette », représente le moyen de transport idéal, avec la bicyclette. Personnellement, quand je serai roi de la province de Québec, je recommanderai au peuple l'usage de la torpédo. Elle représente moins de danger d'accident que l'automobile. Pour les longs trajets, les gens prendront le train. La torpédo est rapide, confortable, facile à conduire et surtout très utile! Elle peut transporter avec aisance tous les objets excessivement lourds, comme des sacs d'épicerie ou les plantes vertes de maman. La torpédo est économique : pas d'essence, ni d'huile, peu de réparations. Elle répond aussi aux plus hautes normes de la santé publique : avec elle, que du bon air et de l'exercice physique. On peut la tirer, la pousser, s'y asseoir, ou se laisser givrer par une descente palpitante. Mais la position idéale pour la conduite de la torpédo présente un genou replié à l'intérieur, alors que l'autre jambe, à l'extérieur, « manivelle » des mouvements de pied pour activer les quatre roues. Vous croyez que c'est enfantin d'avancer en se servant d'une jambe? Cela requiert beaucoup d'habileté, de force et de résistance. Mon père a essayé souvent et il n'est même pas capable de franchir deux coins de rue sans être fatigué. Moi, dans le même temps, j'aurais fait la même distance cent fois. Mais papa ne renie pas la torpédo pour autant : quand il a un objet à transporter, c'est avec politesse qu'il me demande de la lui prêter.

Ah! comme elle est belle en ce premier jour! Avec un chiffon humide, je la rends brillante, alors que mon père la regarde d'un air songeur. « Un peu de vernis ne lui ferait pas de mal », dit-il. Oh oui! Elle devient si magnifique, après une couche de vernis! Mais pour ce travail, il devra attendre lundi. Je ne veux pas rater la grande première de 1957, alors que je sais que Richard, Daniel et Junior vont aussi sortir leurs torpédos. Derrière moi, Yvette suce son pouce en tenant sa poupée. Quand je la regarde, elle me montre ses petites dents. Elle est encore jeune, mais je sais qu'elle se souvient de sa première randonnée en torpédo de l'an dernier. Comment oublier ce grand moment d'une vie? Yvette avait tant ri, se tenant fermement à la taille de Marcel, de peur de tomber. Je lui fais signe de monter. L'honneur aux dames! Cette année, elle fera son premier tour toute seule, comme une grande fille. Je dépose une couverture dans le fond pour qu'elle ne salisse pas son manteau. Je guide ses mitaines vers le levier de conduite, lui dis de s'y agripper avec fermeté. Elle me répond par un autre rire. Je pousse d'abord lentement, la sentant devenir soudainement raide. « Garde ta main sur le volant! » J'accélère légèrement. Elle rit davantage. J'arrête pour lui indiquer la méthode pour tourner. Elle accomplit parfaitement cette manœuvre. Nous voici sur Baillargeon. Je reviendrai par de Ramsay. Mais, évidemment, en passant devant chez Gladu...

« Ouache! Comeau! Tu pousses ta sœur!
— Y a pas de mal.
— T'as pas honte? Je vais le dire aux gars que t'es l'esclave de ta sœur!
— Va donc voir ailleurs si j'y suis! »

Maudit Gladu sale. Il est jaloux, car il n'a que deux frères. Et de quoi ça aurait l'air, une Gladu fille? Les gens de ma rue semblent plutôt ravis de me voir au service d'Yvette. Mais de retour à la maison, elle enchaîne les « Encore! Encore! Encore! » Je fais mon papa, utilisant le chantage si typique des parents : « Si tu es sage, on recommencera plus tard. » Elle descend de la torpédo, prend sa poupée et me fait des tatas avec ses petits doigts.

Voilà mon tour! J'ai la jambe gauche un peu raidie par les mois d'hiver. Je la sens craquer. La droite n'est pas tout à fait dégourdie non plus. Voilà pourquoi je débute doucement. Mais soudain, je vois Richard arriver à pleine vapeur et l'enthousiasme me gagne. Je pars à sa rencontre à deux mille milles à l'heure. Nous faisons une petite course jusque chez Daniel, qui s'amuse à descendre la pente de l'entrée de garage de son père. Et tous les trois nous dépêchons de retrouver Junior. Hélas! notre ami a la mine basse parce que ses parents ne veulent pas qu'il sorte sa torpédo avant le début de mai. C'est un nouveau règlement. Quand les vieux s'ennuient, ils inventent des règlements pour persécuter les enfants. Nous lui prêtons les nôtres chacun notre tour. Nous nous rendons jusqu'au parc Sainte-Marguerite, à la rencontre d'autres gars qui auraient eu la même idée que nous. On y trouve le grand Therrien disant que son père a enlevé toute la vieille neige de sa cour et qu'on peut organiser une séance de démolition dès cet après-midi. Ce n'est pas de refus! Vite, nous faisons la tournée des épiceries et des magasins du quartier pour trouver des boîtes vides.

Parmi nos jeux favoris avec la torpédo, il y a les courses, les descentes, la montée avec un gars à l'intérieur, la descente casse-cou dans le sable de la côte Sainte-Marguerite et la séance de démolition de boîtes. Il s'agit d'une invention de Richard. C'est un sport palpitant et dangereux, où seuls les braves sont admis. C'est aussi un jeu qu'il faut tenter de garder secret, car nos mères détestent quand nous le pratiquons, surtout la mienne. Elle craint que je me brise les tibias du dos. Nous installons d'abord un chevalet, solidifié à sa base par des briques. Nous y ajoutons deux solides planches de la largeur des pneus d'une torpédo en guise de tremplin. Quelques pieds au bout de ce tremplin, nous construisons un gros château de boîtes vides. Est-ce que j'ai besoin de préciser le reste? Les boîtes amortissent notre chute, mais un faux mouvement peut nous faire dévier et ça devient drôlement dur pour les fesses. Il arrive aussi que l'élan est si fort que nous passons par-dessus les boîtes, et dans ce temps-là... D'où l'importance de la dextérité du sauteur et sa chance d'avoir un bon pousseur.

Daniel est mon pousseur favori. Il connaît mon poids et ma stratégie de conduite. Il sait donner l'effort supplémentaire au moment précis où les roues de la torpédo mordent les planches. Quand je m'envole, je transfère mon poids légèrement vers l'avant et ma torpédo pointe dans un bel angle vers les boîtes. Et je dois toujours garder les yeux ouverts! Des débutants ont pris des débarques épouvantables en fermant les leurs. Nous nommons deux juges qualifiés pour nous accorder des points, selon l'aspect spectaculaire du vol, les vertus de la chute – jamais à plat – et l'esthétique de l'ensemble. L'état des boîtes est souvent le signe d'un bon saut : moins elles sont brisées, plus le saut a été léger et le conducteur habile.

« Ouais! Pas mal, Martin! Sept sur dix.
— Juste sept?
— La torpédo a un peu tassé à gauche. »

Ce n'est qu'un début de saison. La piste n'est pas encore bien tapée et le froid du printemps empêche un bon envol. Puis je suis un peu rouillé. Après une dizaine de compétitions, je serai prêt pour les grands championnats d'été. Je pousse Junior. Il est léger et toujours très nerveux. Mais son élasticité lui permet de sortir toujours indemne des pires coups. Les juges ne lui donnent que cinq points, ce qui est un peu injuste. À mon deuxième essai, j'obtiens un sept et demi, me plaçant à égalité avec Richard. Ce n'est qu'une première compétition amicale, mais je dois bien débuter la saison en gagnant. Il me faut un huit à mon troisième et dernier essai. Je pense à mon coup. J'en parle avec Daniel. Il crache dans ses mains et les essuie sur son pantalon. J'entends l'asphalte sous mes roues, je ressens la vibration dans la poignée. Mon corps est aérodynamique, mes yeux perçants comme ceux du Rocket. En me donnant l'élan final, j'entends Daniel soupirer un effort supplémentaire. Je vole! Je vole! Je vole! Mais mon poids fait basculer la torpédo vers l'arrière et les roues accrochent le dessus de la dernière boîte. Je m'écrase au sol, perdant la torpédo dans un triple baril. Je crie! Je hurle! Je suis certain que ma jambe gauche est cassée! Alors que j'entends les plaintes stridentes des voitures de police et des ambulances, tout devient noir! Ma vie défile à toute vitesse dans mon cerveau. Je revois les visages de mes parents, de grand-père Roméo, les doux moments de ma tendre enfance. Dieu! Dieu! Protège-moi! Je ne suis pas en état de grâce! Hier j'ai volé cinq sous dans la sacoche de maman! L'enfer m'attend, sans espoir de purgatoire!

« Tu t'es fait mal, Martin?
— Un peu. Mais le pire est passé. »

Soutenu par Junior et Daniel, je me relève et boite un peu vers ma torpédo et, horreur! une roue avant a décroché de son axe! J'oublie ma souffrance et me précipite pour constater qu'elle est complètement cassée!

« Qu'est-ce que je vais faire? Qu'est-ce que je vais faire?
— Ton père va la réparer.

— Oui, mais comment je vais lui expliquer cet accident? Il ne veut plus que je participe à des séances de démolition depuis que j'ai brisé mes lunettes, l'an passé.

— On peut la réparer.

— Vous feriez ça, les gars? »

Ah! notre amitié! Notre éternelle amitié! Tous les participants oublient la compétition et nous nous rendons dans le garage de Daniel. Comme j'ai du mal à marcher, ils me transportent dans une torpédo. Je relève ma culotte et enlève les petits bouts de peau écorchée et frotte avec de la salive mon futur bleu au genou. Le père de Daniel possède une impressionnante quantité d'outils. Son garage sent l'huile et déborde de pots de café remplis de clous et de boîtes de conserve aux fèves au lard transformées en récipients à vis. Ce que j'aime par-dessus tout de ce garage est la collection de plaques d'immatriculation décorant le mur du fond. Daniel, à force d'observer son papa, a beaucoup appris sur l'art de la réparation. Son père a passé sa vie à lui dire : « Ti-gars, regarde bien ça. » Alors, Daniel le Merlin jette de la poudre de perlimpinpin sur la blessure de ma torpédo. Un œil fermé et l'autre trop ouvert, Daniel analyse ma roue et mon essieu. Il connaît tout de suite la solution, mais ne garantit pas une parfaite réparation. Richard ajoute son grain de sel, ainsi que le grand Therrien.

« On a beau avoir du plaisir, il faut avouer que nos sauts ne sont pas très bons pour la santé des roues. Ta torpédo, Martin, on dirait qu'elle est vieille de vingt ans.

— Non! Elle n'a que trois ans.

— Compte le nombre de coups qu'elle a dû subir en trois ans. »

Ma torpédo est la plus belle du quartier. Elle est recouverte de vernis une fois par année et mon papa y a installé des petites ouvertures où je peux planter des drapeaux. « La carrosserie est belle, d'accord! Mais au niveau du moteur, elle commence à ressembler à un bazou », de raconter Daniel le réparateur. En moins d'une heure, elle roule comme une neuve. Ou presque neuve. Je procède à quelques essais et tout ronronne à merveille. Mais je décide d'attendre un peu avant de faire un autre saut... Les jours suivants, je ne me lasse pas de féliciter Daniel pour son habile travail. Plus tard, il veut devenir garagiste. Il réussira, c'est certain! J'ai promené Yvette, Marcel l'a utilisée, je me suis rendu chercher les sacs d'épicerie de maman et la torpédo n'a pas bronché. Papa décide de me l'emprunter pour transporter les pots de fleurs de maman sur le parterre avant. Au cinquième pot : crac! Je serre les lèvres, me concentre et me met à hurler en pleurant : « T'as brisé ma torpédo, papa! » Ça fonctionne toujours, comme effet. Papa prend un air désolé. Et voilà! Le tour est joué!

« Je vais te la réparer tout de suite.

— J'en veux une neuve!

— Ah non! Pas une neuve, mon grand homme. Elle est encore très belle. C'est sûrement juste un peu d'usure. Moi aussi, je veux une auto neuve. Une *station-wagon*. Mais avec le petit bébé que maman va avoir cette année, tu dois comprendre que papa a moins d'argent. »

Quel mauvais calcul! J'ai déjà un frère et une sœur. Pourquoi un nouveau bébé? Sans ce bébé, mon père pourrait avoir sa machine-wagon et moi une torpédo de l'année. J'ai vu un magnifique modèle 1957 à la maison des jouets de la rue Saint-Denis. Un vrai bijou! Je renifle un faux sanglot pendant que mon père examine la roue cassée. Soudain, il semble devenir soupçonneux, puis me regarde sévèrement en croisant les bras.

« Cette roue a subi un grand choc et quelqu'un a essayé de la réparer avec de la broche à foin. Qu'est-ce que tu as encore fait? Je t'ai acheté cette voiturette pour que tu t'amuses et qu'elle soit utile à la famille, et toi tu prends plaisir à jouer au *stock-car*. Dis-moi la vérité, Martin.

— Ben... ben... ben... C'est vrai qu'elle a eu un choc et que Daniel a essayé de la réparer...

— T'as encore fait des sauts dans des boîtes vides alors

que ta mère et moi te l'interdisons? C'est dangereux, Martin!
Tu peux t'assommer sur le ciment en tombant, t'enfoncer la
barre dans le ventre, recevoir un coin de boîte dans une oreille
ou casser encore tes lunettes.

— Oh non! Je n'ai pas fait ça!

— Non? Et comment cette roue a été brisée? Elle s'est
cassée comme une allumette. Il faut tout un choc pour faire
ça.

— Ben... ben... C'est Gladu! On jouait à la course et puis,
lui, sans raison, il m'a foncé dedans! Je me suis même fait
mal au genou en tombant. J'ai un gros bleu.

— Le fils de monsieur Gladu?

— Oui. Mais ce n'est pas grave, hein! Je lui ai pardonné!
Comme on nous l'enseigne dans le catéchisme! Ce n'est pas
grave! Puis, il s'est excusé. C'est une vieille histoire! »

Les gros mensonges des petits garçons sont toujours pu-
nis. Je connais la chanson. On nous la récite à l'école et à
l'église, mais les coupables disent toujours que ça n'arrive
qu'aux autres. Papa réparera ma torpédo, mais je dois ne plus
jouer après l'école pendant un mois et passer les deux prochains samedis dans la maison. Et, pire que tout, le jour suivant l'enquête de papa, Gladu m'a étampé son poing dans la
mâchoire. Maman m'interdit de m'amuser en faisant du bruit
pendant ma punition. Tout ce que je peux faire est lire ou
jouer avec mes petites autos de plastique. Il fait beau le premier samedi. Maman plante ses fleurs, papa travaille dans le
garage, Yvette et Marcel jouent à la tague avec leurs amis et
moi, j'ai le nez collé à la fenêtre comme par un jour de pluie.
De cette triste position, je vois arriver grand-père Roméo et
grand-maman Céline, les poumons enivrés du bon air printanier. Grand-papa parle avec mon père, désignant ma fenêtre
du doigt. Je sais qu'il lui raconte mon sale mensonge. Grand-
père hoche la tête, mais n'entre pas dans la maison. Au souper, il me regarde à peine. Je connais sa sainte horreur du
mensonge. Je me donne un air repenti et mange en silence.
J'ai même avalé tous mes navets. J'enlève la vaisselle et offre à
maman de la laver. Après ce travail honteux, je retourne dans
ma chambre et me cache la tête sous une boîte. Je sais qu'avec

toute cette comédie, grand-père Roméo sera touché, me prendra en pitié et soufflera quelques bons mots à mes parents pour aider ma cause. Et voilà! Le tour est joué! Comme je suis malin! Grand-père Roméo s'approche sur le bout des pieds.

« Je regrette, je me suis excusé et je subis ma condamnation sans lever le ton.

— Sa condamnation! Tu as de ces mots, pour un petit garçon de sept ans!

— Bon, disons ma punition pour mauvaise conduite.

— Et tes torts? Tu les admets?

— J'ai désobéi à ma mère en allant faire des sauts de la mort avec ma torpédo et j'ai menti à mon père en accusant Gladu d'un coup qu'il n'a pas fait, mais qu'il aurait pu me faire.

— Et l'autre tort?

— L'autre? Il y en a juste deux.

— Et le troisième, Martin?

— Je ne sais pas, grand-père...

— Celui de maltraiter la belle voiturette que ton père a achetée.

— Ben, c'est-à-dire que...

— Non, non! Ta voiturette sert à voyager, à t'amuser.

— Oui.

— Tu aimes voyager? Tu es bien comme ton papa. Vous êtes les rois de la route. Tu as la bougeotte, avec ta voiturette et ta bicyclette, et lui avec son automobile. Mais il en prend soin, de son auto.

— Oui. J'aime voyager. Toi, tu as déjà voyagé, grand-père?

— J'ai visité toute la belle province de Québec, mon petit Martin. Et j'ai vu la France, aussi. Mais c'est chez soi qu'on est le mieux. Tu veux voyager plus tard?

— Oh oui! Je veux visiter tous les pays étrangers! La France, l'Afrique, les États-Unis et l'Ontario! Et y découvrir beaucoup de choses! Peut-être même que j'irai sur la planète Mars!

— Ah! la planète Mars! On dit que c'est très beau. J'en ai bien entendu parler par un Martien de mes connaissances.

— Hein?

— Mais oui! Il aimait beaucoup voyager dans sa belle fusée, ce Martien. Il s'appelait Druf.

— Druf? Mais ce n'est pas un nom!

— C'est un nom de Martien.

— Et à quoi ça ressemble, un Martien?

— Eh bien, il a la peau verte. Pas rouge, comme on pourrait le croire. Mais Druf était un Martien ordinaire avec ses vingt pieds, ses six yeux, ses cinquante dents, ses quatre bras, ses trois jambes et une antenne qui fait bip bip bip. Juste un Martien ordinaire. Un beau jour du mois de mars, le grand empereur des Martiens, le très honorable Zwirf, convoque notre ami Druf pour l'envoyer en mission sur la terre afin de rapporter un plein sac de cailloux car, hélas! sur la planète Mars, il y a un grand manque de cailloux. Druf est bien content d'entreprendre un si long voyage. Il saute vite sur le siège de sa fusée et se lance tout de suite dans l'espace. Il contourne les planètes, salue les étoiles, et quand il se sent un peu coquin, il pousse ses vingt pieds sur la pédale d'accélération et se grise de la folle vitesse de l'espace. « Voici la terre. J'y trouverai plein de cailloux pour faire plaisir à Zwirf », se dit-il. Mais le pauvre étourdi! Au lieu d'atterrir sur une montagne pour cueillir des cailloux, il se pose en ville, à Trois-Rivières, en pleine nuit. Il sort de sa fusée, regarde partout, mais ne trouve pas de cailloux. Soudain, il arrive face à un poteau de feux de circulation. Druf est tout de suite fasciné! Il n'a de sa vie jamais rien vu d'aussi beau! Ses petits cœurs se mettent à battre. Eh oui! Druf tombe follement amoureux du feu de circulation! Et cet amour senti par Druf est si fort qu'il en perd la raison! Il grimpe sur le poteau, embrasse le feu rouge avec toutes ses bouches, caresse le feu vert et hurle de joie quand le feu jaune lui fait un clin d'œil. Druf décide alors de ne plus jamais quitter son poteau. Le lendemain matin, la police de Trois-Rivières se demande qui donc a pu arracher un poteau de feux de circulation et s'enfuir avec. Pauvres humains! Jamais ils ne comprendront les grandes histoires d'amour! Et sur la planète Mars, depuis ce jour, il y a un petit Martien du nom de Druf qui passe ses journées accroché à un poteau de feux de circulation. Et il n'a plus jamais voyagé. On est toujours mieux chez soi, petit Martin.

— Ce n'est pas vrai, cette histoire, grand-père Roméo!

— Non, elle n'est pas vraie. Mais tu as souri.

— Oui, parce que c'est drôle!

— Alors, j'ai réussi! »

Mai 1959
Moi, ma bicyclette et Trois-Rivières

C'est le désespoir, la désolation, le bobo national. Bottezilla, le monstre sorti des tréfonds du centre de la terre, a attaqué Trois-Rivières à quatre reprises, dévorant toutes les bicyclettes de la population. Aucune balle ne l'arrête, les mitraillettes et les canons sont impuissants contre lui. D'un coup de queue, il envoie un bataillon complet dans la rivière Saint-Maurice. Nul ne sait quand Bottezilla surgira de sa cachette pour se nourrir de nos bicyclettes. L'échevin de Sainte-Marguerite en a parlé avec le premier ministre et le tambour-major en chef de l'armée du Canada, et tous sont impuissants devant la menace de Bottezilla. Dans un soupir commun, ils constatent que seul le Cycliste masqué pourra mettre fin à ce drame inqualifiable.

Me voici! Oui! C'est moi, Martin Comeau, neuf ans, fils de Carole et de Romuald Comeau, petit-fils de Roméo Tremblay! En apparence, je ne suis qu'un enfant comme les autres, avec mes espadrilles noires et ma casquette des Yankees, mais, en réalité, je suis le Cycliste masqué! Le héros trifluvien, le défenseur de la veuve, de l'orphelin et de ma sœur Yvette, l'invincible mystérieux qui a déjà sauvé la ville d'une invasion de sauterelles mangeuses de beurre d'arachide, de l'attaque aérienne de l'armée communiste et de Polly, la perruche devenue géante suite à son exposition aux rayons de la mort du démoniaque docteur Étrangus, le savant fou qui voulait devenir maître de l'univers. D'où me viennent mes pouvoirs infinis de justicier? De mon masque! Oh! il ressemble à n'importe quel masque trouvé dans une boîte de Cracker Jacks, mais en réalité, il est un don du Suprême qui m'a dit : « Va, Martin! Porte ce masque et rétablis la justice! » En retour, je ne dois pas révéler le secret du masque, ni la véritable identité du Cycliste masqué. Pas même à mon papa et au curé Chamberland.

Voyant la situation intenable de la jeunesse trifluvienne, je sors mon masque, caché dans une boîte à souliers dans le fond de mon placard. Je le mets et sens toute la puissance infinie descendre le long de ma colonne vertébrale et de tous mes tibias. Je saute sur ma bicyclette et mon instinct me guide vers Bottezilla. Comme il est laid! Il a la peau verte, pleine de gales mauves, des yeux rougis de sang, des pattes palmées, un nez crochu et une mauvaise haleine. Il ressemble un peu à Gladu. Mais, au fond, ce monstre me fait un peu pitié.

En me voyant, il rugit en stéréophonie, cherchant à m'effrayer. Je donne un coup de pédale et grimpe le long de son dos. Je me pends à une de ses oreilles – je n'ai pas parlé de ses oreilles? Très laides aussi – pour me jeter sur son nez et le regarder droit dans les yeux. « Bottezilla! Pourquoi manges-tu les bicyclettes des petits enfants? » Il me répond, ce bêta, que c'est parce qu'il a faim. Il rugit à nouveau et tente de me faire tomber. Soudain, il aperçoit ma bicyclette et se lèche les babines. Mais cet idiot s'y casse une dent, n'ayant pas pensé que la bicyclette du Cycliste masqué est protégée par un champ magnétique. « Ayoye! » crie-t-il, en se mettant à pleurer. Oui, il me fait pitié.

Le masque me donnant aussi le pouvoir de toutes les connaissances, je constate que cette bête est un Erectus Bicyclitus, une race très rare se nourrissant exclusivement de bicyclettes. Il pleure encore et est mort de peur face à mes pouvoirs. Je me sers de mes dons pour changer son menu et lui offre un arbre. Comme il adore ce nouveau mets, il s'enfuit vers le Grand Nord où il pourra déboiser gratuitement de grands territoires qui seront offerts aux pauvres de la colonisation.

Oui! Le Cycliste masqué a encore fait le bien, permettant à tous les enfants de Trois-Rivières de circuler à bicyclette en toute sécurité dans nos rues. Alors que tous les dignitaires cherchent le Cycliste masqué pour le remercier et le décorer, ils ne trouvent évidemment personne. Et moi, je ne suis qu'un petit Martin Comeau de la rue Pelletier, s'apprêtant à un autre magnifique samedi de congé.

« Lève-toi, paresseux! Il est presque huit heures et demie.

— Oui, m'man! Ah! un autre beau samedi!

— Non, il pleut.

— Il pleut? Comment ça, il pleut? C'est interdit! Je ne veux pas! »

Il a fait beau toute la semaine et les gars de ma classe ne cessaient de regarder dehors en songeant aux jeux du prochain samedi. Je gigotais d'impatience en pensant à ma première randonnée à bicyclette dans les rues de Trois-Rivières. Mais me voici dans la maison, condamné à écouter le déluge frapper au nez de la fenêtre du salon. Je n'ai pas le goût de jouer avec mes petites autos de plastique, ni de discuter avec Coco. Je prends le parapluie de maman et traverse au garage pour regarder travailler mon père, au cœur d'un grand ménage. Je saute vite sur un chiffon pour faire briller ma bicyclette.

Mon père me l'a offerte alors que je n'avais que quatre ans. Contrairement à la plupart des gars, je n'ai pas fait mon apprentissage vélocipède sur un trois roues. C'est juste bon pour les bébés et les filles. J'ai sauté immédiatement sur cette vraie bicyclette et... je me suis cassé le menton! J'avais alors juré que je ne toucherais plus jamais à un engin semblable où il faut garder son équilibre sur deux minces roues, tenir le guidon, pédaler, regarder devant soi, tout ceci en même temps! Non, merci! Trop de responsabilités! Mais, deux jours plus tard, je ne cessais de tourner près de la bicyclette. Il était trop tard : j'étais intoxiqué! Papa a acheté deux petites roues supplémentaires, installées à l'arrière, ce qui m'a donné confiance dans mon apprentissage. Je me souviens que maman avait fait le reproche à papa de l'achat d'une bicyclette si grosse, prétendant que mes pieds ne pouvaient même pas toucher le sol. Mon père lui avait répondu que c'était idéal pour apprendre. Et il avait raison. Les deux roues supplémentaires sont vite devenues un gaspillage. Dès ce premier été, je me promenais allègrement sur les trottoirs de la rue Pelletier. Ah! ce doux souvenir de ma jeunesse! Papa m'avait alors confié qu'il n'avait jamais eu de bicyclette quand il était petit garçon. Ce n'est que très vieux, à quatorze ans, qu'il a enfin appris l'usage de ce véhicule. Avant que l'auto n'entre dans sa vie, papa se rendait à son travail en pédalant, comme beaucoup d'ouvriers de Trois-Rivières de cette époque. De nos jours, ils ont tous des automobiles.

J'ai maintenant neuf ans et mes pieds touchent par terre. Un peu trop, même. Certains gars du quartier rient de moi en qualifiant ma deux roues de « bicyclette d'enfant ». La procédure normale aurait été de me faire passer à une 24 ou même à une 28, mais je demeure attaché à ma petite 20. Je refuserais même une bicyclette neuve pour garder ma bonne 20. Depuis tout ce temps, les rayons des roues ont été souvent remplacés, la chaîne a été changée quatre fois, les guidons ont vu valser une bonne douzaine de poignées, et papa a dû la peindre au moins trois fois (mais toujours verte, selon ma convenance). Bref, en principe, je suis le propriétaire d'une bicyclette rapiécée. Mais elle et moi sommes tellement intimes que ce serait une trahison d'en faire cadeau aux ordures.

La bicyclette est l'instrument de ma solitude, de mes pensées secrètes, de mon sens de la découverte. Bien sûr, je roule parfois avec mes amis mais, en général, ils ne me suivent pas dans mes randonnées lointaines. Papa me demande où je compte me rendre cette année, sachant que j'ai déjà parcouru Trois-Rivières de long en large des centaines de fois. C'est tout simple : je recommence! Et je découvre encore du neuf, constate des changements. Papa a lu dans le journal que la municipalité va paver des rues dans le nord. J'inaugurerai! Et si on parle d'un accident de la route, je ferai toutes les stations-service de Trois-Rivières pour trouver la ou les carcasses d'autos! Quand un conducteur m'aborde pour me demander où se situe telle artère, je lui donne la réponse en une seconde, car je connais toutes les rues! Toutes! Celles de Trois-Rivières, du Cap-de-la-Madeleine et de la banlieue. Jadis, papa m'avait fait cadeau d'un plan de la ville. Systématiquement, je notais dans mon calepin le nom des rues où je n'avais pas encore roulé. De retour à la maison, je coloriais cette rue et passais à la suivante. Je prenais en note aussi les rues avec des chiens méchants, des restaurants accueillants ou des maisons bizarres.

La pluie cesse en fin d'après-midi et je dois porter mon coupe-vent pour faire un petit tour de 20 dans le quartier. Le long de la rue Pelletier, il y a des flaques d'eau grondant vers un puisard. Je m'élance, lève les jambes et fais pisser l'eau en deux jets perpendiculaires. Je tourne sur Sainte-Marguerite, monte la côte à deux fesses pour le simple plaisir de la descendre par le second embranchement, afin de vérifier si mes freins sont en bon état. Rien de mieux que l'asphalte mouillé pour savoir si on a des bons freins. Je reprends Sainte-Marguerite pour une petite pointe de vitesse jusqu'au parc. Civilisé, je ralentis à son approche, tends la main pour signifier mon intention de tourner. Là-bas, je rencontre Richard et sa grosse bécane de l'ancien temps. Il regarde le petit Lajoie de la rue Brébeuf, qui étrenne enfin sa bicyclette reçue en cadeau à Noël. Elle a une sonnette qu'il ne cesse d'articuler.

« C'est beau, c'est neuf, mais ça va se briser à la première débarque. Plus c'est vieux, plus c'est solide.

— Ça, c'est vrai, Richard. Et il se pense le nombril du monde parce qu'il a un modèle 59. »

Rien ne vaut une vieille bicyclette, surtout pour ceux en possédant une. Celle de Richard doit dater d'au moins quinze ans. Elle appartenait à son père. Or, comme son papa est depuis longtemps décédé, Richard garde la bicyclette comme le seul souvenir de sa mémoire. Richard me montre qu'il est en pleine forme en freinant vivement, comme un Rocket faisant gicler la glace du Forum. Il va à toute vitesse, tire les rênes et son cheval mécanique hennit sur une roue sur une distance de vingt pieds. Richard est, dans notre jargon des initiés, un cow-boy du deux roues. Un de ses sports favoris consiste à descendre la côte de sable Sainte-Marguerite comme s'il était à bord d'une traîne sauvage. Richard est le seul gars du quartier à pouvoir affronter la courbe de la mort sans risquer de se casser le cou. Ah! la courbe de la mort! J'en frémis! Je jure que, cet été, je triompherai de son mystère! L'an dernier, Gladu, ce fanfaron, a tenté de la vaincre en ne tenant pas son guidon. Il a heurté un rebord de trottoir et s'est écrasé contre la Sainte Vierge de plâtre de la veuve Gagnon, tout en blasphémant comme Lucifer. Maudit Gladu sale. Richard et moi retournons à nos maisons respectives, les pneus incrustés de boue, les mains un peu froides sur nos poignées. Je stationne ma 20 dans le garage, passe une chaîne entre les broches et fais mordre un gros cadenas. On n'est jamais trop prudent. Si on me volait ma bicyclette, je ne m'en remettrais jamais. Je sais que les communistes ont tenté à plusieurs reprises de me la chiper.

La semaine est longue, surtout quand le beau temps revient éclabousser mes après-midi d'école. Je m'imagine alors parcourant les rues de Trois-Rivières, mais je suis réveillé en sursaut par la règle de l'institutrice frappant violemment mon pupitre. Je ne saurais lui en faire le reproche : le printemps, les maîtresses passent leur temps à casser des règles pour sortir les gars de leurs songes. Certains jouent au baseball, d'autres à la cachette et un bon nombre font des culbutes dans le sable de la côte Sainte-Marguerite. Bref, nous sommes n'importe où, sauf en classe. En sortant de l'école, nous nous précipitons vers nos bicyclettes. Inévitablement, j'entends les jérémiades d'un gars victime d'une vengeance. Un ennemi a dégonflé ses pneus, déboîté sa chaîne, ou tourné son siège à l'envers. Les frères et les maîtresses sont très sévères quand ils prennent un de ces malfaiteurs la main dans le sac. Gladu, par exemple, a eu des retenues et des copies très souvent à cause de ses actes de terrorisme sur nos bicyclettes. Et nous voilà sur notre départ! Sans planification, des courses naissent instantanément, ainsi que des compétitions, comme la toujours populaire plus longue trace de freinage. Des excursions d'avant souper surgissent suite à une rapide suggestion. Et après le repas, à la fin des devoirs et avant le coucher, les rues du quartier pullulent de garçons et filles sur leurs chevaux à deux roues. Ah oui! Les filles aussi! C'est un de nos rares points communs, même si ces idiotes ne font pas de courses contre la mort ou des sauts en hauteur. Mais j'ai déjà vu un groupe de fillettes très ingénieuses jouant à la tague à bicyclette, une idée si formidable que les gars n'ont pas voulu l'expérimenter de peur de se faire accuser de s'adonner à des jeux de filles.

Le mercredi de cette semaine, papa arrive à la maison avec une petite bicyclette de fille achetée à bas prix à un compagnon de l'usine. En cachette, il la répare, l'enduit d'un beau rouge et ajoute même une longue antenne avec un joli drapeau au bout. Papa juge qu'à cinq ans, Yvette a la capacité de laisser le tricycle pour passer aux ligues majeures. Pour rien au monde je ne veux manquer ce grand moment de la vie d'Yvette, même si je devine qu'au premier essai, elle va tomber, hurler, s'érafler un genou et pleurer. « J'ai une grande surprise pour toi », de lui dire papa. Yvette danse tout de suite autour de la table, en rêvant qu'il s'agit du chien que nous n'avons jamais eu parce que maman est allergique aux poils d'animaux domestiques. Yvette sautille encore, les yeux fermés, tenue par la main de papa. Sur l'ordre de maman, Yvette ouvre ses billes pour s'exclamer : « Hon! Un beucyque! » Papa rit, mais maman trouve encore le moyen de prouver qu'elle est une ancienne maîtresse d'école.

« Une bicyclette, Yvette. Pas un beucyque. Une bicyclette.
— Oui. Merci, papa. Merci, maman. »

Elle leur donne deux baisers rapides et s'en retourne à son tricycle, à la consternation de mon père. Moi seul sais qu'Yvette a une peur bleue de la bicyclette. Avec trois roues, elle est certaine de ne pas tomber.

« Tu n'es pas contente?
— Mais oui, papa. J'ai dit merci.
— Tu ne veux pas l'essayer?
— Tantôt. Tantôt. »

J'avance le petit objet et explique sa beauté à Yvette. Je lui assure que sa conduite est facile, comme le prouve la multitude de ses copines cyclistes. Yvette, se rendant compte qu'il serait vilain de peiner nos parents, prend le risque de s'aventurer près de la bicyclette. Elle la touche et rajoute que le rouge est sa couleur favorite.

« Je vais te montrer.
— Tantôt.
— Je vais te tenir. Il n'y aura pas de danger.
— Tantôt. Tantôt. »

Maman fait grimper Yvette sur le siège. Aussitôt ma petite sœur tremble de tous ses membres. Ses pieds touchent les pédales et ses mains sont littéralement soudées au guidon. Papa, se transformant en Hercule, lève la bicyclette pour qu'Yvette puisse pédaler, ce qu'elle fait en s'étouffant de rire.

« Pédale. Je te tiens.
— Ne me lâche pas, Martin!
— Pédale. Et garde tes mains droites. Il faut que la roue avant soit toujours fixe. »

Elle avance. Je tiens le siège arrière. Comme le guidon zigzague sous l'effet de sa crainte, je le tiens aussi. Nous voilà sur le trottoir, regardés par les voisins, amusés par l'effroi d'Yvette. Je lui enseigne à bien tourner, à freiner. Voilà près d'une heure que je me prête à ce jeu, quand je sens la fatigue me gagner. Le grand moment arrive. Hop! Comme une grande, petite sœur! Et voilà! Le tour est joué! Elle ne se rend pas compte que je ne la tiens plus jusqu'à ce qu'elle regarde furtivement derrière. Aussitôt elle tombe, hurle, s'érafle un genou et pleure. Elle donne une tape à la bicyclette, s'enfuit en braillant : « Maman! Maman! Martin m'a laissée tomber! » Je lève la bicyclette et rentre tranquillement à la maison. Yvette, accrochée à la jupe de ma mère, me regarde comme un traître, un hypocrite, son ancien frère.

« Elle allait bien. Je l'ai laissée.
— Tu n'as pas eu tort, mon grand homme. Je crois que c'est une question de confiance. Je vais installer tes anciennes petites roues de sécurité.
— Ça ne fonctionnera pas.
— Pourquoi? »

Ah! les parents connaissent si mal leurs enfants, parfois! Papa ignore qu'Yvette est autant attachée à son tricycle que moi à ma 20. Pansement au genou, Yvette s'empresse de sauter rapidement sur son trois roues et de rouler face au garage où papa travaille. Elle pédale rapidement, freine promptement, conduit en regardant droit devant. Bref, elle offre à mon père une palette de toute sa dextérité de tricycliste. Mais papa ne se rend compte de rien, travaillant à installer les deux petites roues sur la bicyclette orpheline.

« Avec ces petites roues, tu ne tomberas pas. Et ça va te permettre de t'habituer. C'est avec ces roues que Martin a débuté.
— C'est bien joli.
— Viens! On va l'essayer.
— Je dois aller jouer à la cachette avec mes amies. »

Papa reste seul dans la cour avec son espoir de transformer subito presto Yvette en cycliste. Quelle impatience! Graduellement, je suis certain que ma sœur va prendre goût à la bicyclette. Comme j'ai fait mon effort ce matin, je me lave les mains du destin d'Yvette pour cet après-midi. Ce grand moment souhaité depuis deux semaines arrive enfin. Aujourd'hui, je n'ai plus de parents, d'amis, de frères, de sœur, ni de grand-père Roméo. Il y a moi, ma bicyclette et Trois-Rivières.

J'emprunte le boulevard Normand et descends jusqu'à ma halte favorite au kiosque de crème glacée près du rond-point. Je vais lécher un cornet contre un arbre du parc Pie-XII, réfléchissant à ma première destination de cette année. Mais, à bien y penser, je suis trop excité par cette sortie pour m'astreindre à un plan précis. J'irai où bon me semblera. La ville de Trois-Rivières est délimitée par la voie de chemin de fer. Ce qui se trouve en bas est plus ancien, et ce qui est en haut plus moderne. Les artères du bas sont perpendiculaires, formant des quadrilatères réguliers. Ce sont les quartiers où garçons et filles jouent dans les rues. Vers le nord, ils s'amusent dans les cours de leurs belles maisons disposées comme des hôtels de jeu de Monopoly, situées le long de rues zigzagantes ou qui ressemblent à des fers à cheval. Vers l'ouest, après les limites de la ville, il y a la paroisse de Trois-Rivières, avec ses maisonnettes dans des champs, le long du boulevard Royal. À l'est, en traversant le pont Duplessis, niche le Cap-de-la-Madeleine, la ville voisine, si petite qu'on peut la confondre sans honte avec Trois-Rivières.

J'avais six ans lorsque j'ai franchi courageusement le pont

Duplessis pour la première fois. Le pont m'apparaissait immensément long et dangereux. Après une prière, j'avais donné le premier coup de pédale, regardant droit devant et surtout pas à ma gauche, où les autos filaient à toute vitesse en produisant un grand vent, et pas non plus à ma droite où les pitounes de bois flottaient dans la rivière Saint-Maurice. Enfin arrivé au Cap, je m'étais arrêté, me croyant devenu un grand héros. Et j'ai passé le reste de cet été à traverser le pont presque chaque fin de semaine. Un jour d'août, ma mère avait fait une crise parce que ma tante Patate m'avait vu à bicyclette dans une rue du Cap-de-la-Madeleine. « Tu n'as que six ans, Martin! Il ne faut pas traverser le pont! C'est dangereux! » Mais mes parents savaient que je me promenais à bicyclette un peu partout depuis longtemps. Je n'avais pas eu d'autres avertissements et, depuis, le pont Duplessis ne m'inspire aucune crainte, sauf quand un camion poids lourd passe à mes côtés et que je sens le pont bouger sous mes roues. S'il est déjà tombé une fois, ce pont, je ne vois pas pourquoi il ne récidiverait pas...

Ma deuxième crainte, en qualité d'expert cycliste, est de passer devant une maison où il y a un chien méchant. Les chiens sont vraiment sympathiques quand ils font les beaux, se roulent par terre ou quand ils courent après une balle. Mais quand ils se transforment en monstres pleins de bave et de crocs, j'ai peur que la chaîne les retenant ne se change en une mince ficelle facilement cassée pour s'attaquer à mes mollets, à mes souliers, ou, pire encore, à mes pneus. Enfin, ma dernière appréhension est de rouler dans des rues de bums, comme la rue Saint-Paul de Trois-Rivières ou le chemin du Passage, du Cap-de-la-Madeleine. Ce chemin a une si mauvaise réputation qu'il a été la dernière rue coloriée sur mon plan de la ville. C'est en 1957 que j'ai osé m'y aventurer pour la première fois. Tout allait bien, jusqu'au moment où j'ai descendu la côte. Sortant de leurs cachettes, quatre bums répugnants m'avaient bloqué le chemin en me disant, dans leur langage rustique : « De quossé qu'tu veux, ti-boutte à barniques? » J'avais tout de suite tourné ma 20 et pédalé de toutes mes forces vers la côte. Les voyous m'avaient rattrapé, attaché à un arbre avec du barbelé, arraché les ongles, m'avaient fait manger un crapaud vivant et s'apprêtaient à m'arracher le cœur quand, soudain, Robin des bois était arrivé à mon secours en compagnie de Tarzan. Après les avoir remerciés, j'avais continué ma route. Et, entêté, je m'étais rendu jusqu'au fond du cul-de-sac du chemin du Passage. Mais je n'avais pas osé rebrousser chemin, bifurquant le long de la voie ferrée et marchant jusqu'au viaduc.

Aujourd'hui, je me contente d'une tournée dans Saint-François-d'Assise, avec un arrêt au parc des Pins pour vérifier l'état des installations. Les fillettes se balancent et les gars bravent le danger des tourniquets, s'y pendant par les pieds, la tête dans le vide. Pour ces enfants, leur parc est le plus beau de Trois-Rivières, tout comme celui de Sainte-Marguerite l'est pour moi. Ils fréquentent d'autres écoles avec des maîtres différents. Ils parcourent d'autres rues et jouent dans des cours qui me sont inconnues. Dans chaque coin de leur quartier, ils ont des cachettes, des secteurs secrets que je ne connaîtrai jamais. Ils ont aussi des habitudes propres à leurs maisons comme, par exemple, les gars de Sainte-Cécile, habitant un troisième étage, qui se postent à une fenêtre pour crier « Hep! » aux passants, juste pour l'amusement de voir leurs têtes tourner afin de chercher d'où vient cet appel. Avec un peu de chance, les gars tomberont sur une personne vraiment curieuse qui se cognera la tête contre un poteau, à force de trop chercher.

Une seule ville et cinquante mille personnes, cinquante mille vies différentes avec leurs drames et leurs joies. Mes escapades sur ma 20 me permettent d'en apercevoir une partie et d'aimer davantage ma Trois-Rivières. J'ai visité toutes les grandes villes du monde comme Québec, Montréal, Ottawa et Asbestos, mais je dois avouer qu'elles ne peuvent se comparer en beauté à la mienne. Grand-père Roméo partage aussi cet amour pour notre ville natale. Quand je reviens de randonnée, je fais toujours un détour par chez lui pour prendre un verre d'eau. Il me demande quelle rue j'ai visitée, ce que j'y ai vu. Puis, il me raconte ce qu'était cette rue au cours de sa jeunesse. En roulant jusque chez moi, je songe à ma première exploration de samedi prochain. Faire un tour dans Saint-Philippe serait une bonne idée, car il y a plein de petits restaurants de coin de rue, avec leurs vieilles annonces rouillées de Seven-Up, puis un joli parc et beaucoup d'animation partout. Grand-père m'a souvent dit que ce quartier est un ancien champ de vaches. Peut-être qu'avec un peu de chance je croiserai un autre vieux pour me parler de ces vaches urbaines.

Je descends la côte à deux fesses – quel plaisir! – en me tenant solidement au guidon, gardant l'oreille alerte au cas où un chauffard me suivrait. Me voici de retour dans Sainte-Marguerite, que je peux parcourir les yeux fermés. Mais je les garde ouverts, car on peut découvrir du neuf même dans un paysage familier. Je croise Yvette sur son tricycle, parcourant la rue Pelletier de long en large avec ses amies. J'imagine que mon père doit être découragé devant la bicyclette rouge, songeant peut-être que ma petite sœur n'aime pas son cadeau. Après le souper, Yvette oublie ma traîtrise du matin et accepte ma supervision pour essayer à nouveau la deux roues. La voilà raide sur son siège, que je tiens mollement. Nous nous rendons jusqu'au restaurant *Chez Jos* pour acheter un paquet de cartes de baseball. (Je lui ai promis la gomme.)

« C'est pas si mauvais.

— Je n'aime pas ça.

— Plus tard, tu aimeras.

— Je vais me casser le menton et me faire mal aux genoux.

— Tu n'aimerais pas venir jusque chez grand-père Roméo avec moi à bicyclette?

— Hein? T'es fou? C'est à l'autre bout du monde! Et papa me chicanerait.

— J'avais ton âge, quand je m'y suis rendu la première fois.

— Maman ne voudra pas.

— Pas besoin de lui dire. »

Je n'ai que neuf ans et je connais bien la nature humaine des dix ans et moins. Rien de plus délicieux qu'un interdit. Yvette va mûrir ma proposition toute la nuit. Le lendemain, après le dîner, Yvette me fait un signe avec ses petits doigts.

Et voilà! Le tour est joué! C'est l'aventure de sa vie! Un moment palpitant et peut-être dangereux! Imaginez : faire elle-même le long chemin de notre maison jusqu'à celle de grand-père Roméo, ce trajet qu'elle connaît par cœur après l'avoir fait tant de fois en automobile, chaque dimanche. Traverser le boulevard des Forges à bicyclette! Quelle expédition pour une petite fille de cinq ans! D'autant plus qu'elle grelotte autant que sa bicyclette. Sans ses petites roues, elle serait déjà tombée dix fois, l'espace d'un seul coin de rue. Je me montre professeur et conseiller : « Regarde devant toi! Sois attentive aux sons venant de derrière! Reste sur le trottoir! » Mais rendue au coin de la rue Sainte-Marguerite, elle gèle sur place.

« Je ne peux pas! C'est trop dangereux!
— C'est la même chose qu'à pied. Tu regardes des deux côtés et quand il n'y a personne, tu traverses.
— J'ai peur! »

Une petite sœur a toujours besoin d'un grand frère pour la protéger. C'est la vie. Je pose ma 20 contre un poteau et aide Yvette à traverser en lui tenant la main. L'ascension de la côte à deux fesses s'annonce plus ardue. « La fesse va me faire mal! » pleure-t-elle. Je dois donc la transporter sur mes épaules et descendre chercher les bicyclettes. De retour en haut, Yvette est cachée derrière un arbre pour se protéger d'un monstre terrifiant : le boulevard des Forges!

« Comme tu es peureuse! Tu peux bien être une fille!
— C'est dangereux! Il y a plein d'autos, de camions, d'autobus et c'est mille fois plus large que notre rue! »

Après cette rude épreuve, Yvette se sent en sécurité sur le trottoir du boulevard du Carmel, bien qu'elle frissonne chaque fois qu'une automobile passe. Mais je suis tout de même content, car cette peur fait oublier à Yvette ses deux roues protectrices. Elle pédale avec facilité et je suis certain qu'elle pourra rapidement se passer de ces béquilles. Mais je suis découragé quand Yvette refuse de descendre la côte menant vers la maison de grand-père Roméo. Refuser de descendre une côte! Le plus grand plaisir de tout cycliste! Et elle ne veut pas! « C'est trop à pic! Je vais mourir! » J'ai la gorge nouée en marchant. Mais Yvette sourit à pleines dents en voyant s'approcher la maison de grand-père. Vite, elle se vante de son exploit : « Je suis venue toute seule! Comme une grande! » Quelle ingrate! Grand-père Roméo regarde la belle bicyclette rouge, pendant que grand-maman Céline est partie chercher de la limonade.

« Je devine que tes parents ne sont pas au courant.
— Non. Ce sera notre secret, grand-père.
— Ce n'est pas très prudent, Martin.
— Je lui tenais la main pour traverser les rues, je la sur-veillais sur les trottoirs, je lui donnais des conseils. Et je ferai pareil pour retourner. Il n'y a pas de danger. »

Grand-père Roméo me regarde sévèrement, puis offre un très bref sourire. Je devine sa pensée : il a dû comparer ma bonté à celle qu'il avait, à mon âge, à l'endroit de sa petite sœur Jeanne. Voilà pourquoi grand-père ne brisera pas notre secret.

« C'est une bien belle bicyclette, Yvette. J'espère que tu as remercié ton papa pour ce beau cadeau.
— Oh oui! grand-père. Très souvent!
— Tu es bien chanceuse. Moi, je n'ai jamais eu de bicy-clette de ma vie.
— Hein? Jamais? Mais tu sais monter, quand même?
— Mais non, Martin.
— Mais ce n'est pas humain! »

Soixante-cinq ans de sécheresse cycliste! Une existence gaspillée! Quelle tragédie pour mon grand-père Roméo qui n'a jamais connu la douceur du plaisir de la descente d'une côte longue, l'effort gratifiant de la remonter, de sentir sur son visage une fine pluie, de ne pas avoir entendu le frétille-ment des roues mordant l'asphalte des rues à explorer! Sans oublier le doux paradis de laisser reposer sa bicyclette contre un arbre et d'aller faire pipi dans un boisé.

« Tu n'as pas honte, grand-père?

— Honte? Mais non! Je n'ai pas honte.

— Tu devrais!

— Tu sais, Martin, quand j'avais ton âge, seuls les riches possédaient une bicyclette. Ce n'est qu'après la Première Guerre que les ouvriers ont commencé à s'en procurer. Moi, à cette époque, j'étais déjà marié et papa de ton oncle Maurice. Et puis nous avions le tramway et par la suite je me suis acheté une automobile. C'est pourquoi je n'ai jamais appris à monter à bicyclette. Et je n'ai pas honte.

— Je vais te montrer!

— Ah non! Je vais me casser la figure!

— C'est ce que prétendait Yvette pas plus tard qu'hier. »

Je me garde bien de lui signaler la culbute de ma sœur et la présence de ces petites roues. Grand-père Roméo est vieux, mais est en excellente santé. Il a probablement plus le sens de l'équilibre qu'une fillette de cinq ans. Mais, évidemment, ma 20 est beaucoup trop petite pour lui. Il se cognerait les genoux sur les coudes. Après la limonade, je pars avec Yvette dans le but de revenir avec la grosse bicyclette de papa, celle qu'il est incapable de vendre et qu'il garde honteusement accrochée au plafond du garage.

« On devrait aller tous chez grand-père Roméo à bicyclette au lieu de prendre l'automobile. Ça permettrait à Yvette de s'habituer.

— Tu sais bien que maman ne fait pas de bicyclette, mon grand homme.

— On roulera tranquillement et elle marchera derrière nous. »

Papa doit se demander quelle mouche pique Yvette quand elle appuie mon idée. « Non! » tranche-t-il radicalement. Une demi-heure plus tard, Marcel lui demande la même chose. Trente autres minutes passent et mon père décroche la vieille bicyclette. Et voilà! Le tour est joué! Nous, les enfants, sommes tellement irrésistibles! Après avoir reconduit maman chez grand-père en automobile, papa revient à la maison et nous fait rire en ayant du mal à se tenir en équilibre sur cette antique bécane. « C'est comme le patin. Ça ne se perd pas », dit-il, sûr de lui-même. Papa profite de notre départ pour nous inonder de conseils de prudence. Il semble très étonné de voir soudainement Yvette si confiante sur son siège. Moi qui ai pensé à cette expédition dans le seul but d'apprendre l'art du vélo à grand-père Roméo, je goûte chaque instant de cette sortie familiale si amusante. Rouler aux côtés de mon père pour la première fois est un instant dont je me souviendrai longtemps, j'en suis persuadé.

Grand-père Roméo refuse obstinément de grimper sur la bicyclette de papa. C'est sous l'insistance de ma mère qu'il se laisse persuader. Je tiens l'appareil tout en donnant mes directives d'expert. Et voilà grand-père sur une lancée de cinquante pieds, se terminant par l'habituel perte de contrôle du guidon, si typique des novices. Il nous regarde et hausse les épaules, incapable de remonter si personne ne tient la bicyclette. Yvette soupire, mains sur les hanches, lui claironnant : « Voyons, grand-père! C'est facile! Je vais te montrer! » Il se laisse séduire par les recommandations de ma petite sœur. Quand il s'aventure dans la rue, toute la famille est sur le trottoir pour l'encourager. Mais nos cris lui font perdre l'équilibre. Il abandonne le jeu après vingt minutes, ce que je trouve un peu frustrant.

À l'intérieur, ma tante Simone et mon père jasent avec enthousiasme des jours de leur jeunesse où la bicyclette était reine de leurs vies. Pourquoi ont-ils abandonné? Je me lasse de leur nostalgie et retourne dehors. Je monte sur ma 20 et invite Yvette à venir explorer le quartier Saint-Sacrement. Les rues sont droites et ombragées. Le vent fait chanter les feuilles des grands arbres. Je dis à Yvette chaque nom de rue et décris toutes les maisons. Elle arrête en voyant un groupe de petites filles de son âge jacassant autour de leurs bicyclettes. Aucune n'a de roue de sécurité. Je devine sa pensée et nous retournons vite chez grand-père pour enlever les deux vilaines petites roues la faisant passer pour un bébé. Yvette, très confiante, s'installe, pédale vigoureusement, perd l'équilibre, tombe et pleure. Ah! ces filles! Qu'à cela ne tienne, je recommence à la base et tiens son siège pendant qu'elle agite ses pieds. Mais elle va si rapidement que je perds mon souffle et lâche prise. Je la vois freiner, poser les pieds, me regarder, tourner la bicyclette et partir en m'oubliant. Je ne pensais pas que son apprentissage allait être si rapide!

Les fillettes de tantôt passent dans notre coin en chantant en chœur *À la claire fontaine, m'en allant bicycler.* Yvette s'invite dans leur troupe et disparaît de ma vue. Fier de mes leçons et de mes bons conseils, je relaxe en fumant une bonne Popeye et me promène un peu dans le quartier. Quinze minutes plus tard, je me mets à la recherche d'Yvette. Je parcours les rues de long en large, affrontant vents et marées. Je repousse d'un coup de pied un monstre gris et hideux qui sort d'un puisard. Je triomphe d'un bataillon communiste qui désire s'emparer de ma 20. Puis je protège une grand-mère d'un sinistre voleur de sac à main. Je croise certaines fillettes de la bande qui m'assurent ne pas connaître l'identité du petit chaperon à bicyclette rouge. Je pédale à deux cent cinquante milles à l'heure jusque chez grand-père Roméo pour vérifier si Yvette n'est pas revenue. Non! Ma petite sœur est perdue! Et c'est de ma faute! Il vaut mieux demeurer calme et continuer plus intensivement mes recherches, avant de songer à avertir mes parents, la police, l'armée et le premier ministre.

J'interroge quelques passants, d'autres enfants. « Une petite fille de cinq ans, avec une queue de cheval retenue par un ruban vert, sur une bicyclette rouge munie d'un drapeau jaune. » Rien! Comme je me sens honteux! C'est certain que je vais être renié par ma mère, condamné à l'exil par mon père. Je ne reverrai plus Sainte-Marguerite, Richard, Daniel, Junior et même ce maudit Gladu sale! Je serai un Canadien errant, banni de son foyer, parcourant à bicyclette les rues des pays étrangers. Condamné à manger des racines et à boire de l'eau de pluie! Qui sait si, dans deux ans, les gars de mon école n'achèteront pas des cartes de la sainte enfance avec ma photographie et l'inscription : « Martin Comeau, ce sans-cœur qui a perdu sa petite sœur Yvette, martyre catholique. »

« Martin! You hou! Regarde ce que j'ai!
— Où t'étais, tabarnouche?

— Je vais le dire à maman que t'as sacré après moi! Quand tu sacres, tu vas en enfer sans passer par le purgatoire!

— Où étais-tu cachée?

— Regarde mon beau petit chien! »

Sans reprendre son souffle, elle m'explique qu'elle s'est fait une nouvelle amie qui s'appelle Louise Fontaine et qui vient d'un pays très lointain du nom de Saint-Sacrement et qu'on peut facilement atteindre grâce à la bicyclette et que celle de Louise est rouge « pareil comme ma mienne » et que Louise a un chien-fille qui a eu des petits bébés dont voici un exemplaire et qu'elle a une poupée du nom de Clairette et une maison de poupées qui va avec et qui en plus...

« Il est beau, hein?

— Viens. Il est plus de quatre heures. Papa et maman vont s'inquiéter.

— Dis qu'il est beau.

— Il est beau.

— Je vais aller dire bonjour à Louise Fontaine et lui redonner son bébé chien. Est-ce que tu vas vouloir venir avec moi pour me reconduire chez Louise? »

Son petit bout de nez humide de l'affection du chiot, Yvette reprend place sur sa bicyclette, ne pensant plus aux dangers de l'équilibre et de l'art de tourner le guidon. Moi aussi, à son âge, j'avais été motivé par la découverte de nouveaux lieux et de gens différents. Chemin faisant, j'explique encore à Yvette le nom des rues, du parc, de l'église, tout en lui soulignant les dangers d'une conduite trop hâtive. « L'automobile, voilà l'ennemi! » que je rajoute, en guise de conclusion. En approchant de la maison, nous voyons grand-père Roméo se promener à bicyclette. Je le savais que c'était un mensonge de prétendre ne pas savoir conduire! Mais il m'affirme qu'il vient tout juste d'apprendre.

« C'est impossible d'apprendre aussi rapidement.

— Et Yvette?

— Ce n'est pas la même chose.

— Tu as raison, Martin. Mais je dois t'avouer que je viens juste de prendre ma potion à bicyclette me permettant de m'initier aussi vite.

— Ta quoi à quoi?

— Ma potion à bicyclette. Oh! ça fait bien longtemps que j'ai cette bouteille et je ne m'en étais jamais servi. C'est un *pedleur* qui l'avait vendue à mon père Joseph, en 1906. Tu veux voir la bouteille? »

Nous rentrons et grand-père Roméo me montre une bouteille de sirop avec une étiquette indiquant *Potion à bicyclette*. Cette étiquette est bien blanche pour une bouteille supposément aussi vieille. Mais Yvette arrondit grandement ses petits yeux en traçant un O avec sa bouche. Je me fiche des supercheries de grand-père, tout comme de savoir que son histoire est probablement fausse. Je n'ai qu'un grand-papa et seul celui-ci peut raconter de telles légendes. Les autres grands-pères, c'est certain, lisent *Le Petit Chaperon rouge* ou d'autres fables connues, ou n'en racontent pas du tout. Potion à bicyclette! Mais Yvette s'assoit sur les genoux de grand-père Roméo, comme sur ceux du père Noël.

« Les *pedleurs* étaient des marchands ambulants qui vendaient des vêtements, des pots de peinture, des clous, des couteaux, des casseroles, bref, qui offraient de tout aux gens de la campagne. Leur venue dans les villages était très attendue. C'était une occasion pour les paysans de se distraire, d'avoir des nouvelles des autres cantons. Mais nous, à Trois-Rivières, n'avions pas besoin de *pedleurs* avec tous nos beaux magasins de la rue Notre-Dame. Et pour connaître les nouvelles, nous n'avions qu'à acheter un journal! Les *pedleurs* savaient tout ça et passaient bien rapidement dans nos rues, se disant qu'il n'y avait rien à vendre à des citadins. Et mon père Joseph ne les aimait pas beaucoup, prétendant qu'ils étaient des charlatans et des vestiges du siècle précédent. Papa aimait tout ce qui était moderne et passait son temps à parler du nouveau siècle. Il rêvait de posséder une automobile! Ce n'était pas donné à tout le monde d'en avoir une, à cette époque! Et il voulait que tous ses enfants, Adrien, Louise, Jeanne et moi-même, puissent bénéficier de tout ce que le nouveau siècle moderne apportait de joies. Dont une bicyclette! Mais un tel objet était alors hors de prix. Un bon matin, nous voilà tous réveillés par un tintamarre venant du bout de la rue Bureau et qui s'avance vers notre maison. Mon père Joseph sort, comme tous nos voisins, pour voir un grand homme maigre avec un haut chapeau, un habit à carreaux et au volant d'une grosse bicyclette! Si grosse qu'elle traîne avec facilité une charrette peinte d'images de bicyclettes. Sa grosse bicyclette est dorée, avec des rayons argentés, et munie d'une dizaine de clochettes. Si mon père garde un œil sévère vers ce bouffon, Jeanne, Adrien et moi dansons déjà autour de sa charrette, tout comme les autres enfants du quartier. « Je suis Jean-Baptiste Cycle, le plus grand vendeur de bicyclettes de la province de Québec! Je viens, bonnes gens de Trois-Rivières, vous apporter la grande nouvelle de la disponibilité de mes bicyclettes magiques! » À ce mot, les bambins reculent d'un pas et font « Oh! » Mais mon père soupire tout haut, avant de lui crier : « Encore un beau parleur! » Monsieur Cycle, piqué au vif par la remarque de papa, descend de sa grosse bicyclette et approche de lui pour demander pourquoi il ne croit pas à la magie. Comme mon père n'a que haussé les épaules en guise de réponse, le *pedleur* enlève la couverture de sa charrette pour montrer aux curieux de très très petites bicyclettes. Petites comme des boîtes d'allumettes et belles comme des jouets! « C'est ça vos bicyclettes magiques? Elles ne sont pas bien grosses! » de rire mon père. Alors, monsieur Cycle sort de sa grande valise une bouteille de potion à bicyclette pour en vanter les mérites : « Cet élixir, que les plus grands princes du monde m'achètent en quantité, rendra ces petites bicyclettes de la taille que vous désirerez! De plus, si vous en absorbez une cuiller à thé, vous deviendrez instantanément un expert cycliste! » Passant de la parole à l'acte, il enduit une des petites bicyclettes de potion et dit une formule magique : « Tourne! Tourne, ma bicyclon! Et roule, roule, roule, ma bicyclette! » Alors, sous nos yeux autant étonnés qu'effrayés, la petite bicyclette se met à grandir, à beaucoup grandir pour atteindre une taille normale en moins d'une minute! « C'est le diable! C'est la potion du diable! » de crier ma sœur

Louise, se protégeant derrière ma mère. Oh! bien des femmes effrayées ont pensé comme elle et se sont enfuies en faisant des signes de croix! Mais mon père, toujours très brave, est le premier à approcher pour toucher cette bicyclette, vérifiant son mécanisme et la faisant rouler quelques pieds. Il n'y avait pas de doute : c'était bel et bien la petite bicyclette devenue grande. « Et combien vous les vendez, vos bicyclettes magiques?» de demander papa, soudainement intéressé. Monsieur Cycle caresse le bout de son menton pointu, roule les yeux et laisse choir un « Cinquante piastres!» qui fait sursauter tous les intéressés. C'était une fortune, cinquante piastres, en 1906! Pour nous convaincre davantage, monsieur Cycle verse à nouveau de la potion sur une des petites bicyclettes en disant : « Tourne! Tourne, ma bicyclon! Et roule, roule, roule, ma bicyclette!» Et voilà que sous mes yeux grandit une petite bicyclette aux couleurs de l'arc-en-ciel. « Cinquante piastres! Et la bouteille de potion, je la vends cinquante sous!» À ce prix, papa n'achète que la bouteille, se disant qu'il pourra construire dans son atelier une petite bicyclette qu'il fera grandir pour nous l'offrir. Mais un Anglais, monsieur Jones, avance avec son petit garçon et sort de sa poche cinquante dollars et cinquante sous qu'il donne à monsieur Cycle. « N'oubliez pas! Une seule cuiller à thé de ma potion et votre enfant deviendra le plus grand cycliste du monde!» Le *pedleur* reprend place sur sa grosse bicyclette et s'en va en chantant, heureux de sa vente. « Vite! Vite, papa! Je veux ma bicyclette!» de faire le garçon de monsieur Jones. Le petit bonhomme s'empare de la bouteille et en prend une longue gorgée! Bien plus qu'une cuiller! Et son père verse le reste sur la petite bicyclette en récitant la formule; mais comme il est Anglais, il se trompe et dit : « Roule! Roule, my bicycle! Tourne, tourne, tourne, my bicycli!» Dans un grondement faisant vibrer le sol, la bicyclette pousse en trois secondes! Le petit garçon s'empresse de grimper sur son siège et, aussitôt, il part comme un éclair, dans un nuage de poussière. On ne l'a jamais revu... Oh! ça a été une grande conversation à Trois-Rivières, les jours suivants. La police a fait des recherches, les curés ont célébré des messes. Rien à faire! Le fils de ce pauvre monsieur Jones s'était volatilisé! Mon père a déposé la bouteille sur une tablette de son atelier en se disant que monsieur Jones avait mal récité la formule magique et que son garçon avait pris bien plus qu'une cuiller de potion. Cependant, Adrien, Jeanne et moi, suite à la disparition du garçon, ne tenions plus tellement à avoir une bicyclette, surtout pas agrandie par cette potion. Et mon papa Joseph, qui était d'humeur très changeante, a oublié tout ceci et la bouteille de potion est demeurée longtemps dans son atelier, sans que personne s'en occupe. Cette histoire, on en parlait encore trente ans plus tard. Un beau soir de 1941, alors que je revenais de travailler, je vois passer à toute vitesse une bicyclette menée par un homme avec une très très longue barbe. Il pédalait tellement vite! Je me suis demandé qui pouvait bien être ce fou quand, soudain, j'ai réalisé que c'était le fils de monsieur Jones! Et je l'ai revu dix ans plus tard, la barbe encore plus longue, pédalant sans cesse! Oh là là! Coquin de sort! La bouteille de potion, c'est moi qui en ai hérité. C'est celle-ci, mes enfants. Et comme j'ai aussi reçu en héritage le principe de modération, j'en ai avalé une très petite goutte, tantôt. Et voilà maintenant pourquoi je sais monter à bicyclette!»

Je ris brièvement en embrassant grand-père Roméo, mais Yvette le regarde d'un air incrédule. «Tu en veux?» lui demande-t-il. Et grand-père de faire mouiller le petit bout de langue d'Yvette dans une gouttelette de potion. Yvette s'empresse de sortir, de sauter sur sa bicyclette et de pédaler comme si elle l'avait fait toute sa vie! La nuit suivante, elle fend les murs de notre maison par un cri effrayé, alertant mes parents. «Je l'ai vu! Je l'ai vu! Le fils de monsieur Jones! Il a une grande barbe et pédale vite!» Et mon père et ma mère de se demander quel drôle de cauchemar leur petite fille vient de faire...

Juin 1960
Le plus beau paradis
de mon pays la Mauricie

Mon épée dans une main, ma hache dans l'autre, je m'agenouille humblement devant le roi Jean Talon et lui promets de faire les plus grandes découvertes en son nom, d'évangéliser les Indiens, de rapporter dans mon canot d'écorce trois tonnes de peaux de castor. « Sire, je m'en vais de ce pas découvrir la Saskatchewan. » Son Altesse Jean Talon, ravie, pose sa main souveraine sur ma perruque blanche et me souhaite bonne chance.

Mon équipe est prête depuis longtemps. À mes côtés, les valeureux aventuriers Richard, Daniel et Junior, ainsi que sœur Yvette, une jésuite courageuse qui convertira les Peaux-Rouges à notre sainte religion. Nos canots sont remplis de l'essentiel : fusils, poudre, outils, cordages, couteaux, biscuits secs, eau fraîche et tablettes de chocolat. Je porte mon chapeau de castor Davy Croquette, des bottes étanches, des sous-vêtements chauds et le beau gilet vert et rouge que ma grand-maman Céline m'a tricoté. Nous avons avec nous quelques bons Indiens pacifiques, dirigés par leur chef Grand Therrien, un guide expert des régions inconnues. Nous, les Français canadiens, devons beaucoup à ces valeureux guerriers. Ils connaissent les forêts, les plantes médicinales, les pistes d'animaux, les racines comestibles et les ingénieux canots d'écorce. Mais leur apport primordial à notre culture est la tartine au sirop d'érable.

Comme la nature canadienne est belle et chatoyante! En sortant de Montréal, nous tournons à droite, puis à gauche, puis à droite après le dernier village. Et nous voilà dans l'inconnu! Nous pagayons en chantant gaiement : *Envoyons d'l'avant nos gens, envoyons d'l'avant!* Ou encore : *Quand la radio joue cet air-là, je me souviens d'un certain sourire!* Le chef Grand Therrien fait son intéressant en nommant tous les arbres. Sœur Yvette prend tout en note pour son futur traité de botanique. Parfois, nous nous arrêtons pour allumer un feu et faire cuire nos œufs, et pour faire le point sur notre aventure. Mon compagnon Junior trace une carte de nos découvertes et Richard chasse quelques castors pour passer le temps. Après quelques jours, le long des grands lacs, nous arrivons à un lac plus haut, que je baptise, au nom du roi, *Lac Supérieur*, pour bien le distinguer de celui découvert la veille et que j'ai nommé *Lac Inférieur*. Nous devons maintenant faire du portage. Après un mois, l'esprit d'équipe est toujours solide et nous chantons gaiement *Vive la Canadienne, vole mon cœur vole...* etc.

Soudain, nous sentons des feuillages bouger. Nous voilà surveillés! Bien sûr, nous sommes de braves coureurs des bois remplis de paix et désireux de donner des signes de notre bonne volonté. Mais nous devons quand même rester sur nos gardes, car les tribus indiennes, ne connaissant pas les bien-faits de la civilisation trifluvienne, sont parfois hostiles aux visages pâles, comme nous l'ont appris nos Saints Martyrs canadiens massacrés par ces indigènes.

Les voici surgissant des broussailles! Oh! quel peuple pri-mitif! Pieds nus, vêtus de pagnes, une raie de cheveux au milieu du crâne, des plumes autour du cou, sans oublier leurs terribles arcs et flèches. Je m'avance vers celui qui semble être leur chef et dis en souriant : « Bonjour! Je suis Martin Comeau, explorateur et coureur des bois au nom du roi Jean Talon. Nous allons à la découverte de la Saskatchewan. Avez-vous des peaux de castor à nous échanger? On a des beaux colliers de pop-corn à vous donner en retour. On vient aussi vous convertir au petit Jésus. Vous verrez, Jésus est très bon, surtout dans le temps des fêtes! »

Évidemment, le chef demeure de marbre, n'ayant rien compris à mon explication. Grand Therrien s'avance et fait des signes d'amitié avant de leur parler dans leur dialecte. « Visage pâle Comeau, ce sont des guerriers de la terrifiante tribu Gladu. Ils ne veulent pas de vos affaires et nous donnent une minute pour déguerpir de leur territoire sacré, sinon couic! » Oh! la tribu des Gladu! J'ai beaucoup entendu parler de ce peuple inconnu. Ils ont la réputation d'être hypocrites et de ne pas tenir leur parole. Justement! Ils nous attaquent après trente secondes, après nous avoir accordé une minute! Quelle lâcheté! Pas le temps de charger mon fusil à eau! Me voilà prisonnier, alors que se sauvent à toutes jambes Richard, Daniel et sœur Yvette. « Ne vous inquiétez pas, sieur Comeau! Nous retournons aux Trois-Rivières chercher du renfort! » Pourvu qu'ils fassent vite...

Grand Therrien, mon compagnon Junior et moi-même sommes attachés à des poteaux et assistons à la danse de torture des Gladu. Je prie Jésus, pense à Sa Majesté et à mes bons parents, en essayant de ne pas songer aux supplices qui me guettent. Ils vont nous arracher les ongles, nous brûler les yeux, nous percer la peau, nous faire subir la bastonnade, nous lapider et, surtout, ils vont mettre des pétards à mèche au bout de mes souliers.

« Gladu! T'es malade! Arrête! Tu vas brûler mes souliers et mes culottes!

— Tais-toi, visage pâle.

— Gladu! Je ne ris plus! Ôte ces pétards de mes souliers! Tu vas blesser quelqu'un! Et quelqu'un qui pourrait être moi!

— C'est bien toi, ça, Comeau plein de crottes de castor! C'est toi qui chiales pour jouer à l'histoire du Canada et tu ne veux même pas le faire pour vrai!

— Détache-moi et enlève ces pétards!

— Peureux de Comeau! Je vais te détacher, mais je te déclare la guerre! Une vraie, cette fois! Et garde ta sœur chez vous! Y a pas de fille dans une guerre!

— Elle pourrait jouer l'infirmière de la Croix-Rouge.

— Non! Pas de fille! Une vraie guerre!

— D'accord! Vous allez être les communistes et nous les soldats canadiens!

— Pourquoi c'est toujours nous les communistes et les nazis?

— Parce que je le décide!

— Tu vas y goûter, Comeau crotte d'ours! Mais comme j'ai bon cœur, je te laisse deux jours pour préparer tes troupes! La guerre débutera lundi matin à huit heures et demie!

— Je ne pourrai pas. Je m'en vais en vacances avec mes parents et mon grand-père Roméo.

— Des vacances au mois de juin? Ton père peut bien travailler à la C.I.P. pour prendre des vacances au mois de juin! Bon! Le premier lundi de juillet, à huit heures et demie!

— D'accord!

— Et cette fois, pas de pitié pour les prisonniers! »

Les vacances de l'ouvrier sont un moment sacré de l'année. Mon père a droit à deux semaines. Il en prend une pour se reposer en travaillant autour de la maison, et garde l'autre pour se reposer tout court. Si les pères de mes amis les emmènent au parc Belmont de Montréal, à la plage des États-Unis ou pour regarder les pauvres de la Gaspésie, le mien consacre ce temps à une seule activité : la pêche. Je ne m'en plains surtout pas, ni maman, ma sœur et mes frères, même si nous ne partageons pas son amour pour taquiner le poisson. C'est le lieu de ses ébats qui fait l'unanimité : le lac Coo Coo. Or, comme beaucoup d'autres hommes d'usine aiment cet endroit, il faut réserver longtemps à l'avance et prendre le temps de disponibilité. C'est pourquoi la période des vacances estivales de papa varie d'une année à l'autre. Pour ce début de la nouvelle décennie, nous voici en congé pour la fin de juin, du 25 au 2 juillet. Pour nous, les enfants, c'est une façon magistrale de fêter la fin de l'année scolaire.

Le Coo Coo, c'est beaucoup mieux que le paradis terrestre. Si Adam et Ève avaient été parachutés au Coo Coo, je suis certain que cette idiote ne lui aurait pas offert une pomme. Elle aurait cuisiné les poissons pêchés par Adam et tous deux auraient passé de belles vacances. Papa ajoute à ce grand bonheur l'invitation lancée à grand-père Roméo et à grand-maman Céline. Chaque année, grand-père se fait tirer un peu l'oreille, par politesse, trouvant que mon papa l'invite trop souvent. « Allez, monsieur Tremblay! Ça va faire plaisir à Carole et aux enfants! » Grand-père hésite encore un peu, puis papa rajoute : « Ça va faire plaisir à Martin. » Alors, grand-père Roméo s'empresse d'accepter, ce qui ne fait que confirmer ma position avantageuse d'être son petit-fils préféré.

Le Coo Coo est le club de pêche de l'usine C.I.P. Bien

d'autres entreprises ont aussi leur oasis de pêche, mais les enfants malheureux dont les papas travaillent à la Wabasso ou à la Wayagamack envient leurs amis, juste en entendant le nom dansant de Coo Coo. Ce mot poétique, glissé dans une conversation hivernale, fait dresser les oreilles de Marcel et d'Yvette. « Quand? Quand? » font-ils en harmonie, prêts à partir la seconde même. Jean-Jacques, à trois ans, est à l'âge idéal de réaliser l'importance du Coo Coo. D'ailleurs, ce sera sa première visite. Le moment le plus grandiose de sa vie! Marcel, de son côté, a bien l'intention de devenir un aussi grand pêcheur que papa. Il l'accompagnera en chaloupe à chacune de ses sorties, va jouer de la canne comme un maestro et plonger avec gourmandise ses doigts dans une boîte de conserve pleine de terre gluante et de vers grouillants et luisants. Cette année, papa a promis à Marcel de le laisser conduire le moteur de la chaloupe pour la première fois.

Pour Yvette et moi, chaque seconde passée au Coo Coo est une fête incessante, ce qui inclut aussi les moments de préparation que nous complétons en famille, le vendredi soir. Marcel est nommé vérificateur en chef par mon père, titre lui permettant de répéter le nom des agrès de pêche que papa place soigneusement sur son établi, dans le garage. Papa dit « épuisette » et Marcel précise : « Épuisette, d'accord. » Parfois, mon père fait une erreur, pour plaire à Marcel. « Non, papa, tu n'as pas sorti les flotteurs. » Voilà les flotteurs et un bouquet d'excuses. À la cuisine, maman procède de façon semblable avec Yvette. Mon rôle consiste à faire tenir tous ces aliments dans le plus petit nombre de boîtes, de bien les disposer pour qu'aucun accident n'arrive (par exemple, ne pas mettre les œufs au fond de la boîte avec les conserves par-dessus).

Nous sommes libres de sortir nos vêtements favoris, mais maman a le dernier mot. Ensuite, nous passons au plus important : le matériel de survie pour passer une semaine dans les bois sans eau courante, ni électricité. Nous prenons donc nos cahiers à colorier, les crayons Prismacolor, quelques livres de Tintin et de Mickey, une partie de ma collection de petites autos en plastique, du papier à dessin, l'ensemble de vaisselle de la maison de poupées d'Yvette, la trompette de Marcel, des seaux et des pelles. Je décide d'emmener Coco, très heureux de cette décision. Yvette opte pour Caroline, sa poupée, et Marcel pour Woufwouf, son chien en peluche. J'espère que Caroline, Woufwouf et Coco apprécient l'honneur qu'on leur fait.

La nuit est longue, bercée par les souvenirs de nos derniers voyages au Coo Coo. Papa me sort du lit et j'ai l'impression de n'avoir dormi que deux heures. Nous prenons notre dernier repas du monde civilisé. C'est maman qui le prépare, ce qui est beaucoup moins civilisé. Avec ordre, nous descendons nos effets dans la partie arrière de la *station-wagon*, puis nous partons chercher nos grands-parents Tremblay, qui nous attendent avec leurs valises. Marcel, Yvette et moi cédons nos places pour nous installer entre les boîtes. Il y a deux ans, avant que papa n'achète cette voiture moderne, nous avions fait le trajet à huit dans la Chevrolet vert lime et ça n'avait pas toujours été agréable. Grand-père Roméo se tord le cou pour me regarder avec un œil complice et un large sourire résumant notre joie commune face à la prochaine semaine. Grand-maman Céline se contente de dire : « Pourvu qu'il fasse beau. » Qu'importe la température! Il ne peut que faire joli quand nous sommes au Coo Coo. De toute façon, par temps pluvieux, papa va quand même pêcher et nous trouvons notre bonheur à l'intérieur du camp. Mais pour satisfaire l'espoir de grand-mère, du moins pour aujourd'hui, il fait un soleil aussi enchanteur que sur un paysage de calendrier.

Et la route glisse sous les roues de la *wagon*! Oh! je le connais par cœur, ce chemin menant au Coo Coo! Tout droit pendant trop longtemps, tourne à droite, puis à gauche après la station-service, ensuite on roule un peu, puis c'est à droite, à gauche, tout droit, à gauche. À ce point, près d'un village du nom de Hervey-Jonction, l'aventure commence réellement, alors que l'asphalte disparaît. Nous empruntons une route tortueuse qui fonce dans les profondeurs de la forêt. Mon père s'accroche à son volant et roule à basse vitesse, murmurant entre les dents de minces blasphèmes, en pensant aux roches de la route qui risquent d'abîmer la carrosserie de sa *station-wagon* neuve.

C'est la jungle! Je ferme les yeux pour mieux entendre les croassements des oiseaux tropicaux. J'ai un plan militaire soigneusement préparé si un lion décidait d'attaquer la voiture, au cas où un troupeau d'éléphants se présenterait devant nous. Mais ma mère me ramène à la réalité : « Oh! les enfants, regardez le beau petit écureuil! » Mon père m'a raconté cent fois l'aventure d'un compagnon de l'usine qui s'était retrouvé nez à nez avec un ours ayant pris la route pour un hamac. Ne voulant pas se faire agresser, le pauvre monsieur avait dû attendre la fin de la sieste du Yogi : trois heures! « Oh! un autre beau petit écureuil! » renchérit maman. Nous, les enfants, regardons plutôt de chaque côté de la route à la recherche d'une couleuvre ou d'un putois. À un certain moment, la route enjambe un précipice. Au fond, on peut voir parfaitement une carcasse d'automobile, avec peut-être à son bord des squelettes. Mon père laisse tomber tout haut le juron depuis trop longtemps murmuré, quand il se retrouve face à une auto venant dans l'autre sens. Alors, il descend pour négocier. Nous gagnons. L'ennemi recule vers un bout de route plus large, guidé par les mains de papa. Nous restons près de la *wagon* pour nous dégourdir les jambes aux côtés de maman qui nous garde presque sous son jupon; elle craint sans doute une attaque massive d'écureuils. Grand-père Roméo protège grand-maman Céline en lui prenant la main. Je sais qu'il n'est pas très brave et que, au contraire de moi, s'il rencontrait un loup, il ne saurait trop comment réagir. Les loups sont intéressants dans ses histoires, mais grand-père a toujours vécu en ville et aime la forêt et la campagne comme un vrai citadin : à faible dose et pas trop longtemps. Il aime les arbres civilisés, comme ceux de sa cour ou du parc Champlain, mais un vrai arbre de forêt l'effraie.

Notre voiture passe à un demi-pouce des portières de l'autre automobile. Maman frissonne, mais j'ai confiance, car mon père est le plus habile conducteur du monde. Avec nos autos de plastique, Marcel et moi répétons la même scène, sur une boîte de vêtements. Un peu plus loin, nous devons nous arrêter pour enlever un arbre tombé au milieu du chemin lors d'un récent orage. Mais quand la route devient plus clémente, nous savons que nous approchons du but. Nous voici enfin dans le stationnement, face au lac extraordinaire, avec en vue l'île où nous irons habiter pendant une semaine. Yvette et moi dansons de joie, oubliant notre devoir de descendre de la voiture les valises, les boîtes et le matériel.

Comme nous avons pris du retard à cause de l'arbre et de l'auto ennemie, nous avons trente minutes à perdre avant l'arrivée du prochain petit bateau. Quel gaspillage! Maman nous verse du jus d'orange dans des verres de plastique rouge, pendant que papa décapsule deux bouteilles de bière et en tend une à grand-père Roméo. Marcel se précipite vers le bouchon, l'observe à la loupe avant de le laisser tomber, car il a déjà ce modèle dans sa collection. C'est difficile de demeurer sage en attendant le bateau, mais nous savons que les punitions ne prennent pas leurs vacances en même temps que ma mère. J'échappe un « enfin! » quand je vois le bateau approcher. Je corrige aussitôt cet excès en faisant un peu de zèle à monter notre cargaison à bord.

Une tempête s'élève! Des vagues de deux cents pieds enveloppent notre embarcation. Yvette tombe dans le lac! Je plonge pour la sauver de la noyade, devant affronter une pieuvre radioactive. Grand-père Roméo tombe à son tour! Je me mouille à nouveau et le délivre d'un dragon voulant le croquer. De retour à bord, je dois manœuvrer parce que notre capitaine s'est évanoui. Je zigzague entre les éclairs, évite les cubes de glace géants tombant du ciel et, enfin, nous arrivons sains et saufs près du grand camp de la compagnie. Je vous parlerai une autre fois du sous-marin communiste que j'ai dû neutraliser.

Papa va signer les papiers, pendant que nous déchargeons notre matériel de survie pour cette semaine dans la nature primitive. Nous saurons dans quelques instants quel chalet nous est assigné. « Le dix » de faire papa. Marcel et moi sautons de joie, alors qu'Yvette questionne : « C'est le vert ou le jaune? » Quand elle apprend qu'il s'agit du vert, avec ses beaux petits sapins taillés dans le bois entourant la galerie, elle se joint à notre danse, alors que le petit frère Jean-Jacques doit se demander quelle mouche nous pique.

Comme les colons de la Nouvelle-France, nous devons tout faire nous-mêmes. En premier lieu, il faut transporter nos bagages jusqu'au chalet. Les colons du premier camp nous aperçoivent et offrent de bon cœur leur aide. C'est ainsi que nos ancêtres ont bâti un pays. Je marche avec deux valises de cinq cents livres dans chaque main, alors qu'Yvette trottine le nez en l'air, une petite boîte sous le bras, tenant Jean-Jacques par la main. Comme moi, elle risque de se cogner contre un arbre, trop émerveillée par la grande nature qui nous lance dans les narines son agréable odeur d'humidité. On entend des oiseaux, comme si toutes les races de la terre s'étaient donné rendez-vous dans ce boisé pour nous accueillir. Marcel dépose sa boîte, ayant aperçu un bouchon qui semble le fasciner. « C'est un modèle très rare. Un Coca-Cola 1922 », de lui faire croire grand-père Roméo. Heureux, Marcel l'enfouit dans sa poche, reprend son chargement et nous rattrape en moins de cinq secondes.

Voici le camp deux – le jaune d'Yvette – puis le trois (rouge), le quatre (gris, bêtement gris), le cinq, le six, le sept (ah! ce sept!), le huit – je tremble! – le neuf et enfin! chez soi! La plus belle maison de la terre! Et verte, de plus! Avec ses petites fenêtres carrées, cette large galerie où prédomine cet objet de l'Antiquité gréco-romaine : une glacière! Papa sort de sa poche la clef magique ouvrant la porte, à ressorts et avec moustiquaire, qui mène vers notre Éden du début d'été. En entrant, nous tombons nez à nez avec un autre héritage de l'ancien temps : le poêle à bois en fonte! Gigantesque! Colossal! Monstrueux! Noir! Avec ses tuyaux pleins de clefs, ses portes massives aux petites ouvertures, sa bavette, ses poignées de métal pour soulever les ronds. Et je devine déjà son crépitement nocturne et la saveur miraculeuse d'une rôtie jetée sur le rond chauffé par une bûche que j'aurai coupée moi-même, tel un héroïque bûcheron des chantiers du nord de la Mauricie. Au Coo Coo, nous nous éclairons à la lampe à huile, comme au temps des pionniers. Pas d'électricité, de radio, ni de télévision. À ma première visite, j'avais dit à grand-père : « Tout comme au temps de ta jeunesse. » Il avait sourcillé moqueusement, avant de m'avouer qu'il y a toujours eu de l'électricité chez lui. Mais la réaction de grand-mère Céline, en touchant du bout des doigts le poêle à bois et la glacière, ne pouvait que confirmer son précieux souvenir des premiers temps de son mariage.

La cuisine est la pièce principale du campement. Elle est spacieuse et bien éclairée par une large fenêtre. Il y a une table rustique, avec des longs bancs de bois, recouverte d'une nappe de plastique à carreaux blancs et rouges. La cuisine sera notre salon et notre salle de jeu. Adjacentes à cet immense appartement, quatre chambres minuscules faisant penser à des placards. On y voit une commode, un lit orné de couvertures grises. Je parle d'un lit unique dans tous les sens du terme : il a deux étages! Un lit gratte-ciel! Une merveille! En ma qualité d'aîné, j'ai le droit absolu de coucher au deuxième, la tête à quelques pouces du plafond. Marcel aura beau tenter de m'isoler en cachant l'échelle, je ne serai pas effrayé de sauter pour sentir mes orteils caresser ce bois craquant. Voilà à quoi ressemble notre campement de pionniers! J'oublie un détail? Il est derrière la maison, à gauche des cordes de bois, avec un petit cœur sur la porte. Tout ne peut être parfait, même dans la perfection du Coo Coo!

Nous expédions rapidement ce dernier maniement de bagages, pressés de sautiller autour du camp, de se donner un torticolis à regarder un nid haut perché dans un arbre, à humer le grand air et à perdre son regard dans l'horizon du lac. Papa est aussi peu sage que nous, debout à l'extrémité du petit quai, essayant d'imaginer le nombre de truites qui nagent dans ces eaux. Tout comme Marcel qui compte ses bouchons, papa a en tête son record de truites à capturer et connaît aussi le nombre de poissons pris par ses amis de l'usine. Maman nous rappelle à l'ordre : « Il y a du travail dans le chalet, bande de flâneurs! » Grand-mère Céline passe un chiffon sur les tablettes, même si les responsables de la colonie ont tout nettoyé avant notre arrivée. Papa place les effets et je m'empresse de jeter mon linge dans les tiroirs. Il y a deux ans, en ouvrant un de ces tiroirs, j'avais trouvé des cartes de baseball très rares que mon prédécesseur avait oubliées, mais comme le nom de cette famille était écrit sur le registre, j'avais pu les remettre à son propriétaire. Derrière moi, le petit Jean-Jacques regarde l'échelle menant au deuxième étage du lit. Il n'a jamais rien vu de semblable! Je le prends sur mes épaules pour lui montrer l'univers de cet angle. Je redescends peu après, cache l'échelle, et il se met à pleurer. Dans l'autre chambre, Yvette fait des recommandations à sa poupée, alors que Marcel trépigne d'impatience devant la porte. J'organise tout de suite une expédition pour leur rappeler les règles de prudence. Bien sûr, ces sentiers sont beaux, sentent bon et on dirait que la terre résonne sous nos pas. Mais y courir ne serait pas de précaution, car une racine, un bout de bois peuvent provoquer un accident.

Yvette traîne deux potiches à remplir d'eau pour le souper. Demain, tel que promis par maman, ma petite sœur pourra se rendre à la pompe toute seule. Pendant que Marcel et Jean-Jacques transportent ces récipients, notre sœur active le levier de la pompe et, des tréfonds de la terre, coule cette eau de source transparente et froide. Yvette charrie une cruche avec prudence et inonde Marcel de recommandations pour ne pas qu'il renverse la sienne. Nous croisons d'autres gars et filles du quartier Sainte-Cécile. Tout Trois-Rivières se retrouve au Coo Coo. Mais ces amis d'une semaine s'évaporent vite dans les rues trifluviennes quand nous reprenons le cours de la vie normale.

Jean-Jacques regarde sous le chalet. « Attention aux mulots, Jean-Jacques! » de crier Yvette. Comme il ne sait pas de quoi il s'agit, il continue son exploration. Je m'approche pour lui dire de prendre garde aux souris. Alors, il se dépêche de déguerpir en criant! Je l'emmène avec moi pour lui montrer comment cueillir le bois de chauffage sans se planter un éclat dans un doigt ou sous un ongle. Transportant sa bûche, Jean-Jacques se sent utile, même s'il ne sait pas à quoi sert ce bout de bois. C'est avec étonnement qu'il me voit craquer une allumette et la déposer dans le poêle. Il doit penser que je veux brûler cet étrange objet noir. Il fait très chaud à l'extérieur et il faut quand même allumer ce poêle si on veut se nourrir. Mais nous mangerons sur la table à pique-nique verte en face du chalet. Yvette se joint aux autres femmes pour dresser la table, pendant que je regarde grand-père Roméo donner des conseils à mon père sur la façon de bien fendre une bûche.

« Tu as été un grand bûcheron des camps du haut de la Mauricie, coupant tout l'hiver, faisant la drave le printemps et mangeant des fèves au lard avant de giguer.

— Non! Où prends-tu de telles histoires, Martin?

— C'est bien plus beau.

— Je suis né à Trois-Rivières, j'ai toujours vécu dans la ville et j'ai été bien content quand un poêle électrique est entré dans ma maison.

— Ça, c'est beaucoup moins beau. »

C'est vrai! Nous sommes tous des citadins jouant à être des pionniers. Je me demande si je m'ennuierais du confort de notre maison après trois mois de vie rude au Coo Coo. Être en vacances, c'est aussi jouer à faire semblant. Même maman, qui déteste cuisinier, s'applique à manipuler les gros chaudrons blancs et à bien agiter la soupe. Tantôt, papa fera un feu de camp, se prenant pour un chef d'expédition en halte de campement. Et les voisins viendront veiller comme jamais ils ne le font à la ville. Moi, je goûte tout avec mes sens, éveillés à tant de délices inhabituelles. La noirceur s'insinue lentement autour de notre feu, et quand on s'éloigne de son rayon, c'est un plein gouffre comme jamais nous n'en connaîtrons à Trois-Rivières. C'est à la lueur du fanal que maman vient nous border. Même le silence de ce début de nuit est plus inquiétant que celui de mon quartier. C'est après l'avoir apprivoisé que je me rends compte qu'il n'est pas du tout silencieux. Il y a une fanfare de sauterelles, l'alarme lointaine d'un hibou, la respiration d'une petite vague sur la berge, le froissement du vent dans les branches. Je suis si bien! Mais j'entends quelques petites plaintes de maman dans la chambre voisine. Pauvre elle! Elle doit avoir très peur! Mais papa la protégera. Un peu plus tard, des gouttelettes pianotent sur le toit, à quelques pouces de mes oreilles. Elles me réveillent et m'hypnotisent, jusqu'à ce qu'un éclair énorme illumine tout le chalet, suivi d'un abat fracassant du jeu de quilles du bon Dieu. Yvette hurle. Jean-Jacques pleure. Je me cache sous ma couverture, alors que des pas affolés se font entendre pendant dix minutes. Ce n'est qu'après la fin de leur excitation que je descends de mon perchoir, désireux de voir la pluie tomber dans le lac et de me sentir effrayé par la noirceur du ciel traversé d'un Z électrique et bleu. Je m'avance doucement vers le grand banc, une couverture sur mes épaules. Je sens le plancher froid chanter sous mes pieds nus. Après cinq minutes de ce spectacle, j'entends les pas d'un adulte qui cherche sans doute à me surprendre. Je ne sursaute pas quand grand-père Roméo met ses mains sur mes épaules.

« C'est un beau spectacle.
— En ville, j'ai peur et je me cache sous mon lit. Mais ici, je n'ai aucune crainte. Toi? Ça ne te fait pas peur, tous ces éclairs et ce tonnerre?
— Quand j'étais enfant, je craignais beaucoup les orages. Mais j'ai surmonté mon effroi en voulant protéger ma petite sœur Jeanne, qui avait dix fois plus peur que moi. Depuis, la nature ne me terrifie plus. »

La nuit a été courte. Très tôt, je suis réveillé par le bruit des pas de mon père, chauffant le poêle rapidement et partant le ventre presque vide vers une première pêche en solitaire. Il revient vers neuf heures, alors que nous nous amusons à nous faire chatouiller les orteils par l'humidité de l'herbe. Nous avons observé les oiseaux piquant du nez en direction des vers sortant de leurs trous pour prendre l'air. Marcel a capturé autant de vers que les oiseaux. Papa ouvre son sac en osier et montre à Jean-Jacques deux grosses truites, mais mon petit frère refuse de les toucher. Il a peur que les poissons, aux gueules ouvertes, ne lui happent le bout des doigts avec leurs dents. Marcel les prend par la queue et court les déposer dans la glacière. Papa est pressé de retourner pêcher en après-midi, en compagnie de Marcel et de grand-père Roméo. Grand-maman Céline s'occupera de Jean-Jacques, qui semble s'ennuyer de notre maison. Yvette, comme une grande, se chargera de sa première mission de porteuse d'eau pour ensuite explorer les sentiers.

« Et si je me perds? Les loups vont me manger!
— Il n'y a pas de loups ici, Yvette.
— Des ours, alors? Des lions?
— Sème des cailloux derrière toi.
— C'est vrai! Comme dans l'histoire du petit Doucet! »

Je rencontre des gars d'un chalet voisin qui m'invitent à construire une ville de sable et de pierres, mais je préfère l'offre d'autres inconnus pour jouer à la cachette. Ce jeu prend, au Coo Coo, une dimension extraordinaire! Ces étrangers ne savent pas que je suis un expert en cachette! Jamais ils ne me trouveront! Je viens au Coo Coo depuis assez longtemps pour avoir exploré des territoires au-delà des sentiers. En prenant garde de ne pas m'érafler les genoux contre des herbes tranchantes, je m'enfonce vers une colline dominée par un arbre géant, avec à ses côtés une grande roche plate. En m'installant entre les deux, je descends légèrement dans une cavité inaccessible à l'œil humain, bien que je puisse voir parfaitement les gens qui passent par le sentier principal, tout en bas. Je garde le silence, essaie de ne pas rire en apercevant les gars trouver un à un tous les autres. Ils ont l'air de me chercher avec ardeur. J'ai gagné! Je les ai tous eus! Ils crient mon nom et je ne leur réponds pas. Je les vois s'éloigner et abandonner.

Un homme passe dans le sentier et je hurle : « Hé! Ho! » Il cherche en vain d'où peut venir cet appel. Je le répète. Il est impuissant à me détecter. Voici Yvette et je m'amuse à crier son nom. Elle regarde à gauche, à droite, en haut, et même en bas, comme si j'avais pu m'infiltrer sous le sol. « Yvette! You hou! » Mais cette fois, elle se met à pleurer, gémissant que j'ai été dévoré par un loup. Je me lève, envoie la main. Elle recule, sursaute de me voir si minuscule près de mon arbre lointain. Comme elle verse encore des larmes, je descends, les mains dans les poches, alors qu'elle essuie une dernière goutte salée en relevant le bas de sa robe pour s'éponger. Je la prends par la main et invente des noms latins en désignant les arbres et les herbes pour lui laisser croire que je suis très savant. Nous croisons deux femmes qui sont dans tous leurs états.

« Tu es Martin Comeau?
— Oui, madame.
— Tout le monde te cherche partout!
— Ah! j'ai gagné la partie!
— Être à la place de ta mère, je te rougirais les oreilles! Ce n'est pas drôle d'inquiéter tout le monde! C'est dangereux, ce bois! »

C'est aussi la conclusion de maman qui m'enferme dans ma chambre avec la menace inutile : « Attends que ton père revienne! » Je sais qu'à son retour, mon père n'aura de pensée que pour ses truites.

« Tu as joué un tour à ta mère? Tu t'es caché dans les bois et tu ne sortais pas quand on t'appelait?
— Oui, papa. Tu as pris des jolies truites?
— Trois. De vraies belles.
— Je peux les voir?
— Bien sûr! »

Et voilà! Le tour est joué! Il s'agit de bien connaître son papa pour éviter les remontrances. Ma punition a été de courte durée et je n'y ai pas souffert, trop occupé à me délecter des aventures de Tintin en Amérique. Papa apprête son poisson, qu'il fera griller lui-même sur le gros poêle. Je préfère les hot-dogs de maman. Je n'aime pas le poisson, surtout ceux qui viennent de se régaler des vers manipulés par Marcel.

Le soir, je dois garder les petits pendant que papa et maman, en compagnie de mes grands-parents, sont partis s'amuser au camp de la compagnie (où il y a, quelle horreur! une tête d'orignal sortant d'un mur). Marcel et moi faisons rebondir des cailloux sur le lac, pendant qu'Yvette confond Jean-Jacques avec une poupée. À huit heures, je fais rentrer tout le monde et nous jouons à la cachette pendant une demi-heure. (Je gagne, évidemment.) Ensuite, nous sautons dans nos pyjamas. J'allume le fanal et mets une bûche dans le poêle, car les nuits sont fraîches. Nous nous lançons dans une séance de coloriage intense et c'est dans cette position d'enfants sages que grand-père Roméo et grand-mère Céline nous surprennent, revenant du camp avant papa et maman. Avant d'entrer, nous les avons vus s'embrasser en se tenant les mains, au bas de l'escalier. Je ne savais pas que les grands-parents avaient le droit de faire une telle chose, à part au jour de l'An. Grand-père Roméo s'installe dans la berçante, alors que grand-maman Céline prépare du chocolat chaud. Il va nous raconter une histoire. Je sens qu'une histoire va surgir de son imagination! Pour cette semaine, nous aurons droit à sept histoires, au lieu de la traditionnelle du dimanche.

Le lendemain, maman nous accompagne jusqu'à la plage du campement. Elle n'est ni longue ni drôle, mais pourquoi refuser de s'étendre sur une couverture et de lécher une crème glacée aussi froide que l'eau du lac? Nous rencontrons d'autres gars et organisons une partie de tague. Chacun d'eux veut nous montrer son jouet favori, apporté spécialement pour cette semaine. Je rencontre un gars de la paroisse Notre-Dame-des-sept-Allégresses qui est autant amateur de petites autos en plastique que moi. Yvette, de son côté, ne pense qu'à sa responsabilité de porteuse d'eau. Si elle accepte mon aide pour transporter les cruches, elle seule se réserve le droit d'actionner la pompe. Nos pieds nus se noircissent sur la terre du sentier, alors qu'un oiseau décide de laisser tomber une crotte dans une des cruches d'Yvette.

Chaque souper est un pique-nique, chaque soirée est une fête différente. Ce soir, pendant que nos parents vont jouer aux cartes, nous allons rencontrer les gars de cet après-midi. Celui de Notre-Dame habite dans le chalet six, dans lequel je ne suis jamais entré. Il me donne rendez-vous pour demain, mais je ne peux lui assurer ma présence. Quand je séjourne au Coo Coo, j'aime beaucoup passer du temps en solitaire. Je voudrais apprendre à grimper aux arbres, trouver des nids, observer les bestioles, découvrir une grotte secrète où un pirate de l'époque de la Nouvelle-France a caché un trésor. Je veux dessiner des visages avec l'aide des nuages, m'étendre sur un lit de branches et écouter le silence s'infiltrant entre les mélodies des oiseaux. Marcel et Yvette ont aussi la même obsession, alors que Jean-Jacques, tout doucement, prépare son désir de revenir chaque année au Coo Coo. Marcel cherche encore des bouchons rares, la perle des bouchons, alors qu'Yvette veut connaître chaque pouce de sentier reliant notre chalet à la pompe. Après deux jours, elle apprivoise tous les défauts de son terrain, si bien qu'elle peut éviter, les yeux fermés, cette grosse racine rebelle qui sort de terre.

Maman lit sans arrêt et grand-père Roméo griffonne des mots sur sa tablette. Et papa, si heureux, ne songe qu'à la pêche; il est parti cette fois avec des amis de son usine et

Marcel. Mon tour viendra jeudi. Je n'aime pas la pêche. C'est ennuyeux. Il ne faut pas bouger, ni parler. Mais je dois au moins cette politesse à mon père. Cette journée-là, il n'y a pas beaucoup de soleil. J'ai un chandail chaud sous mon gilet orangé de sécurité qui sent le poisson. Le moteur de la chaloupe ronronne et je vois s'éloigner le camp, alors que grand-père Roméo envoie la main. Bientôt, mon père fera taire ce moteur et je pourrai manipuler les deux grandes rames. La barque ne s'immobilise jamais, tanguant sous une mince vague. Marcel se permet, avec raison, de me donner des conseils de pêcheur, pendant que papa décapsule des bouteilles vertes de Coca-Cola. Marcel plonge la main droite dans la boîte de vers, en choisit deux beaux qu'il met entre ses lèvres.

« Ouache! Arrête ça! C'est écœurant!
— Ne me fais pas sursauter, sinon je les croque.
— Papa! Regarde Marcel! C'est dégoûtant!»

Et les vers gigotent au bout des lèvres de Marcel! Avec sadisme, il les plante au bout de l'hameçon. Mon frère m'indique comment bien lancer, alors que j'ai plutôt le goût de me pencher pour vomir. Les lignes au fond du lac, papa passe son temps à murmurer de nous taire, même si on ne dit rien. « Attention! Le courant est bon! Ne bougez pas trop la chaloupe! Le temps est bon! Ne paniquez pas si le poisson tourne près de votre ligne!» Va-t-il se taire, à la fin? Le silence est le seul intérêt d'une partie de pêche. Un silence encore plus calme que celui du camp. Ici, pas d'oiseaux, de froissements de feuilles : juste un bruit de rien, avec parfois le gazouillement du moteur d'une lointaine chaloupe. Mais le vent coupe cette paix. Soudain, j'ai froid. Ma main gauche prend le relais de la droite pour tenir la canne, et papa me fait le reproche du « vacarme » causé par mon geste.

« J'ai froid.
— Moi aussi, papa. On dirait qu'il va pleuvoir. Si le vent se lève, ce n'est pas bon pour le poisson.
— On a juste un mauvais coin, les garçons. On va aller de l'autre côté de la petite île et le poisson viendra mordre.»

Papa tire la corde du moteur, qui cale et refuse de se mettre en marche. Il essaie avec plus de force, puis avec encore plus de vigueur, décorant son effort de quelques jurons effrayants. « Il est noyé », dit-il. Si jamais il a trois heures à perdre, j'aimerais bien que mon père m'explique comment un moteur peut se noyer. Le vent a doublé en intensité pendant ses tentatives. Je dépose ma canne à l'intérieur, vérifie mon gilet de sauvetage et m'agrippe aux rebords de la chaloupe. Voilà la pluie, mais une pluie si soudaine et violente qu'on dirait que tous les nuages ont percé en même temps. Papa rame en direction de la petite île, mais ses efforts sont vains, tant la chaloupe bouge de tous côtés. Il doit donner dix coups de rame pour avancer d'un pouce. La pluie piquante se transforme en grêle grosse comme des balles de ping-pong, alors que les démons du ciel crachent leurs éclairs écervelés. Marcel l'aventurier pleure comme un vrai petit garçon de huit ans et j'ai bien envie de l'imiter. Nous sommes impuissants à aider papa, qui force avec fureur. À bout de souffle, il réussit à atteindre la berge de la petite île où Marcel et moi courons nous mettre à l'abri sous les arbres, pendant que papa tire la barque dans le sable. Il revient de trop longues minutes plus tard et nous nous empressons de nous blottir contre lui. Le lac est devenu fou, le ciel s'écrase et bascule : c'est la fin du monde! Heureusement que papa a emporté la boîte à lunch pour nous mettre un peu de solide dans le ventre avant d'affronter saint Pierre à la porte du ciel. Et que deviendront maman, Yvette et Jean-Jacques? Et grand-père Roméo? Et Junior, Daniel et Richard? C'est épouvantable! J'ai si peur! Et je sens que mon père n'est pas plus brave que moi. Mais, peu à peu, le tonnerre cesse son concerto et la grêle se métamorphose en pluie, qui diminue après un quart d'heure. La fin du monde est reportée à plus tard. Sauvés! Vite! Il faut retourner au chalet pour nous sécher, nous reposer et rassurer maman. Mais...

« Elle était là! Je l'ai mise là!
— Le vent l'a emportée, papa.
— J'avais jeté l'ancre! »

Prisonniers de cette île minuscule! Sans nourriture, sans

eau potable, sans armes, sans vêtements chauds, sans jouets. Les Robinson Crusoé du Coo Coo. Nous n'avons même pas d'allumettes pour signaler notre présence. Marcel, comme un scout imbécile, essaie de faire du feu en frottant deux pierres. Papa marche de long en large, s'époumonant à crier : « À l'aide! » Je pense plutôt à notre survie. Fabriquer un camp? Creuser une pirogue dans un arbre? Trois heures plus tard, nous sommes encore immobiles sur la plage quand, enfin, nous entendons le lointain bruit d'un moteur. Je n'ai jamais autant crié de ma vie! Deux hommes approchent, les bras aux cieux, pour nous apprendre que le vent a poussé notre barque chavirée jusqu'à la plage du grand campement et que tout le monde nous croit noyés. Papa est prêt à retourner à la nage pour arriver plus rapidement et embrasser maman. Marcel et moi, les grands naufragés, oublions notre douleur, flattés d'être le centre de tant d'attention. La famille nous attend sur le bout du quai. Mon père saute dans les bras de maman. C'est la première fois que je vois pleurer mon père. Grand-père Roméo, si content, me lève de terre. Yvette, peu consciente du danger que nous avons affronté, vient me raconter que sa poupée Caroline a eu très peur pendant l'orage électrique. Jean-Jacques me montre le beau ver qu'il vient de capturer.

Je n'oublie pas l'aventure, mais papa ne fait qu'y penser. Il pleut le reste de la semaine, ce qui nous confine à l'intérieur du chalet, près de la chaleur du grand poêle. La seule chose que nous n'avons pas pensé apporter est un parapluie et je dois faire mon galant en étendant mon manteau au-dessus de la tête d'Yvette quand elle se rend pomper l'eau. Marcel et Jean-Jacques profitent du sol humide pour chasser le ver. Mais papa garde son regard fixe vers le lac et ne veut plus retourner pêcher.

Des vacances de beau temps, c'est toujours mieux. Mais des vacances dans un camp de bois rond près de la bavette du poêle, ce n'est pas mauvais non plus. Grand-père Roméo nous amuse en passant son temps à nous parler de son enfance, de ses aventures de chasse avec son frère Adrien, de la beauté de sa petite sœur Jeanne, de ses amours avec la jeune grand-maman Céline et de ce quêteux à barbe blanche avec un gros nez qu'il avait connu à cette époque. Sous nos oreilles ravies renaît un passé qui se marie bien au décor de notre habitation, à la chaleur d'une famille attentive et unie.

« Tu as une grande mémoire, grand-père.

— Je n'ai jamais cessé de l'exercer, Martin. Et la mémoire demeure toujours vivante quand elle a comme alliée le sens de l'observation, une belle qualité que tu as, mon petit. Et puis, un ver de terre de ma connaissance m'a jadis donné de bons conseils. Il n'y a pas au monde une bestiole plus observatrice qu'un ver de terre.

— Ouache! C'est laid! Marcel en a mis un dans sa bouche, le cochon! Et il passe son temps à jouer avec ça!

— Mais c'est très beau, intelligent et observateur, un ver de terre, mon Martin!

— Et tu en as connu un personnellement.

— Bien sûr! Les humains, même les plus petits, sont des géants pour un petit ver de terre. Et si on écrase sans le savoir des fourmis ou des bébés araignées, rares sont les gens qui piétinent des chenilles, car nous savons qu'elles deviendront un jour de jolis papillons. Quand j'étais jeune, j'accompagnais souvent ma sœur Jeanne au parc du petit carré à la chasse aux chenilles. Elle s'était mise en tête que personne ne devait écraser une chenille. Elle les enlevait du sol et les mettait à l'abri, près des arbres, pour qu'elles puissent devenir de beaux papillons multicolores qu'elle pourrait dessiner. Et, bien sûr, dans cet ouvrage, Jeanne écrasait des fourmis sans s'en rendre compte. Et même si elle l'avait su, je ne crois pas que ça l'aurait dérangée outre mesure. Mais comme Jeanne n'était qu'une fillette, elle ne connaissait pas tous les genres de chenilles. Alors, cette journée-là, je la vois courir vers moi en chantant : « Regarde, Roméo! Une chenille pas de poil! Une chenille qui a oublié de mettre sa culotte! » Elle tenait, tu l'auras deviné, un ver de terre. « Pouah! Jette ça, Jeanne! C'est un ver de terre gluant et laid! » Elle le regarde de près et ajoute : « Non! C'est une chenille toute nue et elle est belle! » S'apprêtant à la mettre à l'abri près d'un gros arbre, elle entend, tout comme moi, un « merci » venant de nulle part. C'est le petit ver de terre qui nous parle. On croit d'abord à cette histoire du beau prince transformé en crapaud, mais le ver de terre nous répond : « Non, je ne suis pas un beau prince. Je suis bel et bien un petit ver de terre, mais, au contraire des autres, j'ai une voix plus forte et c'est pourquoi vous pouvez m'entendre, jeunes humains! » En voilà une nouvelle! Les vers de terre sont dotés de l'usage de la parole? Oh! pourquoi en aurais-je douté? Ils sont si petits et se cachent sous terre, pourquoi alors les entendrions-nous? Et voilà notre chance, ce ver de terre est un patriarche, un vieux de la vieille, un philosophe, un sage! Et il nous raconte sa fable : « Vous savez, jeunes humains, je peux paraître bien petit mais je suis grand, car j'amuse les enfants, je les fais découvrir. Je vois, petite fille, que tu m'observes. Tu cherches ma bouche? Ah! elle est si petite, elle aussi! Tu ne pourras l'apercevoir. Voyez-vous, jeunes humains, dans mon humidité bienfaisante, là sous l'herbe chaude, par un petit trou que j'ai habilement creusé, j'ai une vue splendide sur toute l'humanité. Je vois les gens pressés, les indécis, les tristes, les joyeux, les durs qui écrasent les miens d'un coup de soulier. Bien installé dans mon trou, je vois tout. Les ballons tapageurs des enfants, le toc toc étrange de la canne de l'aveugle, les pas de velours des chats et les gros museaux curieux des chiens. Grâce à cette vue magnifique sur votre ville, je peux vous dire si vous êtes malin ou pas, car vos pieds en disent long sur votre tête. Il y a ceux qui courent pour s'amuser, d'autres qui le font pour s'enrichir, il y a ceux qui se couchent dans l'herbe pour s'embrasser et d'autres qui le font pour l'éternité. Il y en a qui m'obstruent la vue en jetant leurs papiers, jusqu'à ce que j'entende le pas pressé de l'homme avec son pic et son balai, maugréant que les gens sont si malpropres. Ceux que j'aime le plus, ce sont les enfants. Je les reconnais de loin, car leurs pas sont toujours gais. Mais certains de ces enfants qui sont tristes, s'étendent dans l'herbe, versent des torrents de larmes sur ma tête surprise. Vous savez, petits humains, à première vue, je peux paraître inoffensif, mais faites attention à moi! Je suis précieux, car jamais aucun d'entre vous n'aura un panorama aussi fantastique sur tous vos gestes. Je ne suis qu'un petit ver de terre, mais, hé! hé! je ne suis pas si bête! » Alors, Jeanne dépose le petit ver de terre près du gros arbre et, pour toute sa vie, comme pour la mienne, elle a fait attention où elle posait les pieds. On a toujours besoin d'un plus petit que soi, comme dit l'adage. On a même besoin d'un petit ver de terre. Moi, grâce à lui, j'ai toujours aimé observer les gens. Voilà la leçon que j'ai retenue de ce gentil petit ver de terre. »

Ils sont tous là, dans leur boîte de conserve, à gigoter entre deux mottes de boue, incapables de sortir de cette prison. Que m'importe la colère de Marcel et de Jean-Jacques, ces vers de terre n'iront pas nourrir une truite du lac Coo Coo. Dès la fin du conte de grand-père Roméo, je leur redonne leur liberté et les envie de passer le reste de leur vie dans le plus beau coin de mon pays, la Mauricie.

Juillet 1963
C'est de la faute à Manon

Papa est fier de moi, tout autant que ma mère et grand-père Roméo, car aujourd'hui j'entre dans l'histoire en devenant le premier astronaute à m'envoler pour la mystérieuse planète Vénus. Cet honneur rejaillit non seulement sur ma famille, mais aussi sur mon pays, puisque je suis le premier Canadien français à voyager dans l'espace. Je serai aussi célèbre que John Glenn et Youri Gargarise.

Je n'ai pas peur du voyage. Je suis avant tout un grand savant, ayant complété avec succès ma septième année B et m'apprêtant à débuter mes études classiques au séminaire Saint-Joseph, où je pourrai enfin avoir le droit d'écrire avec un vrai stylo. Je connais tous les calculs de la géographie de l'espace. Maman m'a préparé un bon lunch et j'ai fait mon approvisionnement de tablettes de chocolat pour ce long voyage. Mon co-pilote sera Coco, le premier singe en peluche à voyager entre les étoiles à destination de la mystérieuse Vénus. Le lancement a lieu au parc Sainte-Marguerite, devant tous les premiers ministres, le maire, les échevins, mes amis et mes parents. Le curé Chamberland bénit ma fusée, sous les applaudissements de ces dignitaires. Pendant le compte à rebours, je m'installe face au hublot pour envoyer la main aux miens. Ils ont l'air inquiets. Moi, j'ai confiance! Ce n'est qu'un compte à rebours : cinq, quatre, trois, deux, un, boum! Et voilà! Le tour est joué!

Je m'installe derrière le volant, les pieds soudés aux pédales d'accélération. Je siffle un air pour égayer Coco. Je songe aux autres grandes missions interplanétaires, comme Tintin qui a exploré la lune. La science a aussi prouvé que Mars est habitée par des Druf, amoureux des feux de circulation. Mais Vénus est moins connue, bien qu'on croie que cette planète est peuplée par des femmes très grandes et fortes, comme l'a démontré un film de Labotte et Costello.

Je me couche à dix heures, comme promis à ma mère. Coco prend ma relève comme conducteur et je le relèverai à mon tour dès demain matin à sept heures. Notre voyage doit durer quatre jours. La terre communique continuellement avec nous par radio. Une équipe entière d'hommes de science s'occupe des moindres détails et, comme un bon soldat, je leur rédige mes rapports chaque jour. Le voyage est agréable, sinon cette parenthèse où j'ai dû affronter une petite tempête d'étoiles que j'ai pu éviter grâce à la dextérité développée au cours de mon enfance à conduire une torpédo et ma bicyclette. Parfois, pour me distraire, j'écoute un peu les chansons de CHLN. Ça met de l'entrain dans la cabine. J'aime bien les chansons instrumentales, comme celles que jouent mes cousins Charles et Robert avec leur orchestre *Les Sandales*.

Voici enfin la planète Vénus. Je manœuvre mon atterrissage – doit-on dire venusissage? – avec prudence. La fusée se dépose lentement et avec perfection. J'éteins les moteurs et regarde le sol pâle, avec au loin des montagnes rosâtres, rehaussées de petits boutons rouges. La planète me semble déserte. Ma mission consiste à planter le drapeau de mon pays, à rapporter de la végétation et à établir un contact pacifique avec les indigènes, s'ils existent, évidemment. Mon super analyseur d'air m'indique que je peux sortir sans casque, l'air étant aussi propre que dans les rues de Trois-Rivières. Mais prudence avant tout! Je m'arme de mon fusil atomique, avant de descendre le long escabeau.

Le sol m'apparaît un peu mou et le sable rose très fin. J'explore les alentours, prends des notes dans mon calepin. Après une heure, au détour d'une colline, j'ai la stupéfaction de me retrouver nez à nez avec une fusée rouge. Les communistes! Comment ont-ils pu arriver avant moi? C'est impossible! Seul le Canada avait les plans secrets de cette fusée à réaction d'un modèle unique! Or, cette fusée communiste est pareille à la mienne! Je réfléchis trop et me voilà saisi parderrière, sans avoir le temps de dégainer mon arme pour me défendre. Deux filles géantes, avec des antennes sur la tête, pleines de deux longues jambes, de lèvres débordantes de rouge et des, des... oui! beaucoup trop de ça! Plus que je n'en ai vu sur la terre! Elles sont très fortes! Elles plantent leurs longs ongles dans mes bras, me soulèvent comme si j'étais une puce. Je n'ai pas le temps de parlementer, voyant que ces créatures sont hostiles. Elles m'emmènent dans leur palace de verre où j'ai l'horreur de voir sur le trône nul autre que Gladu, habillé comme un communiste! Un espion rouge! C'est lui qui a volé les plans de ma fusée pour les vendre à Moscou!

« Cette planète est à nous, Comeau crotte de cochon! À nous! Et ces Vénusiennes sont nos sujettes! Et toi tu deviens automatiquement notre ennemi! Qu'on lui fasse subir la torture! » Je suis traîné de force, incapable de protester. Les indigènes femelles m'attachent à un poteau. Quel sort m'attend? Elles vont me scalper? Me brûler? Me crever les yeux? Elles font une danse rituelle en se déhanchant. Elles font bouger leurs nombrils. Quelle horreur! L'une d'entre elles, la plus grande, s'avance, s'avance, s'avance et me montre ses grosses lèvres rouges! Elles approchent! À l'aide! Au secours! Elle veut m'embrasser!

« Mais à quoi peux-tu bien rêver, mon grand homme?
— Hein? Quoi? Où?
— Crier en pleine nuit! Tu fais encore un cauchemar? Pauvre petit bébé! Viens! Maman va t'embrasser!
— Ne me touche pas, femme! »

Les filles sont comme les chiens : c'est beaucoup plus amusant quand elles sont jeunes. Quand ça grandit, elles deviennent toutes déformées et se barbouillent le visage. Je parle des filles en général, ce qui exclut ma mère, mes tantes et grand-mère Céline, qui ne sont pas des vraies filles. Être fillette, comme mes sœurs Yvette et Mireille, c'est très bien. Ça joue à des jeux différents de ceux des gars, mais elles sont de vraies enfants, en attendant que le temps les gâche et qu'elles deviennent comme des actrices de cinéma. Ou parfois pire... Par pire, je veux parler des filles sur les calendriers. Il y en a un juste au-dessus de l'établi de mon père dans le garage. On n'y voit que du rouge, de la poudre, des grosses jambes longues et puis ces... il y en a trop! On dirait qu'elles sont infirmes! Tous leurs chandails et maillots paraissent trop petits. J'ai des frissons d'angoisse à penser qu'Yvette pourrait devenir comme ça.

Je suis bien content de débuter mes études au séminaire Saint-Joseph en septembre prochain, car c'est une école de gars. On dit même qu'il n'y a pas de maîtresses d'école. Juste des frères et des prêtres. Bien sûr, un prêtre n'est pas aussi drôle qu'un vrai professeur, mais j'ai au moins l'assurance de grandir dans un contexte d'hommes loin de... ces affaires-là! Il paraît que ce genre d'études est cependant plus difficile qu'à l'école de mon quartier. On y apprend le latin, le grec, l'anglais, la religion, les mathématiques – il s'agit d'arithmétique en plus compliqué – la littérature, la botanique, la chimie, la physique, la biologie et le football. C'est en pensant à ce grand défi qui m'attend cet automne que j'entreprends ces vacances estivales 1963 comme un vrai gars, désireux de jouer le plus possible. Comme depuis toujours, j'explorerai Trois-Rivières sur ma 20, je ferai de la torpédo et papa nous emmènera au Coo Coo. Je jouerai à la cachette, à la tague, à la guerre, au cow-boy, j'irai à l'Expo et visiterai tous les parcs. Un bel et grand été, comme s'il était le dernier avant cette aventure au séminaire.

Rien de mieux pour profiter d'une belle journée d'été qu'une bonne partie de baseball! Mon club doit ce matin affronter celui de Gladu, qui, il me faut le reconnaître, est assez doué à ce sport. Gladu est non seulement un frappeur de puissance ne visant que le circuit, mais un bon voleur de buts, un excellent capteur de balles, avec un bras fort et précis. Mais, évidemment, il donne des coups de pied à ses adversaires, fait trébucher les coureurs, lance à l'intérieur pour frôler le bedon d'un frappeur imprudent. Maudit Gladu sale. Il y a dix jours, il nous a battus 98 à 2 dans une partie de deux manches interrompue à cause de la pluie. L'équipe de Gladu a passé cinquante minutes au bâton en première manche, nous sept minutes. Puis nos adversaires sont revenus à la plaque pendant une heure quinze minutes et, après un seul retrait, la pluie est venue nous délivrer de la plus épouvantable humiliation de notre vie. Mais j'ai confiance pour la partie d'aujourd'hui! Je viens d'engager le grand Therrien comme lanceur et il est rudement bon, même s'il faut lui donner toute notre gomme.

J'admets que si j'aime pratiquer ce sport, je suis un joueur exécrable avec un bras faible, peu de jugement pour capter les balles et plutôt moyen au bâton. J'ai l'avantage d'être gaucher et de courir rapidement, me permettant des coups filés surprise. Je suis le roi de la stratégie, surtout quand mon équipe réussit à se présenter au bâton. Malgré mes carences, j'aime beaucoup ce sport, car nous sommes constamment au grand air, sous le soleil, encourageant les nôtres, une brindille d'herbe aux lèvres, échangeant des cartes de baseball entre les manches. Nous jouons où nous le pouvons. Les terrains vacants ne manquent pas dans la banlieue, située près des limites de notre quartier. Parfois, trop rarement, nous réussissons à jouer au vrai terrain du parc Sainte-Marguerite, la plupart du temps occupé par des équipes organisées de grands ou de jeunes. Et pour mettre la patte sur le terrain de l'école, il faut vraiment s'y prendre très tôt. Un coup de téléphone de Junior confirme que la partie d'aujourd'hui aura lieu à une heure trente dans le champ adjacent à l'usine Westinghouse. Je m'y rends en torpédo, traînant mes bâtons, ma balle, mes buts – en beau chiffon – et ma carte de pointage. J'ai une splendide casquette des Yankees, que tous les gars du quartier m'envient.

En approchant, je vois les gars des deux équipes réunis en rond, criant leur extase en regardant probablement des nouvelles cartes que l'un d'entre eux vient d'acheter. J'ai emmené les miennes. Moi, je cherche surtout des Yankees et des joueurs noirs. Je suis bien prêt à échanger n'importe quelle vedette pour la carte d'un simple réserviste des Yankees, surtout s'il est noir. Mais je me rends compte avec stupéfaction que ces gloussements ne sont pas destinés à des photos d'athlètes, mais à des cartes à jouer de femmes toutes nues. « C'est à mon père. Il ne s'apercevra pas que je les ai prises. Regarde ça, Martin! » de me dire Daniel, tout en me donnant un gros coup de coude. Je jette un rapide coup d'œil pour voir cette femme avec ces... choses-là, qui ont du mal à tenir sur la largeur de la carte. Et ces imbéciles rient!

« Bon! On commence la partie?
— Attends, Martin! On n'a pas fini de regarder! Il y en a cinquante!

— Cinquante? Il en manque deux?

— Ah! ces deux-là, ce sont les jokers! Celles-là, je ne vous les montre pas, les gars! »

Comme ils sont bêtes de perdre tout ce beau soleil à rire comme des crétins en énumérant une série de synonymes répugnants pour désigner ces extravagances d'épiderme. Ballounes, pêches, flotteurs, tablettes, crêpes, nounounes, melons, trions, cloches, tettes, cerises, jos, bidons, couennes, bouées, bumpers et totons. Je m'éloigne pour me préparer pour la partie par quelques exercices d'assouplissement, sans oublier les élans au bâton. Je crache dans mon gant, puis le frappe du poing avec vigueur, ajuste ma casquette. Mais les gars n'en finissent plus avec leurs cartes dégoûtantes! Je leur lance un ultimatum : « On commence la partie dans une minute ou je m'en vais! » Cette menace ne les impressionne pas beaucoup, surtout que Daniel s'est laissé convaincre de montrer ses jokers. Je n'en peux plus! Si mes amis sont rendus bêtes à ce point, je préfère rentrer chez moi! En m'éloignant, je regarde discrètement derrière. Ils ne se rendent même pas compte de ma fuite! Daniel est si décevant, depuis quelque temps. Au lieu de jouer à la guerre, il va au parc Sainte-Marguerite crier des noms aux filles. Richard aussi me chagrine : je l'ai surpris à fumer une cigarette dans une ruelle, en compagnie de Gladu. Et Junior m'a traîné par la main jusqu'à ce magasin de peintures du centre-ville pour me montrer le dessin d'une femme toute nue avec ses affaires cachées par un papier brun! Le cirque d'aujourd'hui dépasse les bornes!

Je m'installe sur la galerie arrière, m'apprêtant à jouer au baseball avec des dés. Mon équipe d'étoiles affrontera les Yankees. Je dépose les cartes selon mon alignement des frappeurs, roule les dés et saute de joie quand la combinaison appropriée donne un bon coup aux Yankees. Et voilà! Le tour est joué! Mickey Mantle vient de cogner un circuit avec deux hommes sur les buts! Ma mère, sans doute inquiète par mon silence, passe de la galerie avant à la mienne. En se penchant, je vois qu'elle aussi a ces choses-là. Mais de façon raisonnable! Et elle ne les montre pas sur des cartes ou sur des calendriers!

« Pourquoi les femmes ont des totons, maman?

— Ne dis pas un aussi vilain mot, Martin.

— Si tu savais comme je viens d'en entendre des pires...

— Ce sont des seins. Pourquoi? C'est la nature des femmes, mon grand homme. Les seins servent à allaiter les enfants. Quand la maman a un petit bébé, les seins contiennent du lait et le nouveau-né peut s'y nourrir en tétant.

— J'ai fait ça, moi?

— Bien sûr! Et Marcel, Yvette, Jean-Jacques et Mireille aussi. »

J'ai le goût de m'enfuir vers la salle de bain et de me laver la bouche avec du savon, mais j'ai le sentiment que ce geste insulterait maman. Je me lève promptement, ramasse les cartes et les dés, m'empare de mon gant et dis que je m'en vais jouer au parc. Dans un coin, il y a des équipes de plus jeunes. Je me rends compte qu'une équipe n'a que cinq joueurs. Je m'empresse d'offrir mes services. « Non! T'es trop grand, Martin Comeau! Va jouer avec les gars de ton âge! » Je soupire, installe le gant sur ma tête, me promène dans le parc, les mains dans les poches.

Les adolescentes de l'O.T.J. amusent les fillettes pendant que les garçons jouent aux quatre coins avec des petits. J'allais quitter le parc et me réfugier contre un arbre lointain, quand, soudain, je vois le curé Chamberland lever la jambe et tirer une balle de baseball aussi rapidement que Whitey Ford. Wow! Je me mets aussitôt au bout de la rangée de gars pour capter une de ses rapides. Quel lancer! Et si tous les prêtres du séminaire sont comme lui, ça va être formidable, non? Après avoir lancé avec lui pendant dix minutes, je vais continuer à exercer mon tir contre le mur du marché, avec une balle de tennis. Mais cet après-midi se termine mal quand Richard et Daniel viennent à ma porte pour me dire que mon équipe a enfin battu celle de Gladu, sous-entendant qu'elle a réussi l'exploit parce que je n'y étais pas! J'annonce ma retraite! Du moins, pour cette semaine.

J'ai le goût de m'éloigner, et ma fidèle 20 me fait un clin d'œil pour que nous allions explorer les recoins de Trois-Rivières. Le lendemain, Yvette réclame de m'accompagner.

Depuis ce jour béni de 1959 où papa lui a acheté sa première bicyclette, ma petite sœur est devenue une excellente cycliste. Elle me suggère une visite de tous les parcs de la ville pour le reste de la semaine. C'est une bonne idée! Chaque quartier a son parc, et bien qu'ils aient des points communs, il y a des petites différences qui rendent nos visites agréables. La balançoire du parc Saint-Philippe, par exemple, est vraiment haute. Puis le parc de Sainte-Cécile est délicieusement ombragé. Le parc des Pins ressemble à notre Sainte-Marguerite : beaucoup de bandes rivales s'y affrontent aux balançoires, aux tourniquets ou à la glissoire.

Le plus beau parc de la ville est le Pie-XII, près du rond-point qui mène à la banlieue. Un immense lac lui apporte un cachet bien particulier. En donnant quelques sous, je peux louer une chaloupe et faire explorer cette mer infinie à Yvette. Et pendant qu'elle se pend les jambes sur un trapèze, je peux flâner à regarder les bibittes à patates ou les fourmis besognant autour d'un trou. Je capture une belle sauterelle que je m'empresse de déposer sur le bout du nez d'Yvette pour lui faire peur. Comme punition, elle exige que je la pousse dans la balançoire. Ma petite sœur a le handicap de ne pas être capable de se balancer seule. Ses jambes s'agitent dans le bon sens, mais son élan ne décolle jamais.

Je la tiens par la main pour traverser de l'autre côté du rond-point afin d'acheter une crème glacée au kiosque. Le temps de retourner au parc pour la manger, la moitié du cornet a fondu sur sa main, le rendant mou et bien meilleur. Le beau parc Pie-XII accueille plus d'adultes que les autres. Les femmes prennent de l'ombre en lisant un roman, tandis que les hommes dégustent un Coca-Cola en parlant de sport. Les jeunes gens ont des radios transistors et écoutent le palmarès de Gaétan Santerre de CHLN. Ces adultes me saluent, devant trouver charmante l'image de ce garçon qui promène sa petite sœur par la main. Mais soudain, j'ai l'horreur de voir une femme allongée sur une couverture de plage, ressemblant à une des filles des cartes à jouer de Daniel. Devant tout le monde! Dans un épouvantable itsty bitsy teenie weenie bikini! À sa place, j'irais vite me cacher!

Dès le samedi, Yvette et moi avons terminé la tournée des

parcs. Je peux maintenant quitter ma retraite du baseball, surtout quand papa sort son gant et m'invite pour quelques lancers. Il n'y a rien de plus satisfaisant pour un fils que de lancer une balle avec son père. Surtout que le mien est un professionnel qui joue pour l'équipe de son usine. L'autre jour, je l'ai vu frapper une balle par-dessus la clôture, encore plus fort que Mickey Mantle! Se rendant compte de mes lacunes de cogneur, papa me montre la bonne méthode : les mains fermes sur la base du bâton, une bonne distance entre les pieds, toujours garder les yeux sur la balle. Je suis si content de son attention! Je sais que papa aurait aimé que je sois un champion sportif, comme Marcel qui joue dans une équipe organisée par l'O.T.J., mais papa comprend qu'avec mes lunettes, je juge moins facilement les lancers que Marcel. En même temps, je prends exemple sur son attitude de bon sportif, il faut jouer pour s'amuser mais c'est mieux de gagner. Il essuie la sueur sur son front et je lui explique que la casquette de baseball sert à retenir cette sueur. Il en prend bonne note, puis sourit en me disant que dimanche, s'il fait aussi chaud, nous irons au Canipco. Je m'empresse de répandre cette rumeur chez mes frères et sœurs. Ils sont très heureux, sauf Mireille, trop jeune pour réaliser la joie d'une visite au Canipco.

Mireille s'amuse dans sa petite piscine avec ses seaux et sa flotte à tête de canard, surveillée par maman. Trois ans est un bel âge pour découvrir les joies de l'été rattachées à l'eau. Et Mireille a la chance d'avoir un père travaillant à la C.I.P., qui peut en tout temps se rendre à la piscine du Canipco. Tout le monde sait que la C.I.P. est la meilleure usine de Trois-Rivières. Ses employés ont des vacances payées, le camp de pêche du Coo Coo, des équipes de hockey, de baseball et de quilles, sans oublier le parc du Canipco. Plus jeune, je croyais faire plaisir à papa en lui disant que plus tard j'irais travailler à son usine. « Non! Tu auras de l'instruction », disait-il, sans que je comprenne trop pourquoi. Si aujourd'hui je suis d'accord pour entreprendre des hautes études, je me demande toujours pourquoi papa se plaint de l'usine où il est si bien traité. Peut-être parce que je n'en vois que les loisirs. Mais il n'y a pas d'homme plus heureux que mon père quand arrive le temps de profiter de ces installations.

L'île Saint-Christophe, située à l'embouchure de la rivière Saint-Maurice et du fleuve, est un véritable paradis de gaieté. En tournant à droite, un chemin mène à la plage de l'île Saint-Quentin. À gauche, nous nous rendons au Canipco. L'étroite route de gravier nous fait penser à celle du Coo Coo, avec ses grands arbres soupirant dès que le vent s'avise de chatouiller leurs feuilles. Passé ces arbres, c'est le plein soleil sur un vaste terrain verdâtre, avec comme seul ombrage des chênes éparpillés en bordure. Le Canipco est idéal pour les coups de soleil des adultes, mais nous, les enfants, sommes à l'abri de ces malheurs, car nous bougeons tout le temps. Les glissoires, les trapèzes, les tourniquets et les balançoires n'ont rien de plus que ceux des autres parcs de la ville. Mais le Canipco a une piscine bien plus belle que les barboteuses de ces lieux. Elle est plus à mon goût que la géante du terrain de l'Expo, toujours pleine de grands pour nous bousculer.

Maman a préparé son panier de sandwichs, de fruits et de rafraîchissements. Elle étend une grande couverture près d'un arbre. Tout pique-nique rend les aliments meilleurs! Mais nous ne mangeons pas trop, sachant que maman nous interdit de nous baigner tout de suite après un repas, de peur de nous voir couler comme des roches. Marcel et moi traînons le long de la clôture, enviant les chanceux qui se lancent à toute vitesse dans l'eau. Notre imagination trotte à cent à l'heure et nous préparons déjà nos culbutes. Yvette tient Mireille par la main pour ne pas laisser échapper la petite, véritable maniaque de l'eau. Mireille, malgré sa belle flotte à tête de canard, pourrait se noyer si on ne la surveille pas. « Quelle heure est-il, monsieur? » de demander constamment Marcel. Le compte à rebours a débuté : maman nous a demandé d'attendre une demi-heure. Marcel continue de poser sa question, dans l'espoir qu'un de ces hommes ait une montre prenant de l'avance.

Et c'est parti! Je cours, cours, cours et saute! L'eau éclabousse les imprudents qui tentent de se faire un bronzage. La brasse n'a aucun secret pour moi! Souvenez-vous de mes exploits aux Jeux olympiques de Rome et pensez à mes futurs triomphes à Tokyo. Et la papillon! Et la sous-marine! Et la petit-chien! Je détiens le record du monde pour avoir retenu mon souffle sous l'eau pendant trente-six heures, deux minutes et quarante secondes. Et encore! J'ai décidé de remonter pour ne pas rater Popeye à la télévision. Je nage avec aisance, suscitant l'admiration infinie de tous. Mais, soudain, un requin affamé surgit des profondeurs de la piscine, désirant croquer quelques enfants. C'est la panique au Canipco! Mais je plonge pour combattre ce vilain. Je le maîtrise en une minute! Suite à ma victoire, on me nourrit d'applaudissements et le maire veut me décorer de la médaille du mérite. Mais je demeure humble et continue à me baigner, comme si rien ne s'était passé.

« Mais qu'est-ce que t'as à brailler comme un bébé, Jean-Jacques?
— C'est lui, là! Lui! Oui, lui! Là-bas! Lui! Oui, c'est lui! Lui! Là, là, lui! Il m'a envoyé de l'eau dans les yeux, lui! Oui, lui, là! Lui!
— Va t'essuyer, ce n'est pas grave.
— Va le corriger, lui!
— Quoi?
— Tu es mon grand frère! Protège-moi! »

C'est le malheur des patinoires, des parcs, des terrains de jeux, des losanges de baseball, des cours d'école et des piscines : il faut toujours un bum désigné à chacun de ces endroits pour effrayer les plus jeunes. Hardi, je regarde l'ennemi, vraiment costaud, puis propose plutôt à Jean-Jacques un chips et un Coke pour le consoler de son malheur.

« D'accord.
— Tiens! Le mal est vite oublié!
— Ah non! J'ai très mal! Mais ça va aller mieux après le chips. »

Trop souvent, ma mère nous interdit les friandises. C'est le cas aujourd'hui, d'autant plus que nous en avons mangé il y a dix jours chez ma tante Patate. Maman ne se doute pas jusqu'à quel point nous trichons. Mais il vaut mieux agir avec prudence en approchant de son arbre. Je la vois couchée sur le ventre, mon père lui appliquant de la lotion dans le dos. Il passe sa main si doucement sur la peau de maman qu'elle ferme les yeux, bizarrement souriante, soupirant sans cesse. Je regarde cette scène, intrigué. Quand mon père m'aperçoit, j'ai le curieux sentiment de déranger. Peut-être que c'est une lotion spéciale qui la fait soupirer comme ça et... oh! et puis zut! Je fouille dans la poche de ma culotte et m'enfuis à toutes jambes, des sous au creux de mes mains.

Comme j'avais prévu que Jean-Jacques allait bavasser ma promesse à Marcel, Yvette et Mireille, j'achète cinq sacs de chips à cinq sous et deux bouteilles de liqueur avec cinq pailles. En sortant Mireille de l'eau, notre entourage se fait casser les oreilles par ses pleurs. Mais si on la laisse une minute de plus, elle va devenir mauve. Je mange tranquillement, un peu dans la lune, avec le dos d'Yvette devant mes yeux. Je me demande si elle réagirait comme maman si je l'enduisais de lotion à dos. Ah! au diable cette pensée! Retournons vite nous baigner dans le creux, loin de l'eau qui sent le pipi. À quatre heures et demie, ma mère huileuse vient nous chercher. Mes oreilles bourdonnent d'avoir tant vu d'eau, mes narines pétillent de l'odeur du chlore et j'ai le bout des doigts ratatiné. Et Mireille est mauve. Très mauve.

« La semaine prochaine, s'il fait beau, nous irons à l'île Saint-Quentin avec vos grands-parents Tremblay », de nous proposer papa dans l'auto. Quelle erreur de dire une telle chose aux petits! Ils vont passer les jours suivants à mal dormir en pensant à l'île. Je n'ai pas ce problème, car je peux me rendre à l'île Saint-Quentin n'importe quand sur ma 20 ou en autobus. La plage de l'île Saint-Quentin est la plus belle du monde entier à Trois-Rivières. Pour s'y rendre, on parcourt une jolie route le long de l'île Saint-Christophe, on traverse un pont – jusqu'à l'an dernier, il fallait prendre une barque – et nous voici rendus dans le coin le plus merveilleux de ma ville. En faisant le tour de l'île, on peut voir parfaitement la rivière Saint-Maurice se diviser en trois bandes, d'où le nom de notre ville. On trouve sur l'île des jeux, une nature généreuse, des restaurants de crème glacée, un kiosque à musique et une piscine. Mais qui a besoin d'une piscine quand on peut se baigner dans le Saint-Laurent et se faire sécher couché sur le sable brûlant d'une immense et douce plage ? Quand un bateau passe sur le fleuve, les baigneurs sont frappés par des vagues palpitantes. C'est une sensation que j'adore ! Tout comme celle d'entendre les bruits épars qui émanent de partout sur la plage : ces murmures de voix d'adultes, de rires d'enfants, de transistors chantant en sourdine, de cris et de pleurs, ces éclats de voix minuscules ou prolongés.

Cette plage a une grande histoire. On dit que Jacques Cartier y a planté une croix pour indiquer le lieu de ses futures vacances. Grand-père Roméo m'a aussi raconté la longue bataille trifluvienne pour savoir si oui ou non il fallait fréquenter la plage. Quand il était jeune, grand-père s'y rendait clandestinement et c'est là qu'il a rencontré grand-maman Céline, qui n'était pas encore grand-mère à cette époque. L'an dernier, en traversant le beau pont neuf pour la première fois, grand-père s'était écrié : « J'ai l'impression d'avoir attendu ce moment toute ma vie ! » C'est la preuve que l'île Saint-Quentin a toujours eu beaucoup d'importance pour lui. D'ailleurs, les autres vieillards qui visitent la plage pensent de la même façon, ayant une multitude d'anecdotes à raconter sur les interdits des curés. C'est certain qu'avec leurs longues soutanes, les curés ne pouvaient se lancer dans l'eau.

Grand-père Roméo se baigne comme un vieux, c'est-à-dire qu'il se mouille jusqu'à la cheville et qu'il trouve cet exploit très drôle. Après trois minutes de vagues, il se sent fatigué et retourne sous son parasol. Il observe tout le monde, rit à nos farces et écoute les discours de mes parents. Ce dimanche, grand-père semble plus heureux que d'habitude d'accompagner ma famille. Cette visite marque pour lui un autre anniversaire de sa rencontre avec grand-maman. Il en parle à ma mère ravie, même si elle a probablement entendu cette histoire des douzaines de fois. Près de nous, Yvette se satisfait et bâtit un château de sable, laissant à Marcel le soin de garder Mireille, prête à se lancer à toute vitesse vers le fleuve. Moi, j'attends plutôt le passage d'un bateau pour me faire taquiner par les vagues.

Nous avons la surprise de rencontrer ma tante Patate, son mari Roland et ses enfants Robert et Johanne. Robert est un habitué de l'île. Chaque samedi après-midi, il vient jouer de la musique avec *Les Sandales*, l'orchestre que notre cousin Charles a formé avec quelques amis. Bien installés dans le kiosque avec leurs instruments, portant des pantalons blancs et des chemises hawaïennes, ils jouent de la musique instrumentale avec beaucoup de guitare, semant la joie chez les plus grands. À treize ans, Robert est le bébé de l'orchestre. Depuis, il agit et cause comme un gars plus âgé. Il parle de filles. Quelle drôle d'idée! Mais quand il me voit, il n'a rien contre l'idée de lancer un ballon par-dessus un filet. « J'ai des amis là-bas. Il nous manque un joueur. Viens, Martin! On va s'amuser! »

En approchant du filet, installé entre deux arbres, je vois que ses amis sont en réalité les membres de son orchestre. Des grands. Le saxophoniste a même du poil sur la poitrine, comme un singe. Autour d'eux, il y a plein de filles en bikini. Il paraît aussi que les orchestres servent à attirer les filles. Comment songer à une vraie compétition sportive quand il y a des filles? Les vieux vont affronter les jeunes, dans cette partie où je vais triompher. Le temps de faire mes échauffements que je sens sur moi deux yeux dévoreurs. Je me retourne et aperçois plutôt deux seins, coincés dans un maillot grand comme un mouchoir. Je lève vite mes yeux et reçois une claque sur les joues en me heurtant à un regard extraordinaire, en bas d'un toupet noir de petit chien.

« C'est Manon, la petite sœur de Johnny, notre bassiste. Manon, voici mon cousin Martin Comeau.
— Bonjour, Martin. »

Je ne sais pas s'il faut dire bonjour, salut, enchanté ou ravi. C'est pourquoi je m'exclame : « Au jeu! » Robert se poste à l'avant, près de Manon et d'un autre bikini. À la première occasion, un ballon me tombe sur la tête et mes équipiers me font le reproche de la mauvaise manœuvre. Manon rit timidement. Soyons sérieux! J'aime m'amuser, mais je déteste la défaite! Manon tend les bras et ses... oh! elle est bonne! Elle rit de son bel envoi et sautille en même temps que ses... Je reçois un second ballon sur la tête. « Martin! T'es pas concentré! Fais attention! » de crier le cousin Robert. Nous perdons. C'est probablement de ma faute, sûrement pas celle de Manon, excellente dans ce sport, avec des coups francs et rapides.

« Quel âge as-tu, Martin?
— Treize ans.
— Moi aussi! C'est l'fun, hein? »

Je n'ose pas lui dire qu'elle ne paraît pas cet âge, qu'elle fait beaucoup plus vieille à cause de ses... Quoi qu'il en soit, j'oublie vite mon idée de proposer une partie de revanche, quand Manon m'invite à me baigner. Elle rit, m'arrose, se jette tête première dans une vague. Ses mouchoirs sont mouillés et l'eau fait luire sa peau. Lorsqu'elle se sèche les cheveux avec une serviette, je sens malgré moi son odeur zigzaguant sournoisement jusqu'à mes narines. Puis nous courons jusqu'au kiosque du marchand de glaces et, assis sur une table à pique-nique, tandis que nous savourons un cornet, elle m'avoue adorer les Yankees, le hockey et tous les sports. Elle aime aussi Tintin. Quelle personne idéale!

« Moi, je viens de Victoriaville. J'habite ici depuis six mois.
— Je suis un vrai de vrai Trifluvien.
— Est-ce que tu penses qu'on pourrait se revoir?
— Oh oui!
— Pardon?
— J'ai dit oui.
— Ah! je suis bien contente! On parlera de baseball. Et puis, j'ai une belle balançoire dans ma cour. C'est l'fun, hein? Comme ça, on pourra être amis. Tu veux bien?
— Je suis bien contente aussi.
— Hi! hi! hi! Tu as dit que tu es *contente*! C'est l'fun, hein? »

Manon doit quitter la plage à trois heures, car son père commence sa journée de travail à quatre. Je la regarde mettre un short et un chandail, brosser ses cheveux noirs. En partant, elle m'envoie un bec avec la main. J'ai son adresse, son numéro de téléphone. J'ai hâte à ce soir. Ça va être l'fun, hein! Mais je reste les pieds plantés dans le sable, dix minutes après son départ, comme si je la regardais encore s'éloigner. Yvette me réveille en me piquant les flancs, montrant du doigt la cousine Johanne et son ballon de plage.

« Viens jouer, Martin! Viens!
— Tu as Johanne pour jouer. Tu ne vois pas que je suis occupé?
— Tu es occupé à quoi, là là? Viens zouer! Ze suis sûre qu'on va s'amuser, là là!
— Laissez-moi tranquille! »

Je marche sur la plage. Je me sens si seul au monde. Un groupe de filles de mon âge me fait face. Je les regarde discrètement, en me disant qu'elles ne sont pas aussi belles et drôles que Manon. J'avance vers le fleuve, mais les cris des enfants me fatiguent rapidement. Je pense à ce soir. Vite! Vite! Pourquoi faut-il attendre? Je retourne à notre parasol, pressé d'ingurgiter mon souper. Mais ma mère me répond qu'il est trop tôt. Je m'éloigne, donne un coup de pied dans le sable et regarde du côté de Trois-Rivières, où Manon doit s'impatienter autant que moi, j'en suis persuadé. Elle aurait pu inviter n'importe quel garçon, mais elle m'a choisi, moi, Martin Comeau.

« Mais qu'est-ce que tu fais, Martin?
— Rien, grand-père.
— On dirait que tu es impatient.
— Oui! C'est ça! Je voudrais m'en aller!
— Pourquoi? Tu ne t'amuses pas? Quelle belle journée, pourtant! Et l'eau est si chaude! Tu veux te baigner avec moi?
— Je n'ai pas le goût. Je veux m'en aller.
— Patience! Ta maman a préparé un beau panier de pique-nique pour le souper et ma Céline y a ajouté du chocolat fait à la maison!
— Ça ne me fait rien.
— Oh! cette grosse impatience, mon petit! Tu me fais penser à cette histoire du grain de sable impatient. Tu la connais? Les grains de sable sont bien petits, mais ils ont aussi une personnalité et celui-ci, je te jure, il...